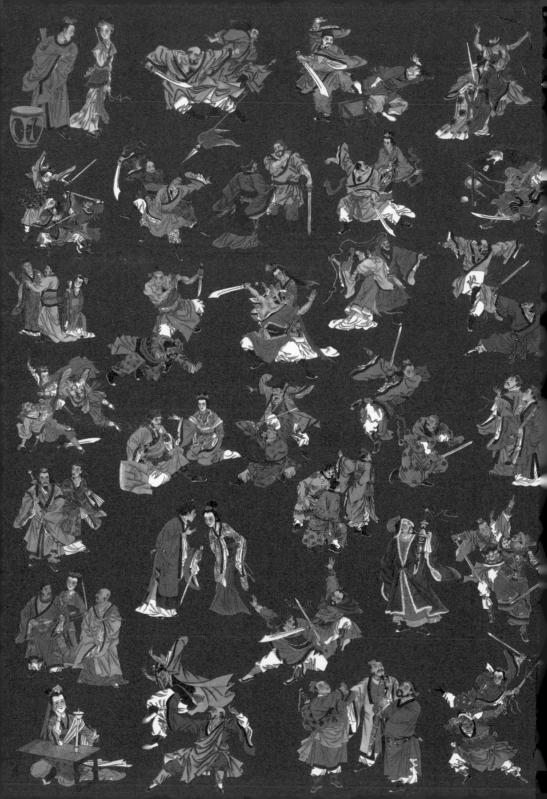

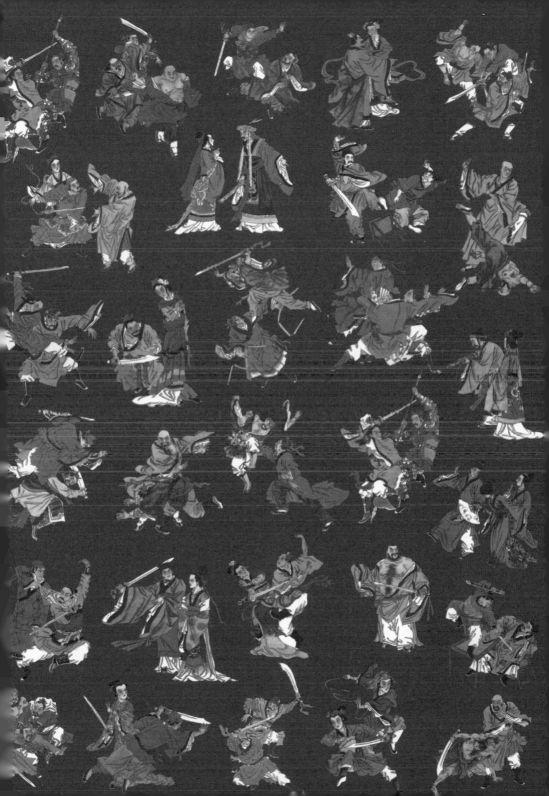

左上 卧龙生，前右 诸葛青云，右上 古龙。

绘图珍藏本

# 大旗英雄传

下

珠海出版社

版权贸易合同登记号：19－2004－193

图书在版编目（CIP）数据

大旗英雄传/古龙著．—4版．—珠海：珠海出版社，2005.8
（古龙作品集）2009年11月修订
ISBN 978－7－80607－058－1

Ⅰ．大… Ⅱ．古… Ⅲ．侠义小说－中国－当代

Ⅳ．I247.5

中国版本图书馆 CIP 数据核字（2005）第 044450 号

本书由台湾真善美出版社授权珠海出版社在中国内地独家出版发行中文简体
字版

## 大旗英雄传

◎古龙 著

责任编辑：李向群 曹力鹤

封面设计：吕唯唯

出版发行：珠海出版社
地　　址：珠海银桦路 566 号报业大厦 3 层
电　　话：0756－2639330　邮政编码：519001
邮　　购：0756－2639344　2639345　2639346
网　　址：www. zhcbs. net
E－mail：zhcbs@ zhcbs. net

印　　刷：广东茂名广发印刷有限公司
开　　本：880×1230mm　1/32
印　　张：31.875　　字数：852 千字
版　　次：2009 年 11 月第 4 版第 1 次印刷
书　　号：ISBN 978－7－80607－058－1
定　　价：50.00 元（上下册）

# 第二九章　此阵只应天上有

铁中棠知他已中自己激将之计，大喜跟去，只见麻衣客身形奔行在玉石长廊间，望之犹如凌虚而行。原来那藏宝之室与水灵光所在之地，相隔虽仅一壁，但两室间的道路，却是曲折绵长，繁复已极。铁中棠见那道路之曲折变化，竟似暗合奇门生克之理，但他既入虎穴，索性什么都不管了。

奔行了片刻，方至地头，只听水灵光歌声自珠帘中传出。歌声如丝如缕，唱的是："只道不相思，相思令人老，几番细思量，还是相思好。"简简单单几句话，当真将相思滋味，刻划得深深入骨。

麻衣客冷哼一声，道："相思有什么好？"一步跨入珠帘，见到水灵光，面上怒容立刻消失无影。

水灵光却已见到他身后的铁中棠，神情立刻呆住，亦不知是悲是喜，手里的书，也"扑"地落了下来。两人目光相对，便生似再也分离不开。麻衣客站在一旁，看得心里委实不是滋味，大声道："既已相见，快说话呀！"

但两人目光还是瞬也不瞬，都觉此时无声远胜有声，纵有千言万语，又怎说得出自己的心意。

麻衣客自桌上拈起枚葡萄，一面咀嚼，一面在两人间走来走去，不知不觉间，竟将葡萄连皮带核都吃了下去。那葡萄本是异种，芳香甘美，但他此刻却食而不知其味，口中喃喃叹道："容易! 容易……唉, 难! 难! 难!"

只听门外噗哧一笑, 阴嫔怀抱着"嫔奴", 款步而来。她乌发如云, 盈盈娇笑, 身披白纱, 长裙曳地, 更显得风姿绰约, 白纱下露出双白生生的手腕, 腕上金钏, 随着脚步叮当作响, 看来不但比那日山谷中更为丰腴, 而且更为娇美年轻了几分。她款摆腰肢, 走到铁中棠身畔, 轻轻笑道: "小弟弟, 可知道他嘴里方才说的容易是什么? 难是什么?"

铁中棠感激地瞧了她一眼, 微笑道: "此刻杀了我容易, 但纵然杀了我, 若要灵光将我忘记, 仍是难如登天。"

阴嫔嫣然一笑, 转向麻衣客, 道: "他说的可对?"

麻衣客笑道: "你引来的少年, 脑筋自然不错。"

阴嫔格格娇笑道: "既然不错, 那么你自己也知道永远不能让这女孩子回心转意, 与你来往不了, 那么……就不如放了她吧!"

麻衣客面色一沉, 道: "哼, 哪有这般容易?"

水灵光突然轻掠而来, 拜倒在地, 仰首道: "你与其将我困在此地, 教我恨你, 倒不如放了我, 我永远也忘不了你的好处!"她目中泪光莹莹, 满面凄楚哀怨, 铁石人见了也不能不为之动心, 那颤抖着的吃吃口音, 更令她平加几分缺陷的美, 要人自心底对她生起怜惜。

麻衣客瞧了她几眼, 苦笑道: "我实不愿你恨我, 怎奈我若放了你, 你立刻便走了, 永远记着我的好处, 又有何用?"

水灵光道: "那……那么你就杀了我吧!"

麻衣客仰天叹道: "我又怎忍杀你……"

铁中棠道: "你既不杀, 又不放, 究竟要怎样?"

阴嫔笑道: "对呀, 你究竟要怎样, 也该让人知道才是, 这样拖下去, 难道当我永远不会吃醋的么?"

麻衣客失笑道: "哦, 原来你也会吃醋的……"负着手又走了几转, 突然驻足道: "有了!"

铁中棠道: "怎样?"

麻衣客道："你若能闯得过我八门一阵，我便放你两人!"

阴嫔面色微变，强笑道："但……但那八门一阵……"

麻衣客笑道："但什么! 我昔日也是硬碰硬闯过那八门一阵的，否则先父也不会让我下山!"

阴嫔道："谁不知道你是武林奇才，世上又有几人能比上你? 但是他……唉! 他也不差!"

麻衣客大笑道："他既不差，就试试吧，怎样?"最后两字，自是对铁中棠说的。

铁中棠暗忖道："你既闯得过，我为何闯不过?"只要竞争公平，他便毫无所惧，绝不逃避，当下大声道："好!"

麻衣客微微一笑，道："都随我来!"大袖飘飘，当先而行，三转两转，将众人带入一间石室。那石室形作八角，共有八门，门上重帘垂地，分作红、橙、黄、绿、青、蓝、紫、黑八色，也不知门内藏有何物。暗色垂帘门前，有几具石榻玉几，放着些鲜果佳肴、香茶美酒、翠杯玉盏，琳琅满目，美不胜收。

铁中棠暗暗忖道："八门已见，却不知一阵何在……"只见麻衣客双掌一拍，除了黑门外，另七道垂帘里应声走出七个人来，垂帘颜色不同，走出的人身上衣衫颜色也不同，什么样颜色的垂帘里，走出的便是身穿同样颜色衣衫之人。

这七人秋波盈盈，也都是绝色少女，但衣衫不但颜色各异，式样也无一雷同，有的是宽裙大袖，有的是云披短裙，有的窄脚袖，缀边裤……反正各种各式的衣衫式样都有，一时也难说清，那衣香鬓影，娇声笑语，却教人目迷五色，就连水灵光都几乎看得呆了。

铁中棠暗叹忖道："这些少女，个个俱是人中绝色，也不知他是何处得来的，但他还不知足，看来……"思念尚未转完，却见这七个锦衣少女，已娇笑着将他团团围住，铁中棠皱眉道："这就是前辈要我闯的阵么?"

麻衣客大笑道："不错，此阵只应天上有，人间哪得几回见，你能一闯此阵，纵然输了，福气也算不错。”

铁中棠道：“如何闯去，输赢如何作准？”

麻衣客笑道：“此阵名唤‘仙女脱衣阵’——”铁中棠听了这名字，双眉已不禁深深皱在一齐。只听麻衣客接道：“这七个小丫头，武功虽不甚高，但也不弱，她七人将你围在中央，一面脱衣，一面动手脱你的衣服，等到她七人衣服脱尽了，而你的衣服却未被她们脱下一件，这一阵便算你赢了一半，还有一半么……哈哈，还有一半先等你赢了这一半再说也不迟。”

铁中棠听得又惊又奇，目定口呆，水灵光却听得红生双颊，呆在当地，只见锦衣少女们秋波乱抛，吃吃娇笑不绝。

麻衣客笑容更是得意，道：“我这‘七仙女阵’，武林中敢夸无人见过，能闯过此阵之人，武功便可算是高手了!”

铁中棠暗忖道：“此阵虽然匪夷所思，但我又不是死人，怎会被她们脱了衣服……”当下大声道：“她七人衣服要脱多久？”

麻衣客大笑道：“她七人不住脱衣，绝不停顿!”

铁中棠微一沉吟，大声道：“她七人脱衣之时，我若将她们全都打倒，脱阵而出，这又当如何？”

麻衣客笑道：“你若能将之打倒，自也算你胜了。”

铁中棠暗忖道：“这七人武功纵不弱，但她们既不住脱衣，哪里还能动？我乘机将她们全都击倒，也就是了。”一念至此，整了整衣衫，道：“好，姑娘们请出手。”

锦衣少女们轻轻一笑，身形闪动，在铁中棠身侧围了个丈余方圆的圈子，那甜甜的笑声，已足够令人心动。

水灵光忽然大声道：“且慢，他……他若输了如何？”

麻衣客笑道：“他若输了，还有一次机会，你且看这四面石壁之上的人物图形，所雕俱是破阵之法，只要他能在七日之中，将壁上武功学会，七日后必能破阵……哈哈，想当年，我也是在七日之中破了阵的。”

水灵光转目四望，只见四面石壁之上，果然满雕人物飞翔刺击之势，不禁垂首道："如此说来，这倒公平得很。"

麻衣客笑道："若要不公平，我自己难道不会与他动手么？与人争胜，总要人心服口服才是！"他缓步走向黑帘前石榻，笑道："请来这里观战如何？"

阴嬷娇笑着当先随去，水灵光瞧着麻衣客暗暗忖道："此人虽可恨，但有些地方，倒也不失为君子。"一念至此，不禁对他稍生好感，遂过去轻叹道："你已有了这么多千娇百媚的……的人，为何还……还偏偏要……要不肯放我？"

麻衣客斜倚榻上，微微·笑，也不答话，阴嬷却格格笑道："好妹子，告诉你，你越是不肯答应，他越是想你。"

水灵光呆了，道："男……男人都这样贱么？"这却令麻衣客听得目定口呆，阴嬷早已笑得花枝乱抖。

过了半晌，麻衣客方才苦笑着摇了摇头，拍掌道："乐起，阵发！"语声清朗，直穿出户，户外乐声立起。这乐声抑扬顿挫，奏的曲调仍是诸般赏心乐事，娈人不由自主听得心旷神怡，锦衣少女随着乐声，轻移莲步，转动起来，铁中棠见她们转了两圈，仍无动手之意，忍不住脱口道："脱呀！"

话才出口，脸已不禁一红，只听阴嬷格格笑骂道："好个不害臊的大男人，硬逼着人家姑娘们脱衣服么？"

水灵光虽然心中有事，也不禁听得一笑。

这时乐声突变，由悠扬之声，变为轻柔之调，自红珠垂帘中出来的红衣少女娇笑道："莫急，这就脱了。"语声中但见她纤手微扬，娇躯半转，已将身上的红绸披肩除下，犹如一片红云般，洒向铁中棠面门！这披肩虽是一方红绸，但在她手中洒出，但闻风声猎猎，力贯四指，实如一件极厉害的外门兵刃一般。

铁中棠哪敢怠慢，身形一闪，堪堪避过，另一少女已将身上橙色短衫除下，随手拂来。但见衣角飞扬，斜拂铁中棠大横肋外"章

　　铁中棠哭笑不得，这种招式，他哪敢去接，连忙回过头去，哪知身后也有人娇笑道："你不嗅她那只，嗅我这只也一样。"果然又是一只淡青色的袜子长虹般飞来。

　　铁中棠虽处险境，临危不乱，他变招是何等迅快，双臂振处，身子突地蹿出，堪堪躲了过去。他本可乘机发招，虽未见能伤人，但至少也可稍挽颓势，怎奈他目光转处，只见到一双白生生的腿，这一招却教他如何下手？他面前正是那婀娜的红衣少女，但此刻她衣裙却已尽褪，只剩下一件鲜红色的马甲背心，衬得肌肤更见莹白！只见她右手抓着马甲下的左端襟摆，左手抓着右摆，双手向上翻扬而起，马甲立刻被脱了下来。无论任何人脱套头背心的姿势，俱是如此，但她却将之化作招式，那背心犹如红云般当头向铁中棠罩下！

　　铁中棠想也不想，双掌齐出，"黑虎偷心"直打对方胸膛，是以那红衣少女使出那一招后，前胸自然空门大露，铁中棠这一招"黑虎偷心"，以攻为守，正是好着，但他招式方出，才发觉对方马甲内已再无别物，但见酥胸如玉，鸡头新剥，铁中棠眼前一花，这一招哪里还能出手？

　　这情势笔下写来虽慢，招式却快如闪电，怎容他稍有失着，就在这刹那间，他双臂已被人左右托住。红衣少女格格一笑，将那鲜红的马甲，轻轻蒙在铁中棠头上，纤纤十指，便来解铁中棠衣纽。

　　铁中棠惊怒之下，方待挣扎，怎奈左右双肘之"曲池"大穴，已被轻轻捏住，竟然动弹不得。

　　麻衣客大笑道："丫头们！莫撕了他衣服，知道么，要将他衣衫好生生剥下来，才显得咱们这'七仙女阵'的妙处。"

　　红衣少女娇笑道："若要撕他衣服，还会等到现在么？喂，我说你放心好了，咱们绝不弄坏你一粒衣纽！"话说完了，铁中棠上衣也被脱下，他茫然木立在地，但见四下少女娇笑如花，媚眼如丝，身上粉光致致，活色生香，地上满堆各色锦绣，衬着一双双如霜白足，但她们衣衫果然还未脱完，自己果是输了。

托着他右肘的黄衣少女媚笑道："你瞧什么？只怪你太差劲了，你还能再挡片刻，咱们……咱们……"

另一边的绿衣少女笑骂道："小妮子，要说就说，害什么臊？"

黄衣少女格格笑道："你若能再挡片刻，眼福就更好了，知道么？"她胸膛一挺，铁中棠连忙闭起眼睛，心中亦不知是羞是恼！

那红衣少女提着铁中棠的上衣轻轻一抖，娇笑道："男人的衣服，都有些汗臭气，你们谁要……"话声未了，已有一条人影自榻上横空掠来，秀发飞扬，衣衫飘飘，姿势之美，无与伦比，正是水灵光。

她满面俱是哀怨愁苦之意，但秋波中却带着怒光，娇叱道："拿来！"双手齐出，去抢红衣少女手里衣服。

红衣少女双手一缩，将衣服藏到背后，轻退了两步，道："唷，好不害臊，这衣服又不是你的，你抢什么？"

水灵光道："你……你拿不拿来！"她本就不善与人争吵，此刻又气又急，更是说不出话来，苍白的双颊，也激起了一阵涨涨红晕，望之更是美如天仙。

麻衣客不禁瞧得呆了，红衣少女笑道："这件臭衣服，咱们也不稀罕，但你若要，就偏偏不给你，妹子们，是么？"

锦衣少女本想水灵光夺去她们的宠爱，对她早就有些妒恨，此刻一齐拍掌笑道："对，对，偏不给你。"

水灵光轻轻咬了咬嘴唇，目中突然流下泪来，锦衣少女笑得更是开心，道："呀，哭了，大姐，你瞧她哭得这样可怜，就给她吧！"

红衣少女笑道："呀，这副小脸蛋，一哭果然更美了，只可惜我不是男人，你越撒娇，我越不还你。"水灵光呆呆立在地上，头垂得更低了。

麻衣客瞧在眼里，心里又是伤心，又是怜惜，暗叹忖道："灵光的天性，委实太柔弱了，任何人都可欺负她！"

一念尚未转完，突听"吧，吧，吧"三声轻脆的掌声，原来水灵光突然出手如风，在红衣、黄衣、绿衣三个少女面上，各各打了一掌，这三掌打得骤出不意，红衣少女们竟被打得呆了。

　　麻衣客大笑道："打得好……打得好！"

　　只见水灵光反手一抹面上泪痕，大声道："放下衣服，出去！"

　　锦衣少女再也想不到这柔弱的女子，竟会突然变得如此凶狠，目定口呆，面面相觑，一齐怔住。

　　铁中棠更是又惊又喜："灵光变了，变得好！"他却不知道水灵光性子原极强韧，否则又怎能忍受在那泥壑中的非人生活，只是她从小就被养成那逆来顺受的脾气，是以看来显得极为柔弱，但别人若是将她逼得急了，她脾气发作出来却是非同小可。

　　只见她突然一把把抓起地上的红衣绿裙，没头没脑地往锦衣少女们面上抛了过去，锦衣少女们又惊又奇，竟被她抛得四下奔逃，霎时间但见燕语莺叱，玉腿纷飞，满堂俱是春色，红衣少女跑到门口，方自回首道："臭衣服，谁稀罕，你拿去吧！"远远将铁中棠衣服抛了过来。

　　水灵光纵身接过衣服，麻衣客大笑道："妙极妙极，想不到一群小野猫，竟被个小白兔制伏了。"

　　阴嫔噗哧笑道："看来黄鼠狼要吃兔子肉，可真不容易。"

　　麻衣客大笑道："我是黄鼠狼，你就是妖狐狸。"

　　水灵光却似没有听到他们的话，呆了半晌，缓缓走到铁中棠身前，递过衣服道："你……你穿上吧！"

　　铁中棠知道她是为了自己受侮，才会发这脾气，心头也不知是甜是苦，伸手接过道："好……我穿上。"

　　水灵光道："这七天……"

　　铁中棠道："这七天我自会好生揣摸，只要他能在七天里学会破阵的法子，我也一定能学会的。"

　　他缓缓穿起衣服，接道："这衣服穿上，她们就再也脱不下了。"

水灵光瞬也不瞬地瞧着他，口中虽未说话，但目光满注深情，也充满了对他的信任之意。

阴嫔瞧了瞧麻衣客，故意长叹道："好一对璧人，当真是郎才女貌，天成佳偶……"抱着"嫔奴"，婀娜走了出去。

麻衣客冷哼一声，道："这七日之中，你虽可在此揣摸破阵之法，但足迹却不可出此室一步。"

铁中棠道："这七日时光，是何等宝贵，你纵以八人大轿来抬我，我也不会走出此室一步的。"

水灵光道："对了，我也不扰你，你……你赶紧学吧！"转过身子，缓步走出，但将出门户，又不禁回首而顾。

麻衣客冷笑道："她对你如此情深意重，我若不让你为她吃些苦头，也显不出你对她的心意。"

铁中棠笑道："前辈要我吃苦之时，想必自己是在吃醋？"

麻衣客大笑道："对了对了，猜得不错，我若不吃醋，也不会要你吃苦了。"大笑转身，拂袖而出。

水灵光立在门口，惶声问道："什么苦头？"

麻衣客曼吟道："天将降大任于斯人也，必先劳其筋骨，饿其体肤……"声音渐远，终于带着水灵光走了。

铁中棠略作将息，立刻开始揣摸，只见四壁之上的图形，每一姿势，果然俱都是演示着一着极精妙的招式！这些图形虽独立便可自成招式，有的却须五七相连，方成一招，但招式之间，却均有联系，其中变化之微妙，端的是武林罕睹。铁中棠暗叹忖道："那麻衣人胸襟磊落，性情却偏激，当真是善恶不辨，奇怪已极，但若非如此奇怪之人，又怎会将这种精微之武功，轻易示人？"他天性自极好武，此刻骤然见着这等精奥之武功，自是大喜如狂，当下放开一切，眼瞧石图，手比招式，心中揣摸。

一个罗衣少女，捧着具沙漏计时之器，飘飘走了进来，娇笑

道："瓶中之沙漏尽，便是一日过了。"

铁中棠全心全意俱沉醉于那招式之变化中，随口漫应一声，却连回头都未回头去瞧上一眼。他再以这壁上招式与方才少女们的招式比较，只觉那些少女之"脱衣拳"虽是奇诡无比，古今所无，但这壁上之招式，却果然恰是她们的克星，一招一式，俱都恰恰可将对方脱衣之动作封死，那招式有时看来亦是平平常常，但稍一端详，便可发觉对方遇着此招，立刻缚手缚足，再也无法出手。

铁中棠如醉如痴，越看越是巧妙，到后来突又发觉这壁上招式，俱是守势，讲究的是：封、闭、拦、挡、切、锁、缠这七学要诀，再一深思，又发觉那"仙子脱衣拳"，却俱是攻势，踢、打、拂、刺、劈、砍、勾，无所不至，应有尽有，这攻势虽然凌厉无俦，但有时一招攻出之后，自己却不免空门大露，世上的武功虽杂，但似这般只攻不守的招式，却是绝无仅有!

要知招式攻而不守，那攻势自然凌厉，守而不攻，那守势自也严密，若将此两种招式合而为一，正是套绝妙拳术。但若将此两种招式分开，本都无法单独成立，惟因那"仙女阵"乃是七人联手，一人失手，救援立至，是以招式之间，自可不必防护自己，何况，她们空门大露之时，也就是罗襟乍解，香泽初闻之时，对方若是正人君子，怎肯放手击那"空门"? 对方若非君子，见此情况，正是销魂，想来也舍不得下那辣手摧花，见了此阵之攻势，便可较世上其它阵式俱都凌厉几分。

铁中棠智能是何等聪明，焉有看不出此中妙处之理，不禁为之又惊又叹："若非奇人，又怎能创出这般奇招?"转首望去，突见那漏中黄沙，竟已将完全漏尽，原来他沉醉于武功之中，竟已不知不觉过了一日。不知时间已过去这般久倒也罢了，此番既已知道，铁中棠才想到自己已有多时未进饮食，顿觉腹饥难忍。只见玉榻上的瓜果饮食，早已不知何时被搬走了，却有个轻衣少女笑孜孜地瞧着他，正是那送时漏来的女子。

铁中棠不由走过去，抱拳道："姑娘!"

那女子不等他话说完，先已笑道："你可是饿了么？"

铁中棠呆了一呆，讷讷道："姑娘怎会知道？"

轻衣少女抿嘴一笑，露出只深深的酒涡，笑道："我等你说这句话已有许久了，那时你学武学得肚子都不顾了。"

她肌肤莹白，眼波流动，虽非绝色美女，但却带着种说不出的风韵，此刻嫣然一笑，更是撩人。

铁中棠道："姑娘若方便，不知可有食物……"

轻衣少女拢了拢鬓发，横眸媚笑道："他吃醋，你吃苦，这句话你莫非已忘了么？何况……"

她格格笑着，接道："世上最最胸襟阔大的人，只怕也不会拿出好酒好肉，来招待他的情敌吧！"

铁中棠又一怔，道："这……这……"他这才知道麻衣客"饿其体肤"这句话之含意，但若无饮食，又怎能支持七日？

轻衣少女眨了眨眼睛，斜卧到玉榻之上，轻轻笑道："他要我告诉你，你若要饮食，也不难，但……"横眸一笑住口。

铁中棠脱口道："但什么？"

轻衣少女笑道："你若不再与他赌斗，便是他的客人，他自要好生招待你，否则，便要你做工来换食物。"

铁中棠暗暗忖道："原来这就是'劳其筋骨'！"他心中虽然气恼，却又无可奈何，叹道："做什么工？"

轻衣少女扭动着腰肢，裙脚下露出半段莹白色的玉腿，媚笑道："做什么工，却要看我吩咐了。"她抿嘴、拢发、扭腰、露腿，使出了百般风流解数，铁中棠却犹如未见，冷冷道："既是如此，姑娘吩咐吧！"

轻衣少女突然翻身站起，娇嗔道："瞎子，瞎子，你难道是个瞎子么？"她自负一代尤物，即便在这众香国中，亦属个中翘楚，此刻自是又气又恼，秋波转了几转，突又娇笑道："好，我来吩咐你，你先来替我按摩按摩，捶捶腿吧！"飞身倒落下地，一双莹白玉腿，却斜斜搭在榻畔。

若是换了云铮，此刻几已不顾一切，一拳打了出去，若是换了沈杏白……咳咳，那情况更是不问可知。

但铁中棠却只是微微一笑，果然坐下为她揉起腿来，这双腿非但白如莹玉，而且从臀到脚毫无瑕疵，当真是细致白嫩，柔若无骨，触手之处，宛如玉脂，铁中棠也不禁心头一荡，仰目望去，才发觉这女子身材之美，端的难以描述，身上每一分寸，都充满了令人不可抗拒的诱惑，轻衣少女见到他目中渐渐有了异样的光芒，噗哧一笑道："原来你也不瞎。"一条腿直伸在铁中棠鼻端眼前。

铁中棠柔玉在手，温香入鼻，但双目突又变得十分清澈，只是口中笑道："想不到身材美妙竟比面容娇艳，还要令人心动……"

突听门外有人笑道："水姑娘，你瞧瞧，这就是你心爱的英雄男子，想不到他还有这般功夫！"

榻上的轻衣少女也在格格笑道："功夫还真不错，揉得我好舒服哟……哎，哎呀，轻点……上面点。"

铁中棠不用回头，他知道这自是那麻衣客故意如此羞侮于他，再带水灵光前来观看，但他也仅是微微一笑。只听水灵光轻轻道："他若不如此，怎能支持七日？他……他这一切都是为了我，他受的苦越多，我越是对他好，何况……他纵是爱上别的女子，我还是要对他好。"这几句话说得简单明了，教人再也无法回口，铁中棠面上虽然仍是微微含笑，但心头却已不禁泛起千百滋味。

身后半晌都无声息，显见麻衣客已被她说得怔住。却听得阴嫔的口音叹道："难怪这少年连头都未回，原来他早已知道水姑娘对他信任的了。"她幽幽长叹一声，曼声吟道："但使两心相知，又何惧恶魔中伤……"铁中棠听得暗暗好笑，知道她乃是故意要气那麻衣客。

哪知麻衣客却纵声大笑起来，道："好个不吃醋的水灵光，只恨我无福得到，好，今日苦工做完了，让他吃罢！"

铁中棠一笑住手，忖道："此人倒不愧是个男儿汉。"

只见两个少女，端来满盘鸡鸭鱼肉，满樽美酒，当真是色、香、味俱美，引人食欲，何况铁中棠早已饿得发慌。他咽了口唾沫，便待动手大嚼。

哪知轻衣少女却又拦住了他，轻笑道："这是主子客人吃的酒食，工人仆奴吃的在那边。"伸出春葱般玉指轻轻一指。

铁中棠随着她手指望去，只见一个木盘上，放着一碗清水、一个馒头，当下苦笑一声，也不争辩，过去吃了。但小小一只馒头，怎能填饥？他不吃还好，一吃更勾起食欲，更觉饥肠辘辘，难以忍耐。眼见那轻衣少女，在那里吱吱咕咕，吃得极是有味，不住笑道："你若不再搏斗，爱吃什么，就吃什么，而且……"她秋波一阵荡漾，掩口媚笑道："这里的人和珠宝，你都可随意带去，我……我也可跟着你走！"

她故意散落衣襟，隐约露出了那毫无瑕疵的莹白肌肤，铁中棠眼睛却只瞧了那鸡鸭，暗叹一声，走回石壁。

轻衣少女冷笑一声，突又纵身跃下，微一旋身，扯落了满身的衣裳，大声道："你瞧，我有什么比不上她？"

那胴体之丰美诱人，当真令人眩目。铁中棠回头瞧了一眼，又自一笑，便转头揣摸武功，不再理她。他若是不敢回头去看，那少女倒也不气，但他回头瞧了一眼，却仍无动于衷，却令她又羞又恼，撕下衣服，一件件全都抛在铁中棠脸上。

这样过了几日，那少女想尽了各种法子，不住去折磨铁中棠，苦工越做越多，馒头却似越来越小。麻衣客也不时带着阴嫔、水灵光等人，来这里大吃大喝，但这一切，铁中棠竟全都只当未见一般。

他全心全意，都用在壁间的武功招式上，自觉进境甚速，他武功本有根基，又复聪明强记，学来自然事半功倍。到了第七日开始，他几乎已将壁上图形全部记在胸中，自问无论对方使出什么招式，他都可封架，这时他体力虽弱，精神之力却极为旺盛，全身都似乎充满了生命的活力，全心跃跃欲试。

那轻衣少女忽然走了过来，在他对面坐下，笑道："今日已第七日了，这些日子我对你不好，你莫怪我。"

铁中棠笑道："鸽子姑娘莫客气，这怎怪得了你？"他此刻已知道这少女名字，原来此间少女，俱是以禽鸟为名。

鸽子姑娘叹道："再过几个时辰，我们又要动手了，这次你还是不会胜的，你也莫抱太多希望。"

铁中棠已胸有成竹，口中却笑道："只要姑娘客气些就是。"

鸽子姑娘道："我自不会太难为你，但我那六位姐妹……"

她话未说完，铁中棠突觉耳畔轰然一声，犹如迅雷轰顶一般，震得他心惊胆落，再也动弹不得。他方才自以为已可将对方少女出手招式封死，只因他本身之武功本已不弱，再加以学了壁上秘技。但此刻，他却被鸽子姑娘一言提醒，对方本是七人，招招式式，俱可互相配合，一人失招，另一人立可来救。

铁中棠算来算去，竟忘了七人连手之力，而无论任何一种阵势，威力最强大之处，便是互相配合，他武功纵然胜过对方七人，招式纵能将对方出手一一封死，但对方连绵的招式配合起来，他仍是有败无胜，除非他能将满壁千百种招式，全都融而为一。

但他七日尽心尽力，也不过只能将这些招式分别强记着而已，若要将这些招式之妙用融合，又岂是百十日间所能达到？转目望处，黄沙又已漏去大半，距离较手之时，最多也不过只剩短短三四个时辰了。铁中棠木坐当地，刹那之间，便已汗如雨落。

鸽子姑娘奇道："你怎么样了？"

铁中棠惨然一笑，道："只剩下最后数时，姑娘你难道都不能让我安安静静地歇息歇息么？"

鸽子姑娘瞧他本自神采飞扬，如今神色却突然变得如此奇怪，悄然一叹，不再多话，转身走了开去。

铁中棠茫然坐在地上，心头万念皆灰，剩下的几招武功，也不想再去学了，敌强我弱，情势太过分明，他纵有通天本事，此刻也是无计可施，他出道以来，屡逢凶险，却从未有此刻这般伤心失望。不知过了多久，只听笑声遥遥传来，麻衣客、阴嫔、水灵光，以及锦衣少女们，嘻笑着走了进来。

麻衣客笑道："七日已过，你可准备好了？"

铁中棠木然道："好了！"

麻衣客道："此次你若败了，我立刻送你出山，但……哈哈，想来你胜算无多，又饿了多日，不如我与你将钱行之酒先吃了吧！"

铁中棠也不争辩，少时果然送来满盘佳肴，他虽然饥肠辘辘，却是难以举箸，只见七个少女亦已鱼贯行来。

这些少女身上，穿的仍是各式各样的锦衣，但件数却似比上次又多了些，鸽子姑娘身穿橙色，艳光最是照人。

铁中棠暗叹忖道："你们又何苦穿这许多衣衫，故意要增长时间？反正我……"心念一转，突然大笑着长身而起。

水灵光最是关心，惶声道："你……你怎么了？"

铁中棠也不答话，坐下只管大吃大喝起来，饱餐之后，精神更增，双手一拍，长身站起。

麻衣客微微笑道："此刻便开始么？"

铁中棠道："稍等片刻！"突然将身上衣服，一件件脱了下来，偷眼望去，麻衣客面上已变了颜色。

水灵光却更是惊惶，道："你……你……"

铁中棠精赤着上身，将脱下的衣衫，俱都交给水灵光。水灵光呆呆地接了过去，呆呆地怔了半响，突也拍掌笑道："你……你赢了！你赢了！"一跃下地，牵着铁中棠的手掌，欢呼雀跃起来。

阴嫔亦自笑道："真聪明的孩子。"

锦衣少女面面相觑，有人忍不住道："他还未打，怎地便胜了？"只因从来无人破阵，是以她们也不知破阵之法。

铁中棠大笑道："裤子是否衣服？"

少女们齐地一呆，红衣少女道："裤子就是裤子，自然不是衣服。"她还当铁中棠胡涂了，怎地问出这样的话来。

铁中棠笑道："裤子既非衣服，我此时身上已无衣服可脱，而我之赌约，却是你们脱完衣服，若还不能脱下我一件衣服，我便胜了，我既已无衣服可脱，你们纵然将我击倒，也是我胜了。"

少女们听得目定口呆，转目去瞧那麻衣客，只见他盘膝坐在榻上，一言不发，面沉如水。红衣少女道："但……但你怎能将衣服……"

铁中棠截口笑道："你们既能增加衣服，我自可减少，事前又无规定要我必须穿多少衣服。"他叹息一声，接道："此阵阵法已是古今少见，破阵之法更是妙绝人寰，当真无愧为天下第一奇阵了！"

红衣少女眨了眨眼睛，道："但……但……"

麻衣客突然轻叱一声，道："莫要说了，这就算他赢了，否则又有谁能在短短七日之中，学得破阵之法？"

阴嫔笑道："你以前也是如此赢的么？"

麻衣客大笑道："不错！"

阴嫔轻轻一叹，含笑道："你虽是色狼，但却当真坦白得很。"眼波流动，目光中满含赞许之意。

麻衣客故作未闻，但却掩不了面上的得意之色。

阴嫔接着笑道："不但坦白，而且公道，你若出个绝无胜算的难题与他相赌，你岂非就赢定了？"

铁中棠、水灵光对望一眼，心头俱都暗道："不错。"

水灵光瞧着麻衣客面上的得意之色，突然缓缓道："有人说若被自己喜欢的人称赞几句，那当真比什么都要高兴。"

麻衣客笑道："说得好。"

水灵光接道："又有人说女子只会称赞自己喜欢的人，她若不喜欢那人，谁也莫想要她称赞半句。"

阴嫔格格笑道："小妹子，想不到你也懂事得很。"

水灵光道："既是如此，你对她有情，她也对你有意，你两人便该相敬如宾，终生厮守，绝不容别人插入才是，若换做是我……唉，所以我真不懂，你两人为什么要……要如此？"她此番连遭险难，处世经验大增，口舌也大见灵便，此刻平心静气，缓缓而言，言语竟说得十分流畅清晰。

# 第三〇章　九天仙子下凡尘

但是她语声方了，阴嬷与麻衣客面上的笑容，便俱已消失不见，阴嬷双目中闪过一丝奇异的光芒。

麻衣客面色一沉，冷冷道："你且莫高兴，此阵不过只破了一半，何况，一阵之后，还有八门，每扇门中，俱有一道难题，你若要过这八门，只怕比登天还难。"铁中棠暗叹一声，还未说话。

只见阴嬷轻抚着"嬷奴"的柔毛，缓缓接着道："不错，要过八门，难如登天，幸好剩下的时间已不多了。"

铁中棠、麻衣客不由得齐地变色道："此话怎讲?"一言未了，突听一阵金铃之声，远远传了过来。

阴嬷缓缓下榻站起，秋波四下流动，缓缓道："你听，铃声已响，这不是就有客人来了么?"

麻衣客凝目瞧了她两眼，一跃下榻，大步奔了出去。铁中棠见他面上一片凝重之色，心头不禁一动，转目望去，那些少女们面上也都泛起了惊诧之容。

鸽子姑娘皱眉道："咱们这里，多年来从未有过外客自己闯入谷来，这来的人是谁，阴夫人莫非早就知道了么?"

阴嬷也不理她，轻拍着"嬷奴"，道："小乖乖，这里就有热闹了，你要瞧瞧么? 还是随我们去?"

铁中棠知道自己若是留在这里，此间门户必将一定关闭，当下毫不迟疑，赶紧笑道："有热闹自是要瞧的。"

只见这些少女们虽然明知事情有异，但仍然是嘻嘻笑笑，娇声莺啼，拥着铁中棠、水灵光两人，来到一座大厅，但却都不敢进去，只是悄悄在帘外窥望。

这间厅堂辽广空阔，除了些石墩之外，便别无陈设，四面石壁，发着青渗渗的光色，与他室的堂皇富丽景象，迥然不同。

麻衣客卓立人厅中央，已换了一件乌衫，头束黑带，面上毫无笑容，神情也突然变得十分沉肃凝重。

铁中棠不禁瞧得奇怪，不知这麻衣客为何做出此般如临大敌之态，他却不知道此谷已有多年未有外人闯入，此番有人前来，实是大出意外之事——要知铁中棠前番入谷，实等于麻衣客自愿将他引进来的，自是例外。

阴嫔抱着"嫔奴"，远远立在另一边角落中，面上似笑非笑，眼波不住流动，手掌不住轻抚怀中的"嫔奴"。

大厅中寂无声响，意味十分沉重。忽然间，只听门外一声清喝："阴夫人到!"

两个少女左右掀起了门帘，一个身穿碧袍，瘦骨嶙峋，带着些说不出的阴阴鬼气的白发老妪，缓步走了进来。她容颜虽老，眼波却甚是明亮，左手扶在一个十三四岁的童子肩上，右手扶着根乌黑的拐杖。在她身后，却是一双极为夺目的男、女少年，男的长身玉立，英俊飒爽，女的明艳照人，身材婀娜。

铁中棠、水灵光一见这几人，几乎惊叹出声来，原来他们竟是"鬼母"阴仪和她的门下弟子易清菊、跛足童子。那英俊少年看来虽无缺陷，其实却又聋又哑，正是"九鬼子"中的第八位，江湖人称"无音夺魂，辣手郎君"!

只见"鬼母"阴仪走入厅来，目光在她妹子阴嫔身上轻轻一扫，微一颔首，立刻便转向麻衣客。这姐妹两人多年未见，但这样便算打过招呼，当真比陌生人还要冷淡，水灵光不禁瞧得大是奇怪。她自己多情多意，自想不到世上竟犹如此寡情之人。只听"鬼母”阴仪冷冷道：“阁下虽然号称‘武林鬼才’，但我此番突然闯来，只怕阁下也未想到吧?”

麻衣客不动声色，淡淡笑道：“阴家姐妹行事素来神出鬼没，这些年来，我早已见怪不怪了。”

“鬼母”阴仪冷笑道：“这样最好!”缓缓坐下，再不开口。

麻衣客道：“你此番远道而来，就是为了来坐坐的么?”

“鬼母”阴仪道：“不坐坐又怎样?”

麻衣客哈哈笑道：“若有别的事，就请快说。”

阴仪道：“自是要说的，只是此刻还未到时候。”

麻衣客奇道：“要等什么时候?”

阴仪道：“等别的客人来齐了。”

麻衣客面色微变，道：“还有什么别的客人?”

阴仪冷笑一声，闭口不答，易清菊、聋哑少年双双立在她身后，那跛足少年更是寸步不离，一双大眼睛却滴溜溜四下乱转。

麻衣客回头盯了阴嫂两眼，阴嫂却抬起头不去看他，突听又是一阵铃声响动，一个少女匆匆奔入。她手里捧着张素色拜帖，神色间也显得十分惊异，不住喃喃道：“奇怪，奇怪，又有人来了。”

麻衣客接过拜帖瞧了瞧，变色道：“请进来。”

过了半晌，只听一阵脚步之声响动，走入一个长衫老人和一个劲装佩剑，英气勃勃的少年。铁中棠、水灵光又不觉吃了一惊：“他父子怎地也来了?”原来这老、少两人，正是李洛阳和李剑白。

只见李洛阳大步而入，抱拳一揖，沉声道：“多年不见，兄弟时时未忘阁下，不想阁下具柬相召，在下见了帖子，虽出意外，但也不敢不来。”他仰天一笑，接道：“做生意讲究账目清楚，阁下此番想必是也有了生意人的脾气，要与兄弟算算旧账了。”向阴仪微微一揖，转身坐下。

麻衣客面沉如水，沉声道：“什么帖子?”

李洛阳诧声道：“自是阁下具名的帖子，要在下等于今日赶来崂山，阁下莫非自己却忘了么？"

麻衣客道："你怎会寻得此谷的通路？"

李洛阳道："这更怪了，阁下明明在一路之上，俱有指路的路标，在下又非瞎子，怎会瞧不到？"

麻衣客冷哼一声，默然半晌，朗声道："外面若有人来，莫再敲铃，也莫再通报，请他们只管进来就是。"

两个少女应声去了，麻衣客道："等人都来齐之后再唤醒我！"盘膝坐下，闭目调息，已宛如睡着了一般。

水灵光悄悄一拉铁中棠衣袖，道："李洛阳怎会也来了？瞧他神情，还似与麻衣客结有冤仇似的。"

铁中棠叹道："今日之事，的确奇怪，我也猜不透。"他两人只是在帘外窥望，是以别人并未瞧见他们。

水灵光又道："瞧这情况，李洛阳收到的帖子，似乎不是这麻衣人发出的，那么，又有谁会代他发帖了呢？"

铁中棠瞧了瞧那边的阴嫔，沉吟道："只怕是……"一句话还未说完，大厅中又走入四五个人来。

这几人装束各异，行踪奇诡，瞧那举止之间，武功却俱都不凡，虽是同路而来，却又彼此各不相睬。几个人瞧了瞧大厅情况，分别落座，口中各各喃喃低语，虽听不清说的是什么，但语气却都不善。

几个锦衣少女捧上茶来，"鬼母"等人默默接过四杯。一个华服大汉冷笑道："俺是算账来的，喝什么鸟茶！"伸手接过茶杯，将茶俱都泼到地上。

另一个枯瘦道人冷笑道："这位施主说的不错，贫道喝了这茶，只怕就要归天了，喝不得……喝不得……"

四个人你一言我一语，竟将茶全都泼到地上。

李洛阳微微笑道："若说他多行不义有之，若说他下毒害人则绝无此事。"接过茶杯，一饮而尽。

大旗英雄传

523

华服大汉怒喝道："你这是替他说话么？"

喝声未了，只听门外哈哈笑道："咱们都是来寻他算账的，自己先打了起来，岂非可笑得很！"笑语声中，又有两人掀帘而入。

只见这两人，俱是身材魁伟，丰髯广颡的大汉，赫然竟是霹雳火与海大少。铁中棠见这两人现身，不觉更是吃惊。"天杀星"海大少目光一转，大笑道："妙极妙极，来的似乎都是故人，怎地主人却不待客，反而睡起觉来。"

李洛阳微微道："主人要等客人来齐，一齐接待。"

海大少笑道："这倒省事得很。"他瞧了瞧那华服大汉："想不到你老兄也和这主儿有些过节，妙极妙极。"

霹雳火哈哈笑道："看样子这里只有老夫一人是来瞧热闹的了，这几位大名，你怎不替我引见引见。"

海大少道："鬼母夫人与李兄你是认得的了。"他伸手一指那华服大汉，道："这位老哥你若不识，实是你孤陋寡闻，委实教俺失望得很。"

华服大汉瞪眼瞧着他，神情似是有些奇怪。

霹雳火道："这位兄台究竟是哪一位？"

海大少哈哈大笑道："俺一个个说来也麻烦，反正这里四位，不是一派武林宗主，便是名震八方的瓢把子！"

那同路而来的四个奇装异服之人，俱都霍然长身而起，面上各现出惊诧之容，彼此对望了一眼。这四人俱已多年未在江湖走动，如今见到海大少竟似已识破他们的来历，是以俱都为之耸然动容。

华服大汉厉声道："俺不认得你，你怎会知道俺？"

海大少哈哈一笑，还未答话，只听外面一阵步履之声响动，高高矮矮，走入六七个人来。帘后的水灵光突然捏紧了铁中棠的手掌，自语道："他……他们也来了。"铁中棠点了点头，双眉皱得更紧。

原来此番来的这些人，竟是黑星天、白星武、司徒笑、盛大娘母子，与那武功高绝，但却败在柳荷衣之手的少年秀士。

大厅中又是一阵骚动，认识的人，互相招呼，只有那少年秀士神情最是倨傲，谁也不理，自管大刺刺坐下。海大少大笑道："俺与各位都认得得久了，想不到各位竟与俺有个共同的仇人，今日竟会走在一路，看来世界当真是小得很，一根绳子，便可将这些平日各无关联之人，忽然拉到一处！"

黑星天微微笑道："我兄弟可算是新仇，兄台莫非是旧恨？"

海大少笑容突敛，沉声道："不错！"

就在这时，麻衣客霍然张开眼来，目光闪电般四下一扫，却生似在每个人面上都盯了一眼。众人一齐顿住语声，数十道目光，也俱都盯到他面上，这些目光强弱虽不同，但却都充满怨毒之意。

只听麻衣客缓缓道："各位都是接到帖子来的么？"

那枯瘦道人阴森森笑道："若非接到帖了，到何处寻你？"

麻衣客冷然一笑，霍然转身，闪亮的眼神，已盯到阴嬷身上，缓缓道："想来帖子必定是你代我发的了？"

阴嬷神色不变，笑道："虽不是我，但也差不多。"

"鬼母"阴仪冷冷接道："三妹传给我消息，我发的帖子，路标也是我一手包办的，你此刻明白了么？"

麻衣客仰天狂笑道："明白了，早就明白了！"

铁中棠不禁激凌凌打了个寒噤，暗叹忖道："她平日看来对这麻衣客那般多情，不想竟在暗中将他的新仇旧怨，冤家对头全都找了来，显然是定要眼看他家毁人亡，才遂心愿，却不知她与他究竟有何仇恨，莫非是因爱转恨，竟一至于斯……"

水灵光也不禁悄声轻叹道："好毒辣的女子！"

他两人瞧得出神，一时间竟忘了自家的处境，回首望去，那些少女们，早已不知在何时，走得干干净净！等他两人目光回到大厅中时，厅中竟忽然多出了七八个身穿垂地黑袍，面蒙玄色乌纱的妇人。

她几人一排站在墙边，既不知是如何来的，也不知来了多久，

大旗英雄传

厅中群豪，竟似全没有发现她们就站在自己身后。这其中只有麻衣客与阴婆面对着她们，但中间却又隔了一群愤怒的武林豪士，是以也瞧不清楚。一时间厅中情况当真紊乱已极，每个人都似与麻衣客有着极深的仇恨，都想自己亲手复仇。

但大家或多或少，又有些畏惧麻衣客的武功，是以谁都不肯先打头阵，也不愿开口，是以厅中虽然人头济济，却只有麻衣客清宏的笑声在四壁激荡，掩没了天地间所有其它的声息，震得人耳鼓嗡然作响。

阴婆待他笑声渐歇，突也格格笑道："你可笑够了么？债主俱已临门，你笑也无用，还是想个法子还债吧！"她笑声虽无麻衣客洪亮，但尖细刺耳，听得人心里都不禁泛起一阵寒意，众人一惊，这才知道她武功竟也不弱！

麻衣客沉声道："不错，债是要还的，但咱家究竟欠了各位什么，要如何还法，各位不妨划出道来！"

铁中棠只道此番群豪必将争先开口，哪知仍然人人闭紧嘴巴，只是目中的怨毒之意，却更深了。

麻衣客目光一转，冷冷笑道："李洛阳、海大少，你两人武功虽不济，人望却不差，就先说吧！"

李洛阳、海大少对望一眼，却咬紧了牙关，闭口不答。

麻衣客目光转向那四个异服之人，道："南极毒叟高天寿，你活了这把年龄，不妨说说与咱家究竟有何仇恨？"

一个身穿织锦寿字袍，身挂龙头乌铁拐，脑门秃秃，端的有几分南极寿星模样之人，身子一震，转首不语。

麻衣客目光立刻转向一人身穿绿袍，手摇折扇，虽已偌大年纪，但胡子却刮得干干净净，只见他手摇折扇，顾盼生姿，一派自命风流，强作少年的模样，麻衣客道："玉狐狸杨群，你又如何？"

这"玉狐狸"竟然面颊一红，更不答话。

麻衣客道："快活纯阳吕斌，你说得出么？"

那锦袍枯瘦道人，非但不开口，反而后退一步，他虽作出家人打扮，但全身佩珠嵌玉，装饰的像是花花公子。

麻衣客哈哈笑道："你三人都不说话，'神力霸王'项如羽总该说的了吧？"那华服大汉哼了一声，一拳击在身侧石墩上，只听"砰"地一声，那般坚硬的石墩，竟被他这一拳生生打得一裂为二。

这四人名字一说出来，霹雳火、黑星天等人都不禁为之色变，他们虽都未见过这四人之面，却知这四人行踪奇诡飘忽，脾气怪异绝伦，却又武功高强，手段毒辣，那"神力霸王"手下更有千百兄弟，遍布江湖，杀人越货。这四人在江湖中独树一帜，便是少林、武当等派，也不敢轻易惹他，只是这几人已有多年未曾在江湖走动，是以今日突然出现，众人不禁为之动容！

铁中棠奇怪的是，这些人明明与麻衣客有着深仇大恨，又明明是为了复仇而来，此刻却不知为何不肯开口说话？

这时麻衣客目光已打向司徒笑等人，还未说话，司徒笑已摇手笑道："咱们人多，咱们留到最后。"

麻衣客哂然一笑，心里却在奇怪，不知这些胆小怕死的人，今日怎地敢闯入这里来，莫非有了什么靠山不成。目光转处，突然瞧见那少年秀士锐利的眼睛，双眉不禁一皱。此时"鬼母"阴仪已冷冷道："他们不说，老身便代他们说吧！"

海大少、项如羽等人一齐变色道："咱们的仇恨，你如何知道？"竟是不愿阴仪多话的模样。

阴仪冷冷笑道："常言说的好，仇恨再大莫如杀父之仇、夺妻之恨，各位与他虽无杀父之仇，但妻子都被他夺去，这仇岂能不报？至于……这仇要如何报法，就要瞧各位自己的意思了。"仰面向上，不住冷笑。

刹那间海大少等人都已变得面如土色，李剑白身子一震，后退三步，手掌紧握着剑柄，身子不住直抖。霹雳火瞧了海大少一眼，暗叹忖道："瞧他平日言语神色，那花大姑想必就是他以前的妻

子，不知如何被此人骗了，但此人却又是个花蝴蝶，始乱而终弃，是以花大姑后来只得去做那买卖！"想到这里，不知怎地忽然暗中松了口气，喃喃道："幸好老夫一生从未娶过老婆……"

铁中棠不由恍然忖道："难怪他们方才不肯开口，想他们俱是武林中成名人物，自不愿被人知道自己家丑。"

那"神力霸王"项如羽突然冷笑一声，瞪着"鬼母"阴仪道："不错，咱们老婆都被他玩了。但你呢，你姐妹又与此人有何仇恨？"

"鬼母"阴仪面色一变，半晌无言。

项霸王哈哈笑道："你姐妹既无老婆，想必是自己被他玩了……"

易清菊怒喝一声，与跛足童子、聋哑少年齐地抢出。跛足童子大声喝道："霸王有神力，老婆守不住，不要脸，不要……"

项霸王大喝一声，犹如霹雳，一掌击了过去，口中喝道："小鬼找死！"拳风虎虎，果然势不可当！突见眼前一花，阴氏姐妹已双双挡在他面前，姐妹二人各各拨出一掌，轻轻化解了他的拳势。

"鬼母"阴仪回首叱道："徒儿们，退下！"

阴嫔怀抱"嫔奴"，格格笑道："我姐妹下帖子带你们来，难道是请你们来对付我姐妹的么？"

项霸王怔了一怔，道："这……"

阴嫔笑道："不错，我大姐是因为遇着他这个薄情郎，后来才会变得脾气古怪，而我哩，我这一生，更是被他毁了，他毁了我，才使我去毁别的男人，才会变得声名狼藉，我若不恨他入骨，怎会假情假意地到他这里？我为的就是要亲眼瞧瞧他到底落得个什么下场，亲眼瞧他家毁人亡！"她口中说得这般狠毒，面上却满带着春花般的笑容，项霸王也不禁瞧得心里直冒寒气。

只听麻衣客仰天狂笑道："不错，你们一生都是被我毁了的，这罪名咱家全部承当，但你们若要我家败人亡，哼！"他倏然顿住笑声，接道："只怕还不大容易！"

阴嫔娇笑道："你说的也不错，这些人武功以一敌一，谁也不是你敌手，但大家一齐上，你又如何？"

麻衣客大笑道："你们人多，我难道人少么？"双掌一拍，大喝道："小丫头们还不快来，看是他们人多还是咱们人多？"

喝声嘹亮，穿房入户。但直到外面回声俱已消失，还是没有响应，麻衣客微微变色，怒骂道："死丫头，臭丫头，你们都死了么？"

"鬼母"阴仪冷冷道："虽然未死，只怕也差不多了！"

麻衣客面色突然变得苍白，呆了半晌，方自厉声笑道："好，好，难怪你九鬼子、七魔女只到了三个，原来别的人都在外等着收拾我那些女徒弟，但……但她们却毫无罪孽，你们要算账的，只管来寻咱家。"

突见"天杀星"海大少反手甩下了长衫，敞开胸襟，大步而来，道："大家都等着捡便宜，俺只有先动手了！"

麻衣客冷冷道："你一人不是咱家敌手，与他们一齐上吧！"

海大少狂笑道："俺海大少岂是倚多为胜的人！"

麻衣客一挑大拇指，道："好！咱家让你三招！"

海大少一整面色，朗声道："你让俺三招也罢，不让也罢，当着这里朋友，动手之前，俺却有几句话要说说！"

麻衣客道："此刻若是有别人还要在咱家面前啰嗦，咱家先割下他舌头，但你海大少要说，就快说吧！"

海大少道："你虽然担承了全部罪名，俺却知道这罪名不该由你一人承当，那些婆娘也未见没有责任……"

众人又复变色，项霸王怒道："放屁！"

海大少狂笑道："俺这话虽不中听，但却非说不可。老实说，咱们这些人的老婆，实在也没有一个好东西，常言道：一个巴掌拍不响，那些婆娘昔日若不是看他年少多金，武功又强，生得也不错，怎会撇下咱们去跟他？这厮虽好色，虽该死，但咱们那些婆娘

人旗英雄传

529

被他甩了，却是活该!"

铁中棠听他居然说出这番话来，不禁又是惊异，又是赞佩。只见项霸王、玉狐狸等人虽然满面怒容，但却无一人开口反辩，显见海大少说得不错，但若非胸怀磊落的本色英雄，又怎肯说出这番话来!

厅中默然半晌，麻衣客方自笑道："当今天下，想不到还有人会说公道话，而且说话的人是我的仇家，哈哈……哈哈……"他仰天大笑数声，接道："我知道话虽说的公道，但腹中气还是要出的，好，来吧，咱家接你几招!"

海大少道："这口气俺闷了多少年，只因俺明知不是你敌手，也找不着你，今日既见着你……呔，看掌!"喝声中，他已一拳击向麻衣客胸膛，麻衣客眼见一拳击来，不避不闪，众人都知他武功超人，只当他此举必有煞手!

哪知这一念尚未转完，只听"砰"地一响，海大少这一拳竟着着实实击在麻衣客胸膛之上!

麻衣客武功再高，也禁不住海大少天生神力，直被这一拳打得踉跄后退数步，面上顿时变得毫无血色!

海大少大惊道："你……你这……"

麻衣客调息半晌，强笑道："就凭你方才那几句话，咱家便不能与你动手，只有捱你一拳，让你出气了!"

众人见他身受"天杀星"海大少一拳，不但未受重伤，而且立刻便能说话，都不禁又惊又佩。海大少目定口呆，怔了半晌，道："俺一生见过的怪人虽不少，但以你这样性格之人，俺却从未见过。"

霹雳火忍不住插口道："老夫也未见过。"

麻衣客哈哈笑道："寡人有疾，这点咱倒从不自讳。"

海大少定睛瞧了他半晌，大声道："好! 你我旧账，全在那一拳勾消，但俺此刻既不能看你捱打，也不能帮你打人，只得走了。"

他不等话说完，便转身而出。

霹雳火大声道："等我一等。"正待随之而去。

司徒笑一把拉住了他的衣袖，悄悄道："你我五福同盟，自当同进同退，兄台怎地这就要去了？"

霹雳火瞧了瞧黑、白两人，浓眉一皱，也不说话，反手甩脱了衣袖飞步而出，竟与海大少一齐走了。

麻衣客叹道："好汉子!"话未说完，不住咳嗽起来。

玉狐狸等四人对望一眼，都看出他已被海大少那一拳打得多少受了些内伤，四人心意相同，便待乘机出手。忽然间，只听李剑白嘶声喝道："别人饶你，我却不能饶你!"反手拔出了长剑，一掠而出，直刺麻衣客! 李洛阳惊呼一声，变色而起，李剑白长剑如风，已接连刺出七剑之多，剑剑不离麻衣客要害!

麻衣客轻轻避过七招，道："李洛阳，还不令他住手？"

李剑白满面俱是悲愤之容，人喝道："谁说我也不住手!"突然双手握剑，全力一剑刺了出去! 他这一剑虽是拼命的招式，但上下空门大露，遇着麻衣客此等武功高出他数倍之人，此招实如送死!

李洛阳惊呼着振衣而出，只见麻衣客身子一侧，让过了来剑，疾伸两指，闪电般夹住了剑尖! 李剑白那一剑是何等力道，但此刻剑被人两根手指夹住，竟动弹不得，他纵拼全力，亦犹如蜻蜓去撼石柱一般。刹那间他但觉万念皆灰，知道自己此仇再也报不成了，撒手抛剑，纵身撞向石壁，李洛阳急地抱住他身子。

李剑白嘶声道："莫拉我……莫拉我……妈……她……她老人家……孩儿不能为她雪耻，只有……"

麻衣客突然大笑起来，随手抛去长剑，摇头道："李洛阳，看来你这莽儿子是误会了，此间只有你与我的仇恨，大是与别人不同!"

李剑白身子一震，道："你……你说什么？"

李洛阳叹道："傻孩子，你母亲怎会是那种女人？"

李剑白掌中匕首"当"地落下，道："但……但……"

李洛阳叹道："为父与他的仇恨，只是因为他曾在珠宝会集之期，夺去了咱们家一批家传之宝，为父却无可奈何。"

麻衣客大笑道："洛阳珠宝世家，名扬天下，万万丢不得这人，是以只有打落牙齿和血吞，丢了珠宝，也一直不敢声张。"

李洛阳叹道："江湖中只道本宅数十年俱无珠宝失窃之事，若非小儿今日误会，我也不会将此事说出来，自坏本门的名头。"

麻衣客道："今日你既说出，想必是要向咱家索回珠宝的了？"

李洛阳沉声道："十年前我武功大不如你，这十年来我已练了一手功夫，今日要与你一拼胜负！"

麻衣客道："既是如此，就……"

语声未了，只听那南极毒叟冷冷截口道："李某人的功夫，最好稍等再拿出来献丑，这一阵我四人接过了！"

李洛阳还未答话，李剑白怒道："你四人凭什么争先？"

"南极毒叟"高天寿道："就凭这个！"他不但言语冰冷如刀，面上也是喜怒难测，与他那寿星般滑稽的形状生像，显得十分不配。只见他俯手拾起了地上长剑，随手一拗，长剑便折为两段，一齐递给李剑白，冷冷道："剑是你的，还给你！"

李剑白此剑乃是家传利器，虽非干将、莫邪一类神物，但世家代代相传的兵刃，自是精钢百炼，非同小可。他平日将此剑甚是珍惜，绝不离身，此刻见这怪老儿竟随手便将之一折两段，李剑白瞧得既是惊骇，又觉心痛，忍不住伸手去接。突听麻衣客叱道："剑上已有毒，接不得的。"李剑白一惊缩手，俯首望去，只见那光芒闪耀的长剑，此刻果已变得碧惨惨黯淡无光，他哪里还敢伸手接？这"毒叟"一触之下，便将长剑染毒，此等施毒的功夫，不但李氏父子惊骇，别人见了也不禁色变。

"南极毒叟"哈哈笑道："我这'毒叟'两字，岂是浪得虚名的么？"随手一抛，两段剑流星般飞出！

"玉狐狸"杨群笑道："此剑丢了多可惜！"语声方出，他身形已起，竟比那断剑去势还疾，两只长袖凌空一卷，便将两段剑全都卷入袖里。短短七个字方自说完，他身形又已站回原地，不但来去倏忽，飞翔如意，而且身法更是惊人美妙！众人见这"玉狐狸"竟然施展出这一手如此惊人的轻功，无论是友是敌都不禁脱口喝出彩来。

只有那一排黑巾蒙面的黑袍妇人，仍然幽灵般屹立不动，别人若不注意，竟难发现她们的存在。

但见"玉狐狸"杨群双袖一抖，将断剑抖落地上，"快活纯阳"笑道："丢了既可惜，不如废物利用了吧！"

他俯身拾起长剑，走到那方才被"神力霸王"一拳击裂的石墩前，接着笑道："项施主神力虽惊人，但却太失礼了些，将主人家好好一张凳子弄裂了，弄得坐不成了，贫道正好利用这废物，为它修补修补！"他一面说话，右手拿着断剑，左手拢起两半石墩，胸膛起伏，提气作势，突然吐气开声。只听他口中"嗒"地一声，竟将那半截断剑生生刺入石墩里，生生将两半石墩钉子般钉在一齐！那石又硬又脆，但他以剑穿石，却犹如刺穿豆腐一般，不带声息，众人又不禁喝起彩来。

"快活纯阳"吕斌拍了拍手，长身而起，笑道："诸位且莫喝彩，贫道手上若是事先未涂解药，此刻早就被毒死了！"

"神力霸王"一拳碎石，面不改色，"南极毒叟"折剑如竹，掌上染毒，"玉狐狸"飞身追剑，来去如电，"快活纯阳"剑刺坚石，如穿豆腐，这四人一人露了一手功夫，无一不是惊人之作！

铁中棠、水灵光双手相握，瞧得实是心惊！

"南极毒叟"眼角斜睨着李剑白，冷冷道："就凭咱们这四人的几手功夫，可够资格与你争先么？"

李剑白目定口呆，无话可答。

麻衣客哈哈一笑，道："既已抢得了先，就动手吧，想不到这十余年来，你四人武功果然精进许多！"

"南极毒叟"阴森森笑道："纵然精进，却也比不上你，我四人商量，只有一齐动手了！"

四个人身形一转，抢了四角，将麻衣客围在中央。麻衣客看来虽仍气定神闲，颜色不变，其实暗中早已戒备森严，"玉狐狸"杨群微一抱拳，道："小心着，我……"

突听一声轻叱，道："且慢！"声息虽轻，但听来犹如钢针刺在耳中一般。

"玉狐狸"等四人齐地一惊，转目瞧去，这才瞧见两个黑袍蒙面妇人，离群当先走了过来。她两人行路的姿势极是奇异，肩不动，腿不曲，竟犹如浮云飘动，鬼魅移形一般，但见长袍不住波动，人已到了眼前。

麻衣客与玉狐狸双方都觉奇怪，猜不出她们是谁，也猜不出她们是何来意。"快活纯阳"道："女施主们有何见教？"

左面的黑袍妇人缓缓道："你四人动不得手。"

她语声平和轻易，不带丝毫烟火气，但语句却是命令之式，似是此话一说出来，别人便不得更改。

玉狐狸等人呆了一呆，齐地放声大笑起来，只有"南极毒叟"最是深沉，仍然不改声色，缓缓道："我四人为何不能动手？"

黑袍妇人道："你四人在外奸淫屠杀，无所不为，你既奸了他人妻子，别人自也可奸你之妻子，你有何资格动手？"

项霸王大喝道："你是什么东西，敢来管咱们的事？"

黑袍妇人缓缓道："苍天有威无力，不能亲管人间之事，所以要借我们的手，为天下妇人女子来抱不平。"

项霸王大笑道："如此说来，你们莫非是苍天的使者不成？"

黑袍妇人道："正是！"

她每句话说来俱是平和轻柔，也无人瞧得见她们黑巾后面上的表情，但这"正是"两字出口，却带着种无比神奇的魔力，让人无

法怀疑，只觉她们真的是自天而降的神使，世人绝不能违抗于她，纵是项霸王这般强横之人，听了这短短两字，也不觉打了个寒噤，别人更是面面相觑，作声不得。

过了半晌，"快活纯阳"干咳一声，指着麻衣客道："你既要为女子不平，为何不管这厮，却来管我们？"

黑袍妇人道："我们本是为了要瞧他遭报而来，但此刻却还未到时候，也不让你四人动手。"

"快活纯阳"道："却是让谁动手？"

黑袍妇人道："苍天所令之人！"

项霸王突然怒喝道："什么苍天苍地，装神乔鬼，俺就不信这一套，滚吧！"出手一掌，向那黑袍妇人击去。

黑袍妇人道："人力不可胜天，你竟敢动手？"

项霸王呆了一呆，黑袍妇人衣袖已反撞上来，项霸王曲肘收拳，大喝道："并肩子一齐上吧，先请她们走路再说。"喝声中已攻出五拳，他练的外门功力，早已登堂入室，此番五拳攻出，当真有霸王开石之势。

黑袍妇人身形闪动，不知怎地，已避开了四拳，但等到项霸王最后一拳击出，她突然站住身子，不避不闪！

"神力霸王"方才一拳碎石，是何等威势，众人眼见他这一拳已击在这妇人身上，心头不禁一骇，都只当这妇人必将骨折身飞，项如羽亦自暗中大喜，哪知他这一拳方自沾着对方衣服，黑袍妇人衣衫突然向内一陷，他拳上力道，竟犹如泥牛入海，消失得无影无踪。

项霸王这一惊当真非同小可，但容不得他心念再转，黑袍妇人长袖又已反卷而起，兜住了他手臂。

刹那间，他只觉一股不可抗拒的力道自对方袖中涌出，身不由主地被兜得离地而起，偌大的身子，忽悠悠自"玉狐狸"头上飞了出去，"砰"地一声，撞上了石壁，沿壁滑落在地，再也爬不起

大旗英雄传

535

来。

　　这一来众人更是大惊失色，李剑白等武功较弱之人，还只当这妇人真的身怀不可思议的神通法术。

　　"玉狐狸"等人虽知她这一手乃是"四两拨千斤，沾衣十八跌"类内力功夫，但却更不禁为之心惊，这妇人黑巾蒙面，虽瞧不出她年纪，但世上能将此等功夫练到这般地步之人，实是寥寥可数。要知黑袍妇人方才衣服一陷，便已将项霸王力道全都引入，再自袖中挥出，项霸王做梦也想不到，方才乃是被自己力道摔了个筋斗，在地上晕了半晌，方自挣扎爬起，但头脑一晕，扑地又跌了下去！

# 第三一章　魂飞魄散

黑袍妇人缓缓转向"玉狐狸"杨群，缓缓道："人力必定不可胜天这句话，你可服了么？"

"玉狐狸"杨群变色道："这……"突然长叹一声，道："服了服了！"双拳一抱，躬身拜倒下去。忽然间，只见数十道细如牛毛般的银芒，随着他这一拜之势，自他背后暴射而出，疾射黑袍妇人胸腹！

这暗器发来事先毫无朕兆，骤一发出，其疾更胜闪电，端的令人既不能防，也不能躲，正是他生平得意之作"紧背花装断魂针"针尖剧毒，武林中真已不知有多少高手，断送在他这"断魂针"下！

事变骤然，帘外的水灵光也不禁为之脱口轻呼一声。哪知黑袍妇人袖袍一展，暴雨般一蓬银芒，突似长虹投水般，化做一条银线，投入她袍袖之中。

"玉狐狸"、"快活纯阳"、"南极毒叟"齐地惊呼一声，三只手一齐指着黑袍妇人，颤声道："你……你……"

黑袍妇人缓缓道："你已知道我们是谁了么？"

麻衣客忽然仰天狂笑，截口道："他们纵不知道，我却自你们一走进来时便已知道了。"

黑袍妇人道："知道了最好。"

麻衣客笑道："想不到你们竟会助我……"

　　黑袍妇人冷冷道："真该找你算账的人此刻还没有来，我们只是怕你先死在别人手里！"

　　麻衣客大笑道："就凭这几人也伤得了我？"突然出手如风，夹颈抓住了"南极毒叟"的身子，将他高高举了起来。

　　众人谁也未曾真的见他显露武功，此刻他乍一出手，便将这颇具盛名的"南极毒叟"抓起，"南极毒叟"竟不能抵挡，也不能反抗，都不禁骇了一跳。"南极毒叟"被他抓在手里，身子竟似软了，再也动弹不得，自然更是大惊失色，道："你……你要怎样？"

　　麻衣客笑道："先将解药拿来再说。"

　　"南极毒叟"颤声道："在……在袖袋里，红的外嗅，白的内服。"

　　话未说完，麻衣客已取出个合金盒子，微微笑道："谅你也不敢说谎……拿去！"突然将这盒子抛给黑袍妇人。

　　黑袍妇人不由自主接道："这是什么？"

　　麻衣客笑道："两位大约是初登仙籍的仙女，武功虽不错，经验却太嫩，也把这毒叟看得太低了。"

　　黑袍妇人道："莫非……"

　　麻衣客大笑道："这毒叟方才随手一指，你便已中了他的毒了！"黑袍妇人身子一震，双双退后数尺。


　　"南极毒叟"道："解药已给了你，你还不放手？"

　　麻衣客道："你这老儿花样实在太多，咱们虽不怕你，但留你在这里，总是讨厌，去吧！"双手一振，将"南极毒叟"直抛出门，身子却已冲入"玉狐狸"、"快活纯阳"两人之间，一掌拍向"玉狐狸"胸膛。

　　"玉狐狸"大惊撤身，"快活纯阳"反身拔剑，但他长剑方自出鞘半寸，麻衣客拍向杨群的那一掌已抓向他面门。"快活纯阳"几曾见过如此迅速的出手？凌空一个翻身，掠出门去，口中大喝道："君子复仇三年不晚，你等着！"

话声未了，又有一条人影飞来，他只当麻衣客追出，骇得一口气接不上，扑地跌倒，谁知那人影也跌在他身畔，赫然竟是"玉狐狸"杨群，"快活纯阳"大骇道："你……你怎地也被他……"

杨群叹道："那厮出手比鬼还快，谁瞧得见……"话未说完，又是一条人影被凭空抛出，正是"神力霸王"项如羽。

司徒笑等人见这麻衣客举手之间似是不费吹灰之力，便将四个武林高手一齐抛了出去，不禁相顾骇然。再瞧那边，两个黑袍妇人已退入墙角，但仍未服下解药，只是与那边另几个黑袍妇人不住低低商量。

麻衣客双掌一拍，微微笑道："两位怎地还不服下解药？不要初登仙籍，便入鬼箓，就太冤枉了。"

黑袍妇人中一个身材最是矮小之人，突然接过盒子，飘然走出，道："王母门下仙女，岂是人间毒药所能毒死的？"

她语声竟比先前两人还要冰冷生硬，全无丝毫抑扬顿挫，麻衣客面色微变，道："你们莫非不……"

那矮小的黑袍妇人道："我们不领你这个情！"随手将盒子抛在地下，转身走回，再也不瞧麻衣客一眼。

铁中棠见这几人不但行事怪异，武功绝高，而且口口声声不离"苍大"、"仙籍"……这些玄之又玄的名词，惊疑之间，心头突然一动，想起了那更充满神秘的一句话"惊天动地数高手，俱是碧落赋中人……"不禁又惊又喜，忖道："莫非那些江湖传言中迹近神话的人，今天都要来到此地？"

突然眼前一花，又有四条人影，一个接着一个，自门外飞入，跌在地上，四个人宝塔般叠在一齐。但见四人神气奄奄，不言不动，竟又是"玉狐狸"等四人，麻衣客骤然变色，厉声道："什么人？"

只听空中飘飘渺渺传来一阵语声，道："咱们未到之前，谁也不能出去！"语声阴阳怪气，似有似无。

麻衣客叱道："既然来了，为何还不进来？"

　　那一直大模大样坐在石墩上的少年秀士，忽然冷笑一声，一字字缓缓道："时候到了，自然要进来的。"

　　麻衣客道："你又是谁？"少年秀士两眼一翻，再不开口，麻衣客似乎还待追问，突然间，门外又已走入一行人来。

　　众人俱已犹如惊弓之鸟，闻得脚步之声，一惊转首瞧去，却发现来的这些人竟都是麻衣客手下的少女。那麻衣客见到她们竟然来了，也颇出意外，方待去问"鬼母"阴仪，转身望去，阴氏姐妹竟已乘乱走了。阴氏姐妹走的不知所踪，被人制住的少女们却突然现身，事情之演变，端的越来越见离奇。只见那少女们一个个云鬓蓬乱，衣衫不整，面上全无一丝血色，那一双双秋水般的眼神，也已变得痴痴呆呆。

　　麻衣客瞧见她们神色，面色忽然大变，脱口呼道："九幽阴风……"黑衣妇人们听得这四字，身子亦似一震。

　　那少年秀士却突然仰天狂笑起来，狂笑着道："算你还有些眼色，居然认得出本门中的手段！"

　　麻衣客厉叱道："风老四是你什么人？"

　　少年秀士怒喝道："你竟敢叫出家师名讳，胆子倒不小！"

　　麻衣客顿一顿足，拉住李洛阳沉声道："李兄快退，这些少女已被'九幽阴风'吹散了魂魄，神智已失，连我都难免被她们所伤。"

　　李洛阳激凌凌打了个寒噤，失色道："九幽阴风？吹散魂魄……"

　　话声未了，只听空中那阴阳怪气的语声，又似有似无地传了过来："迟了！迟了！逃不了啦……逃不了啦……"

　　麻衣客神情更是吃惊，方自一手将李洛阳父子推入了铁中棠藏身的门中，那些少女的身子已滴溜溜旋转起来。李洛阳父子骤然在此见着水灵光，也似吃了一惊，但四个人谁也没有寒暄，一一凑首向外瞧去。

只见那十余个少女袍袖招展，已将麻衣客团团围住，她们神情虽痴呆，出手却凶险狠毒，攻而不守，犹如不要命一般！招式间空隙虽多，但麻衣客素来怜香惜玉，此刻又怎忍往自己心爱的女子身上骤下毒手？纵然她们招式中空门大露，也只有叹息一声轻轻将之放过，一时间被她们逼得手忙脚乱！

空中的语声虽止，但却响起了一阵阵似有似无的啸声，飘飘渺渺，随风飘来，宛如鬼哭一般！那身材矮小的黑袍妇人凝目瞧了半晌，突然大喝道："你还在怜香惜玉，莫非自己不要命了？"

麻衣客叹息一声，随手点倒了一个少女，但其余的女子却如视而不见，仍是不要命地扑将上去！矮小的黑衣妇人低叱一声："咱们出手！"

少年秀士双眉一皱，闪身挡在她们面前，冷冷道："风中残魂未断，天下人谁也不得多事插手！"

黑衣妇人道："除了天定使者外，谁也不得取他性命。"

两人针锋相对，各各都觉得对方身上散布出一阵阵寒气！

忽然间，远处响起了一阵鸾凤般的清啸，突破鬼哭。黑衣妇人脱口道："来了！"虽瞧不见面色，语声显见甚是欢喜。

只听那鸾凤般声音道："风老四，你来做甚？"

那阴森森鬼哭般声音一字字缓缓道："九幽阴风吹来，自是要断人魂魄！"这语声说得越慢，越觉鬼气森森。

那鸾凤般声音道："这里的人，不准你动手。"

阴森口音道："先来的动手，后来的请走！"

鸾凤般声音道："如此说来，你是要与我较量较量了？"

两人语声俱是自云端传来，众人听在耳里，亦不知是远是近，说到这里，语声骤顿，鬼哭之声却又大起。声音虽只一个，但听来却似自四面八方一齐传来，突然一声清啸直冲霄汉，但鬼哭之声仍然连绵如缕而来。但闻两种声音，此起彼落，弥漫天地，直听得众人心惊胆颤，再也想不到世上竟有人能发出这种声音来！

麻衣客眼观四路，耳听八方，突然一个旋身，风车般冲天而起，冲出了少女们的包围，唰的掠入门中！他身形犹未落地，便已低叱道："快随我来！"

　　铁中棠等人不由自主，转身随去，在曲道中直奔而前，每过一重门户，麻衣客伸手一按，门上便落下一道石闸将来路隔断，铁中棠见他平日那般镇静从容，此刻却如此惊慌失措，显见所来敌人，武功定较他高出许多，忍不住问道："来的可是碧落赋中人？"

　　麻衣客怔了一怔，道："你怎知道？"

　　铁中棠叹息一声，还未答话，麻衣客突又冷笑道："你真当我怕了他们？哼哼，无论是谁来了，我也不惧。"

　　水灵光道："既然不怕，为何要逃？"

　　麻衣客黯然一叹，冷冷道："还不是为了你。"

　　水灵光奇道："为我而逃？"

　　麻衣客道："我虽不怕他们，但来人武功实在太强，我自顾尚且不暇，而那班人的来意，却似有一些是为了你们两人，那时他们如要伤害于你，我又有何办法？"忽然大声道："但你们都是我的客人，我纵然不敌而死，也不能让你们被别人所伤，只有先带你们到个安全之地！"

　　水灵光轻轻叹道："你倒是个好人，谢谢你啦……但这四面似已都被包围，哪里还有什么安全之地？"

　　麻衣客道："便在这里。"众人随着他手指之处望去，心头都不觉为之一怔！原来说话之间，麻衣客又已带他们回到先前那间大厅，而他所指之处，便是八重门户中那扇黑门！

　　众人只当这门户中必有什么地室机关，倒也放宽了心。但见麻衣客到了那门户之前，神情突然变得十分沉肃，脚步也特别放轻，双手掀起垂帘，躬身走了进去。垂帘之后，竟又是一道石闸，麻衣客按动机钮，石闸方自缓缓升起，听那开闸之声，显得分外沉重。众人入了垂帘，目光动处，心头又是一惊。

大旗英雄传（下）

许明康 许黎黎／绘

　　池面粼粼绿波之上，几只白鹅浮沉其间，一艘小巧玲珑的方舟，漂浮水上，方舟四面黑纱低垂，一缕缕轻烟，带着一阵清香之气，飘渺自垂帘中四散而出……

原来此门之中，有一条长仅数尺的石道，但石道尽头，竟是一片湖泊，但闻水声潺潺，隐约传来。骤眼瞧去，但见池中碧波粼粼，四面青山绿树，好一片山光湖色，顿令众人心旷神怡，眼界一广。

但走到前面，定睛一望，才发现这一片池水，宽广不过十余丈，四面的青山绿水，也不过只是画在壁上的丹青图画，只是画得委实太过逼真，远近分明，景致宛然，颜色更是鲜艳欲滴，使山色看来更如覆苍翠，就连白云飘渺间那几只引吭长唳的天鹅，也画得似要破壁飞出。

再瞧池面粼粼绿波之上，也有几只白鹅浮沉其间，还有一艘小巧玲珑的方舟，漂浮水上，只是方舟四面黑纱低垂，几达水面，谁也瞧不清舟中情况，只瞧见一缕缕轻烟，带着一阵清香之气，飘渺自垂帘中四散而出，烟气氤氲间，使得四壁丹青，一池绿水，更凭添了几分仙气。

众人自杀伐场中骤然到了这里，虽然明知四面景色是假，也不禁瞧得如痴如醉，浑忘了置身何处。方自惊疑之间，却见那麻衣客竟已恭身拜倒，面色更见恭肃，一字字缓缓道："孩儿叩见母亲。"

众人本正奇怪他神情为何变得如此恭敬，闻言不觉又为之一怔："原来他还有母亲……但不知他母亲又为何住在这般奇秘之地？"

只听那方舟拂水黑纱中，已传出了女子的语声："你来了么？你来做甚？"语声清妙甜美，悦耳已极，就连温黛黛的柔语也无此清脆，水灵光语声却又不及此柔媚，只是语气却出奇的冷漠，哪里是慈母对爱子说出的话？众人听得一怔，若不是麻衣客亲口唤出那一声"母亲"，必当这方舟之中乃是位骄纵的少女，再也想不到会是他的母亲。

麻衣客道："孩儿本不敢来打扰你老人家，只是……"

方舟中人冷冷道："十八年前，我发愿练功之时，便立誓不到成功之日，绝不踏下此舟一步，也不见人，你难道忘了么？"

大旗英雄传

545

麻衣客道："但孩儿今日却急需见母亲一面，只因……"

方舟中人冷笑道："我立誓之时，你父子两人便明知我要开始练此神功，今生便难以与你两人再见，但你两人那时正狼狈为奸，四处风流，本就嫌我在面前惹厌，是以谁也未曾劝阻于我！尤其你那父亲，为我建此练功之地，表面看来，似是体贴我练功时之寂寞，其实……"

麻衣客惶声道："这里还有外人。"

方舟中人只作未闻，接道："其实他却只是要快些将我遣开，落得眼前清净，好去拈花惹草。"她心中似是积郁颇深，一开口说出，便如长河决堤，滔滔不可歇止，只听得众人目定口呆，作声不得。

麻衣客苦着脸道："母亲那时一心要将那神功练成，孩儿虽明知此举不易，但也不敢阻拦……"

方舟中人道："你昔日既不阻拦，今日为何要来见我？"

麻衣客道："孩儿今日已有大难临头，只有藉你老人家福荫，才能免祸，否则今日孩儿只怕就……"

方舟中冷笑道："既有今日，何必当初？想必是你父子两人昔日欠下的风流债，别人来索偿了，是么？"麻衣客垂首不答。

方舟中道："但来人竟能使你如此害怕，倒令我奇怪得很。"

麻衣客道："来的是卓三娘与风老四，母亲你纵不愿救孩儿，难道就能眼看这两人在你老人家眼前撒野么？"

方舟中惊叱一声，道："卓三娘？风老四？"听这语声，显见这坐关多年之夫人，也已被这两个名字打动，麻衣客面上已不觉隐隐现出喜色。过了良久，只听舟中缓缓道："我一入此舟，此心已死，便是碧落赋中之人全部来了，我也不至心动，你去吧！"

语声虽缓慢，但却带着种不可动摇的坚决之意。

麻衣客知她心意已决，再难挽回，面上立现黯然失望之色，缓缓站了起来，道："既是如此，孩儿去了！"

众人俱是冰雪聪明，听他母子两人对答之言，都已猜出这位夫人昔日必是眼见自己儿子丈夫风流成性，伤心之下，方自发愿闭关修练一种极难练成之神功，这位夫人昔日在武林中声望必定不小，就连卓三娘、风老四那般人物都有些畏惧于她，是以麻衣客才会前来恳求托庇。哪知她眼见儿子大难临头，还是漠然无动于衷，不肯出手，众人与麻衣客休戚相关，都不禁暗道她太过忍心。

只有水灵光想到她在舟中十八年之凄凉寂寞，忍不住轻轻长叹一声，只因她自己昔日也是寂寞中人，深知寂寞滋味，转眼瞧去，只见铁中棠正在凝望着她，显见也已了解她的心意。众人回到厅堂，俱是面色沉重，李洛阳忍不住叹道："不是小弟多口，令堂的脾气，也未免太怪了些。"

不等麻衣客答言，铁中棠已沉声道："李兄若是也尝过寂寞的滋味，便不会说这话了！"水灵光看他一眼，竟甚感激赞许。

忽然间，那风老四阴森森的语声又自响起，道："卓三娘，你我两人也不必争了，订个条件如何？"

卓三娘鸾凤般语声道："什么条件，你说吧！"

风老四道："这里女子由你带走，男子由我动手。"

卓三娘没有说话，风老四又道："你我两人若是要打一架，各各少不得又要去躺十年，这又何苦？"

卓三娘道："这些被你迷住的少女如何？"

风老四道："我负责救醒。"

卓三娘道："好！就是如此。"

这两人语声竟穿透这么坚厚的石壁传了进来，入耳仍是清晰已极，众人面面相觑，更是心惊。麻衣客叹道："他两人若是先打上一场，我等也可坐收渔人之利，哪知……唉，这两人脾气怎地改了？"

只听风老四咭咭笑道："小风流，你莫在等着坐山观虎斗了，还是乖乖出来吧，老子看在你爹娘份上，不难为你！"

麻衣客朗声道："你只管进来，咱们等着你！"语声亦是穿金

裂石，清冽异常！

风老四大笑道："你只当老子进不来么？"突然喝道："神斧力士何在？"

一人应声喝道："在！"这喝声犹如霹雳般，震得人耳鼓嗡嗡直响！

风老四道："五丁开山伺候，将这些石片弄碎它！"

那人喝声道："是！"接着，便听得轰然几声大震，显见风老四门下之"神斧力士"，以"五丁开山"之力，裂开了外面第一重石闸！

李洛阳皱眉道："后面可还有道路么？"

麻衣客道："这房子后倚重山，你我除非有穿山之术，否则……唉，否则纵然插翅，也难飞渡！"

李洛阳呆了半晌，凝目瞧着李剑白，突然叹道："唉，为父不该带你来的！"

李剑白道："爹爹你才不该来的！"这父子两人只关心对方生死，反将自己安危忘了。

铁中棠瞧了瞧水灵光，叹道："妹妹，你……"

水灵光摇了摇头，凄然笑道："我不愿做你妹了。"

铁中棠怔了一怔，道："这……这是为了什么？"

水灵光凝望着他，一字字缓缓道："我只愿做你的妻子，不愿做你妹妹！"她心中一片纯真，本无世俗之见，此刻患难之中，更是真情激动，竟将自己心里的话，当着众人之面说了出来。

铁中棠心里一酸，道："但……"他本想说老天既使他们成了不能联婚的堂兄妹，谁也无法更改，但想到去日已无多，又何苦令她伤心，不禁倏然住口。但他心里却打定主意，今日若是能生出此间，自己还是要远远避开，免得两人情意纠缠，更是难以自拔。

只听麻衣客已自冷冷道："照此情形看来，只怕你既做不成他妹妹，更做不成他妻子了！"但听外面裂石开闸的震声，一声接着一声，已越来越近，铁中棠暗叹一声，知他所言非虚。

李剑白忽然挺胸道："以我五人之力，难道还抵不住他们？"

麻衣客冷冷道："你这样的人，再加五十个，也挡不了人家一招半招！"

李剑白双眉一扬，怒道："你……"

一个字未说出，又被他爹爹拉了下去，李洛阳叹道："来的究竟是谁？怎会如此厉害，什么叫做碧落赋中人？"他问的这些，也正是铁中棠、水灵光心里想问而还未问出来的，不觉一齐转动目光，凝神倾听。

麻衣客叹道："出外至此，共有十一道石闸，他们还有六道未开，乘此时间，我不妨略叙这些人的来历。"他环顾一眼，见到无人插口，便又接道："那碧落赋中，开宗明义，第一句话，便说的是当今天下六大高手。"

李氏父子虽然见多识广，却也未曾听过那"碧落之赋"，不禁问道："那碧落赋中开宗明义之句，不知说的是什么？"

麻衣客双目微阖，缓缓念道：

"尔其动也，风雨如晦，雷电共作。尔其静也，体象皎镜，星井碧落！"念此赋时，麻衣客声音恭肃，面容凝重。

李洛阳道："说的是哪六大高手？"

麻衣客沉声道："风雨雷电，武中四圣！"

李洛阳道："若是这风雨雷电四字，便说的是四人姓名，想来那风老四便是这四人其中之一了！"

麻衣客一笑道："九幽阴风掌虽然阴毒柔妙，散人魂魄于无形无影，但风九幽在四人中不过仅能居末而已。"

李洛阳道："那卓三娘？"

麻衣客道："'闪电'卓三娘，轻功世无双！"

铁中棠心中一动，道："雷鞭落星雨……"

麻衣客接口道："'雷鞭'雷大鹏，横扫九州雄，四圣位居第一，'烟雨'花双霜，暗器世无双，四圣位居第二。"

铁中棠道："风梭断月魂，那风老四想来便是！"

麻衣客截口道："不错，'风梭'风九幽，阴柔鬼见愁。"

铁中棠沉吟道："看赋中词意，这'四圣'虽强，但还是要瞧那'尔'字所象征之人的动静而定行止，想来那'尔'字所代表之人，位望之尊，武功之强，定必还在'四圣'之上，却不知又说的是谁？"

麻衣客笑道："小伙子果然聪明，这'尔'字，字虽仅一，却象征两人，这两人一男一女，一动一静，称尊武林。"

铁中棠道："不敢请问这两人姓名？"

麻衣客忽然一整面色，道："'日后'性子阳动，专管天下不平，'夜帝'性子阴静，但求明哲保身！"

此刻那裂石之声已越来越近，越来越响，但众人心神都已被这些武林传说中的神话人物所醉，竟是听而不闻。李洛阳忍不住又道："这六人既是武中之圣，声名便该震动天下才是，怎的在下等从来未有所闻？"

麻衣客傲然一笑，道："在下武功如何？"

李洛阳道："如高山大海，人所难测。"

麻衣客笑道："在下叫什么名字？"

李洛阳呆了一呆，摇头道："不知！"

麻衣客正色道："这就是了，武林通圣之人，岂是求名之辈？纵然做出些惊天动地之事，也未必肯吐露姓名，是以这些人做的事武林中虽多已轰传，但问及他们的姓名，武林中人便多茫然而无所知了。"

铁中棠忽然轩眉道："这也未必见得，想当年本门云、铁两位先人，挥大旗横扫江湖，虽名震天下，又岂是求名俗辈？"

麻衣客正色沉声道："乱世英雄，其名不求而得，云、铁两前辈生于武林乱世之中，自不可与他人同日而语。"

铁中棠听他对自家祖宗也甚是恭敬，心气不觉一平。只见麻衣客目光闪动，又道："碧落赋中人与铁血大旗门本是分庭抗礼，互有长短，但‘大旗门’自从失去一卷天下无双的神功宝录之后，后辈弟子，武功已大不如前，若使人得见‘大旗门’前后数十年声威相差之远，亦不免黯然而生今昔之感。”

铁中棠奇道："大旗门还曾失去一卷神功宝录？在下身为‘大旗门’亲传弟子，怎地也不知道？"

麻衣客神秘莫测地微微一笑，道："此卷宝录，本是‘大旗门’前辈先人故意遗失的，自当不向后辈提起。"

铁中棠更是惊奇，道："此卷神功宝录，既是天下无双，本门前辈先人，又为何要故意将之遗失，这岂非更是难解？"

麻衣客道："这……"一个字方自出口，耳畔"轰"地一声大震，碎石暴雨般飞激而至，原来最后一重门户已被劈开！

一个精赤着上身，犹如古铜铸成般的大汉，在门口一闪，又退了回去，想来自是风儿幽门下之神斧力士。

那少年秀士当先而入，两眼望天，傲然道："家师四圣已在门外，此间主人怎地还不快快出迎？"

麻衣客冷冷道："要进来就进来，不要进来就在门外站着。"

少年秀士作色道："好大胆的……"

语声未了，门外已有人阴森森笑道："你不出来迎我，倒也罢了，卓三娘远道而来，你莫非也不出迎么？"

卓三娘鸾凤般语声道："小皇子出迎，我不敢当。"一阵香风过处，一条银衫人影随声而入。

铁中棠不禁定睛打量，只见这卓三娘一身银缎衣衫，紧紧裹在身上，身材却是小巧纤弱，犹如弱女。偷眼一瞧她面容，佳人虽已垂垂老矣，但风韵犹自残留眉目之间，那一双明眸秋水，更端的如闪电一般。

再瞧她身后随入一人，身子犹如竹竿枯瘦颀长，面孔犹如骷髅般嶙峋无肉，站在卓三娘身后，竟整整比她高出一倍，身穿衣衫，却是宽袍大袖，众人知他便是九幽阴风客，由不得多瞧几眼。哪知

大旗英雄传

这几眼不瞧还好，一瞧之下，只觉对方眼神中似是有股吸力，教人目光再也移动不开！

麻衣客道："两位来了，好，坐！"突然走到铁中棠等人面前，长袖挥动，将他们目光一一隔开。铁中棠几人这才松了口气，赶紧转过目光，不敢再看，四人各各瞧了一眼，但见对方额上却已布满冷汗。

风九幽咭咭笑道："你怕我将他们几条小魂小魄吸过来么？嘿嘿，来呀，再瞧我一眼。"

卓三娘缓缓道："风老四太不客气，小皇子你莫见怪。"

众人听她口口声声将麻衣客唤为"小皇子"，心头都不觉一动，齐地忖道："这麻衣客莫非便是那'夜帝'之子？"

只听卓三娘缓缓接道："我们年来日渐散懒，本来也懒得出来，只是日前'日后娘娘'忽来召唤，说你近来总是欺负女人，要我替她老人家来取你性命，我只好来了，但现在风老四偏偏要和我抢，我只好让他宰了你！"

她说的虽是杀人之事，但语声仍是平心静气，和蔼异常。麻衣客居然也不动气，微微笑道："日后娘娘既然令你来宰我，你却让给别人，就不怕日后娘娘宰你么？"

卓三娘缓缓笑道："我本来也不肯，但日后娘娘座下有不少位仙女都来了，她们要救你那些小姑娘和鬼女们的性命，才耸恿着我找风老四谈条件的，现在你就伸出脖子，我也不会宰你了，只是来瞧瞧热闹而已。"寻了个地方缓缓坐了下来，一双眼神，却只是瞪在水灵光身上。

风九幽道："其实我也不想宰你，只想问你要几个人。"他挥一挥手，道："过来！"那少年秀士垂手而来，风九幽道："要的是什么人，你告诉他吧！"

少年秀士大声道："要的是铁中棠、水灵光……"

铁中棠心里一骇，大奇忖道："这风九幽怎会真的是为我两人而来，莫非这魔头也会被司徒笑买动么？"

他先前听麻衣客说今日来人是为了水灵光与自己时，心里还不相信，只当麻衣客是要讨好水灵光之言，此刻相信了，却不觉大是吃惊，只听少年秀士却又已接道："除他两人之外，还要个身穿嫁衣之人。"众人又自一忖，不知道谁是那"身穿嫁衣之人"？

只见麻衣客仰天大笑数声，还未答话，那卓三娘面色却已大变，站起来道："慢来，这身穿嫁衣之人给不得你。"

风九幽道："怪了怪了，瞧热闹的人怎地又来管闲事？"

卓三娘道："别的事不管，这事却真要管的。"

麻衣客大笑道："管不管俱都一样，这三人谁也莫想要去。"横身一掠，挡在铁中棠、水灵光两人身前。

风九幽咭咭笑道："你不肯给也得给!"突然大喝："神斧力士何在？"

门外霹雳喝道："在!"喝声未了，那古铜色大汉已迈步走了进来。

只见他脚步似是极为呆笨，仿佛猩猿，走到司徒笑等人之中，双手轻轻一分，众人便门四下跌倒，这"神斧力士"却如木见一般，一步步走了过来，手持一柄宣花巨斧，斧柄长达八尺，斧头大如车轮，也不知有多少斤重，只要在青石地上微微一触，便带起一溜青蓝色的火花!

大旗英雄传

风九幽指着铁中棠道："先将此人抓下来!"

铁中棠一直不敢接触风九幽那妖魔般的眼神，此刻才抬眼望，瞧见那"神斧力士"，突然骇极大呼起来。

水灵光大惊，颤声道："什……什么事？"

铁中棠哪里听得见她说话，目光直勾勾瞪了半响，颤声道："幺叔，怎……怎么是你？"

谁也想不到风九幽门下这"神斧力士"竟然就是"铁血大旗门"门下，那执掌大旗的赤足汉。铁中棠骇极，管不得别的，奋身而出，迎住了他，颤声道："幺叔，你老人家怎会来了？莫非……

莫非……"

那"神斧力士"赤足汉目光也直勾勾地望住他，风九幽面上神色更是阴森，一字字缓缓道："就是他！"

麻衣客惊喝道："闪开，他魂魄已被……"

喝声未了，赤足汉突然奋起一拳，击在铁中棠胸膛之上！铁中棠再也想不到他这幺叔竟会对他突施煞手，一声惊呼还未喊出，胸膛上已着着实实挨了一拳。力士号称开山，这一拳是何等力道！但见铁中棠身子被打得断线风筝般飞入那黑色的垂帘，久久才听得落地之声。

原来他们方才出来之时，并未将石闸落下，否则铁中棠头撞石闸，此刻早已血溅当地了！水灵光惊呼一声，面失血色，身形欲倒，似待进入。

风九幽冷冷道："神斧力士拳下哪有活口，只是……唉，未免可惜了！"这句话还未听完，水灵光已晕厥过去。

司徒笑等人几曾见过这样的阵仗，都已惊得呆了！那赤足汉山一般站在那里，面上一无丝毫表情。风九幽指着水灵光道："还有这个，但莫伤她性命！"

赤足汉一步步走过去，脚步落地，犹如打鼓一般，麻衣客知道风九幽已用药物激出这大汉全部潜力，此刻这大汉实已不可力敌，但仍一咬牙，迎了上去。赤足汉巨斧一抢，嘶声道："挡我者死！"一斧劈下。

麻衣客纵是武功绝世，也不敢接这开山巨斧，身形一闪，游鱼般滑过，反手一掌，劈在他身上！这一掌他反手击出，虽不能尽全力，但也足以取人性命。

哪知赤足汉着了这一掌，身子只是一震，非但未曾跌倒，反而就势一步迈了过去，伸开巨掌，抓向水灵光！

就在这刹那间，他眼前突有银光一闪，再瞧地上的水灵光，已不见了，他呆了半晌，方自转过头去，满面茫然神色！原来水灵光已被卓三娘抱起，卓三娘脚尖点地，又掠回原处，手里虽抱着一人，但身形仍如闪电般迅急。

风九幽冷笑道："多年不见，卓三娘轻功更骇人了。"

卓三娘道："过奖过奖。"

风九幽道："放下来吧，你我何苦为她翻脸？"

卓三娘微微笑道："你鬼眼睛莫看我，我不会被你勾了魂去的，你也不敢为了她和我翻脸。"语声中那些黑衣妇人又幽灵般鱼贯飘身而入。

卓三娘回首道："那些姑娘们呢？"

那矮小妇人道："已有人带她们走了。"

卓三娘道："这里还有一个，你也带回去吧！"

风九幽道："好，我带回去！"一迈步扑向卓三娘，他身高腿长，一步便跨出一丈开外，双臂一横，也有一丈三四，大袍飘飘，更有似垂天双翼，出奇瘦小的卓三娘在他双臂所带起的风声笼罩之下，眼看已然无可逃避，实如老鹰之扑小鸡一般，大小强弱，相去悬殊。

只听卓三娘笑道："你抓不着我的！"银光一闪，不知怎地已到了三丈开外，道："你碰得着我，她就给你。"

风九幽咭咭笑道："闪电虽快，风也不慢。"八个字说完，身子已在二十余丈宽广的大厅中转了一转。

但那一线闪电的银光，却总是在他前面。麻衣客面沉如水，一言不发，突然迎头去截卓三娘。眼见那银线似要送上门来，扑入他怀里，哪知却又偏偏自他身旁擦过，麻衣客、风九幽两人反而几乎撞在一起！

卓三娘格格轻笑道："你抱着她，我逗这两个孩子玩玩。"那矮小妇人只觉眼前一闪，水灵光已倒在她怀中。

# 第三二章　武道禅宗

众人几曾见过这样的轻功，但闻身畔风声忽来忽去，吹得人衣袂猎猎飞舞，到后来卓三娘的身形竟完全变作一条银光，在两条灰影之中，绕室飞转，哪里还辨得出人影？众人但见银光忽前忽后，在身侧四面飞舞旋绕，绕得人头晕目眩，几乎便要晕倒在地，当下闭起眼睛，不敢再看。

那赤足汉却仍瞪着眼睛，行所无事，似因他眼睛瞪得虽大，其实却什么也未曾瞧入眼里。只听卓三娘不住娇笑，风九幽微微气喘，到后来，笑声越来越是清脆，那气喘之声也越来越响。

风九幽突然顿住身形，道："不……不追了!"

卓三娘道："你认输了么?"

风九幽道："我若生的你那样矮小，轻功也未必输给你。"

麻衣客亦自驻足，胸膛也在不住起伏，道："轻功再好，也只是逃命本事，算不得什么手段!"

卓三娘自他身侧飘过，顺手一拍他肩头，笑道："你要比拼命的手段，不找风老四找谁，他想要你的命呀!"

麻衣客大喝道："正是要找他!"举手拍出三招。

风九幽咭咭笑道："我也正要找你，抓着你还怕要不到那穿嫁衣裳的么?"两句话工夫，两人便拆了十数招。

卓三娘笑道："你们两位多打打，我进去瞧瞧!"身子一翻，掠入那黑色垂帘。

风九幽道："不好，莫要被她捡便宜先寻了去！"猛攻三拳，身子一退，方待追踪卓三娘而去。

哪知卓三娘已闪电般退了回来，常带微笑的面容之上，竟已变了颜色，瞧见风九幽追来，却闪身笑道："你要进去么？请！"

风九幽喃喃骂道："狐狸精，又玩什么花样？"

心里虽已起疑，还是飞身掠了进去。麻衣客驻足而观，目中光芒闪动，只听风九幽"呀"的一声惊呼，飞也似的退了回来。

只见他双目圆睁，手指垂帘，道："她……她还未死！"

卓三娘叹了口气，道："叫你不要进去，你定要进去。"

水灵光恰巧醒来，惊喜道："他……他还未死么？"

卓三娘道："小妹子，你那男人是活不成了，我们说的她，是另外一个人，这人你再也不会认得。"

水灵光听得"活不成"三字，便又晕了过去。

风九幽嘶声道："夫人既还未死，为何不出来相见？"

只听那娇柔甜美的怪声自黑色垂帘中传了出来，一字字道："不错，我还未死，你可是要见我么？"

风九幽打了个寒噤，道："我……我……"

卓三娘冷笑道："没用的人，平日枉称了英雄。"

风九幽挺胸道："正是，在下正要见夫人一面。"

那怪声道："你等着吧，我这就出来，说不定还将你们要的那东西带出来，你们可不要走呀？"

风九幽道："自然不走！"脚下却向门外移动。他虽然舍不得走，但对那方舟中人却委实害怕已极。

那矮小之黑衣妇人走到卓三娘身畔，悄声道："是……是她？"

卓三娘道："不错，是她！"脚也往外直蹓。

黑衣妇人身子一震，也待转身，麻衣客突然横身挡住了门户，冷冷道："家母请各位留下，谁敢走？"

风九幽眼睛一瞪，道："谁要走？"竟真的坐了下来，斜眼瞧

大旗英雄传

557

着卓三娘道："卓三娘，你走不走？"

卓三娘道："你不走，我怎舍得走？"

两人嘴上虽硬，神情却已软了，麻衣客心房砰砰跳动，暗喜忖道："母亲已要出来，铁中棠已死，当真是万事大吉了。"

他若知道事情的真相，只怕再也不会挡住风九幽、卓三娘的去路，只因他母亲那般说话，本是要将他们骇走的！

这时大厅中又变得没有声息，最担心害怕的还是司徒笑等人，既不知道事情的究竟，也不知未来是凶是吉。

原来铁中棠武功虽不甚高，但机变急智，却可算并世难寻，眼见一拳击来，他虽无法躲闪，但心念一转，便乘势向后倒跃，只是赤足汉那一拳力道委实太强，他仍被打得直飞出去，再加上他自己的倒跃之力，这一下竟飞出四丈多远，穿过垂帘，向那水池之中落了下去。

这时他神志犹未完全昏迷，若是换了别人，必定不敢再用真力，只有任凭自己落水，但他却不惜冒险，竟拼尽最后一点真力，手脚齐动，拼命向旁一掠，于是他身子便恰巧落在那方舟之上。

他张口喷出一口鲜血，人便晕了过去，等他醒来之时，鼻端只闻一阵阵淡淡的清香之气。他不知此香乃是天竺异宝，名为"天师檀"，取意乃是天意垂福，师助下人之意，能助长练武人功力，修习内功时燃此一香，修习便可收事半功倍之效，否则他身受那般严重之内伤，怎会这么快便已醒转，只觉香气入鼻，胸中舒服已极，知道自身必已落入方舟上四面垂纱之中。

只听耳畔有人缓缓道："你重伤之下，还不惜妄拼真力，一心要落在方舟之上，显见别有用心，是么？"声音轻柔甜美，世间无双，铁中棠听过一次，永生难忘，知道这就是那麻衣客之母亲了，心下又惊又喜。惊的是这位夫人身在舟中，却能将自己心意窥破，端的是神目如电，当下道："晚辈内腑已被震伤！"他说了这句话喘息半晌，才能接道："若是无人搭救，落水之后，必无生望，但晚辈年纪轻轻，实不想死。"

那语声道："你明知自身落水之中，我未必会将你救起，但你若落在我面前，我却不能见死不救了，是么？"

铁中棠道："夫人明鉴，晚辈受的伤虽重，但夫人武功通神，自有回天之力，是以晚辈才存万一之想。"

那语声道："你倒没说假话。"随即不再言语。

铁中棠说了这些话，心胸更是干焚躁喘，闭目歇息了半晌，才忍不住张开眼来，想瞧瞧这位夫人的模样。他听这夫人语声那般柔美，只当她必定驻颜有术，貌如天人，哪知这一瞧之下，心头立刻大吃一惊。

黑纱中光线灰黯，香烟氤氲，只见这位夫人盘膝坐在方舟中蒲团之上，身子似已缩成一具骷髅，脸上面皮焦黄，全无丝肉，顶上头发也已完全脱落，瞧不见一丝毛发，四肢细瘦犹如婴儿，但肚皮却圆圆凸了出来。这形状之奇特恐怖，任何人见了都难免变色惊呼出声来。

但铁中棠素来不轻动容，心里虽吃惊，面上却不动声色，只是暗忖道："这位夫人当年必是天香国色，只因苦修武功，才变得如此模样，难怪她不愿与别人相见。"一念至此，心里反而暗生怜悯同情之意，不知不觉自目光中流露出来，正是他遇强不畏，见弱生怜之天性。

夫人双目半张半阖，也未说话。

铁中棠瞧了两眼，终是不敢再望，转过目光，只见蒲团旁有只香炉，炉旁有本薄薄的绢书，面上写的似是："武道禅宗，嫁衣神功"！

他心中一动，方觉这神功名字好生奇怪，暗道："难怪那风九幽要个身穿嫁衣之人，想来必是暗指此本神功秘册。"

突听夫人缓缓道："你叫什么名字，可是大旗门下？"

铁中棠心里更奇，不知她怎知自己来历，口中恭声应了。

大旗英雄传

夫人又道："你年纪轻轻，居然也会同情寂寞，这倒不易。"

铁中棠一惊，才知道石闸未落，外面的说话，这位夫人竟都听得清清楚楚，连自己对李洛阳的那句话都未漏过。

夫人道："但你见了我的模样，怎不害怕？"

铁中棠道："晚辈从不知道害怕，何况夫人具大智能、大神通，自当将臭皮囊抛却，晚辈只有尊敬而已。"

夫人冷漠面容之上，微现暖意，缓缓道："皮相美丑，本乃智者不取，但当今世上，又有几个能不看皮相之人？"

铁中棠不敢答话，只是微微气喘。

夫人道："你还能动，便爬过来。"

铁中棠大喜道："夫人莫非已肯垂怜相救？"

夫人道："你若非已受必死之伤，必定不敢擅自闯进来，你既凑巧来了，你我总是有缘，我好歹救你一命再说。"

铁中棠惊喜谢过，挣扎着往蒲团爬去，但他伤势太重，说话又损了气力，这短短数尺之地，竟如隔千山万水一般。

那位夫人见他挣扎爬动，也不扶他一把，忽道："有人来了。"

铁中棠虽未听见声息，但忍不住扭头望去，透过垂地黑纱，果然朦胧见到一条银色人影。他知道这是卓三娘来了，心里不觉一惊。那卓三娘见到水中方舟轻烟，更是吃惊，在水边顿住身形，道："舟中可有人么？"

夫人也不答话，突然张嘴在那烟气之上一吹，只见一条匹练般白烟，穿纱而出，矢矫强捷，犹如剑气一般。那卓三娘惊呼一声，再不答话，急急退出。等到风九幽随后而入，那夫人也是依样葫芦，吹出一道白烟，风九幽果也惊呼一声，风也似逃了。

铁中棠瞧那白烟非但有形，还似有质，心下不觉好生羡慕，忖道："我不知要到何年何月，才能练到这般地步。"

只见那夫人似在凝神倾听，神情十分庄肃。

过了半晌，风九幽怪声自外传来道："夫人既然未死……"两下那言来语去，几句问答，铁中棠自也听得清清楚楚。

铁中棠听得夫人有出舟之意，心下不觉大喜，又过半晌，听得麻衣客道："家母请两位留下，谁敢走？"

夫人面容忽变，道："孽障！我要将他们骇走，他却偏要将之留住。"

铁中棠奇道："夫人为何……"

夫人道："我既已有救你之心，为何不出手扶你一把，却看你在地上挣扎爬动？"双目一张，目光犹如明灯一般。

铁中棠大骇道："夫人莫非……已不能走动？"

夫人道："正是。"

铁中棠倒抽一口冷气，道："这……这……"

夫人冷冷道："这不干你事，快过来待我救好你伤势再说。"这句话说完，铁中棠也已爬到她面前。只见夫人缓缓伸出手掌，左掌按住铁中棠额头正中，直通心经，主血脉流行之心经大穴，右掌按住他脐右气血相交之处之血门"商曲"大穴，她双臂动作，亦是呆拙生涩，但掌心却炙热如火，方自按在铁中棠这内处大穴之上，铁中棠便觉一股热力由她掌心直通心腑！他全身本已疲乏脱力，衰弱不堪，此刻但觉一阵阵新生之力源源不绝而来，化入他体中，犹如水乳交融一般，自然舒妙已极。

但过了半晌，这本极平和之力，忽似化做两股烈火，铁中棠顿觉唇干舌燥，全身也暴胀欲裂。他大惊之下，立刻运功相抗，忽然想起自己伤重欲死，哪有内力？但这一念还未转完，体中却已有一股内力生出，原来那夫人掌上之力，瞬息间已化入他体中，变成他原有的一般。

铁中棠惊喜之下，也不及细想这内力怎会融化得这般迅速，连忙运功将那热力消散，过了一阵，那势力非但不减，反似更强，而铁中棠相抗之力，竟也越来越大，于是抗力越大，热力越强，而热力越强，抗力也随之增大，如此反复相生，也不知过了多久，铁中

大旗英雄传

561

棠忽觉自身体内真力，竟似能将这热力吸为自己之用，那热力来得越快，自己也吸得越快，那热力源源不绝而来，但一入铁中棠体内，便被铁中棠那股吸力化为己有，于是铁中棠吸力更强……

铁中棠体中本已无真力，但此刻无中生有，由弱而强，竟犹如高山滚雪球一般，越滚越大，而此长彼消，那股热力虽来得更快，但已有强弩之末，不可持久之象，更是无法抗拒铁中棠吸化之力。香烟氤氲中，只见那位夫人焦黄的面目，由黄而红，由红而白，鼓胀的丹田下肚，也渐渐缩小。

原来她数十年精修之内力真气，此刻竟如江河决堤，倒灌而出，全都灌入铁中棠体中，竟是不可遏止。

这时大厅中众人已等了数个时辰之久。

水灵光倚在那黑衣妇人怀中，一双大眼睛空空洞洞，望着屋顶，目中一无泪痕，眼泪似已流得干了。

那赤足汉手持宣花大斧，木立当地，从未动过一动，李剑白四下走来走去，神情极是不耐，李洛阳端坐在那里，却仍悠然自得。

司徒笑等人或坐或立，人人俱都十分不安，那少年秀士自四下寻来一些食物瓜果，但众人却都觉难以下咽。

麻衣客面上虽不动声色，心中亦是忐忑不定，暗道："母亲既已答应出来，为何到此刻还不出来？"

只见风九幽与卓三娘负手立在石壁之前，两人看那壁上的武功图形，都似已看得痴了。卓三娘不住喃喃道："好……好，果然好招。"她口中称赞，其实眼睛却根本未瞧，只是暗暗忖道："那女怪物虽未露面，但瞧她方才那一手凝烟穿纱的功夫，似比以前更要精进了，少时她母子两人若是联手来对付我，我却如何是好？不如乘此刻先与风老四联起手来，将这小怪物宰了再说。"眼睛不觉向风九幽瞧了过去。

风九幽摇头摆脑，也在怪笑道："高，高，高招！"心里却也在暗忖："与其等他母子向我出手，我不如乘这小子落单时，先将

562

他宰了再说，但我一人之力，还无把握！"想到这里，一双眼睛也向卓三娘瞧了过去。

两人对望一眼，瞧对方眼神，便知彼此心意相同。

卓三娘道："唉，小皇子，令堂大人怎还不出来呀？"

麻衣客道："你若等得不耐，怎不去问她老人家自己？"

卓三娘接道："哟，我可不敢问，风老四你去问吧！"

风九幽咭咭笑道："她见了我就生气，还是你去吧，你看来总比我顺眼得多。"两人一搭一档，逡巡着向麻衣客走了过去。

麻衣客面色不变，浑如不觉，口中却忽然笑道："你两人等得不耐，莫非是想先打一架么？"

卓三娘、风九幽齐地一呆，卓三娘缓缓笑道："小皇子，你真聪明，又让你猜对了，风老四想先宰了你哩！"

风九幽暗骂道："狐狸精，又赖上我了……但我好歹也将这小子宰了再说，免得那怪物出来就更麻烦了。"当下咭咭笑道："宰你可不敢，打一架消遣消遣却不错！"长袖一拂，卷起一股狂风，扑向麻衣客。

卓三娘笑道："小皇子，小心了，风老四阴风厉害得紧，风老四，你也小心了，小皇子'戏花拳'也不是好玩的。"

话声中，风九幽、麻衣客早已动起手来，风九幽每一掌发出，都带起一股寒风，吹在人身上犹如刀刮一般。麻衣客出招却是轻巧飘忽，柔若无力。但见他面带微笑，忽而出手去摸风九幽下巴，忽而又似要去撩他面颊，当真犹如调戏妇人一般。

李剑白暗笑道："这'戏花拳'倒是名符其实！"

李洛阳瞧了却暗地吃惊："好厉害的拳法！不但出招部位怪到极处，让人再也料想不到，变化更是奇诡繁复。"

只听卓三娘笑道："风老四，你瞧小皇子已看上你，只是调戏你，你不如就嫁给他算了。"

风九幽牙齿咬得吱吱的响，道："这婆娘闲得太舒服了，倒要给她找点事做做……神斧力士何在？"

赤足汉大喝一声："在！"

风九幽一招"凤凰展翅"，右手击向麻衣客，左手指着卓三娘，大喝道："快跟她打上一架。"

赤足汉道："是！"一斧抡了过去。

卓三娘笑骂道："难怪雷老大说风老四不是坏人，只是疯子，但你也不想想，这大猴子碰得到我么？"话声中身形已飘飘飞了起来，赤足汉抡开巨斧，放开大步，在后一路追赶，一路砍杀！他巨斧抡起虽然声威骇人，却又怎伤得了轻功第一的"闪电"卓三娘？只苦了司徒笑等人，一见赤足汉巨斧砍来，便四下奔逃，那赤足汉眼睛发直，也不管是谁，只要有挡路的，就给他一斧。

厅中顿时乱了起来，风九幽咭咭笑道："对了，这样才热闹……哎哟，好招。"身子一转，也还了一招！

卓三娘笑道："大猴子，快些呀……"突然向风九幽劈出一拳，等到风九幽闪开时，她却又去得远了。

风九幽破口大骂，卓三娘道："你莫骂，我公平得很。"这次飞掠而出，却向麻衣客连劈三掌。

但见她身子倏忽来去，忽向风九幽打一掌，忽向麻衣客踢一足，但击向风九幽力轻，击向麻衣客力重。

风九幽何尝不知道她暗地帮忙，口中虽大骂，心里却甚是欢喜，暗道："这婆娘的确有两套！"只见麻衣客面上笑容渐敛，显见应付已大是吃力。风九幽精神一振，道："再过五十招，要你躺下！"

卓三娘笑道："五十招不行，七十招却差不多了！"李洛阳瞧得清楚，知道麻衣客实难再挡七十招！

而高手相争，七十招晃眼便过，他老成持重，心中已在暗暗计算，七十招后，麻衣客若败了，自己父子两人又当如何？

这时铁中棠只觉对方掌心的热力，突然中止，自己试一运力，不但伤势已愈，而且气力更胜从前。他惊喜之下，谢道："多谢夫人。"张眼一瞧，却不禁又是一惊，只见夫人双目紧闭，满头大汗，面上更无血色。

铁中棠不禁惶声道："晚辈不知夫人疗伤竟要损耗这许多内力，若是知道，晚辈也不敢妄求夫人了!"

夫人胸膛起伏，腹下已变得平平坦坦，过了良久，突然笑道："我明白……我明白了……"声音虽仍甜美，却已变得极是微弱。

铁中棠奇道："夫人明白了什么?"

夫人张目笑道："十余年来的大难题，今日才算明白……炉中香已燃尽，你将香炉捏扁它!"

铁中棠道："晚……晚辈力所不能!"

夫人道："你试试看!"

铁中棠不敢违命，迟疑着取起香炉，那香炉高达三尺，乃精铜所铸，沉重异常，刀剑难伤，铁中棠苦笑暗忖："夫人将我功力估量的太高了。"

当下用力一捏，只想将香炉之炉耳捏断，算做交代，哪知他力道过处，那铜铸香炉竟真的被他随手捏扁。铁中棠这一惊当真非同小可，张口结舌，望着那被自己捏扁的香炉，几乎不相信自己的眼睛。

夫人道："平日你想捏扁这香炉难如登天，今日捏来却易如反掌，你可知这是什么原故?"

铁中棠道："晚……晚辈不知!"

夫人道："这只因我数十年性命交修之内功，已全被你吸收了去，再加上你本身功力，此时你功力之深，虽不敢说是震古铄今，天下无双，但当今武林之中，已少有人能及得上你了。"

铁中棠目定口呆，亦不知是惊是喜，呆怔了半晌，汗流如雨，忽然拜伏在地，道："晚辈该死，晚辈不知……"

夫人道："你闻得如此奇遇，非但不喜，反而惶恐，总算有些

大旗英雄传

良心，何况……唉，此事本是天意，怪不得你。"

铁中棠伏地道："但……但夫人怎……怎会将真……真气全都给……给了晚辈？叫晚辈好……好生不安。"

夫人一笑道："这原因委实奇妙古怪，此刻之前，连我也不知道是为了什么？唉，此刻我总算知道了！"

铁中棠道："不敢请……请问夫人……"

夫人道："这十七年来，我练的便是这'武道禅宗，嫁衣神功'，我虽早已知道这神功深奥，并世无双，修练极难，但也知道只要练成此功之后，便将天下无敌，又听得昔年'大旗门'开山两位祖师，也因练成此功，遂至称雄天下，是以我才摒绝一切，下了狠心，决心来练它。"

铁中棠忽然想起麻衣客方才之言，忍不住脱口道："这……这本神功秘册，莫非便是'大旗门'先人故意遗失的么？"他实在想不通本门先人为何要将这练成后，便可无敌于天下的秘门神功故意遗失，只是此时此刻，又怎敢问出？

又听夫人道："不错……但我一开始练此神功，便知不妙，只因一练此功之后，我体内真气，便忽然的枯涩起来，难以运转，但那时我已欲罢不能，只有再练下去，哪知我真气虽越练越强，但若要它运转却是痛苦不堪，那真气流过之处，都宛如尖针所刺一般。"她叹了口气，道："那痛苦比世上任何苦刑都要难受，但若停止不练，功力立散，那散功之苦，实是非人能忍，是以明知是饮鸩止渴，也只有硬着头皮去练，而真力越强，痛苦越深，我只有将真气逼在丹田腹下，不让它随意运行，这时我下肢却已完全瘫了。"

铁中棠听得更是目定口呆，作声不得，但却已知道她方才丹田腹下为何鼓胀成那般模样的原因。

夫人道："但真气纵然练得再强，如不能运用，又有何用？试想我对敌运用真气时，自身内脉已如针刺，怎能施展武功？我心中自痛苦不堪，但却百思不得其解，总以为自己必是练错了，再看这神功的名字，'嫁衣'两字，我虽始终不解，但'禅宗'两字，我却知道。"语声微顿，接道："佛家中'禅宗'最重'顿悟'，以传顿悟为第一大事，释迦牟尼说是：'微妙法门，不立文字，教外别传。'这神功既称武道中之禅宗，自是也以顿悟为重，顿悟乃立刻悟道之意，而我却苦练十余年，还是未得其旨，我昼夜苦思，越想越是胡涂，自己越是痛苦!"

铁中棠也不禁陪她叹息一声，只是无言劝解。

夫人道："今日我虽是见你仁厚智高，不忍见你就死，是以才要以内力为你疗伤，但也是要看看我将体中的真气逼入你体中之后，你有何反应，否则我与你非亲非故，又怎肯不惜痛苦为你疗伤?"

铁中棠垂下了头，不敢答言。

夫人又道："哪知这令我痛苦不堪的真气，到了你体内，你竟行所无事，我心里奇怪，便将力道加强，这时你竟已将得自我的真气收为己用，与我相抗，但两种真气本属一源，自然互相吸引，而我之真气正在外流，便不知不觉被你吸了过去，等我发觉之时，我已欲罢不能，收不回了!"

铁中棠也不觉恍然忖道："呀，原来如此!"

只见夫人说了这番话，竟已累得满头大汗。但她神情却仍极是兴奋，喘着气接道："只是我内功虽失，却终于弄明白了一切，也高兴得很!"她缓缓道："原来这神功之名'嫁衣'两字，取的便是'为他人作嫁衣裳'之意，嫁衣缝成，让别人去穿，缝的人虽使千针万线，怎奈自己却不是新娘子，这神功练来也是要留给别人享用的，练的人虽然吃尽千辛万苦，自己却半分也用不上，这种功夫，难怪'大旗门'要将它远远丢开了。"

铁中棠越听越奇，此刻已是汗流浃背。

夫人目中微现忿色，但瞬即笑道："我也知道了为何这神功要称'武道禅宗'，原来这'顿悟'两字，也是用在别人身上的!"

铁中棠惶声道："但……但为何如此……为何这神功真气在夫

天旗英雄传

人体中，便那般涩重，到了晚辈体中，便……便……"

夫人叹道："想来必是因为这神功真气，太过强猛霸道，但经我十余年之磨练，再入你身体之中，便将火烈之气，全都滤尽了，而两股同源真力互相吸引，乃是自然之理。"说到这里，闭目不语，但见那蒲团之上，已有一圈水渍，想来是她全身汗珠，雨水般流下，流在蒲团上。

铁中棠五体投地，道："晚……晚辈身受大恩，实不知应该如何……"语声哽咽，实是难以继续。他想到一人若是突然发觉自己一生心血，俱是为别人所费时之滋味，心里更是苦痛不堪。

夫人惨然一笑，道："此事你既无心，我亦非有意，怎能怪你？只是……只是这门神功，也未免对练功之人太残酷了些。"

铁中棠再也忍不住伤心落泪，道："晚辈……晚辈……"

夫人长叹道："天意……此功本属'大旗门'，你又是'大旗门'弟子，想来必是上天要你重振大旗门，才差你到这里来，否则你等纵然苦练三十年，也未见能复仇雪耻。"语声更是微弱，间断也更多。

铁中棠大奇忖道："司徒笑等人武功并不甚强，她怎会说我等再苦练三十年也无法复仇！"但此刻他已无暇多想，伏地道："晚辈深受夫人大恩，没齿难忘，夫人若不给晚辈报恩的机会，晚辈必将抱憾终天。"

夫人道："报恩两字，本谈不上，你再也休要提起，但……但你若肯为我做几件事，我必当感激的！"

铁中棠道："夫人只管吩咐，赴汤蹈火，在所不辞。"

夫人缓缓叹道："我儿子那些女弟子中，有个瞎眼的女孩子，这些年天天为我送饭，唉，她为了送饭给我，知道我不愿被外人所见，才自残双目，但愿你能为我找到这女孩子，替我好生谢谢她。"

铁中棠道："弟子上天入地，也要将她寻着。"

夫人凝思半晌，又自叹道："我儿子虽不孝，但总是我亲身所出，唉，这也怪我与他爹爹情怨纠缠，才令他左右为难，现在你功力已强胜于他，但愿你能照顾他，莫教他被别人杀死。"

铁中棠肃然道："晚辈必将尊他为兄，互相规过劝善。"

夫人微微一笑，道："好……好孩子。"过了半晌，又道："这'武道禅宗，嫁衣神功'你也带走，替我将它去送给一个人。"目光闪动，忽然现出怨毒之色。

铁中棠心头一凛，道："送……送给什么人？"他知道若将此秘册送给别人，实比杀了那人还要毒辣。

只听夫人缓缓道："去送给一个你所见过的人中，最最自私、最最残忍，从来不替别人着想的人。"

铁中棠本在担心不知她要自己将此秘册送给谁，此刻方自松了口气，道："晚辈遵命！"

只因若是将这秘册送给善良之人，铁中棠委实于心不忍，但将之送给最最残忍自私之人，却是再也恰当不过。

夫人又已接道："我早已写下一封书信，夹在这秘册之中，你决定将之送给谁后，不妨拆开看看！"

铁中棠道："是！"

夫人叹了口气，道："我心愿仅止于此，但……唉，却还想见我那孽子一面，不知你可愿为我将他唤进来？"

铁中棠道："晚辈这就去！"

夫人目光一闪，又道："但你却切切不可让第三者走上这方舟一步，我……我不愿别人见到我如此模样！"

铁中棠心下又是一阵惨然，恭声应了，伏地再拜而起，夫人已又垂下双目，神色虽疲惫，却甚是平静。

李洛阳避坐一角，纵观厅中全局，只见水灵光倚在那黑衣妇人怀中，非但姿势绝未变动，甚至连眼睛都未霎一霎。

卓三娘身形仍如银线般飞舞来去，那赤足汉虽追她不上，但一面将那宣花巨斧抡得震天价响，一面大步狂奔，奔了百十圈下来，竟仍然毫未见缓慢，那身子端的犹如铁打的一般，似是永不知劳累。

风九幽与麻衣客之决战，却已又过了四五十招，风九幽咭咭怪笑道："二十招，再要二十招就行了！"

卓三娘笑道："好，我替你数着，一招，两招……呀，这招'双锋手'施得真臭……四招，嗯，这还差不多。"

她身形不停，口中也不停，麻衣客身手更缓，面色更沉重，但招式使出，仍是潇潇洒洒，舒卷自如。

卓三娘道："十一招……十二招……呀，不好了，看样子二十招还不行，风老四，我替你攻一招吧！"语声未了，身子恰巧掠过麻衣客身侧，左手轻轻一拂，尖尖五指，犹如兰花一般，拂向麻衣客。但见她拇指、食指微曲，虚扣成环，无名指、中指、小指半伸半张，拂向麻衣客胁下三处大穴。

这时风九幽鸟爪般五只手指，也正抓向麻衣客胸膛。麻衣客知道自己若是被他五指抓上，固是立时穿胸透胁，但被卓三娘那兰花般二指拂中，却更是不得了！

就在这刹那间，忽见他身子一缩，不知怎的已将身上所穿之宽襟麻衣脱了下来，随手一撒，乌云般卷了出去。

虽是一件麻衣，但在他手中使出，早已贯满真力，风九幽怎敢怠慢，大喝道："好招！"反身跃出。

卓三娘笑道："果然不错！"纤腰一转，手腕微震，无名指、小指、中指缩回，食指却突然变了个方位，急地弹出。

她手指虽未点卜，麻衣客但听"嗖"地一声，竟有一股真气自她食指顶端"高阳穴"激射而出，嗤的一声急响过去。

麻衣客只觉身子一震，肩头一凉，竟被她指上射出的真气划破一条血口，鲜血迸出，不禁骇然道："先天真气！"

卓三娘笑道："不错，你倒识货！"身子早已滑走。

忽然间一股劲风泰山压顶般往麻衣客头顶直劈而下，原来是那赤足汉见麻衣客挡住去路，便一斧砍下！

麻衣客不敢硬接，闪身而退，只听身后狞笑道："还有我呢!"竟是风九幽自他身后又攻出一招!

他若要避过此招，就势必冲入那赤足汉斧下，众人瞧的不觉一惊。哪知他前后受袭，竟临危不乱，右足无声无息反踢而出，手中麻衣却向那宣花巨斧卷了上去，麻衣轻柔，巨斧刚猛，但柔能克刚，那麻衣客竟将巨斧卷住，赤足汉振臂一挣，竟是未能挣脱!

那麻衣被扯得笔直，忽见一道银光过处，一件麻衣，刀切般分为两半，赤足汉、麻衣客身子齐地向后一倒。

风九幽方自避开麻衣客一脚，此刻见他身子倒下，怎肯失了良机，狞笑道："这是第十九招!"双拳齐地击出。

群豪眼见麻衣客再难避过这一拳，有的欢喜，有的惊呼，有的却闭起眼睛，不忍再看! 就在这时，忽听天雷般一声大喝："风九幽，你敢!"一个黑衣少年站在黑色垂帘之前，那不是铁中棠是谁?

风九幽虽然天不怕地不怕，此刻也不禁骇得面目变色，方自触着麻衣客衣衫，一双手便不由自主垂落下去。

但听满堂俱是失色惊呼之声，有的欢喜，有的失望，站着的被骇得扑地坐下，坐着的被吓得长身而起，齐呼道："你还未死……"

水灵光亦自喜极大呼："你还未死!"但惊喜过度，身子还未站起，又软软倒下，原来又晕了过去!

众人悲喜虽不一样，但惊奇之情却无不一致! 只有卓三娘身子仍不敢停留，只因赤足汉仍在她身后抢斧狂追，但他听风九幽之命行事，别的任何事他都不闻不问! 只见铁中棠大步走了过来，一副旁若无人的模样，非但毫无受伤之态，而且神采竟似更焕发。

风九幽揉了揉眼睛，道："小伙子，你被我那神斧力士打了一拳，居然还能大模大样走出，这是什么原因，你非得告诉我不可。"举手一挥，道："力士且住!"那赤足汉果然如响斯应，停住脚步!

铁中棠道："我那幺叔本是顶天立地的英雄，你竟将他弄成这副模样，这是怎么回事，你倒说话!"

风九幽怪笑道："小伙子好没礼貌，风四太爷问你的话，你就该老老实实答出来，还敢反嘴?"

铁中棠道："今日你老实说出如何将我幺叔弄来，再快快将他神智回复，倒也罢了，否则，哼哼!"

卓三娘拍掌道："怪事年年有，今年特别多。居然有个小伙子敢向'风梭'风九幽如此说话，端的妙极!"

风九幽道："否则怎样?"

铁中棠道："否则就要你好看!"转向卓三娘道："你若不将水姑娘快些还我，也和他一样!"

众人听他如此说话，都道他必是活得不耐烦了，就连麻衣客也不禁暗暗为他担心，准备随时出手相救。哪知风九幽、卓三娘对望一眼，竟未暴怒，也未动怒。

原来两人老奸巨猾，见到铁中棠未死，已觉奇怪，再见他如此发横，更当他身后必有靠山，而那靠山却正是他两人所畏惧之人，但两人眼睛往他身后这垂帘里去瞧，也瞧不出什么动静，更觉莫测高深，卓三娘道："这小子太过无礼，风老四，你还不教训教训他?"

风九幽"嘻"的一笑，道："三娘在此，小弟怎敢争先?"

铁中棠大声道："我问的话你两人快答复，否则莫怪我不客气了。"轩眉怒皱，端的威风凛凛。

李剑白瞧的又惊又羡，恨不得自己也如此露上一手。

黑星天等人虽都又奸又猾，但却被铁中棠三番四次捉弄，早已对他恨之入骨，此刻见他如此神气，只当他又在弄什么诡计。

司徒笑悄悄一拉黑星天，道："风老前辈不知这小子深浅，看似又被他唬住了，但这小子武功，你我却知道得清清楚楚!"

黑星天道："不错，这小子骗了咱们好多次，这次咱们莫再上他的当了，司徒兄，是你上还是我上?"

司徒笑还未答话，只听盛大娘道："风老前辈不屑动手，待老身来教训教训这目无尊长的小子!"

原来她对铁中棠亦是满腹怨气，风九幽、卓三娘两人正自无计，此刻见到有人来做试金石，齐地大喜道："好极!"

盛大娘一顿拐杖，长身而起，盛存孝却已在她身后道："娘，还是让孩儿吧!"他生怕母亲有什失闪，当下抢先跃出。

哪知盛大娘姜桂之性，老而弥辣，大喝道："这次不要你动手!""嗖"地掠在铁中棠前面，双手持杖，道："来吧!"

盛存孝又惊又急，望着铁中棠道："铁兄……"他虽未说出"手下留情"四字，但眼色已等于说出一样。

卓三娘道："还等什么?"

盛大娘道："不必等了!""呼"地一杖扫出!

她年纪虽老，功力不老，一杖扫出，隐隐有风雷之声。

铁中棠连让她三招，暗叹忖道："瞧在你那好儿子份上，今日饶你一遭!"随意挥出几掌。

但他功力与昔日相较，强了何止十倍? 这几掌虽是随意挥出，掌风已颇见强劲，远非昔日可比。

盛大娘喝道："好小子，功力进步些嘛!"她不知铁中棠功力何止进步"一些"，仍然不惧，一棍当头劈下。

铁中棠突然反手一抄，众人还未瞧见他如何出手，他便已抄住盛大娘棍尾，只有麻衣客知道，这一招正是他石壁上的武功。

盛大娘只觉一股大力自棍上传了过来，自己竟万难相抗，这才大吃一惊，方待撒手抛棍。哪知铁中棠也在此时松开了手，只是棍上余力未尽，仍震得盛大娘手腕生疼，拐杖当地落了下去。

大旗英雄传

# 第三三章　拳中有奇境

　　铁中棠微微一笑，道："盛大娘莫非扭了筋么？"

　　盛大娘好胜之心，越老越盛，闻言正好乘机下阶，口中故意喃喃道："老了老了……不中用了……"俯身拾起拐杖，道："还要再打么？"她这话问得已显见有些情怯，只因她若是真的要打，又何必再问。

　　盛存孝连忙赶过去，道："娘，你老人家还是歇歇吧！"心里却是有数，不由得感激地瞧着铁中棠一笑。

　　铁中棠亦自一笑，两人惺惺相惜，尽在不言之中。司徒笑等人虽然狡诈，却也未瞧出盛大娘已吃了暗亏，只因他们再也未想到铁中棠会犹如此惊人的内劲。

　　黑星天大声道："待黑某教训教训这厮。"

　　风九幽、卓三娘见铁中棠武功似强似弱，仍是瞧不出他深浅，闻言喜道："正是，快去教训他吧！"

　　黑星天道："铁中棠，你虽然满腹奸计，但此番你我真刀实枪打一架，我倒要看看你还能玩什么花样？"

　　铁中棠精神一振，暗道："本门祖宗若是有灵，便来瞧孩儿为你老人家先杀了这第一个仇人吧！"当下一步滑了过去，沉声道："要送死就快动手！"

　　眼见黑星天缓缓走来，他面上虽然甚是得意，但脚下仍是慎重异常，铁中棠心念突又一动，压下了胸中怒气，暗道："不对，此

574

刻师傅师叔俱未在此，我若轻易将他杀死，一来便宜了这厮，再来也消不了师傅师叔的心头之恨，何况我此刻显露武功，未免打草惊蛇，司徒笑等人难免再生奸计。"

黑星天见他面容数变，只道他怕了自己，胆气更壮，大刺刺笑道："我若让你三招，你必定不肯，看掌！"只见他掌法果然迅快，掌随声至，刹那间便已攻出三招！

铁中棠冷冷道："我让你三招又有何妨？"居然并不还手，连避了三招，要知他苦研麻衣客壁上之招式，七日来实是获益匪浅，那壁上招式，多是避守之道，铁中棠这三招避得当真是匪夷所思，妙到毫巅，黑星天这三掌攻得虽然迅急泼辣，却连他衣袂也沾不到一点。

风九幽等绝顶高手见了还不怎样，司徒笑等人看在眼里，却是暗暗心惊，李剑白更忍不住脱口赞起好来！黑星天一生争杀不知凡几，此刻暗地虽然吃惊，却仍沉得住气，双掌一反，后着绵绵攻进。

铁中棠存心要拿他试手，来练那壁上武功，封闭拦锁、闪展腾挪，竟仍然守而不攻，未曾还手半招。此等守招是"七仙女阵"之克星，用来对付黑星天自是绰绰有余。数十招过后，但见黑星天出招越来越快，额上却已微现汗珠，显见已被铁中棠此等奇诡的招式惊得慌了。

突听司徒笑大声道："黑白双星与人动手，对手无论多少，向来兄弟齐上，黑大侠今日不该轻敌破了惯例，白二弟，你说是么？"他这话明虽说给白星武听的，但偌大声音，还有谁听不到，正是要为白星武造个出手的机会。白星武不等他的话说完，便已长身而起，大声道："正是如此。"身形一掠七尺，挥拳加入战圈！

司徒笑笑道："只可惜此时此地，这小子找不到帮手，否则对手越多，才越可看出黑白双星的真功夫！"他明知以麻衣客身分，绝不会出手，李洛阳老成持重，也不会贸然来蹚浑水，是以方自如

大旗英雄传

此说话，只是斜眼瞧着李剑白。

李剑白果然跃跃欲试，但瞧了半晌，只见铁中棠身形游走在黑、白两人之间，仍是守而不攻，仍是游刃有余。

这一来不但李剑白大奇，别人亦是失色。要知黑白双星联手对敌，招式配合之间，实已如水乳交融，昔日"龙门五霸"那等武功，还是败在这两人联手之下，司徒笑说的那话，倒也非全属吹嘘，而今铁中棠声名不着，却非但以一敌二，而竟迄今未还手，司徒笑等人昔年都曾见到他的武功，此刻自是惊怪莫名。

司徒笑暗道："这小子武功进境之速，实是天下少有，今日若不除去他，再过几日，那还了得！"一念至此，忽又大声道："五福联盟，生死与共，我司徒笑怎能瞧着黑白二兄苦斗，自己却坐在这里。"

他这话明虽自言自语，其实又是说给大家听，李剑白忍不住怒道："好个五福联盟，原来是以多为胜之徒。"

司徒笑只作未闻，嗖地蹿去，大声道："黑大哥，白大哥，两位下去歇歇吧，待小弟来教训教训这厮！"他明知黑、白两人万万不会退出，说话间早已向铁中棠急攻数招。黑星天、白星武果然丝毫没有退意，招式反而攻得更紧。

李剑白大怒道："这算什么？"一挽袖子，便待参战，李洛阳却已拉住了他，道："你再看看，再动手也不迟。"

李剑白定睛瞧去，只见场中虽然多了一人，但情况竟仍毫无变化，只见铁中棠先还蹿高纵低，闪展腾挪，才避得开对方招式，此刻脚步却越踩越是细碎，看来竟似根本未曾动弹，出招之间，也是有气无力，仿佛身患重病一般，但无论对方招式多么猛烈，他只要举手轻轻一引，便消弭无形。有时对方三人六拳一齐攻来，他明明双拳难挡六手，眼看要被打中，但脚下微一错步，便又避开，却仍不还手。

李剑白瞧得目定口呆，喃喃道："这是什么拳法？"

麻衣客微微一笑，道："这是'病维摩拳'！"

李剑白道："什……什么叫'病维摩拳'？"

麻衣客道："便是这四壁之上的拳法。"

李剑白瞪大眼睛，仍是不懂，卓三娘、风九幽、黑袍妇人等人，却不禁一齐扭回头，去瞧那壁上招式。

但几人瞧了两眼，便又一齐转回头来，麻衣客冷冷笑道："早知你几人自恃身份，脸皮再厚，也不好意思当着我面，偷学我的拳法，否则我又怎会说将出来？"

卓三娘笑道："你真是聪明极了。"

风九幽道："我又不想生病，学什么'病维摩拳'？"

麻衣客哈哈笑道："你懂什么，我这'病维摩拳'，取的乃是……"忽然想起风九幽这话乃是故意要套自己话的，否则以此人武功、身份，又怎会说出这样的外行呆话来？心念一闪，立时闭口不语。

风九幽大笑道："算你聪明！"

原来这"病维摩拳"，取的乃是"天女散花，维摩不染"之意，对方招式纵如漫天花雨缤纷，也休想有一瓣沾得了他。"维摩拳"、"仙女阵"相生相克，"维摩拳"之长，正是以少胜多，以静制动，单独与一人对敌，反显不出威力！

铁中棠苦研七日，将这"维摩拳"之精意全都牢记在心，只是招式之变化，仍无法运用自如。黑、白、司徒笑三人，若是一开始便齐地攻上，铁中棠不能变化招式，必将落败无疑。但开始时黑星天一人动手，正好给铁中棠喂招，等铁中棠招式稍熟，又多了个白星武来给他试手。等到司徒笑上阵之时，铁中棠非但已可从容抵挡三人，更悟出了招式间不少精微之变化，揣摸出"维摩拳"以静制动之精义，是以便不必大避大闪，只是卓立中央，端的犹如中流砥柱一般！司徒笑等三人之招式，虽如大河狂涛，奔腾而来，但遇着这中流砥柱，立刻飘流四散，不成格局。

大旗英雄传

577

风九幽又瞧了半晌，冷冷笑道："不错，这拳法委实有点门道，但这种有败无胜的拳法，也只有这傻子才会去学。"

与人动手，只守不攻，岂非有败无胜？风九幽这句话，实是说入众人心里，麻衣客仍一笑，道："你等着瞧吧！"

一言未了，只听司徒笑大声道："盛大娘、盛世兄，你两位今日莫非是瞧热闹来的么？"

"紫心剑客"盛存孝方待说道："以多胜少，盛某不为。"那话他还未说出口来，盛大娘已一跃而起！

原来盛大娘方才吃了个暗亏，心中实是又惊又忿，此刻暗道："咱们以四敌一，还怕宰不了这小子？"当下一顿拐杖，当头一拐，向铁中棠击下。

盛存孝阻挡已自不及，司徒笑笑道："盛大娘远攻，咱们近取，上下左右，远近交攻，你还往哪里走？"

四人但觉精神一振，齐声喝道："你还往哪里走？"要知这四人在江湖中俱是有头有脸的人物，此刻以四敌一，已大是丢脸，若再被铁中棠生还，更是颜面无存。是以四人一心，都想将铁中棠立毙当场，还可稍挽颜面，是以下手更是毒辣，拳掌足杖，一齐往死处招呼。

铁中棠脚步一错，身子仿佛突然偏了，间不容发，自掌杖间滑了出去，左掌掌缘在黑星天眼前一扫，跟着便封住白星武招式，右掌却平平在盛大娘铁杖上一托，这一托本是乘着拐势，丝毫不现火气，但盛大娘掌中拐杖被此力一引，呼地一声，竟向司徒笑、黑星天两人扫了过去！这一杖本身力道已是惊人，再加上铁中棠一送之力，更是威猛无俦，司徒笑、黑星天哪敢硬挡，翻身退出五尺！

黑星天大怒道："这算什么？"盛大娘不觉老脸一红！

司徒笑却知盛大娘此招乃是不由自主，道："少说话，多动手！"三人俱都恨透了铁中棠，恶狠狠一齐扑上！

麻衣客大笑道："你知道么，这就是以少胜多，以守胜攻的法子，谁说这拳法有败无胜，谁就是胜了呢？"他似也学了司徒笑那一套，这话明虽讽骂那风九幽，其实却是向铁中棠指点拳法中之精义。

铁中棠悟性本就高，闻言心念一闪，便已恍然。

但见白星武一招"毒蛇寻穴"击来，铁中棠左掌反手一招，力透掌背，白星武招式不由自主，被格得斜歪出去，却正好去挡盛大娘铁拐，两人齐地一惊撤招，铁中棠左掌恰巧赶到，在盛大娘杖头一引，盛大娘铁杖便呼地向司徒笑横扫出去，这时铁中棠右掌已将黑星天双掌引向司徒笑！

司徒笑眼见盛大娘一杖、黑星天双拳竟是向自己身上打来，大惊之下，不及思索，一招"野马分鬃"，反击两人。但听"砰"地一声，司徒笑、黑星天两人竟对了一掌，各各被震开数步，盛大娘虽然硬生生顿住拐杖，但仍收势不及，杖头也扫上了司徒笑肩头，司徒笑痛彻心肺，噗地跌倒，霎眼间头上已疼得满是冷汗！

众人见铁中棠仍是一招未攻，对方四人却自相残杀起来，且已有一人倒地，不禁又惊又骇，又是好笑。李剑白少年心性，更是拍掌大笑起来，道："你四人纵觉以四敌一不好意思，也不必自己打自己呀！"

司徒笑咬一咬牙，反身跃起，道："在下无妨，莫着了这厮道儿！"四人铁青着脸，又自攻上！但铁中棠此刻已得拳法精义，骊珠既得，精神陡长，只用了"封、格、引"三字诀，便将四人引得兄弟相杀，朋友互斫！

麻衣客哈哈大笑道："对了对了，就是如此，你方才若能练到这地步，不必脱衣服，七仙女阵也可破了。"

铁中棠此刻才知那"七仙女阵"破法原来如此，自己方才那衣服脱得实是有些撒赖，面颊微红，道："多谢前辈。"

麻衣客道："不必谢我，谢你自己吧！"

这两人一问一答，只是彼此了然，旁人却听得莫名其妙。

只见司徒笑等四人招式已越来越弱，只因自己使出的招式，大

大旗英雄传

半招呼到自己人头上，是以谁也不敢再下狠着。突听白星武轻唤一声，原来他又被盛大娘扫着一杖，左手抚着右肘，连退七步，亦是疼得满头冷汗。盛大娘跺一跺足，将铁杖"当"地掷在地上，道："这臭小子有邪法！"转过身子，竟自大步走了。场中只剩下黑星天、司徒笑两人，而司徒笑亦是肩头受伤，两人手上虽仍不停，心里早已胆寒。

突听风九幽冷冷道："这也算是打架么？丢人！""丢人"两字出口，他枯竹般身形也已飞起，不知怎样一掠，但闻两声惊呼，司徒笑、黑星天已被他夹颈抛了出去！但他力道拿捏得仍是极有分寸，司徒笑、黑星天仍可双足落地，两人对望一眼，心里也不知是何滋味。

风九幽上上下下，瞧了铁中棠几眼，道："江湖中出了这么个少年高手，风四爷竟不知道，嘿嘿，真是丢人。"

铁中棠听他夸奖自己，也不觉谦虚道："过奖！"

风九幽冷冷接道："此事若是传将出去，我更难看，看来我今日只有杀了你，让江湖中根本不知有你这人，也就罢了！"说到这里，似觉自己想的甚妙，抬起头来，得意地大笑起来。

铁中棠微笑道："既是如此，请动手吧！"

风九幽见这少年居然如此沉得住气，竟不动怒，倒吃了一惊，上上下下又瞧了几眼道："不得了……了不得！"

卓三娘笑道："你气不到人家，有何不得了？"

风九幽道："瞧这小子崆峒派头，再过几年岂非活脱脱又是个'夜皇帝'？唉，今日更是非宰了他不可。"

卓三娘笑道："你敢么？你不害臊么？"

风九幽哈哈笑道："你比我还想宰他，你以为我不知道？臭小子，闪电风梭都想宰了你，你不如先自杀算了。"

铁中棠笑道："如此说来，你两人不如一齐动手吧！"

风九幽道："你那几手，只能对付对付那些不成气候的晚辈，要用来对付我们……嘿，嘿，我不说了。"

铁中棠道："谁要你说，快动手吧!"他面对江湖传说中鬼怪般两大高手，心中虽惴惴自危，但面上还是不动声色。

这本乃他之天性，哪知却歪打正着，风九幽暗道："不好，瞧这小子如此托大，莫非还有煞手?"忽然人笑道："臭小子，风四爷与你动手，是存心欺负你……好徒弟，快来替为师教训这小子。"

原来此人最是欺软怕硬，从不打没把握的架，卓三娘笑道："对了，徒弟不成，师傅再上也不迟。"

只见那少年秀士却是说打就打，一句话不说，蹿了过来，动手就打，一打便已连攻七掌。卓三娘笑道："师傅是个慢郎中，徒弟却是急先锋……哈，想不到这小子也是个急先锋。"

原来那少年秀士招式虽快，铁中棠身手却比他更快，手腕一抖，就已变了三招，底下还又加上一脚! 在场之人，无论武功强弱，都不禁暗赞："好快的手脚。"两人以快打快，看得人眼花缭乱。

风九幽瞧了铁中棠一眼，怪笑道："别的不说，再过几年，你这'闪电'两字的名号，总得让给他了。"

卓三娘面色一沉，笑容顿敛，风九幽三番几次斗口，都输了给她，此番见她被自己一句话说得哑口无语，不禁大是得意，又自狂笑起来，卓三娘冷冷道："你笑什么，你徒弟命已快送终了，你还笑得出来?"风九幽大笑着转动目光，去瞧场中恶斗，笑声果然渐渐微弱。

原来"七仙女阵"与"维摩拳"相生相克，铁中棠既已深得"维摩拳"之精义，举一反三，便又将"七仙女阵"之招式了然于胸，但见他此刻所使俱是进手招式，虽未真个脱衣，但姿态却与脱衣一般无异，那出招部位之巧、变化之奇，端的令人匪夷所思，再也捉摸不透。那"七仙女阵"之招式，虽是七人同发，但他身手之迅急，又何止比那些锦衣少女快了数倍?

　　此刻他双拳挥动，竟宛如有数人同时发招一般，发招虽有先后之别，但望之却犹如齐地击来。那少年秀士虽是名师之徒，却再想不到世上竟犹如此怪异之招式，只是仗着身法轻灵，四下闪避。到目前为止，铁中棠出手虽快，轻功终是还不如他，轻功本是铁中棠拿手本领，此时他别的武功精进，轻功反而成了他最弱之一环，是以他虽居上风，但一时之间还是未能得手。

　　只见麻衣客缓缓道："守之不攻，失之柔庸，攻而不守，失之暴躁，攻守兼备，动静相生，便可胜了！"

　　铁中棠灵机一闪，右手自内向外，划了个半弧，五指挥洒而出，右手如拈花枝，轻轻向外曳引，消去了对方招式。少年秀士只觉自己攻出力道，突然无影无踪，对方招式，却已急攻而来，大惊之下，双拳合拢，急振而出。这一招以攻为守，力道强猛，果是妙着。风九幽抚掌大笑，道："好徒弟，好一招'乾坤一击'！"笑声未了，只见铁中棠右掌一缩一引，看似有气无力，却又将对方那般刚猛的一招引开，左手自右而左，轻轻一旋，斜削对方双肘，这接连两招，果然已将"七仙女阵"与"维摩拳"融而为一，正是攻守兼备，动静相生，于拳法而言，这两招已可算是登堂入室之绝着！

　　少年秀士踉跄退步，风九幽愤然变色，麻衣客哈哈大笑道："好一个风梭门下，原来也不过如此！"

　　只见那少年秀士面上由白转青，由青转紫，突然暴喝一声，双拳直抢中宫急进，正是力拼生死之孤注一掷！铁中棠心念一闪，不闪不引不避，踏步进步，双掌急迎而出，原来他斗得兴起，已浑忘了藏拙敛锋，免得打草惊蛇之事，竟有心要藉此一试自身真力，众人齐地耸然动容，麻衣客失声呼道："不好！"

　　他本知道铁中棠内力真气并不高明，怎能敌得过风梭之门徒，却又阻止不及，方自顿足扼腕，暗怪铁中棠竟不知以己之长，击人之短，反而以己之短，迎人之长，哪知他一念还未转完——只听"砰"地一声大震，接着，一声惨呼，一条人影仰天飞出，鲜血随着身形洒落地面，远远跌在一丈开外。

再一看，铁中棠却仍卓立当地，目中闪动兴奋之光，这一来不但麻衣客大出意外，众人更是群相失色！麻衣客暗奇忖道："他招式进境奇速，那是因为他悟性特高，他内力精进如此，却又是为了什么？"这道理不仅是他，谁也想不出来的。只见那少年秀士昏迷在地，满身鲜血。

风九幽知道徒弟被人重创，却连望也不望一眼，卓三娘笑道："你不去瞧瞧你那宝贝徒弟么？"

风九幽冷冷道："本门中阴柔功夫，他偏偏学不会，却只学会这些拼命的功夫，这种人原本该死，瞧他做甚？"

铁中棠暗道："这种狠毒师傅，只有让沈杏白拜在他门下，才是相得益彰！"转日一望，这才发现沈杏白竟已不见！他方才在外面还明明瞧见此人，此刻却已不知所终，心头不觉暗暗地一惊，只因沈杏白武功虽不高，心计却是歹毒无比。就在这时，突听麻衣客大喝一声："不好！"接着一阵奇寒彻骨的柔风，无声无息向他击来！

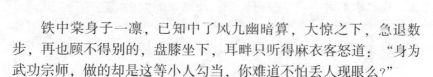

铁中棠身子一凛，已知中了风九幽暗算，大惊之下，急退数步，再也顾不得别的，盘膝坐下，耳畔只听得麻衣客怒道："身为武功宗师，做的却是这等小人勾当，你难道不怕丢人现眼么？"

又听得风九幽阴森森笑道："风四爷不过试试他，出来闯荡江湖，能不能眼观四路，耳听八方，谁知他这般不中用。"接着，掌风呼啸，显见两人已打得甚是激烈！

铁中棠又惊又怒，又是惭愧，但此刻他身子已如落在冰窖之中，浑身不住颤抖，牙关响个不停。他暗惊忖道："好厉害的九幽阴风……"不敢再想别的，只希望能将阴寒逼出体外，当即调息起来。

但他说是不想，又怎能不想？先想到那夫人犹在方舟相候，又想到自己一伤，场中已是强弱悬殊，麻衣客已有性命之虞，再想到司徒笑等人眼见自己受伤，正是复仇良机，怎容得自己安静调息？

一时间，但觉万念奔腾，纷至沓来，哪能运功逼毒？

　　但他想得的确不错，卓三娘笑道："风老四武功不灵，只会暗算，怎会是小皇子敌手，看来我只有出手助他了。"她口中虽在骂着风九幽，招式却已向麻衣客击出。

　　风九幽怪笑道："骂得好，骂得好……"两人合击，都想乘着里面厉害人物还未出来之际，先将麻衣客制住再说。麻衣客以一敌二，十数招过后，已是险象环生。

　　那边水灵光犹自晕迷未醒，原来那黑衣妇人怕她刺激过度，是以伸手点了她黑甜睡穴，让她好生安息。少年秀士却是真晕迷，赤足汉瞪着眼睛，木立当地。

　　司徒笑、黑星天对望一眼，两人也不说话，齐地展动身形，向盘膝打坐的铁中棠移了过去！铁中棠听得有人脚步之声移来，自己却已无力抵挡，不禁暗叹一声："罢了！"

　　突听一个黑衣妇人道："你两人要做什么？"

　　司徒笑陪笑道："没有什么！"

　　那黑衣妇人道："没有什么，便站在那里莫动！"

　　司徒笑腹中暗骂，已知道今日这机会错过，又不知要到何时才能向铁中棠复仇，但他先前已见过这些黑衣妇人之武功，果然不敢再动一动，暗中虽然满心恨毒，面上还得装着笑脸。

　　铁中棠方自暗中松了口气，突听耳畔有人道："加强运功！"接着，又有一只手掌贴在他后心之上。原来他方才退步，正好退入那些黑衣妇人之中，这一掌便是黑衣妇人相助于他。刹那之间，他只觉一股阳和之气，自后心传入，自己体内方自得来之真气，也随之发动。要知他体内真气，本属至阳至刚，否则那位夫人周身经脉也不至被烧得如受针灸，此刻一经发动，已足以将那阴寒之气逼出，何况还有后心之助力，只见他头顶宛如蒸笼一般，不住有丝丝白气冒出，身体也随之温暖。

　　司徒笑等人瞧得又惊又怒，知道他体中阴毒，片刻间便将尽数被他逼出，众人咬牙切齿，不知黑衣妇人为何要来助他。片刻间，铁中棠体内真气便已运行两个周天，面色立变红润，心中便立刻泛起惊异之情："这些黑衣妇人为何要来助我？"

但他还未曾说话，只听耳畔有人缓缓道："你不必惊异，也不必问我，今日后速至常春岛便知一切。"

铁中棠翻身跃起，还想再问，但黑衣妇人们已端坐如石像，黑纱垂面，也瞧不见她们面色。

"常春岛……常春岛……"这名字铁中棠隐隐约约，似曾听闻，却想不起究竟在人间何处，但他见了黑衣妇人神情，也不敢再问。转目望去，只见麻衣客已是汗透重衣，生死俄顷，铁中棠怒喝一声："风九幽，你瞧瞧能否伤得了我？"

风九幽目光望向了他，果然一惊，铁中棠已横掠八尺，左手带消连引，右手如切似削，急地向他攻出两招。

麻衣客精神一振，但他此刻真力损耗太巨，风九幽虽被铁中棠引开，他竟仍然无法力敌卓三娘一人。卓三娘身形闪电般飞旋四侧，倏忽来去，端的犹如幽灵鬼魅，忽然笑道："风儿幽，你那力士死了么？"

风九幽见铁中棠身中自己一掌，竟能立刻复原，心里又惊又疑，武功固是仍胜于铁中棠，但却不能取胜。此刻闻得卓三娘之言，立刻喜动颜色，大喝道："神斧力士何在？快来助我杀了这厮！"

赤足汉暴应一声，挥动巨斧，扑了上来。风九幽阴恻恻笑道："对付你也不值两人动手！"身子一闪，又去相助卓三娘夹击麻衣客，赤足汉巨斧泼风般舞动，上下左右，急急攻向铁中棠。

铁中棠又急又惊，颤声呼道："幺叔……幺叔……你……你……"他纵有天大本事，千百辣手，也不能向他幺叔身上招呼。

但赤足汉宣花巨斧，却招招俱是杀手，铁中棠只要碰着一点，立时便将骨折肢断，哪里还有命在！这两人动手，铁中棠自然要吃大亏，司徒笑拍掌笑道："妙呀，妙呀，叔侄拼命，当真好看煞

大旗英雄传

人!"

铁中棠更惊，更急，招式更乱，那边麻衣客情况却是比他更糟，十招中已还不出一招来！"紫心剑客"盛存孝转过头去，不忍再看，李洛阳父子虽然想来助拳，怎奈武功太差，有心无力，哪里插得上手？

就在这时，忽听那黑色垂帘中传出一阵轻柔甜笑的语声，缓缓道："我未出来之前，谁敢动手？"这轻柔语声，似比震天霹雳还要骇人！

风九幽、卓三娘，凌空一个翻身，倒退丈远，风九幽大喝道："神斧力士何在？还不住手！"赤足汉一斧方自斫出，听得喝声，竟在半路硬生生顿住斧势，两膀若无千斤神力，焉能如此？

但满厅之人，却无一人注意及此，数十道目光，一齐望着那黑色的垂帘，无人敢有半点声息。只有铁中棠暗叹一声，知道那夫人真力已尽，又是那般模样，此刻虽在帘后发话，却万万不会出来的！

哪知黑色垂帘竟然一掀，帘中竟然缓步走出一个人来，只见她长袍曳地，宫鬓高堆，眼波转动如水，腰肢娉婷似柳，容貌之美，固是难画难描，神情间带的那种高贵清华之气，更是令人不敢仰视，单只"仪态万方，宛如天仙"八字，又怎足以形容？

众人一齐失色，麻衣客自已拜倒在地，始终坐着的黑衣妇人，立刻一齐站起，铁中棠更是不能相信自己的眼睛。众人惊的是这位夫人闭关数十年，而今居然容颜不改，不见苍老，若非早已参破内家绝境，又怎能有术驻颜？

铁中棠惊的却是这位夫人方才明明还是那般模样，此刻怎会变得如此，若说此乃上天奇迹，他实难信，若说此非上天奇迹，又有何其它道理能够解释？他看了两眼，终于不敢再看，亦自拜倒在地。

只听夫人柔声道："卓三娘，多年不见，你还好么？"

卓三娘垂首道："托夫人之福。"她平日那般能说会道，此刻竟是言语生涩，说了一句话，便似已费了许多力气。

夫人又道："风老四，你呢？"

风九幽道："托……托……托……"他本待依样葫芦，学卓三娘说上一句，哪知竟连"托夫人之福"五个字都说不出来。

夫人一笑道："方才是谁动手，总不是你两人吧！"

风九幽连忙道："不……不是。"

夫人道："日后座下仙子，谅也不至如此鲁莽？"

黑衣妇人道："夫人说的是。"这些黑衣妇人语声虽然仍保持平平静静，但神情显也有些不安。

夫人面色一沉，月光扫向司徒笑等人，道："是你们么？"

司徒笑道："不……格……格……格……"他只说出半个"不"字，下面便是牙齿打颤之声，良久不息。

夫人道："既然都未动手，想必是我听错了。"

众人一齐垂首，哪有人出声？只因众人既不能说"夫人没有听错"，更不敢说"夫人是听错了"。

夫人淡淡一笑，道："风老四与卓三娘多年不见，想必又练成几手绝技，是以今日想来这里露露，是么？"

卓三娘道："是风老四他要来的，小妹本不知情！"

风九幽大惊道："你……你……"他惊怒之下，虽待辩白，怎奈急得满头青筋暴现，还是说不出话来。

夫人轻叹道："你们既来了，想必也不会空手回去，但你们想必也不愿和我动手，这怎么办呢？"

众人不敢出声，夫人似乎沉吟了半晌，才缓缓接道："这样吧，我就令我今日收的徒儿铁中棠，陪你们过两招好么？"语声微顿，又自笑道："我只传了他一日武功，想来他还不是你们敌手，你们手下留情才是。"

众人一听铁中棠只学了她一日武功，便已有这般身手，那真比点铁成金还要令人吃惊。夫人道："中棠，你起来，陪前辈们过两招。"

铁中棠依言站起，但觉全身活力充沛，他听得这位天仙般的夫人亲口唤他徒儿，实比学得任何惊人武功还要欢喜。

风九幽暗忖道："徒弟已如此，师傅可想而知，我纵能打败徒弟，师傅出手时我岂非完了？"

瞧了卓三娘一眼，忽然抚起肚子，大喝道："哎呀，不好，肚子痛，要……要……"一路说"要"，飞也似奔了出去。

卓三娘方自暗骂一声："没出息的东西！"

只听夫人笑道："风老四既然肚子痛，你就向卓三娘讨教吧！"

卓三娘道："夫人这是说笑，小妹怎会与铁世弟动手？"

她究竟要较风九幽强胜一筹，盈盈一福，又道："小妹本待伺候夫人几日，怎奈……唉，也只有拜别了。"她虽然还能说话，但话一说完，身子已出门，黑衣妇人似是互相交换了个眼色，竟放下水灵光，无声无息走了。司徒笑等人也跟跟跄跄，奔出门去。突听风九幽声音远远呼唤着道："神斧力士何在？"

赤足汉暴应道："在！"便待奔出。

铁中棠大惊道："幺叔，你等一等。"方自赶去，哪知赤足汉忽然回身一斧斫来，铁中棠不得不避，但一避之下，赤足汉已奔出门去。铁中棠身念师门安危，怎肯任他再落入风九幽之手，自待追出。

只听夫人道："中棠，你回来。"夫人口中这五字对铁中棠说来，实有无上威力，他脚步一顿，还是想回禀夫人一句后立刻追出。

麻衣客道："你留在这里，外面我去照顾。"

铁中棠道："但……"

夫人道："你两人都留在这里……"一句话还未曾说完，满头大汗涔涔而落，身子已软软倒了下去。

麻衣客惊呼道："娘，你……你怎样了？"

铁中棠惊呼道："夫人，你……你……"

两人呼声混杂，一齐奔了上去，只见夫人面色苍白，气息微弱，一口气不上不下停在喉间，竟然已是奄奄一息。

铁中棠、麻衣客不约而同，伸出手掌，掌心抵住夫人要穴，将真力源源不绝，逼入夫人体内。这两人内力加在一起，是何等惊人，夫人此时虽不能吸引，但过了半响，面色还是稍见红润，张开眼来，惨然一笑，继续着道："我神功散后，容貌竟渐渐回复，但我也知道这只是回光返照，已不久于人世了！"

铁中棠心头恍然，麻衣客却听得莫名其妙，他本想问："什么神功？怎会失散？"但此时此刻，又怎问得出口来？

夫人又道："但你两人也不必伤心，上天令我死时如此，已算待我甚厚，但愿你两人日后互相视为兄弟。"

这两人一个是他血肉所化的亲生子，一个却是毕生武功之结晶，一人延续了她血脉，一人延续了她武功。铁中棠、麻衣客对望一眼，齐地黯然点头。

夫人呼吸更是急促，道："卓三娘、风老四暂时虽被我吓走，但这两人生性多疑，绝不肯就此罢手，还是要再来的。"

麻衣客道："娘只管放心，孩儿们还能抵挡。"

夫人摇了摇头，惨笑道："你两人此时还不是他两人敌手，千万不可拼命，我还要靠你俩传宗接代。"

铁中棠、麻衣客垂下头去，不敢说话。

夫人道："你两人留意去看那四壁图画，山穷水尽之处，便是我的埋骨之地，那里面还……还有许多秘密，不但卓三娘、风九幽一心想知道，还有别人也……咳咳……你两人答应我，在……在里面等……等二十天才能出来……咳咳，莫与风……动手动手……"不住咳嗽喘气，已是难以继续。

此时此刻，铁中棠、麻衣客两人，纵有天大困难，纵然刀斧临头，也只有答应她的话，两人一齐黯然称是。

夫人道:"我一生……纵……纵横,死前有……有所传人,也算死能瞑目,但……但还有……还有……"

铁中棠、麻衣客两人,一齐加紧逼送真气。

夫人叹了口气,道:"我不能多说,你……你留意图画……莫忘了嫁衣……大旗门的……的秘密……恩仇……只有你……你爹爹知……知道……他……他实还未死……他骗过了你……却骗不过我……"嘴角缓缓泛起一丝微笑。

麻衣客大骇道:"爹爹……还未死?他在哪……"

语声突然中断,张口结舌,目定口呆,忽然两人一齐大哭起来,原来夫人一言未了,竟已含笑而去!只见她容颜仍如生,眼帘已半阖,上天虽然夺去了她的生命,却未能夺去她的绝世颜色!

铁中棠、麻衣客终非常人,虽然大悲大痛,仍具大智大勇,麻衣客强忍悲痛,抱起夫人之尸身。铁中棠却回身抱起水灵光,只见少年秀士仍晕迷在地,竟始终无人理睬,麻衣客暗叹一声,随手摸出一包伤药,抛在他身侧,道:"兄弟,跟我来。"铁中棠听得这"兄弟"两字,心头又是一阵怆然,但觉血脉奔腾,几乎不能把握,闭目停歇半晌,才能随后退去。两人关起石闸,过了秘道,又到了那青山绿水池畔,方舟已在岸边,柔纱依旧飘荡,但舟中之人,却已远去。

上了方舟,铁中棠将那神功秘册,仔细藏在怀中,两人一齐凝目去瞧那四壁之上的丹青图画。只见四面青山绿树,白云悠悠,画的似非人间,而是天上,一道溪流自山树丛中,白云之下,蜿蜒流出。两人俱是聪明绝顶之人,深能体会"山穷水尽"四字之意,一齐沿着溪流瞧了过去,只见这流溪流过丛林,有亭翼然,绕亭而过,便是飞阁一角,又自亭台楼阁间曲折流出,忽然消失不见,尽头处正是一屏高山,山色苍墨,重重叠叠,白云缥缈山腰,杂树丛生足下。

忽然间,重山叠岭间,又见溪流一现,便真无迹,两人对望一眼，知道这"山穷水尽"之意，便在此地。但石壁一片光滑，哪有机关枢纽，饶是两人这般目力智能，也瞧不出石壁上有何特异之处，两人将方舟催动，紧靠石壁，也摸不出壁上有何痕迹。

铁中棠忽道："这四壁山树，画的俱是生机盎然，只有这一曲溪水，却画得死死板板，毫无生趣，两下委实不称，竟似非·人之手笔。"

麻衣客道："你说的不错，这其中必有蹊跷，只是……"

# 第三四章　尽在不言中

话未说完，突见铁中棠掬了捧池水，泼在那块石壁之上，石壁着水，那道溪流颜色突变，现出了粼粼水波，水中似乎还有游鱼，这才似高手所画，而那山脚下，画的一丛杂树，经水一泼，也突然隐去，却现出了一道金色门户，门上还画着两只铜环，环中还套有无数个圆圈。

铁中棠大喜道："难怪溪水看来那般死板，原来是另外有人在原画上加了层见水便显之颜料，秘密也就在此处了。"

麻衣客叹道："想不到你不但胆大包天，而且心细如发，看来秘门入口之枢纽，定在这两只铜环之下。"

铁中棠道："不错，你可有匕首？"

麻衣客摇了摇头，铁中棠皱眉沉吟半晌，忽然自水灵光头下拔下一枝金钗，顺着铜环里的圆圈划动起来。但他划了半晌，仍无动静，麻衣客道："以正反相生之理试试。"铁中棠依言划动，石壁间果然发出吱的一响。

接着，那方画着门户的石壁，果然旋转而开，露出高约七尺的洞穴，两人大喜，再不迟疑，先后纵身而入。哪知石门自内一推，便又阖起，水渍干后，金门便又隐去，无论是谁，再也难看出丝毫痕迹。壁后一条秘道，虽窄不长，然后便是一间空广之石室，四下嵌着明珠，俱是龙眼般大小之无价之宝。

铁中棠若在别处见到此等设置，必将十分惊奇，但他深知此间主人超凡绝俗，是以无论见着什么惊奇之事，都在意料之中。只见石室中央，停放着两具棺木，竟是紫铜所铸，被明珠映得闪闪发光，棺上所雕之花纹浮图，也清晰可见。但室中除了这两具紫铜棺外，便宛如人间大富之家的居室，桌椅几榻，琴棋书画，各色俱备，而且件件皆是精品，四面锦帐流苏，气象甚是堂皇富贵，那两具铜棺竟设在这般一间石室之中，显得更是奇诡幽秘。麻衣客移开棺盖，将他母亲的尸身放入，面上已流满无声之泪珠。

铁中棠也拍醒水灵光，简略地说了经过，水灵光听得又惊又奇，又喜又悲，三人一齐在棺前拜倒。这时三人心中悲痛，只是跪悼棺前，也未留心四下事物。洞中难计时日，也不知过了多久，算来约莫已过了一日，三人这才觉得饥渴难忍，这才发觉洞中贮有黄精人参一类可以充饥之物，但食水却是难寻，三人正自忧虑，又在幔后寻得十数坛美酒，只因美酒既可久贮，又可解渴，反比贮水方便。铁中棠千杯不醉，麻衣客更是海量，两人俱是满心愁闷，正好以酒浇愁，不声不响，喝了起来。但水灵光喝了一杯，却已红生双颊。

麻衣客道："这酒后劲很大!"这一日来，三人俱是未曾开口，他这才说了第一句话，但说完之后，又复默然。

水灵光原拟不再喝酒，但口渴委实难忍，忍不住又偷偷喝了两杯，偷眼一瞧，麻衣客似未看到。

又过了许久，铁中棠忽道："阁……大哥贵姓?"

麻衣客道："姓朱名藻。"

铁中棠道："不知大哥是……"

麻衣客道："夜帝之子。"

铁中棠长叹一声，道："小弟早已猜到，只是……"见他满面悲哀，脸色铁青，不禁倏然住口，不敢再说。

只见麻衣客朱藻杯不离手，一杯接着一杯，痛饮不止，突然举杯大笑道："夜帝之子，好显赫的名声，是么?"仰首痛饮三杯，突又掷杯大哭起来。

铁中棠知他表面虽然乐观豁达，心中必有极多伤心之事，暗道："不如让他哭个痛快。"也不劝他。

　　只听水灵光突然轻叹道："哭吧，哭吧，心里有悲哀的事，总是哭出来的好。"自己又喝了三杯，眼泪亦自流下面颊。

　　朱藻以手拍腿，突又高歌道："这边走，那边走，只是寻花柳，那边走，这边走，莫厌金杯酒，哈哈哈，好一个莫厌金杯酒!"这阕醉妆词乃是五代残唐，蜀主王洗所写，此刻在他口中歌来，果然有一种帝王之豪气。

　　水灵光轻轻道："莫厌金杯酒……莫厌金杯酒……"举杯又干了一杯，她酒量本浅，此刻已是醉态可掬。

　　铁中棠想劝他，但转念一想："我三人这般愁苦，能醉个几日岂非大妙?"朗声一笑，亦自痛饮起来。

　　朱藻道："小兄弟，你我昔日恩怨不说，此后已是兄弟，是么……好，你在点头，好，喝一杯。"

　　两人喝了一杯，朱藻忽然又道："小兄弟，你可知道哥哥我心头的难受……哈哈哈，有何难受，再喝一杯。"

　　两人又喝了一杯，朱藻拍掌歌道："人生愁恨何能免，消魂独我情何限，故国梦里归，觉来双泪垂，高楼谁与上，长记秋晴望，往事已成空，还如一梦中。"这首南唐后主之子夜词，在他口中歌来，更是愁肠百结，另有怀抱，令人闻之，亦觉满心萧索，难以自遣。

　　水灵光又自叹息一声，道："能哭能歌真名士，亦狂亦侠自风流，朱……朱大哥，我佩服你。"

　　朱藻道："你……你唤我大哥?"

　　水灵光道："铁中棠如此唤你，我自也如此。"要知纵是最最口吃之人，酒醉之后，说话也可十分流畅。

　　朱藻道："唉，原来你只为他才唤我大哥?"

　　水灵光道："不，这声大哥是我自己心里唤出来的。"

朱藻道：“原来你对我并非全是恶感？”

水灵光道：“我早就觉得你人不错！”醉眼乜斜，一指铁中棠又道：“若不是有他，说不定……说不定我会喜欢你。”

朱藻大笑道：“好！好！既生瑜，何生亮……”笑声渐渐消敛，又自痛饮几杯，大哭人歌道：“休相问，怕相问，相问还添恨，春水满塘生，鸳鸯还相趁！”他随口歌来，俱是名家之词，而且词间与心境贴切，显见非但武功高绝，而且是位通品。

水灵光轻轻击节，道：“既怕相问，为何还要相问？”

铁中棠见他竟真的对水灵光这般痴情，暗叹一声，突然动容道：“灵光妹子，我知道你对我很好。”

水灵光大喜道：“你……你真的知道？”

铁中棠道：“但你我只是兄妹之情，莫忘了你是我的妹子。”说这话时，他自己心头又何尝不在暗叹造化弄人，要知那时礼教甚严，堂兄堂妹，是万万不能通婚的！

水灵光更已大哭起来，道：“我不愿做你妹子，不愿做你妹子！”突向朱藻道：“我做你妹子好么？”

朱藻道：“我不要你做我妹子！”

水灵光大声道：“为什么？”

朱藻道：“你为何不愿做他妹子？”

水灵光呆了一呆，轻叹道：“对了对了，这理由原来是一样的……好……好……”呆了良久，眼皮越来越重，竟睡着了。

朱藻目光空空洞洞，凝望着远方，似是突然苍老许多。

铁中棠不忍再去瞧他，转身去翻动桌上书册。这时铁中棠心中已有计较，决心要将水灵光与他拉拢，一来只因他不失豪侠本色，二来也好报他亡母深恩。铁中棠生性豁达，心念一决，心中纵然痛苦，也不去再想，只见桌上书册，俱是诗词典史一类，并无秘密可言。

突见一册黄绢订成的薄本，夹在残唐时郑州进士和凝所刻的红叶词稿之间，翻开一看，只见上面写着："杭州袁漱珍，庚子正月初八苏州许苏珠，庚子正月初十……"

一行行写的俱是女子名姓与时地，再无他言。

铁中棠瞧得暗暗奇怪，忽见第二面上写着：

"河朔水柔颂！庚子四月十七日。"

铁中棠身子一震，赶紧掩起书页藏在怀里，心房犹在不住震动，他想不出水柔颂名字为何在此，更不愿被水灵光瞧见。就在这时，石壁突然起了一阵阵震动，但声响并不巨大，接着，石室中又生出一种闷热之感。

铁中棠双眉方皱，又听得朱藻道："兄弟，你接着。"

原来他也在翻动书册，却发现一本乃母手抄之剑诀，当下远远抛给铁中棠，道："此乃削香剑诀，你好生学吧！"

铁中棠早已闻得武林中有种绝代剑术，名为"削香"，只是失传已久，却想不到如今竟能得见！他心头惊喜交集，道："大哥，你呢？"

朱藻黯然笑道："削香剑术变招之快，当世无双，以你手腕之灵巧，学这剑术，正是相得益彰，而我……唉，我已无心学剑了。"坐下又去饮酒，有时抚棺痛哭，有时纵酒高歌，水灵光虽不敢再醉，但也始终未曾十分清醒，只有铁中棠心怀大志，不愿虚度时日，竟真的咬紧牙关学剑。

又不知过了多久，铁中棠计算时日，纵不及二十日，至少已有半月，当下便欲离去，朱藻、水灵光亦无异言。直到这时，朱藻才略整衣衫，三人彼此相望，都觉对方已憔悴许多，于是一齐在棺前叩头，垂首而出。石门由内开启甚易，但铁中棠触手之处，只觉那本来冰冷的石质，此刻竟似有些温热，心头不禁一动。转瞬间门已开，三人相继跃出，突然一齐呆在地上。

只见满池绿水，已干了一半，四壁丹青，都已熏得焦黑，池中方舟，更已踪影不见，池中却浮着些焦木。三人一眼瞧过，便知此地大火方熄，匆匆赶出去一看，满目疮痍，四下俱是焦木残灰，昔日繁华，早被一场大火烧得干干净净，只剩下一个空荡荡的石屋支架，犹自耸立在凄凉西风里。出了石屋，外面的百花、草坪、斜柳、朱桥，只剩下一堆堆灰烬，花畔、草上、柳下，千娇百媚的少女，更是风流云散，铁中棠想起自己来时此地的风光，端的是八面风光，人间仙境，而如今……仙境已化地狱，人面不知去向，一时之间，他只觉满心悲怆，不觉呆在地上！

朱藻突然一拍他肩头，笑道："小兄弟，你想些什么？"

铁中棠叹道："不知是谁下的毒手？"

朱藻道："你还怕他能躲一辈子不成，难受个什么？"仰天一笑，又道："这些身外之物，烧了倒干净，何况，此境本是人建，珍宝也是人手积来，他能烧得了，我便能再建，哈哈，小兄弟，你岂不闻，天生我才必有用，千金散尽还复来。"

铁中棠见他胸襟竟如此开阔洒脱，不禁对他更生好感，暗道："灵光妹子若是能嫁得这般夫婿，我也心安，只是……"忽然笑道："小弟斗胆，要奉劝大哥一言。"

朱藻道："你说吧！"

铁中棠道："大哥你万般皆可佩，只是太风流。"

朱藻仰天笑道："人不风流枉少年，何况我……"笑容一敛接道："不见意中伊人来，只有纵酒学风流。"

铁中棠道："大哥若有意中人时，便不再风流了么？"

朱藻道："若得意中人，从此不二色……你为何如此问我？"

铁中棠笑道："没有什么，没有什么……好，好！"当先出谷，谷外仍是一片清平世界，铁中棠忽将朱藻按在一方山石上坐下，道："大哥，你且受小弟三拜。"

朱藻笑道："平白无事，拜个什么？"

铁中棠正色道："第一拜是谢她老人家再造之恩，第二拜是谢大哥收我这兄弟……"口中说话，人已拜倒。

　　朱藻神色一阵黯然，但瞬即笑道："说的好，这两拜大哥我都生受了，那第三拜却又为的什么？"

　　铁中棠道："小弟要请大哥至王屋山下，一处名唤'再生草庐'的茅舍中，去会见一人，为小弟带封书信去。"

　　他一面说话，一面已自怀中取出封书信，想必在那石室中写就封好，朱藻道："此事容易，你为何要拜？"

　　铁中棠道："小弟还求大哥也将此人当做兄弟一般，随时照料于他，但小弟却可担保，此人乃是个世间奇男子！"

　　朱藻笑道："既是人间奇男子，你不说我也要交的。"

　　铁中棠再拜道："多谢大哥。"转身携起水灵光的纤手，道："灵光妹子，我也想求你一事，不知你可答应？"

　　水灵光轻轻一叹，道："无论你求我的是好事，还是坏事，只要你说出口来，我就答应。"

　　铁中棠暗叹一声，口中道："我求你也随朱大哥前去王屋山，再求你好生对待朱大哥，也好生对待茅屋中人。"

　　水灵光面色微微一变，缓缓道："你既说出口，我就答应你，但……但你莫以为我不知道你的心。"

　　铁中棠强笑道："你知道什么？"

　　水灵光一字字缓缓道："我不管你想什么，只要告诉你，无论如何，我一生除你之外，绝不再嫁他人。"她语气坚决，但神色却极平静，显见这话她早已在心里不知说过多少遍，只是此刻才说出口来。

　　铁中棠变色道："但……但你我……"

　　水灵光淡淡一笑道："我也知道兄妹不能成为夫妇，我只恨苍天，也决心一生不嫁……朱大哥，咱们走吧！"

　　铁中棠见她如此神情说话，知道那是谁也更改不了，心中又悲又叹，转首望去，只见朱藻负手而立，面上似笑非笑，嘴边似叹非叹，若非豁达已极之人，听得水灵光说出这番话来，神情怎能如此。铁中棠黯然叹道："大哥你……你本度的是悠闲岁月,小弟却累得你奔波江湖!"他要说的,本非此话,只是到了唇边,方自更改。

朱藻淡然一笑,道："我早已有心出来走动走动,见一见天下事,此刻正是良机,只是……我又不禁奇怪。"

铁中棠道："大哥奇怪的是什么?"

朱藻道："你要我等远赴王屋,你却又要去何处?"

铁中棠道："王屋之约,本是小弟必赴之约,怎奈小弟此刻又有了更急的事,不得不请大哥……"

朱藻截口道："你这急事,说不得的么?"

铁中棠黯然一笑,道："此事说来话长……但……但小弟事一做了,但必定赶去王屋,与大哥、灵光妹子相见。"

朱藻道："你既不愿说,也罢,但我却信得过你,也不愿问你!"长身而起,道："好,水灵光,咱们就走吧!"只见他大袖翻飞,当先而行,水灵光随在他身后,直到两人身影消失,水灵光俱未回头。

铁中棠心头一阵黯然,知道水灵光若是回头看上一眼,那倒还好,她此刻竟不回头,显然心头悲痛已到极处。他心头暗自低语:"大哥、灵光,不是我不愿说出那急事,只因我生怕说出之后,你两人便不肯离我而去了,但愿你两人今后幸福……我若能侥幸做好那两件事,日后我们还有相见之日,我若不能做好,那……那……"举手揉了揉眼睛,踏着漫天夕阳余晖,大步下山。

其实此刻盘绕在铁中棠心头之急事,何止两件!

他幺叔怎会落入风九幽手中?师门之安危如何?是否也遭了风九幽毒手?大旗门恩仇究竟还有何秘密?这些问题的真相,都是他急于想查出来的,他甚至觉得片刻都无法忍耐。但若要查出前三个问题的真相,首先要寻着风九幽与他幺叔,至于最后一个问题,他还记得朱夫人临死前对朱藻所说的言语:"大旗门的恩怨秘密,只

有你爹爹一人最清楚，他还未死……"夜帝虽还未死，但下落何处？有谁知道？

那黑衣妇人出人意外，竟相助于他，还令他立赴常春岛，朱夫人要他答应的三件事，其中有一件，是要他寻出那盲目的送饭女子，而所有的少女，显然已都被那些黑衣妇人带回常春岛，是以这常春岛，更是他急需要去之地，在那岛上，说不定可打听出风九幽与夜帝的下落。

铁中棠将一些千头万绪之事，极快地整理一遍，心头便已下了决定！无论如何，先去常春岛！夕阳还未完全隐落之时，铁中棠已坐在山脚下一方青石上，这方青石，正是他上山前所坐之地。只见他呆坐石上，目光茫然望着远方，原来常春岛究竟在何处，他固不知道，江湖中究竟有谁知道其地何在，他也全无所知，只得暗道："顾名思义，常春岛必在海外！"当下一振衣衫，向东行去。

但他到了海边，连问了数十个终年在海上打渔的渔夫，却无一人听过这"常春岛"三个字。一个满面水纹的年老渔夫道："老朽在海上混了五十多年，海上只要有这么个常春岛，老朽万无不知之理。"

铁中棠听他话中颇为自矜，想必所言非虚，不禁叹道："你老人家既然不知，想必海上并无此岛了。"

那老渔夫笑道："小爷说的是。"

铁中棠在海边探问了两日，仍是毫无结果，只见衣衫上似乎添加了一些海水咸味湿气。他满心忧闷，却又无计可施，只有折回西行，不消一日，便又过了崂山，到了即墨城。铁中棠赶路一日，此刻便寻店打尖，方自喝下一碗宽面，突听有人唤道："圣姑们又经过了，快来快来!"

酒铺中人，倒有大半拥了出去，一个个竟跪在路边。

铁中棠大感惊奇，忍不住也跟了出去，突觉有人拉衣袂道："圣姑来了，还不跪下？"铁中棠不便用力相抗，只有跪倒。

过了半晌，只听街那头欢呼道："圣姑……圣姑……"六七个黑袍及地，黑纱蒙面的妇人，在欢呼中缓缓走了过来，她们行路的姿势，极是奇特，肩不动，手不抬，只是双足在及地长袍中轻轻移动，但却走得甚是迅快，望之宛如乘风。

铁中棠瞧得又惊又喜！这不是常春岛日后座下使者是谁？但瞧这些人身形，却又与朱藻石厅所见之人不同，显见又是另一批，铁中棠暗道："无论她们是不是那时的人，只要她们回向常春岛，我便可跟踪而去。"只见黑衣妇人身后，还跟着辆大车，车帘深垂，密不透风。

这时方才拉他跪下之人又已悄声道："兄台大约是外路来的，不知道这些圣姑们不但慈悲为怀，而且法力无边。"

铁中棠知道这些乡愚牵强附会，已将黑衣妇人瞧得犹如神仙一般，是以对她们才会如此恭敬。但听他如此说法，可见黑衣妇人们在这城镇之中，必定做过不少值得称颂之事，不知怎地，铁中棠也觉甚是欢喜。片刻间，黑衣妇人们便已走过长街，竟没有一人曾经东张西望一眼，端的是眼观鼻，鼻观心，行不逾矩。欢呼犹自未歇，人群却已站起。

铁中棠悄悄自人群中穿行过去，远远跟在黑衣妇人们身后，此刻时已入夜，他行动也未引起别人注意。但铁中棠还是不敢跟得太紧，忽然间，只见走在最后的一个黑衣妇人竟停下脚步，回首而望。

铁中棠心里一惊："莫非我行藏已被她们发现，当做恶意？"他不愿与这些黑衣妇人发生冲突，当下便待隐过身形。哪知那黑衣妇人立在阴影中，竟在向他轻轻招手。

铁中棠知道已躲无可躲，只有硬着头皮走了过去。

那黑衣妇人轻语道："这里来。"身子一闪，隐于树后。

铁中棠大奇忖道："若说她便是我日前遇见的那些妇人，此刻为何这般神秘？若说她是另外一批，又怎会认得我？"

心中惊疑不定，脚步却已迈了过去，那黑衣妇人幽灵般站在树下阴影中，轻轻又道："走过来些。"

铁中棠迟疑道："前辈有何指教，在下……"

那黑衣妇人突然轻轻一笑，道："你竟听不出我的声音么？"语声甜美柔媚，令人闻之心荡。

铁中棠失声惊呼道："温黛黛!"

那黑衣妇人道："不错。"伸出春葱般纤纤玉手，揭下覆面黑纱，但见娇靥如花，眼波似水，却不是温黛黛是谁？

铁中棠又惊又喜，道："你……你怎会和她们在一齐？"忽又大惊问道："我那云三弟怎么样了？"

温黛黛目中似有幽怨之色泛起，叹道："此事说来太长了，我只能简简单单地告诉你。"

铁中棠道："三弟他……他伤已好了么？"

温黛黛道："不但伤已好了，武功还精进许多。"

铁中棠大喜道："是……是谁救了他？"

温黛黛道："无色大师。"

铁中棠更喜，道："少林掌门人？呀，三弟缘福，真是不浅，想不到他竟得蒙无色大师之青睐。"

原来这少林无色大师，不但乃是当世第一神僧，在武林中也是位尊望隆，少有人能望其项背。但这位少林高僧坐关已久，近十余年江湖中几乎已无人见得着他，铁中棠闻他竟出手为云铮治伤，自是喜出望外。

温黛黛道："那日我千辛万苦，终于将他救出地道，便听你的话，将他一直送上少室嵩山少林本院。"

铁中棠叹道："少林寺门禁森严，我真想不出你是如何设法进去的。又怎会见到无色大师？"

温黛黛凄然一笑，道："你也莫管我是如何进去的，总之我设法进去，又设法见着无色大师，请他为云铮疗伤。"

铁中棠见她笑得甚是凄凉，知道此中必然有一段极是辛酸的经过，只因由少林寺门到方丈室这段路途，看似平平坦坦，其实却无殊千山万水般难以度过，但温黛黛似不愿说，铁中棠也不便再问，但他却想不到这段路途之辛酸与艰苦，除了温黛黛外，别人再也难以度过。

原来那日温黛黛抱着云铮到了少林寺，已是精疲力竭，她一心求见少林长老，却被迎门的知客僧拒于门外。温黛黛瞧得少林寺两扇山门又自紧闭，纵有大胆也不敢闯门而入，只有跪在门外，哀哭求告。但她跪了半夜，哭声已嘶，少林寺还是对她不加理睬。

这倒并非少林寺之出家人心性太狠，只是少林寺在江湖中名声实在太大，百余年来，每日都不知有多少人上山托庇求助，访师学艺，少林寺怎能一一接纳？何况这些求助之人中，又有不少是大奸大恶之徒，穷途末路中来求庇护，还有不少装着伤病求助，其实却是存心入寺卧底偷学武功之人，少林寺若是接纳，清净佛门岂非变为藏污纳垢之地？是以少林寺这才立下戒条，若非有人引见，或是江湖中真正知名的侠义之士，谁也莫想入寺一步。温黛黛既无人引见，又非知名侠士，此番被拒于门外，本是天经地义，理所当然之事。

但她不知是幸还是不幸，就在这时，只听风声微响，她身后不知何时，便已多了一个紫袍老人。这老人来时风声极是轻微，但身形却极是魁伟高大，望之犹如神佛中之天神巨人一般。只见他浓眉厉目，颔下一部紫红色虬髯，瞧了温黛黛半晌，道："小姑娘，你哭什么？"语声也犹如霹雳般震耳，温黛黛骤见其人，骤闻其声，心头不禁一震，但瞧他似无恶意，便将求助被拒之事说了。

紫袍老人大笑道："你要见无色老和尚么，这个容易，但某家一生不做助人之事，除非事成之后有重礼酬谢。"

温黛黛惶声道："小女子虽然无长物，但还有些银两。"

紫袍老人纵声笑道："银子某家见得多了，就凭区区阿堵物便想某家出手救你，你岂非将某家看得太不值钱了！"

温黛黛道："但小女子除此之外，便……便别无他物可以相谢。"

紫袍老人道："那你就继续跪着吧！"拂袖走向山门。

温黛黛瞧得云铮伤势越来越是沉重，知道若不早加救伤，再迟便来不及了，突然狠了狠心，道："前辈慢走。"

紫袍老人回身道："你可是想起酬谢某家之物来了？"

温黛黛道："不错。"

紫袍老人目光一闪，大声道："是什么？"

温黛黛道："便是我的身子。"

紫袍老人仰天笑道："不错不错！某家若非要你说这句话，岂有工夫与你啰嗦？你虽说得迟些，总算聪明，毕竟说出了。"笑声突然一顿，厉声道："但这话乃是你心甘情愿说出来的，某家可没有丝毫逼过你，你也莫要赖账。"

温黛黛道："你若带不进去又当怎地？"说这话时，面色平平静静，只是目光炽热，似是情仍热，心已死！

紫袍老人道："若是带不进去，某家输这脑袋给你。"

温黛黛道："但纵然带进去了，此刻还是不能……"

紫袍老人截口道："某家知道你还要陪这半死的小子几日。"

温黛黛道："不是几日，是几十日。"

紫袍老人大笑道："好厉害的女子，某家倒未曾见过。好吧，给你四十日，四十日一过，你身子便是某家的了。"

温黛黛道："但心却是我自己的。"

紫袍老人呆了一呆，道："要你的心是何价钱？"

温黛黛道："拿你性命来换！"

紫袍老人纵声大笑道："好，好，想不到某家有生之年，还能见到你这样的女子，只可惜早些日子未见到你。"

温黛黛道："早些日子，你见了也是白见。"言下之意，自是早日我无求于你，你又怎能要得我身子？

紫袍老人大笑道："好！好！……你姓什名谁，快些说来。"

温黛黛道："温黛黛，温玉之温，黛绿之黛。"

紫袍老人上上下下瞧了她几眼，突然背转身子，大声道："庙里可有和尚么？活的出来一个！"雷般的语声，震得树上松针一根根落下。

片刻间寺门便微启一线，侧身出来个灰袍僧人，神情似已被那喝声所惊，但仍沉着气合什道："施主有何见教？"

紫袍老人道："某家要见无色。"

那灰袍僧人听他竟敢直呼掌教方丈法名，面色又是一变，轩眉道："掌教祖师，已有多年不见外客！"

紫袍老人道："他纵不见别人，某家却是定要见的。"

灰衣僧人冷冷道："施主大名？"

紫袍老人大喝一声，道："某家姓名，也是你配问的么？"身形突然半转，双掌自袖中挥出！只听"砰"的一声暴响，山门边一株古松，竟被他一掌震成两截，上半截带枝带叶，哗喇喇倒将下去！那灰袍僧人见了这等威势，目光中方自现出畏惧之色，一言不发，匆匆转身走了进去。

温黛黛也瞧得舌矫不下，紫袍老人哈哈大笑道："老夫不亮这一手，那些管事的和尚谅必还不会出来。"

过了半晌，果见一个白须僧人走了出来，但探首瞧见紫袍老人的身形，面容立刻大变！

紫袍老人叱道："慧根，你还认得某家？"

那白须僧人慧根合什道："原来是前辈到了，贫僧这就去通报家师，想来家师万无不见之理。"

紫袍老人道："快，快！"

慧根道："是，是！"又自匆匆而入。

温黛黛久已知这慧根乃是少林名僧之一，见他竟也对紫袍老人如此畏惧恭敬，心下不禁更是骇然。又过了半晌，紧闭的山门突然大开，七个白眉僧人，一排迎了出来，合什道："掌教方丈有请施主。"

紫袍老人冷哼一声，道："老和尚架子越来越大了，竟不出来迎接某家……温黛黛，抱起人随我来!"

少林僧人果然不加阻挡，任凭温黛黛抱着云铮，入了山门。两旁僧人雁列山门之内，香烟氤氲之中，人人俱是面容肃然，双掌合什，动也不动，一眼望去，犹如无数尊石塑的佛像一般，气象庄严不可逼视!

温黛黛偷眼一望，见到这等气派，当下低垂着头，不敢再看，只见足下的道路由方砖变为青石，由青石变为细沙，又由细沙变为碎石，也不知走了多久，最终来到一片柔草之地，鼻端已可闻得一阵阵似有似无的檀香气味，心知方丈室必已到了，越发不敢仰视。只听紫袍老人道："无色老和尚在么？"

方丈室竹帘已被佛香熏成黄金般颜色，一个沉稳之语声自帘内传出道："故人远来请进相见。"

紫袍老人道："有檀香气味的地方，某家平生不愿进去。"

竹帘中道："请恕老衲未曾出迎!"

紫袍老人道："你也不必出来，某家只想问你一句话。"

竹帘中道："请问!"

紫袍老人道："那件事你是管不管？"

竹帘中道："哪件事？"

紫袍老人冷笑道："是哪件事，你我心里都清楚得很，那件事数十年都未惊动到你我头上，如今你到底是管不管？"

竹帘中默然半晌，方缓缓道："管即是不管，不管即是管，檀越苦苦追问，岂非落了下乘？"

紫袍老人皱眉道："老和尚打什么机锋，某家不懂!"

竹帘中道："懂即是不懂，不懂即是懂。"

紫袍老人大笑道："好……好，某家来也是白来，不来也是白不来，那件事发作也好，不发作也好。"

竹帘中微笑道："阿弥陀佛，檀越终于大彻大悟了。"

紫袍老人大笑道："大旗即是小旗，小旗即是无旗，情即是仇，爱即是恨……某家说的可是么？"

竹帘中道："你懂了……你懂了！"

紫袍老人仰天大笑数声，突然又道："还有个半死的人求你相救，某家已带来，你救是不救，都由得你，你任他死在你方丈室里，也与某家无关……呔！去吧！"说到最后两字，突然抓起温黛黛、云铮两人，抛入方丈室中，人笑道："四十日后，无论你在何处，某家都找得到你。"

温黛黛只听耳畔风声一响，人已穿帘而过，她只当此番必定跌个半死，哪知那紫袍老人手上力道，拿捏得竟恰到好处。温黛黛心头方自一惊，人已稳稳站在地上，只听紫袍老人的大笑之声渐渐远去，瞬息间便已无声无息！

方丈室中恭肃沉穆，无色大师宝相庄严。温黛黛也不敢打量，只是跪下求助。

无色大师道："你是什么人？他是什么人？"

温黛黛伏首道："小女子温黛黛，他是大旗门下弟子云铮。"

无色大师听得"大旗门"这三字，须眉微微一动，沉声道："送你入寺那紫衣人，你两人是否原来不认得他？"

温黛黛暗奇忖道："这位大师未出门，怎会知道那老人身穿紫衣？又怎会知道我本不认得他？"心中虽惊诧，口中却将寺门外之事说了，不敢隐瞒。

无色大师捋须长叹道："我佛慈悲，我佛慈悲……他竟会将大旗门下送来治疗……天意，天意！"

温黛黛越听越奇，却又不敢询问。

无色大师道："好！贫僧为他治伤，你去吧！"

温黛黛再也想不到这少林神僧竟答应得如此轻易，不觉又惊又喜，但听他要自己离去，不禁惶声道："但小女子……"

大旗英雄传

　　无色大师截口道："佛家最重因果，你既已答应了他，便种一因，必有一果，需得你自己去了结，别人管不得。"

　　温黛黛流泪道："小女子既答应了他，自当自去了结，小女子只求大师让小女子在此多留几日，守着他伤势痊愈。"

　　无色大师垂目沉吟半晌，喃喃道："多情必有情孽……唉……院外有间柴房，你可留宿，每日只能入院半个时辰。"

　　温黛黛伏地道："多谢大师。"

　　无色大师道："贫僧此已破例，你快去吧!"

　　这段经历，温黛黛仅以凄然一笑，淡淡几句话，便轻轻带过，只因她不愿居功，也不愿别人为她伤心。只听温黛黛接道："少林寺不留女子，但无色大师却破例将我留下，而且许我每日去见云铮一次。"

　　铁中棠叹道："无色大师如此对待于你，亦是殊恩。"他自不知温黛黛竟是卧在柴房之中，更不知柴房中诸般痛楚。

　　温黛黛道："那无色大师不但武功通神，医道亦是高绝，三日之中，云铮伤势已愈，已可行动。"她又自凄然一笑，接道："我见他伤势好得这么快，自是欢喜，听到无色大师竟要传他武功，更是喜出望外，但……但……"

　　铁中棠见她面色有异，不禁问道："但什么?"

　　温黛黛道："但自始至终，云铮未同我说过一句话。"

　　铁中棠怔了一怔道："这……这……"想到温黛黛冒死救了云铮，却落得如此，心下不禁甚是难受。

　　温黛黛凄然笑道："他甚至连望都不望我一眼，但我自知以前太伤他的心，是以也不怪他。"

　　铁中棠道："现在你可是对他有了真情?"

　　温黛黛闭目不答，惟见泪珠潸然流下。

　　铁中棠道："只因他不理你，所以你也不愿将这段艰辛经过向我叙说，只是轻轻带过，是么?"

温黛黛流泪忖道："想不到他竟了解我，只有他了解我！"心下既是悲伤，又是感激，但不知怎地，她此刻对铁中棠已只剩下兄妹之情，而无儿女之私。要知久历风尘之女子，心若被人打动，便坚如金石，她昔日虽然也曾被铁中棠奇特的性格吸引，但那只是暂时的刺激，而云铮，却终于真的打动了她的心，只是这种情感的变更，她自己都不知道。只见她忽然一笑，改口道："哪有什么辛酸经历，日子一直过得十分舒服，只是云铮受伤时瞧着我的眼睛，我……我永远也忘不了，他伤愈时虽不理我，但他的心却骗不了我……中棠……铁大哥，我这番心意，你谅必知道，此生我纵然永不能再见他，也无妨了。"

铁中棠听她突然改了称呼，称自己为"大哥"，便知她心已纯净，心下颇是安慰，又不禁问道："你怎会永见不着他？"

温黛黛凄然一笑，道："只因我已将去得远了！"

# 第三五章　各怀异心

原来她夜宿柴房，日间到院中半个时辰，有时根本见不着云铮，纵然见着，云铮也不理她。温黛黛眼泪暗流，只得忍住，半个时辰一过，她便得立刻回到柴房，苦闷无事，便每日劈柴。她在少林寺留了约莫二十日，竟将一房粗柴，根根劈为细枝，一双纤纤玉手，却已生满粗茧。她日渐憔悴，云铮精神却日渐焕发，面色也日渐红润，瞧他练功，更知他武功已大有精进。

而云铮虽不理睬，温黛黛却不肯放弃这半个时辰，日日痴守在旁，瞧着云铮红润的脸色、冷漠的面容，心里也不知是难受还是欢喜，但面上却始终带着笑容，她平生虽常以虚情假意，骗过不知多少男人，此番她心里有了真情，却又不知怎地，竟无法、也不愿流露出来。

这一日她苦等到黄昏容她入院之时，用清水拢了拢头发，抱着另一个希望进到院中，只望云铮今日对她稍加理睬。哪知她入院之后，竟突然发觉云铮已走了！

她又惊又骇，又恐又怨，不顾一切，冲入方丈室中。无色大师似乎早已知她来意，沉声道："你来了么，好好，且坐下来，听贫僧说几句话。"

温黛黛见到无色大师，也不敢放肆，只是忍不住流泪。无色大师道："你必知道他已走了，乃是老衲送他走的，为了一件十分重大之事，他也不得不走。"

温黛黛流泪道："他……他为何不对我说一说？"

无色大师轻叹道："他走时老衲也曾问他，可要见你一面，他也曾考虑许久，却终于决定还是不见的好。"

温黛黛道："他……他为何如此忍心？"

无色大师缓缓道："无情便是有情，唉……有情不如无情，只是万物众生，俱都有情，是以众生苦恼。"

温黛黛痛哭道："大师慈悲，告诉我他到哪里去了？"

无色大师叹道："常春岛，老衲说了，你也不会知道。"

温黛黛道："常春岛在哪里？"

无色大师道："老衲也不知，只是要他自己寻去，但以他性情，只怕不到地头，半途便会……"突然动颜一笑，道："何处是地头，何处不是地头，咄，老衲又着相了。"双掌合什，口念佛号。

温黛黛道："大师要他去常春岛，为了何事？"

无色大师缓缓道："有因必有果，有果必有因，有今日之果，必为昔日之因，他去的自有道理……"缓缓阖起眼帘，不再开口。

温黛黛知道再问亦是枉然，垂首一礼，黯然走出了方丈室，自那后院小门中走了出去。她身子方自出门，那小门已"砰"的紧紧关上，这道门多日来总是虚掩，如今却关得严丝合缝，温黛黛知道今日走出了少林寺，他日若再想入此古刹一步，实是难如登天，心下不觉更是凄凉萧索，踏着荒山乱石，茫然向前行走，也不知自己走的什么方向，更不知自己要走向何方。

走了不知多久，来到一道溪流旁，温黛黛俯下身子，掬水而饮，此刻夕阳满天，流水如金，映着她如花容貌，但夕阳转瞬即逝，水中便什么都看不到了，温黛黛犹自临溪自伤，不禁凄然自语道："人生又何尝不正如这流水一般，光彩转瞬即逝，我为何还要活在世上，难道真要等着去做那紫袍怪物的姬妾么？"她本已满心萧索，这时荒山共夜色苍暝，晚风伴流水呜咽，更使她生机渺然，仰天一叹，便待自去寻个了断。

忽然间，只听身后一人缓缓道："你真的要死么？"语声冷漠已至极点，温黛黛转身瞧去，顿觉一阵寒意由脚底直冲上来，原来她身后不及一尺之处，不知何时已幽灵般卓立着一条身穿黑衣的女子人影，除了衣衫微微拂动之外，由头到脚，再不见有丝微动弹，似是方自地中出现，又似亘古以来便已站在这里，只是凡人肉眼，休想瞧得见她。

温黛黛悚然忖道："这……这莫非不是人，而是狐鬼？"突又转念忖道："反正我已要死了，管她是狐是鬼，何必怕？"她当下壮起胆子，大声道："不错，我要死了，你待怎样？"

那黑衣女子阴凄凄道："你年纪轻轻，口里说要去寻死，只怕不过是一时冲动，过一会儿又不想死了。"

温黛黛道："这人生有何意思，我为何还想活着？"

黑衣女子道："如此说来，你想必是伤透了心啦！莫非是你所爱的人对不起你，将你抛下了不管？"

温黛黛只觉心头一阵痛楚，跺足大呼道："也不用你来管！"双手掩面，放足狂奔了出来。

哪知她方自奔出数步，突见那幽灵般的黑衣女子，竟又无声无息挡在她面前，温黛黛道："你……你到底要怎样？"

黑衣女子缓缓道："我也是个伤心人，我也想死，你既决心想死，不如和我一齐去死吧！"

温黛黛暗道："你可是要试试我是不是真心要死？若是见我又不想死了，便好讥笑羞辱于我，好，我就死给你看。"当下故意大笑道："好，想不到我黄泉路上，还有同伴……"

黑衣女子道："随我来！"拉起温黛黛的手，向西奔去。

温黛黛只觉她手掌其冷如冰，便是死人的手，也无这般冰凉，掌心更有一种奇异的力道，带得自己身子不由自主，随她狂奔，脚尖都几乎沾不着地面，再看她黑色的衣袂、黑色的面纱，在风中不住飞舞，整个身子都似御风而行一般，温黛黛纵是决心想死，也不

大旗英雄传（下）

许明康 许黎黎／绘

走了不知多久，来到一道溪流旁，温黛黛俯下身子，掬水而饮，此刻夕阳满天，流水如金，映着她如花容貌……

禁为之毛骨悚然。

只见前路山势更是险峻，两旁岩石嵯峨，有时下临绝壑，只要稍一失足，立时便要粉身碎骨。黑衣女子忽然驻足道："到了，就是这里。"

夜色之中，温黛黛只见自己此刻存身之外，乃是绝壑边一块突出的山石，下面黑黝黝一片，也瞧不出有多深。黑衣女子道："你还等什么？快跳下去吧！"

温黛黛凄然一笑，道："好一个寻死之处……"忽然间有许多人身形面容在她心中一闪而过，她身子不觉轻轻颤抖……

黑衣女子冷冷道："你若不愿死，回去还来得及。"

温黛黛道："我……我……"忽又想起那紫袍老人狰狞面容、云铮之冷漠眼色，咬一咬牙，大声道："我为何回去？"

闭起眼睛，纵身跃下，身子方一悬空，头脑立觉一阵晕眩，耳畔似乎听得那黑衣女子笑道："不错，是……"下面的话还未听到，便觉自己身子跌入了一人怀抱中。

温黛黛又惊又骇，又是奇怪，过了半晌，才敢张开眼来，只见六个同样装束的黑衣女子，站在她四周。

仰面再看方才那方山石，正在自己头顶上不及十丈高处，原来这"绝壑"自上看来，虽是黑黝黝见不到底，却只是因为夜色深沉而已，此刻自下往上看去，便可发觉这"绝壑"深仅十丈。接住她身子那黑衣妇人道："你可受惊了？"语声虽极为冷漠，但显见已有些关怀之意。

温黛黛挣扎着落地，怒道："我已决心求死，你们为何还要如此戏弄我这苦命的人？"

那黑衣妇人叹道："正因你是个苦命的人，我们才要如此。"

温黛黛道："为什么？"

黑衣妇人道："因为我们也都是苦命的人，所以要收容天下苦命的女子，但若非绝心求死，还算不得真正命苦。"

温黛黛道："所以你们便要试试我，是么？但你们……"

黑衣妇人幽然一笑，截口道："我们都已死过了一次，所以要你也死一次，才能加入我们这一群中。"

另一人冷冷接道："此刻你我都是已死的人，再过几天，你就会知道做死人的滋味比活人好得多。"

温黛黛心头一寒，转目四望，竟分不清自己究竟是死是活，忽然大呼道："我不愿做死人……不愿做死人……"

黑衣妇人冷冷道："你已死过一次，还想活么？"

温黛黛忍不住激凌凌打了个寒噤，后退两步，道："你……你们究竟是谁？为……为何我要加入你们？"

黑衣妇人道："做了死人，便可做上天的使者，便可为天下受苦受难的女子抱不平，你难道还不愿意么？"

这段经过，温黛黛已说得较为详细，只听得铁中棠惊心动魂，听到这里，忍不住叹道："难怪她们行事说话那般冷漠，原来她们人虽未死，心却早都死了……后来呢？你可曾……"

温黛黛接口叹道："我的心也死了，我自然加入她们，自此我也身着黑袍，面蒙黑纱，我心里虽有许多疑问，但她们却不许我问她们任何话，只说："你的心既已死了，还管那多事做甚？还问什么？"我只得跟着她们走，路上只要看到女子受了欺侮，她们必定出手相救，直走到这里。"

铁中棠道："你可知道她们此刻要去哪里？"

温黛黛叹道："回去……若不是车子里有两个奇怪的病人，我们早已回去了，只怕……只怕也永远再见不着你。"

铁中棠微微一笑，道："你们回去的地方，也正是我要去的地方，只是……我若非遇见你，却不知路途走法。"

温黛黛大奇道："你怎知我们要回到哪里去？"

铁中棠道："此事说来话长，但我却知你们要回常春岛！"

温黛黛心头一震，道："常春岛……原来是常春岛！"她忽然想起云铮要去之处亦是常春岛，身子不觉微微颤抖起来。

铁中棠见她神情，奇道："你莫非还不知常春岛这名字？"

温黛黛凄然道："她们只说回家，始终未说家在何处，我有时甚至要以为那是在天上，或是在地下。"

铁中棠默然半晌，叹道："无论如何，你总……"

突听风中隐约传来一阵似有似无的萧笛之声，温黛黛面色大变，道："她们已在催我回去了。"

铁中棠急忙道："我跟着去可使得？"

温黛黛皱眉沉默半晌，叹道："好吧！但我们要在前面一间圣母祠中歇至四更才会启程，到时你再来吧，只是行藏须得十分小心，若是被她们发觉，就不好了！"话未说完，人已去远。


铁中棠无意间遇着温黛黛，知道了许多事故，这其中虽然不乏令人伤心之事，但究竟欢乐多于悲苦。尤其是闻得云铮不但已经伤愈，而且又得当代第一高僧尤色大师之亲炙，此事更令铁中棠满心欢喜。他暗道："此刻距离四更还早，我为何不去小饮数杯，也算替三弟祝贺！"当下放开脚步，向方才那酒铺走去。这时街道两旁人群已散，店铺中却还有人在谈论着圣女圣迹，铁中棠远远瞧见那酒铺招牌，脚步更是加紧。

突然间，他眼角瞥见两条极为熟悉的人影，也把臂走入了那酒铺，虽然只是匆匆一瞥，铁中棠却已看清这两条人影一个正是沈杏白，还有一人，赫然竟是云铮，这两人他都极为熟悉，那是万无看错之理，但这两人怎会把臂而行，显得颇为亲热，却是铁中棠做梦也想不到的事。他又惊又骇，顿住脚步，脑海中思潮闪电般转动："他两人怎会走到一处呀？必定是沈杏白又以花言巧语，骗得我三弟相信了他，这其中必定又有阴谋！"

想到云铮性情之热诚天真，再想到沈杏白之深沉奸猾，沈杏白纵然蒙面将云铮卖了，云铮也未必知道。一念至此，铁中棠掌心不觉流满冷汗，抚额暗忖："天幸我竟不迟不早，撞见了他们，总算三弟不幸中之大幸。"

　　若是换了别人，此刻必已直闯而入！但铁中棠思虑周详，知道云铮对他误会极深，他若是闯了进去，云铮非但不会相信他说的话，说不定立时便要向他翻脸也未可知，虽在如此为难的情况之下，但铁中棠脑筋仍是动得极快，突然闪身掠入了一条暗巷中，在角落里寻着个无聊穷汉，道："你可愿意发笔小财么？"

　　那穷汉正自穷得发霉，闻言自然大喜，跃起身子，道："要打架，要唬人，无论干什么，爷台只管吩咐。"

　　铁中棠笑道："什么都不要你干，只要你脱下这套衣服！"

　　片刻之后，铁中棠穿着那穷汉衣服，面上也涂了泥垢，歪戴一顶破毡帽，手里提着半串制钱，自暗巷中走出。他虽不精易容之术，但学人神情，却是惟妙惟肖。但见他乜斜着眼睛，左手伸在右胁下抓抓摸摸，一步一个呵欠，走入了酒铺，"叮"的一声，将半串钱都掼在柜台上，嘎声道："掌柜的，给咱来一文钱花生米，其余的都打酒，要好酒！"眼角不经意一扫云铮与沈杏白，在他们旁边一张桌子大模大样坐下，活脱脱是那副有了半串钱便浑身发痒的穷汉模样！

　　那掌柜的生怕钱上还有虱子似的，用两根手指将钱拾了起来，皱着眉摇了摇头，喃喃道："天生的穷命，连六文钱的菜都舍不得叫一样，只会要酒，哼，还要好酒，怎地天下的穷光蛋，都是这种臭脾气……小二，先给穷爷来两角好酒！"铁中棠听在耳里，忍不住暗暗好笑。

　　他终是不敢面对云铮与沈杏白两人，背着身子坐定，只听那沈杏白不住劝酒布菜，果然在拍云铮的马屁。过了半晌，云铮忽然大声道："你到底知不知道常春岛在什么地方，可要老实说，这不是好玩的。"

　　又听得沈杏白陪笑道："小弟若不知道，怎敢来骗大哥？"

　　云铮道："唉，你这人的确不错，想不到你我萍水相逢，你竟待我如此，而我自己弟兄，却是个人面兽心的恶徒！"

沈杏白笑道："大哥，你怎地又提到那姓铁的了，那种恶徒、淫贼，提起来岂非败了你酒兴！"

云铮大声道："不错，来，我自罚一杯。"咕嘟喝了杯酒，忽又一拍桌子，连声叹息，丁是沈杏白又连连劝酒。

铁中棠听得只有暗中苦笑，忖道："想必是云铮也不知常春岛途径，在路上东问西撞，而沈杏白等人却在无意间撞着了他，便以常春岛为饵，将他钓上，但沈杏白既未暗算于他，又显见不敢套他秘密，却不知到底有何阴谋？"他一心要当着云铮将这阴谋揭破，当下更是不动声色！

只听沈杏白东扯西拉，聊了半天，虽然言不及意，但此人口才确是绝佳，连铁中棠都不禁听得入神。突听沈杏白语锋一变，轻声道："其实这常春岛究竟该如何走法，小弟也知道的并不十分清楚！"

云铮变色道："你……你莫非故意戏弄于我？"

沈杏白陪笑道："大哥莫要着急，小弟虽不清楚，却可将大哥平平安安，送上常春岛！"

云铮道："如何送法？"

沈杏白道："大哥今日只管放心喝酒，到了明日，去赴海边，小弟寻得几个经常往来常春岛的船户，只要藉一帆顺风，后日清晨，便可安抵常春岛了。"

云铮笑道："好兄弟，再干一杯！"

铁中棠暗忖道："想不到三弟武功虽已精进，性情却仍如此暴躁鲁莽，竟如此容易相信这恶贼的话。"他深知海边绝无一家船户经常来往常春岛，怎奈此刻又不便当面揭破，只有在暗中空自着急。喝酒时间过得最快，酒座渐散，夜已颇深，云铮亦已喝得酩酊大醉，沈杏白付了酒账，将他扶了出去。

铁中棠又惊又急，暗道："三弟怎地如此大意，居然喝醉，沈

杏白若在此时暗算于他，岂非神不知鬼不觉？"当下远远跟在沈杏白身后，哪敢离开一步？

他此刻虽可将沈杏白制住，救回云铮，但他深信沈杏白必定还有同党，又想探出沈杏白究竟有何阴谋，是以迟迟未曾出手，只因他武功此刻已高出沈杏白极多，无论何时，只要沈杏白稍有加害云铮之意，他再出手也不迟，只是他一双眼神，却不敢有片刻离开云铮。

这时街道已十分静寂，沈杏白扶着云铮走到长街尽头，突然停下脚步，左右张望了几眼。铁中棠连忙闪身避入阴影中，就在此时，突有一阵阵急骤之车马声，自街头左面一条路上传了过来。沈杏白目光一闪，撮口轻哨了一声。哨声未了，已有一辆双马拉着的大车，急驰而至，赶车的丝鞭微扬，健马长嘶，大车方自停下，沈杏白已带着云铮跃入，赶车的丝鞭再扬，车马又复向前奔驰，一切动作配合得当真紧凑已极，绝对没有浪费丝毫时间，显见沈杏白行事之周密，无论有无跟踪，都先已防备好了。换了别人，此刻必定措手不及，哪里还能追上？

但铁中棠一听见车马声，便知车马来的必与沈杏白有关，是以早在车马还未到达时，身形已自展动！

车马停下，沈杏白跃入，铁中棠也纵身攀上了车厢之后，他双手方自得力之处抓紧，车马已奔驰向前。车辚马嘶，征尘滚滚，车厢中突然传出一阵低沉之人语，居然早已有人守候在车厢之中。铁中棠忙以耳朵贴住车壁，凝神听去，只听那语声道："这件事你办得很好，一点都未着痕迹。"

听了这一句，铁中棠已知说话的人竟是寒枫堡主冷一枫，此人多时未闻消息，此刻突然如此神秘的现身，显见大有图谋。铁中棠心念方一动，冷一枫已接着道："你暗中弃了黑星天，投靠老夫，足见你目光明确，选择得当，此事若是成了，老夫必不至亏待了你！"

沈杏白道："多仗老爷子栽培！"

冷一枫道："今日之江湖，高手屡出，似黑星天那样的武功，已只能跑跑龙套，哪里能成大事？"

那时梨园中"跑龙套"一词方自通用，极为新颖，冷一枫想是觉得自己名词引用的妙，忍不住哈哈大笑数声。沈杏白也陪着笑了几声，道："老爷子说的是，不但他们不成，就连风九幽，又怎能比得上你老人家神功绝世！"

冷一枫笑骂道："小孩子不要乱拍马屁，嘿嘿，只要你老实卖力，老夫何尝不能将那神功传授于你。"

沈杏白知他口中虽骂，心里其实得意，赶紧又道："晚辈只要能学着你老人家一成武功，就已心满意足了！"

冷一枫正是被他马屁拍得受用已极，大笑道："好，好，好，你连日辛苦，此刻不妨歇歇，明天好打起精神做事。"

沈杏白道："是，多谢你老人家。"

这番话只听得铁中棠更是惊奇意外，沈杏白居然和黑星天等人拆伙，而且还在暗中与之对立，此乃第一件意外之事。沈杏白竟又背叛了他师傅，投向冷一枫，以沈杏白之精明阴险，冷一枫这方的势力，若非已远胜黑星天等人，沈杏白怎会投向他？而黑星天等人有风九幽为之撑腰，力量已大是不弱，冷一枫居然还较他们为强，此事岂非更是奇怪。

铁中棠暗奇忖道："莫非冷一枫真的身怀什么绝世之神功，只是平日不肯显露……不对不对，瞧他的眼神手法，武功纵较黑、白等人强，也强不到哪里去，更绝对比不上风九幽，那么沈杏白又为何要弃强投弱？……哦，是了，冷一枫背后，必定也有个极厉害的人物撑腰，却不知此人是谁？……"他心念数转，便已将情况分析得清清楚楚，自信绝不至距离事实太远。

车马片刻不停，向前奔驰，铁中棠提了口气，附在车后调息，气达四梢，顿觉心头一片莹澈，身子轻如无物。到了忘人忘我之境时，他身子更似已非附在奔行的车马后，而似卧在柔软的云层中，

大旗英雄传

621

丝毫不觉疲累。车马不停，直奔了三个多时辰，天上星辰已渐渐疏落，两匹健马，嘴角已流出浓浓的白沫。

铁中棠知道此刻已过了他与别人所约的时间，但他为了云铮的安全，只好将任何事都暂且抛开再说。

突听冷一枫叱道："停车!"车马停住后，冷一枫又道："沈杏白，你在这里守住姓云的小子，切切不可疏忽。"

沈杏白道："你老人家只管放心就是。"

冷一枫道："等我走后，你再拍开他的穴道，将他稳住。"

沈杏白笑道："他醉得胡里胡涂，怎会知道被人点过穴道？弟子只要三言两语，包管将他制得服服帖帖。"

冷一枫道："好，你留意我烟花火号，只要烟花一起，你便带着姓云的赶去，不起烟花，不得下车走动。"

沈杏白道："是!"

铁中棠身子一缩，藏入车底，只见一双足自车上踏下，穿着多耳麻鞋，打着赤足，看来甚是古怪。这双脚下来后，便再无别人下车，铁中棠暗奇忖道："莫非这就是冷一枫，怎地如此打扮？"他自地上拾起几块石子，挥手弹向马腹，两匹马负痛之下，突然扬蹄长嘶，蠢动了起来。

沈杏白在车厢中问道："怎么回事？"

赶车的道："这两匹马想是疯了，不妨事的!"

说话间铁中棠早已乘着这一阵惊乱，一溜烟蹿了出来，暗笑道："幸好沈杏白听话，不敢下车走动，却方便了我。"

只见前面一条身影，身穿短短的麻衣宽袍，头上乌簪高髻，脚下赤足芒鞋，手里提着个竹篓! 铁中棠见此人竟是个道士，更是惊诧，不知是自己听错了人的口音，还是冷一枫竟已出家做了道士。他不敢走得太近，远远跟在这道士身后，只见这人脚步轻健，奔行极迅，果然身手不俗。

但铁中棠此刻已是何等内力，他虽然还未练得绝好轻功身法，但真气运行，自然身轻，不急不缓跟在道人身后，又奔行了约莫盏茶时分，风中已传来海涛声，夜色中也可见到海上渔火。海上渔人艰苦，天色未亮便出海捕鱼，此时点点渔火，将一片碧海点缀得瑰丽无方，令人见之目眩神迷。那麻衣道人脚步不停，走到海边，铁中棠也毫不迟疑跟了过去，只因他知道云铮此时绝无危险，是以放心跟来。道人直奔一艘桅上悬有两红一绿三盏灯的大船，那船距离海岸还有两丈远近，道人提气纵身，一跃而上。

船板轻轻一响，舱里立刻有人道："什么人？"

那道人道："冷一枫！"

铁中棠暗道："想不到冷一枫居然出家做了道士！"

只是换了别人，必当冷一枫因为两个女儿都已离家出走，是以看破世情，便出家皈依了三清教下。但铁中棠却深知冷一枫必非此等多情人，立刻联想到冷一枫身后撑腰的厉害人物，必是个道士，是以他才会出家。只见舱门开了一线，灯火射出，冷一枫立刻闪身而入。

铁中棠不知自己上船时能否不发声音，是以迟疑了半响，方自伏身掠到岸边，静静调息半响，终于飞身跃了过去。

只因他若是潜水而过，身子必定湿透，必然留下水迹，反不如一跃而上来得安全，而他跃上船舷，竟然一无声息，也无人惊觉，轻功显然比冷一枫高出许多，铁中棠虽然松了口气，反不禁暗奇忖道："冷一枫这种功夫，也不过与黑星天在伯仲之间，但他说话口气却那般托大，岂非怪事？"

冷一枫平日若是喜欢自吹自擂之人，铁中棠此刻便不会奇怪，但冷一枫素来阴沉，铁中棠才觉得此中必定另有原因。

那船舱四周本无藏身之处，只是此刻中帆未起，横亘在船舱顶上，帆底竿边，挂着一盘粗大的绳索，再加上那卷巨帆的阴影，也恰好挡住了他身子，若非极为留意查看，便是自他身子下走过，也不会发觉他藏在那里。

　　铁中棠身子只要向前一凑，便可自船舱短檐下，一排气窗的空隙中，将舱里情景看得清清楚楚。只见舱中早已摆起一桌酒筵，冷一枫已坐了上首，四面陪的，果然是黑、白双星与司徒笑、盛大娘母子。盛存孝似是有些坐立不安，浓眉紧紧皱在一处，司徒笑等人却是满面虚情假意，频向冷一枫劝酒。冷一枫面色较昔日更是深沉，丝毫不形喜怒。铁中棠瞧得清楚，但见他枯瘦的面容上，似是笼罩着一层黑气，在灯光下看来，显得好生怕人！

　　冷一枫道："各位果然守信，准时在此相候于我。"

　　司徒笑含笑道："小弟接得冷兄相约之柬，怎敢有误？"

　　冷一枫冷冰冰笑了笑，道："好说好说……各位可知道我邀请各位在此相候，为的是什么？"

　　司徒笑举箸笑道："冷兄远来，先用些酒菜点心，才说正事也不迟。"挟起一箸菜，便要送入冷一枫面前碗里。

　　哪知冷一枫却一手推开了，冷冷道："我近来已不食人间烟火，自家带得有下酒物，不劳你费心。"提起那竹篓，放在面前。

　　黑星天诡笑道："不知冷兄带的是什么仙家下酒物？小弟可有这份口福也分一杯尝么？"他说的虽然客气，但言词间显然带着讥讽之意。

　　冷一枫哈哈一笑，道："自然有的。"揭开盖子，自竹篓中提起一条五色斑斓的花蛇，送到黑星天面前。黑星天这一惊却是非同小可，身子向后一仰，几乎连人带椅跌到地上。只见那花蛇被冷一枫提在手里，虽已有气无力，仍在蠕蠕而动，黑星天胸口直犯恶心，几乎连隔夜酒菜都吐了出来。

　　冷一枫阴恻恻笑道："这便是我的下酒物，黑兄既要分一杯羹，就请莫要客气，只管用吧，请……请……"将那五花蛇一直送到黑星天面前。

　　盛大娘等人群相变色，黑星天更是面色如土，却仍只有强笑道："小……小弟无福消受，冷兄只……只管自用吧！"

　　冷一枫干笑道："既是如此，我就不客气了。"左手一拧，将蛇头活生生拧了下来，泡在酒杯里，右手提着尾巴一抖，蛇皮立刻蝉衣般褪下，血淋淋的蛇肉，脱壳而出，冷一枫仰着脖子，竟将那一尺多长的蛇肉，一口口吃了下去。众人瞧得目定口呆，作声不得，只听冷一枫连连道："不错，美味……"窗外的铁中棠，也不禁毛骨悚然。

突见盛大娘长身而起，飞也似的奔出舱外，铁中棠心里一惊，只当盛大娘已发现了自己行藏。哪知盛大娘方一出舱，便"哇"地一口吐了出来，她究竟是女流之辈，瞧见别人生吃活蛇，那恶心再也忍耐不住。直到冷一枫将一条蛇吃得干干净净，盛大娘才敢回坐。

冷一枫直作未曾瞧见，行所无事地抹了抹嘴唇，干笑道："我已用过了点心，咱们不妨谈谈正事了。"

司徒笑陪笑道："自然自然……"瞧了白星武一眼。

白星武忽然道："不知那蛇头可吃得么!"

冷一枫横了他一眼，也不答话，举起酒杯，连蛇头带血酒倒入口里，咬得"格吱格吱"作响，犹如吃蚕豆一般。

铁中棠悚然忖道："冷一枫近来必定是学来了一种诡异的外门毒功，平日便以各种毒物增长自身毒性，是以练得脸上也发出黑气，这种功夫当真是邪门得紧，却不知他从哪里学来的。"

席上五个人，瞧见冷一枫如此吃相，有四个侧过了脸，不敢去瞧，只有盛存孝仍是端坐不动。

冷一枫狞笑道："蛇头是否吃得，白兄现在总知道了吧!"

白星武道："知……知道了。"

冷一枫道："既是如此，那么咱们就……"

话未说完，司徒笑已在桌子下推了黑星天一把，黑星天立刻道："不……不知冷……冷兄的竹篓里，还……还有什么?"他直到此刻，犹未回过神来，说话也说不清楚。

冷一枫诡笑道："怎么?黑兄又想分一杯羹了么?"

黑星天忙道："不是不是……小弟只是问问。"

冷一枫仰天大笑道："好，问问就问问。"虽在仰天大笑，面上却无一丝笑容，铁中棠自上望下去，自然瞧得清楚。

原来司徒笑方才那一推，冷一枫未必瞧见，铁中棠却也瞧得清清楚楚，立刻恍然忖道："司徒笑等人，竟是在拖延时间，不教冷一枫想起正事。"他本当冷一枫未必知道，但此刻瞧见冷一枫的神情，便知冷一枫心里也必定早已有数，铁中棠在一旁见他们勾心斗角，大起内哄，暗中不觉大是得意。

只见冷一枫仰首大笑，司徒笑等人便隔着桌子，互打眼色，冷一枫笑声一顿，司徒笑等人便立刻正襟危坐。冷一枫目光在他们面上冷冰冰扫了一遍，突然问道："各位打算拖到什么时候，才肯让我说到正事？"

司徒笑干笑道："小弟们根本不知道冷兄要说的究竟是什么事，怎会有故意拖延时候之心？"

冷一枫狞笑道："真不知道？"

司徒笑道："小弟怎敢相欺……"

冷一枫仰天大笑道："我冷一枫走南闯北数十年，大小身经数百战，却不想今日竟有人将我当做呆子！"

司徒笑忍不住面色微变，道："冷兄未免言重了，小弟们对冷兄一向尊敬有加，冷兄怎能如此说话？"

冷一枫笑声突顿，拍案道："不如此说话，却该怎样说话？寒枫堡窖藏的万两黄金，莫非不是你们盗去的么？"

司徒笑故作茫然，道："什么黄金？"目光左右瞧了一眼，道："黑兄、白兄、盛大娘，你们可曾瞧见冷兄的黄金？"

黑星天、白星武、盛大娘一齐摇头道："什么黄金？"他们虽也想学司徒笑的神情语气，但终是不如司徒笑那般奸狡，学得非但不似，而且令人只觉有些可笑。

冷一枫缓缓道："有群不开眼的贼子，乘我不在堡中，偷去了堡中万两黄金，我只当是各位所为……"

司徒笑干笑道："冷兄必定是误会了。"

冷一枫故意皱眉道："若不是各位，却是谁呢？莫非是那些不孝不义，禽兽不如，见不得人的无耻小贼不成？"

始终木然呆坐的"紫心剑客"盛存孝，突然长身而起，大声道："不用骂了，那黄金是我盛存孝取来用了！"

盛大娘变色道："孝儿，你……你疯了么？"

冷一枫却已大笑道："到底是盛存孝敢作敢为，但却未免太呆了，明明是别人主谋，却偏要扯到自己头上。"

盛存孝沉声道："全是我一人所为，自应一人担当。"

冷一枫面色一沉，道："真是你一人盗的？"

盛存孝昂然道："不错！"

冷一枫道："既是如此，老夫少不得要教训教训你！"霍然长身而起，缓缓伸出了那枯竹般的手掌！只见他掌心颜色乌黑，双掌一捏，掌心之中突然泛起了一阵几乎目力难见的淡淡黑气！

众人一见，便知他已将这双手掌，练得内含剧毒，盛存孝虽然昂然不惧，盛大娘已变色道："慢来！"

冷一枫侧目笑道："怎样？莫非还有你一份么？"

盛大娘嘶声道："司徒笑、黑星天、白星武，你们眼见我儿子挺身而出，还好意思坐在那里么？"

窗外的铁中棠不禁暗叹忖道："盛大娘对别人虽然狠毒，对自己的儿子却的确不错，唉，这也是她儿子委实太好了。"

只见司徒笑等人果然坐不住了，一个个干笑道："盛大娘着急什么，咱们迟早还不是要对冷兄说的？"

冷一枫哈哈道："原来你们也不愧是条男子汉！"言下之意，自是骂别人都不是男子汉了。

司徒笑道："咱们未经允许，便取了冷兄黄金，只因咱都知道，若是说出理由，冷兄一定会答应的。"

瞧了黑星天一眼，黑星天立刻接口道："咱们心想冷兄反正是会答应的，先拿后拿岂非一样？"

白星武道："是以咱们就先拿了。"

冷一枫仰天笑道："呵呵，可笑啊可笑，想不到三位对老夫的心思，倒比老夫自己还要了解！"笑声又顿，厉声道："是什么理由？且说来听听！"

司徒笑干咳一声，道："数十年来，大旗门虽屡次向我五家寻仇，但屡次都是大败而返，这原因为了什么，冷兄可知道？"

冷一枫道："自是咱们武功高强，将他们打败了。"

司徒笑嘿嘿干笑道："冷兄取笑了，其实冷兄必也知道，咱们五家的武功，实比不上大旗门的。"

冷一枫道："这话也不错，尤其是咱们五家，多的是贪生怕死之徒，怎比得上人家那种慓悍勇敢之气！"

司徒笑只作未闻，接道："弱能胜强，这原因小弟本也不知，直至此次大旗门重出之后，小弟遵先父遗命，开拆了他老人家一封遗书，才知道其中究竟……说到此点，冷兄必然要奇怪，为何五福联盟，只有我司徒家有遗书叙述其中原因，别人家却没有……"

冷一枫冷冷道："不错，老夫正在奇怪。"

司徒笑道："今日我五家虽以冷兄马首是瞻，但昔日的五福联盟，却是由先父知人公主盟。"

冷一枫冷笑道："你说得太客气了，各位什么事都将我冷一枫蒙在鼓里，这便是惟我马首是瞻么？"

司徒笑只作不闻，接口道："昔日五福联盟一切退敌之行动，大多由先父知人公策划，是以事后自由先父留下遗书，而先父这封遗书，却命小弟要等到大旗重来后方能开拆，里面便说的是如何退敌之计！"

黑星天叹道："司徒前辈行事之周密小心，当真非常人能及，他老人家生怕别人知道此中的隐秘，是以只由他一人留下遗书，又定要大旗重来之日才能开拆，这一切为的只是避免事机不密，泄露出去。"他生怕冷一枫不了解如此做法的好处，是以故意叹着气说了出来。

哪知冷一枫笑道："咱们的退敌之计，为何要如此保守隐秘？难道这些妙计都是见不得人的么？"

司徒笑却答得更妙，只听他长叹道："不瞒冷兄说，你我五家先人的退敌之计，委实有些见不得人的。"

这"你我五家先人"六字，无异将冷一枫的祖宗也算了进去，冷一枫却无法发怒，只因"见不得人"本是他自家说出的。

铁中棠暗中听得不觉好笑，却又不禁惊奇："想不到他五家屡次胜得大旗门，竟非武功取胜，却不知又用了什么奸计？"当下自是听得更是留意。

## 第三六章　重重隐秘

只听司徒笑笑道："原来我五家数代以来，每逢大旗门寻仇之时，必定要去求人相助，以常理忖来，大旗门既将仇恨看得那般严重，不顾性命的报复，大旗门传人性情又都那般剽悍，武功那般高强，而我五家平日与别人却又极少来往，武林中想必不会有人来助我五家与大旗门为敌。

但天下事每不能以常理衡度，武林中就偏偏有一门派中人，专门助我五家与大旗门为敌，此一门派中人，不但行踪诡异，武功绝高，而且代代相传，非但如此，只要大旗门一来我五家寻仇，我五家随时都可去求他们相助，从来不会遭受拒绝，最难得的是此一门派中人，行事从来不肯居功求名，派出来相助我等之弟子，竟不惜自降身分，混入我五家门下弟子群中。

数十年来，每一次大旗门前来寻仇之时，俱是此一门派中人，将之击退的，莫说武林中无人得知此中隐秘，便是大旗门人，也只当击退他们的人，必是我五家之弟子，因此将我五家之武功，也高估了许多，是以大旗门此番重来，见到我五家全力迎击，便立刻退走!"司徒笑一口气说到这里，语声方自微顿。

冷一枫道："如此说来，那日大旗门若不退走，一番血战下来，我五家莫非便要全军覆没不成?"

司徒笑道："说来虽惭愧，但事实却的确是如此。"长叹一声，又自接道："非但如此，就连我五家在武林中的声名威信，也大多是那一门派中之弟子为我等建立的，是以我五家先人，一直将此事保守隐秘，虽然亲如子侄，但不到紧要关头，也不愿泄露，而此一门派中人，事先憷然而来，功成憷然而去，也从未向他人透露半句口风。"

黑星天忽也说道："此事说来实是有些见不得人，但虽然见不得人，也不得不做，冷兄，你说是么？"

冷一枫"哼"了一声，算做答复。

司徒笑道："先父之遗书之中，并将此一门派的联络之处详细叙出，要小弟前去访寻于他。但此一门派虽不居功求名，却最是贪利，若要求他们出手，必需先以万两黄金作为敬礼。"

冷一枫道："所以你就算计了我的黄金，去送给他们？"

司徒笑叹道："小弟为了我五家之身家性命，不得不如此做法，实是情非得已，还请冷兄见谅，何况……"苦笑一声，接道："何况冷兄那时并未在堡中，小弟要告知冷兄，也无地可寻冷兄之侠驾。"

黑星天嗳声道："而当时事已急不待缓，我等情急商议之下，才只得不告而取，想来冷兄反正不会吝惜区区黄金的。"

冷一枫嘿嘿笑道："各位未免将冷一枫说得太慷慨了，其实冷某也和各位一样，是最最吝惜黄金的！"

黑星天干笑道："冷兄取笑了！"

冷一枫面色一沉，道："我且问你，当时既已急不待缓，各位为何不将自家的黄金送去，反来盗用老夫的？"

黑星天怔了一怔，道："这……这……"

司徒笑连忙接道："小弟们实是没有黄金可送。"

冷一枫道："哈哈，可笑呀可笑，若说盛家堡积无余财，老夫还可相信，只因存孝委实手面太大，当真可说是仗义疏财，挥手千金，盛大娘家业再大，也被他连送带借花得差不多，但……"仰天冷笑一声，接道："但若说良马万头的落日马场、生意鼎盛的天武

镖局也穷成那般模样，嘿嘿，实是令人难信！"

司徒笑苦笑道："小弟家业看来虽好，其实……"

冷一枫厉声道："莫要说了，老夫平生最见不得哭穷。"

司徒笑神色不变，道："冷兄若能体谅，那是再好不过。"

冷一枫道："我再问你，此事理由既然如此光明正大，你等事后为何也未向老夫提起，而且百般狡赖，竟想胡乱混过去便算了么？哼哼，若非存孝沉不住气，只怕你等到此刻还不肯承认！"

司徒笑道："这……这……"他虽然千灵百巧，能言善辩，但此刻也被冷一枫问得张口结舌，无言可对。

冷一枫道："你既无法回答，不如老夫代你回答了吧！第一，你说那神秘门派，这一代的主脑之人，便是那名列'碧落赋'中的'风梭'风九幽。第二，你们盗了我万两黄金，前去求他相助时，他并未亲自出马，只派了他门下两个弟子，随你而去。第三，那人名唤苏环，平日喜做少年秀士打扮，自命潇洒风流，将你们这些人，全都未瞧在眼里。"

他一口气说了三点，司徒笑等人已是微微变色。

司徒笑拊掌笑道："想不到冷兄耳目竟如此灵便，嘿嘿，哈哈，当真教小弟们佩服。"虽然敞声大笑，那笑声却是难听已极。

冷一枫哼了一声，接道："你等见风九幽未曾亲出，心中本极失望，但见了那苏环露了两手武功，实是超凡绝俗，又不禁暗中窃喜，只道此番就凭苏环一人，就足够要大旗门的好看！哪知苏环未与大旗门正式交手，便先已败在铁匠村一个无名少女的手下，而且败得现眼已极。于是又着了慌，这时苏环便只有自拍胸脯，说他无论如何，也要将他师傅风九幽请出来。他此话果然不是吹嘘，风九幽果然挺身而出。这时那大旗门的赤足莽汉，不知为了何故，又到了中原，他外貌实是太过引人注意，微一露面，便被天武镖局的镖客发现，你等也随即得到这消息，正在商议该如何对付，哪知风儿幽听了，单身匹马，便把他擒了回来，而且更以"九幽阴功，摄魂大法"，迷去了他的本性，竟使那铁铮铮的汉子，变做了奴隶，无条件地服从风九幽之令！想是你们对风九幽，自是佩服得五体投地。

苏环去请他师傅出山之时，你等曾在无意中擒住了水灵光，要想以水灵光要胁铁中棠听命于你。眼见铁中棠便要屈服，哪知却有个武功绝高的麻衣客闯了出来，将你等一齐赶走，带回了水灵光。于是你等便将此事告诉了风九幽，风九幽自是知道那麻衣客的来历，而却一直未曾对你等说出。

只因他对那麻衣客亦有所图谋，明为你等做事，暗中却是为己，只恨那时你们谁也不知道那麻衣客的去向。哪知凡事都有巧合，那九子鬼母姐妹，竟偏偏在此刻假麻衣客之名，发出帖子，你们恰巧也有一份。风九幽大喜之下，便带着你们浩浩荡荡闯了去，你们只当凭风九幽的武功，自是无往不利，又谁知人外有人，天外有天，风九幽武功虽高，武功比他更高的人，更不知还有多少。在那里你们总算开了眼界，瞧见了夜帝之后、夜帝之子、"闪电"卓三娘等，平日一个也难见到的人物。

尤其是那些自命为上天使者的黑衣圣女们，行事更令你们莫测高深，你们见到卓三娘、风九幽这些角色，都对她们有些畏惧，自更不敢去招惹她们，眼睁睁瞧着她们救了铁中棠，也无可奈何。而铁中棠武功进境之速，更是你们做梦也想不到的事，他本是你们手下败将，但那日竟将你们五人，全都打得狼狈不堪。崂山那一役的结果是，卓三娘与风九幽被骇走，苏环死在那里，尸骨无存，鬼母姐妹与她门下全都被黑衣圣女们带回常春岛。

而你们走得自然更是狼狈，但你们见到铁中棠等人还在山上，便还不死心，死等在山下。一日之后，风九幽竟又回到崂山，他这次似在暗中约了帮手，是以有恃无恐，大骂叫阵。哪知夜帝之后、夜帝之子，以及铁中棠、水灵光等人，竟全都藏入了秘室，风九幽骂的话，他们根本未曾听见。你们遍寻不着，只有放一把火，将那天宫般的地方，烧得干干净净，宫里的珠宝，却被你们早已偷走

了。这事你们将风九幽都瞒在鼓里，自更不肯给旁人知道，只因多一人知道，便有多一人分那珍宝。你们偷盗老夫的黄金时，本想事后再告诉老夫的，那理由既然正大，想必老夫也无话可说。

但得到这批珠宝后，你们便立刻变了主意，只因若被老夫知道了此事，你们自先要将那批黄金归还。是以你等便百般狡赖，一心想蒙混过去，却不知老夫早将一切事都知道得详详细细，清清楚楚。"

他滔滔不绝说到这里，仰天狂笑道："司徒笑、黑星天，老夫说的这话，可有一字虚言么？"

司徒笑等人，面色早已听得阵青阵白，此刻更是面如土色，目定口呆，你望着我，我望着你，说不出一个字来。

冷一枫竟将这绝大的隐秘，一口气全部揭穿，犹如当时眼见一般，那是他们做梦也未想到的事。

舱外的铁中棠，听完了这一番话，更几乎自藏身处跌了下来！

司徒笑所叙之事，已是令他大出意外，数十年来，大旗门屡战屡败，竟非武功不敌五福联盟，而是败在风九幽那一门派中人手下，这实在是个惊人的隐秘，可怜大旗门竟生生被骗了数十年！

铁中棠虽觉悲愤交集，莫可名状，却又不禁窃窃欢喜，只因这许多惊人的隐秘，竟被他在无意中听得。冷一枫说的那一番话，经过之事，铁中棠虽然大多在场，却也从未想到其中还有这许多曲折。尤其是赤足汉之被擒、九子鬼母师徒之去向、风九幽之为何要与大旗门作对、崂山夜帝宫之被焚……这些更都是他情愿牺牲一切代价去换取真相的秘密，不想此刻冷一枫毫无代价地告诉了他。这当真是：踏破铁鞋无觅处，得来全不费功夫。他真是应该感激冷一枫，也该感激沈杏白。

只因他已猜到这些秘密必定俱都是沈杏白告诉冷一枫的，也只有沈杏白如此贴身的人，才能知道司徒笑等人这许多隐秘。此刻铁中棠心中惟一惊疑之事，只是不知风九幽暗中所约的帮手是谁，此人武功之高绝，却已是绝无疑问的事。

只听黑星天颤声道："这……这些事是谁告……告诉你的？"

冷一枫嘿嘿冷笑，道："若要人不知，除非己莫为！"

黑星天道："但……但此事……"

司徒笑沉声道："黑兄不必问了，此中隐情，是谁告诉冷兄的，莫非黑兄到此刻还不知道？"

黑星天变色道："是谁？"

司徒笑冷冷道："除了令高足还有谁？"

黑星天大大怒道："原来是这……"瞧了冷一枫一眼，突又格格笑道："杏白，好孩子，说得好，小弟们正不知该如何向冷兄措词，却不知这孩子竟善体为师之意，先将此事告诉冷兄了，哈哈，好……"司徒笑心思灵敏，固是胜人一筹，但黑星天面色之转变，也是快得骇人。

冷一枫仰天狂笑道："黑星天！直到此刻，你还在这里自欺欺人，莫非当真将冷一枫视为三岁童子么？"

黑星天恼羞成怒，拍案道："冷兄，你当黑星天真的怕了你？我不过只是念在昔日之情，是以让你一筹！"

冷一枫神色不变，冷冷道："不让又怎样？"

司徒笑缓缓接口道："黑兄此话倒也说得不错，否则……哈哈，十只拳头怎会怕了双手？"

冷一枫狂笑道："好个十只拳头……"

只见一条黑衣大汉，垂首捧入一坛酒来，走过冷一枫身侧时，冷一枫突然伸手在他肩上轻轻一拍，笑道："你好？"

那大汉莫名其妙，怔怔答道："好……"一个字方自出口，身子突然颤抖起来，"砰"地一声，他手捧之酒坛跌落在地，摔得粉碎。

这大汉乃是天武镖局的镖伙，黑星天见他如此慌张，霍然长身而起，怒道："该死的奴才，还不扫干净，再……"那大汉缓缓转过身子，灯光下，面目竟已变为紫黑颜色，眉目也已扭曲在一处，那模样实是狰狞可怖!

黑星天大骇道:"你……你怎样了?"

那大汉满头汗珠迸落,却只是说出了一个字,只见他手指着冷一枫,嘶声道:"他……"仰天跌倒在地上,魁伟的身躯,竟成了一团。众人这才知道他竟是中了冷一枫掌上剧毒!

而冷一枫方才只不过在他肩上轻轻拍了一掌,竟能使这样一条彪形大汉在霎眼间毒发而死,其手段之狠、掌力之毒,当真是骇人听闻之事,黑星天"噗"地跌坐椅上,怒气再也发作不出!

白星武不等冷一枫开口,抢先道:"此事既已瞒不过冷兄,咱们还是开诚布公地与冷兄商量为是!"

他对方才黑星天翻脸,司徒笑示威,冷一枫毒掌伤人……这种种情事,竟都不提一句,生像这些事全都未发生过一般,而且说得言词恳切,态度坦白,生似他早就有意与冷一枫开诚布公地谈话一般。

铁中棠瞧在眼里,暗叹忖道:"这些人武功虽不可怕,但却无一不是奸恶已极之人,那当真比什么武功都要可怕。"

只听冷一枫道:"阁下早就该与冷某开诚布公地谈谈了,却等到此刻才说话,不嫌太晚了些?"

白星武对他这冷嘲之言,似是一个字也未听见,自管接道:"那万两黄金,咱们自是该还给冷兄的,但望冷兄体谅大局,莫对小弟生了嫌弃之心,咱们还是该精诚合作,与风老前辈携手共灭大旗门……"他先以还金打动冷一枫,再以大旗门引起冷一枫敌忾之心,这番话果真说得厉害已极。

哪知冷一枫却冷笑道:"那万两黄金,身外之物,老夫纵不要,也算不得什么,但与风九幽携手,却是万万不可!"

白星武呆了一呆,道:"莫非冷兄瞧不起他的武功?"

冷一枫道:"风九幽武功之高,已可列入天下十大高手之林,冷一枫怎敢有瞧不起他之心?"

白星武道："我方若有风老前辈为助，声势向上倍增，却不知冷兄不愿与他携手，是为了何故？"

冷一枫缓缓道："大旗门与五福联盟两派之事，表面看来，虽然简单，其实内情之复杂，却绝非你我所能想像！"

白星武大奇道："冷兄如此说来，莫非此事除了风老前辈之外，还另有他人牵涉在其中不成？"

冷一枫道："非但另有他人，而且牵涉之人，还俱都是久已退隐世外，咱们仅在江湖传说中听过他们名姓的高人！"这简简单单两句话，便已将铁中棠一颗心又悬空提了起来，白星武等人，更不禁为之耸然动容。

司徒笑轻笑道："此事居然还有隐秘，连小弟都不知情，冷兄却不知是如何得知的，小弟愿闻其详。"

冷一枫道："你不知道的事多哩！"

白星武连忙接道："小弟们都在洗耳恭听，但请冷兄道来。"提起酒壶，为冷一枫斟了杯酒。

冷一枫举杯一干而尽，道："司徒前辈有书信遗留给司徒笑，先父又何尝没有书信遗交给我？"

司徒笑变色脱口道："那信中说的是什么？"

冷一枫望也不望他一眼，接道："司徒笑所获那封遗书虽然内藏隐秘，但先父的遗书所叙隐秘却是更多……"说到这里，他那紫黑的面容，突然变为煞白，额角之上，也突然泛出了一粒粒汗珠。

司徒笑暗中一笑，故作失色道："冷兄怎地了？"

冷一枫身子颤抖，似是在忍受极大的痛苦，也无暇答话，伸手自那竹篓中抓出条蝎子，活生生放进嘴大嚼起来，直将这一条蝎子吃得干干净净，冷一枫方自舒了口气，神情渐渐平定，面容也恢复了那种诡异的紫黑之色。

司徒笑等人都是老走江湖的，一瞧这光景，已知冷一枫必是因为求功心急，不顾利害地来练这种邪魔功夫！功夫虽练成，但他经络血脉之中，也满含剧毒，时时刻刻，都要吞吃些奇毒之物，以毒攻毒，去克制血脉中之毒性，否则便要痛苦不堪，但他每服一种毒物，体中之毒性便加深一分，如此他掌力虽将越来越毒，但下次毒性发作便越是剧烈，发作的时间也越快，于是他服食毒物，势必要更多，这样恶性循环下去，实不知要到何地步才止，那情况当真与饮鸩止渴一般无二。

司徒笑暗喜忖道："冷一枫呀冷一枫，我此刻纵然畏惧于你，但终有一日，要眼见你死在你自家所练的毒掌之下！"

只见冷一枫又自干了杯酒，道："先父留下的那封遗书之中，开宗明义，第一件事便是要我不可倚仗风九幽那一门派之力，只因若要倚仗他们之力，便永远休想灭去大旗门，大旗门不灭，我们世代子孙终是后患无穷，是以要绝后患，便须去求另一异人，千万寻不得风九幽！"

只听耳畔有人道："为什么？"

冷一枫道："这原因牵涉甚广，其中最大关键，便是常春岛日后座下的黑衣圣女，风九幽那一门派之不敢灭去……"

说到这里，忽然发觉司徒笑、黑星天、白星武、盛大娘等人面上，都露出了一种诡异之神色。

而方才那"为什么"三字，亦似绝非这五人说的！

冷一枫大惊之下，霍然回身道："什么人？"目光瞪视的方向，正是铁中棠隐身在外之处！


四更时，圣母祠中的温黛黛左瞧右望，也望不到铁中棠影子，但黑衣圣女们却已将起身启行。温黛黛心里不觉大是焦急，忖道："他那般迫切地要随我同去，此刻却还不来，莫非……莫非是出了什么事不成？"

突见一位圣女走来，冷冷道："你东张西望什么？"

温黛黛暗中一惊，讷讷道："我……我……我欠了一个魔头的债，怕他追着来向我索讨。"

这句话本是她情急之下随意说出的，但说完之后，心中便立刻想起了那紫袍老人，那凌厉的语声，似又在她耳畔响起："无论你走到何处，老夫都会寻着你的……"语声越来越响，竟是驱之不去，温黛黛不觉打了个寒噤。

直到那圣女说话，她方自定过神来，只听圣女道："你已死过一次，生前无论欠谁的债，都可不必还了。"

温黛黛道："但……但那人神通广大，厉害已极……"

圣女冷冷道："无论他多厉害，也不能向死人要债!"

温黛黛道："但……但我并……并未真的死呀!"

那圣女道："咄! 此刻动身，天明已可上船，什后便可回岛，普天之下，有谁斗胆敢去那里撒野?"

温黛黛情不自禁，松了口气，仰望穹苍，缓缓道："再有四五个时辰，我便什么事都不用担心了。"虽是自责自慰之言，但语声中却带着种说不出的幽怨之意，似是红尘中还有些人和事，是她情愿要去为他们担心害怕的!

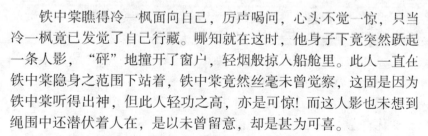

铁中棠瞧得冷一枫面向自己，厉声喝问，心头不觉一惊，只当冷一枫竟已发觉了自己行藏。哪知就在这时，他身子下竟突然跃起一条人影，"砰"地撞开了窗户，轻烟般掠入船舱里。此人一直在铁中棠隐身之范围下站着，铁中棠竟然丝毫未曾觉察，这固是因为铁中棠听得出神，但此人轻功之高，亦是可惊! 而这人影也未想到绳围中还潜伏着人在，是以未曾留意，却是甚为可喜。

铁中棠大惊之下，更是丝毫不敢动弹。只见那人影轻功身法虽然绝佳，却是个容貌俊美、神情潇洒的紫衣少年，手拿一柄洒金折扇，扇坠悬着两粒明珠。铁中棠若非眼见他的轻功身法，便要当他是个出来游山玩水的富家公子，再也不会想到他竟是个身怀绝技之武功豪杰。

司徒笑等人面色齐变，他们竟未想到居然会有人隐身窗下，冷一枫厉声道："小伙子，你是干什么的?"

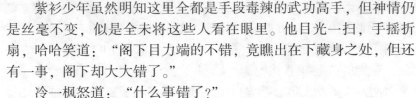

　　紫衫少年虽然明知这里全都是手段毒辣的武功高手，但神情仍是丝毫不变，似是全未将这些人看在眼里。他目光一扫，手摇折扇，哈哈笑道："阁下目力端的不错，竟瞧出在下藏身之处，但还有一事，阁下却大大错了。"

　　冷一枫怒道："什么事错了？"

　　紫衫少年笑道："方才问你为什么的人，并不是我。"

　　冷一枫变色道："不是你是谁？"

　　紫衫少年目光缓缓转向船舱后的垂帘，微微笑道："朋友还是快出来吧，莫非真要在下亲自来请么？"

　　话未说完，垂帘后已传出一阵刺耳的笑声，大笑道："好小子，有你的!"一条人影，随声而出。

　　此人身子枯瘦颀长，犹如风中枯竹一般，摇摇摆摆走了过来，伸出蒲掌的大手，指着自己鼻子，阴恻恻怪笑道："冷一枫，认得我么？"语声犹如刀剑摩擦，吱吱喀喀的响，当真是说不出的刺耳。

　　铁中棠见了此人，心头不觉一惊，司徒笑等人见了他，脸上却情不自禁，露出喜色，突听冷一枫大喝道："风九幽!"

　　他直着眼瞧了许久，方自想出此人来历。

　　风九幽格格笑道："好，总算你还有些眼力，咱家却要问问你，为什么万万不能和咱家携手？"

　　冷一枫面色虽已微变，但却毫不畏缩，冷笑道："这是为了什么，你自己想必要比我清楚得多。"

　　风九幽面色一沉，大声道："咱家问你什么，你便该好生回答什么，再说些不三不四的屁话，小心脑袋!"

　　冷一枫狞笑道："你真的要我说出来么？好! 各位听着，风九幽根本不敢真的灭去大旗门，也不愿真的……"

　　风九幽大喝道："住口!"

　　冷一枫道："这可是你要我说的，为何又要我住口？"

　　风九幽怒道："你竟敢出言顶撞咱家!"

冷一枫道："别人怕你风九幽，我冷一枫却不怕你!"

司徒笑等人见到冷一枫竟犹如此胆气，都不觉吃了一惊，铁中棠惊异的却是：风九幽为何不敢灭去大旗门？

只听风九幽怪笑道："你凭那几手三脚猫的五毒掌功夫，便要张牙舞爪，嘿嘿，咱家一根手指便能宰了你!"

冷一枫狂笑道："你不妨来试试!"

风九幽狞笑道："你知道得太多，也说得太多，咱家早就想宰了你了!"身子一欺，已到了冷一枫面前。

冷一枫双掌早已蓄势待发，此刻闪电般推出，那漆黑的掌心，在灯光下看来实是诡异可怖!

但风九幽身子一闪，也不见如何动作，便已到了他身左，冷一枫抽身回掌，掌势斜划半弧，直拍风九幽肩头!他掌上剧毒，无论沾着哪里，都是一死，是以他掌势不必攻向别人要害，出掌自是方便迅快得多。哪知风九幽枯瘦的身子一缩，又已到了他身右。冷一枫攻势那般狠毒凌厉，风九幽却竟未向他还手，两招过后，司徒笑等人已是大为惊诧。

却听风九幽哈哈笑道："小伙子们，瞧着，这姓冷的掌力虽毒，但只要莫被他手掌沾着，便一点也不要怕他!"

说话间，冷一枫又已攻出七招，他每攻一招，掌心便加黑一分，七招过后，掌心已是黑如涂漆。众人知他必定已将体中潜毒，全都逼出，站得稍近之人，已可隐隐嗅出他掌风中竟带出种腥臭之气。这"五毒掌"功夫之阴毒奇诡，实是骇人听闻，但风九幽身形却仍是灵动诡变，冷一枫沾不到他一片衣角。

三十招过后，风九幽突然怪笑道："咱家耍猴子也耍够了，哒，看招!"双掌齐出，连发三招!这三招来的犹如羚羊挂角，无迹可寻，事先既无一丝朕兆，甚至等他出掌之后，别人还是看不出他掌势变化如何!

冷一枫连退三步，风九幽手掌不知怎么一曲，生似手臂已没了骨头，竟自冷一枫双掌中穿了过去，直拍他胸膛!眼见冷一枫纵然

避得了这一招，却再也避不了这一招之后着，司徒笑等人只道他霎眼间便将丧生掌下！哪知冷一枫竟然不避不闪，却反手自袖中勾出一物，扬手道："风九幽，瞧瞧这是什么？"

风九幽硬生生顿住掌势，但手掌仍抵在冷一枫心胸前五分处，只要掌心轻轻往外一登，便足以制冷一枫死命！凝目望去，只见冷一枫掌中，竟是一封书信，信封制得极是奇特，碧绿的纸上，画着只漆黑的鬼手！

风九幽果然面色大变，道："信……信里写的什么？"虽未立刻撤回手掌，但语声已是极不自然。

冷一枫道："拿去瞧瞧！"

风九幽一把夺过了书信，抽出信笺瞧了两眼，面色变得更是怪异，也不知他究竟是喜是怒。众人瞧不见信上写的什么，见了风九幽如此神情，面上俱是耸然动容，心下更是惊疑莫定。

但铁中棠自上望下，却恰巧将信上字迹照得清清楚楚。

只见那惨碧的信笺上，写着：

"风九幽：你若伤了我徒弟冷一枫一根毫毛，老夫便要你惨呼惨叫七七四十九天再死，少一天老夫便不是人！"下面并无具名，只画着个奇形怪状的老人，正在大吃毒蛇，虽只寥寥数笔，但却将这老人诡异的神情勾得极是传神！

铁中棠遥遥望去，已是瞧得不寒而栗。

只见风九幽阴狠的面上，突然堆满假笑，格格笑道："失敬失敬，原来冷兄已投入飧毒大师门下？"

众人见他突然对冷一枫如此客气，竟称起"冷兄"来，不觉更是奇怪，冷一枫道："你不是要宰我？请动手！"

风九幽干笑道："风某方才只是说着玩的，冷兄莫要见怪，飧毒大师乃是风某好友，风某怎能伤了他高足？"

冷一枫冷笑道："如此说来，家师那封书信，必是求你高抬贵手了，你为何不拿出来给大家瞧瞧？"

风九幽忙道："不瞧也罢……不瞧也罢!"一手早已将书信塞入怀里，道："不知冷兄是何时投入飧毒大师门下?"

冷一枫道："我瞧了先父遗书，便立刻到家师那里，他老人家便立刻收了我这不成材的徒弟。"

风九幽拊掌笑道："好极了，好极了，冷兄既是飧毒大师门下，就什么事都好商量了。"

冷一枫道："但大旗门之事又当如何?"

风九幽笑道："此事咱们以后再谈也不迟，此刻……"突然转过身，瞪向那紫衫少年，面上笑容，也已消失不见。

紫衫少年冷眼旁观，一直面带微笑，此刻挥扇笑道："阁下奈何不了别人，可是要拿在下来出气么?"

风九幽阴森森道："谁叫你来的?"

紫衫少年笑道："家父令小可来此专候一人，但小可却见了船上灯火，便无意闯来，恕罪恕罪。"他口中虽说"恕罪"，但神情仍是嘻嘻哈哈，满不在乎，哪里有一分一毫求人恕罪的模样。

风九幽道："就只两句恕罪便够了么?"

紫衫少年笑道："阁下还要怎样? 小可无不从命。"

风九幽狞笑道："你偷听的秘密太多，偷看的也太多，咱家要先割你的耳朵，再挖出你的眼睛。"

紫衫少年手摇折扇，面带微笑，似是听得颇为有趣，生像风九幽所说的人，并不是他。

风九幽又道："但你听的、看的，已全都记在心里，咱家还要挖出你的心……"伸手一抓，仿佛心已在他手上似的。

紫衫少年嘘了口气，笑道："是极是极，这心是非挖不可的，但心若被挖出来，岂非活不成了?"

紫衫少年又叹道："在下既未练得五毒掌，又无救命的书信，阁下要动手，在下看来只有认命了!"

风九幽怪笑道："算你知机，咱家不妨让你死得痛快些……"双臂一振，骨节山响，便待向紫衫少年扑去!

紫衫少年道："且慢!"

　　风九幽身子一顿，道："你莫非还有后事交代不成?"

　　紫衫少年笑道："在下死了也不要紧，只怕又有人要令阁下惨呼惨叫九九八十一天，在下岂非罪孽深重?"原来他眼尖目明，也已瞧到了那封书信，铁中棠见他笑谈生死，举重若轻，心中不禁生出相惜之心。

　　风九幽怒喝道："好尖的眼睛，先挖出来再说!"食、中两指如钩，成双龙抢珠之势，直取紫衫少年双目。

　　紫衫少年仍是面带微笑，神色不动，眼见风九幽那两根又瘦又轻的手指，已将触及他眼帘!

　　突然间，只听门外有人道："风老四，给我住手!"

　　语声犹如洪钟巨鼓，震得人耳朵发麻。风九幽双指似乎突然在空中凝结，动也不会动了!


　　只见一个长髯垂胸，满身紫袍的老人，自门外缓缓走入，身材虽是高大威猛，但行动却是无声无息。舱中这么多双眼睛，竟无一人知道这老人是何时来到门外，更无一人知道他是自何处来的!紫袍老人手捋长须，神情中竟似带着帝王般尊贵威严之气，缓缓道："老四，你可是要为兄绝子绝孙么?"

　　风九幽道："哪……哪里……"

　　紫袍老人道："你要取我儿子性命，岂非要我绝子绝孙?"

　　风九幽瞧了那紫衫少年一眼，骇然道："原来是……是令郎!"面上又自布满假笑，道："小弟只不过见令郎身上有些灰尘，想替他掸一掸!"那只本来要去挖人眼睛的手掌，此刻竟为人拍起灰来。

　　紫衫少年忍住笑道："多谢多谢!"竟真的让他将自己衣服上的灰尘，拍得干干净净。

　　紫袍老人大步走过来，在冷一枫原来坐的上席坐了下来，却瞧也未瞧冷一枫一眼，沉声道："小子，过来。"

　　紫衫少年这才走过来，阴笑道："你老人家来得倒早。"

紫袍老人道："我老人家还未被人气死，自然来得早了。"突然伸手一指司徒笑，道："你来斟酒!"又一指黑星天："你去换菜!"再一指白星武："你去取两份杯筷!"接着一指盛存孝："你将那讨人厌的尸身抬出去!"最后一指冷一枫："坐在这里，陪老夫喝酒!"他呼来喝去，片刻间便将舱中五个男人都派了份差使，竟将这五个鼎鼎有名之武林豪杰，全都视作奴仆一般。

　　司徒笑等人惟震于这老人之威势，不敢发作，但叫这些平日颐指气使惯了的人，来做这些奴仆之事，实是有所不能。

　　风九幽突然顿足大骂道："你们聋了么？我大哥说的话都敢不听，莫非想咱家割下你的脑袋?"

　　司徒笑一声不响，提起了酒壶，黑星天、白星武对望一眼，垂首走出，取杯热菜去了。

　　盛存孝挺胸道："你杀了我吧!"

　　紫袍老人道："为何杀你?"

　　盛存孝昂然道："你杀我容易，令我为奴却是难于登天!"

　　盛人娘在一旁直拉他的衣角，他也直当未曾觉察。哪知紫袍老人却突然仰天笑道："好小子，有志气，坐下吧!"

　　盛存孝怔了一怔，倒未想到这老人竟然如此侠气，怔了半晌，突然走过去搬起尸身，自窗口抛入河里。

　　紫袍老人一直凝目瞧着他，见他本来死也不肯做的事，此刻竟自动做了，不觉捋须笑道："好小子，你倒有些意思……好……好……"只因这两个"好"字，盛存孝便终生受用不尽。

　　冷一枫突然阴恻恻一笑，道："前辈令我相伴饮酒，实是荣幸之至，在下这里有些下酒物倒还新鲜，在下也不敢自珍，请前辈随意用些吧!"他对这老人占了自己座位，一直怀恨在心，此刻竟将那竹篓打开，送到老人面前，暗道："我倒要看看你这妄自尊大的老人，如何将这些新鲜的下酒物送下口去?"

大旗英雄传

# 第三七章　多情亦多恨

　　紫袍老人接过竹篓，瞧也不瞧，突然反手一扣，竟硬生生将那装满了毒物的竹篓扣在冷一枫头上。这手势简单已极，看去也并不甚快，冷一枫却偏偏躲他不开，狂吼一声，连人带椅跌倒在地。

　　风九幽拍掌大笑道："冷一枫呀冷一枫，你这岂非自讨苦吃？我惹不起你那老毒物师傅，却有人惹得起的。"

　　冷一枫阴沉老辣，方才骤然大惊，不免惊吼出声，此刻却是一声不响，将竹篓自头上缓缓褪了下来，篓里已有两个火红色的蝎子、一只蜘蛛叮住了他的脸，冷一枫不动声色，一只只抓了下来，抛在地上。他体内所含之毒，早已比那些蝎子、蜘蛛厉害得多，这些蝎子、蜘蛛非但毒不死他，反被他毒得半死不活，一抛到地上，便动也不能动了，众人方才还在好笑，此刻又不禁骇然。

　　紫袍老人拍案道："好毒物，当真与飧毒那老头子一般无二，难怪敢在人前这般猖狂！"

　　冷一枫冷冷道："五毒偃身，如蛆附骨，含眦必报，不死不休，但望阁下你今后多加小心了。"

　　这几句话说得冰冰冷冷，众人听得一股寒意，自心底直冒上来，紫袍老人捋须狂笑道："你敢情是想报仇么？"

　　冷一枫道："阁下最好此刻便将冷某杀了！"

　　紫袍老人怒道："你还不配老夫动手，要复仇叫你师傅来……"突然变色而起，凝神倾听了半晌，面露喜色，大声道："来了，来了……喂，小子，等的人来了，你还不快走?"

紫衫少年道："儿子又不认得那姓温的姑娘，爹爹若不带路，叫儿子到哪里去找她去?"

铁中棠心念一闪："姓温的姑娘? 莫不是温黛黛?"

只见紫袍老人顿足道："孽障，真是烦人……"冲着冷一枫大喝一声："老夫要事在身，无暇与你啰嗦!"袍袖一拂，烛火飘摇，转眼就瞧不见了。

冷一枫冷笑道："如蛆附骨，不死不休……"

风九幽道："人家父子都已走了，你说给谁听?"

冷一枫狞笑道："走了? 哼哼，走不了的!"

风九幽道："你可知此人是谁?"

冷一枫道："谁?"

风九幽大笑道："可笑你连他都不认得，雷鞭落……"

冷　枫变色道："他便是雷鞭老人?"

风九幽道："货真价实，如假包换!"

众人这才知道，这老人竟是雷鞭，都不禁耸然动容。

铁中棠也不禁暗惊忖道："难怪这老人如此气派……"心念一转："他等的若真是温黛黛，这倒是怪了。"他真想赶去瞧瞧，怎奈这边的事也一样令他动心。

只见冷一枫呆了半响，突又格格笑道："雷鞭! 哼哼! 雷鞭又如何? 雷鞭也未见能在常春岛来去自如。"

风九幽冷笑道："莫非你能在常春岛来去自如不成?"

冷一枫道："我若不能，也不说了。"

风九幽仰天大笑道："也不怕风大闪了你的舌头!"

冷一枫道："你若不信，在下只有告辞了。"

哪知他还未站起身来，风九幽已喝道："且慢。"

冷一枫道："慢什么?"

风九幽格格笑道："大家都是自己人，你有何办法可到常春岛去，也不妨说来让大家听听。"

冷一枫哼了一声，道："冷某知道各位必需去常春岛一行，却又不得其门而入，是以好心好意前来，要想指点各位一条明路，哪知各位却又不信，看来冷某所用之心机，全都是白费了。"

风九幽眼睛一瞪，拍案道："谁不信?"伸手一指黑星天，道："好小子! 是你敢不信么?"

黑星天怔了一怔道："我……我……信，信。"

风九幽喝道："司徒笑，可是你不信?"

司徒笑含笑道："谁也没有在下这么信的了。"

风九幽转过脸来，满面都是笑容，道："你瞧，人人都相信的，有谁不信，风某第一个宰了他。"

冷一枫仰天打了个哈哈，道："好笑! 确是好笑!"

风九幽道："等冷兄笑过了再说也不迟。"

他若有求于人，那人纵然百般嘲骂于他，他也行若无事，等到那人没有用了，他一刀砍下那人的头，也不会眨眨眼睛。

冷一枫纵然阴沉，但遇见脸皮这么厚的"武林前辈"，倒也无计可施，道："要我说出亦无不可，但却无此容易。"

风九幽笑道："冷兄有何条件? 只管说出便是。"脸孔一板，喝道："黑星天，还不替冷大侠倒杯热热的酒来!"

黑星天只得忍住气，倒了杯酒送上，冷一枫道："阁下为何前倨而后恭?"

黑星天道："嗯……咳咳……"

冷一枫哈哈大笑，持杯在手，缓缓道："冷某带了个人来，只要有此人随行，不但立可直入常春岛，而且还可大模大样回来。"

风九幽似是喜得心痒难搔，格格笑道："妙极! 妙极! 这人当真是个活宝，他在哪里? 请冷兄千万将他带来。"话未说完，已自长身而起。

冷一枫道："我将他藏得妥当得很，你找不着的。"

风九幽干笑着坐下，干笑着道："冷兄若不带来，谁敢去找?

但……此人究竟是谁？先说来听听总可以吧！"

冷一枫道："大旗弟子云铮！"

风九幽呆了一呆，突然拊掌笑道："妙极！妙极！"

冷一枫道："别人不知，你总该知道，有他同行，去到那常春岛，实比取了道张天师护身符还要妥当。"

风九幽大笑道："不错，此人确有道护身符，想那日后纵然心狠，见了他也要投鼠忌器……不对不对，该说打狗也得看主人……"越想越觉自己话说得对，不觉越笑越是得意。

但除他之外，谁也笑不出来，人人都在心中奇怪："为何云铮有这么大用处，竟能做护身符？"这奇怪之心，自以铁中棠为最，他听了众人之言，虽已知道"大旗门"与"常春岛"必有关连。但"大旗门"连年亡命塞外，常春岛却远在海隅，两下可说八杠子打不到一起去，这关系是从何来的？实是令人费解。何况听风九幽说话，常春岛主人见了云铮，便要投鼠忌器，不敢伤害风九幽等人，显见得两下关系还极为密切。

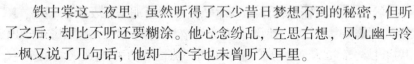

铁中棠这一夜里，虽然听得了不少昔日梦想不到的秘密，但听了之后，却比不听还要糊涂。他心念纷乱，左思右想，风九幽与冷一枫又说了几句话，他却一个字也未曾听入耳里。

突听风九幽纵声怪笑，道："条件都可依你，总该将云铮带来了吧？"铁中棠这才知道他两人三言两语，便已谈妥。

冷一枫道："阁下武林前辈，说出的话可不能不算数。"

风九幽道："这个你只管放心，快！快！"

冷一枫格格笑道："要那云铮前来，举手之劳而已。"手掌微扬，一道惨绿色的烟火，穿窗而出，直冲云霄。

火光一闪而灭，众人睁睁瞧着舱门，但直过了盏茶时分，舱门外连人影也没有出现半个。

风九幽已大是不耐，皱眉道："怎地了？"

冷一枫干笑道："快了……快了。"又过了半晌，他自己面上

大旗英雄传

也现出不耐之色，站起身子喃喃道："这是怎么回事？莫非……莫非……"

风九幽冷笑道："莫非你只是在胡乱吹嘘？"

冷一枫也不答话，再等片刻，冷一枫方自变色道："不好！事必有变，待我出去瞧瞧。"纵身掠出。

风九幽冷笑道："要溜？那可不成，风四太爷今日跟定了你。"如影随形，跟在冷一枫身后。

铁中棠也不禁大是着急，他深知沈杏白精明能干，绝对不致误事，此番必是情势有变，但变好了还是变坏了，却是难说得很。只见风九幽、冷一枫、司徒笑等人，一个接着一个，掠上河岸。这其间几人轻功之高下，一眼便可判出，除了风九幽外，身法最轻便的，便是冷一枫。盛存孝剑法沉稳，武功虽然是扎实，但轻功却非其长，纵身一跃，几乎达不到岸上。

铁中棠只等众人俱都上得岸了，方自悄悄跟去，他自忖轻功虽然及不上风九幽，却已相差无多。

这时风中竟隐隐传来一阵叱咤之声，还夹杂着女子的轻喝，不但风九幽等人听到，铁中棠也听得清清楚楚。冷一枫脚步立刻加快，十余个起落，便已瞧见一团人影，围在方才他乘来的马车旁。紫袍老人雷鞭父子，身形最是触目，还有六七个黑衣蒙面的妇人，幽灵般站在那里，动也不动。方才晕迷不醒的云铮，已下得车来，而看守云铮的沈杏白，此刻竟已直挺挺跪在云铮面前。

情势一变，竟变到如此地步，实是大出冷一枫意料之外，风九幽显然吃了一惊，道："这是怎么回事？"

冷一枫道："谁知道！"

风九幽道："你上去查探查探，我回船上等你。"

冷一枫冷笑道："你过去瞧瞧，我回船上等你。"

两人谁也不敢上前，都待转身溜之大吉，忽然，雷鞭老人大喝一声，道："既已来了，但莫要回去！"

650

这老人不但生似背后生了眼睛，耳力之灵，更是骇人听闻，风九幽、冷一枫对望一眼，硬着头皮走了过去。只见云铮戳指大骂沈杏白，直将沈杏白骂得抬不起头来，只是喃喃道："小人只是奉令而行。"

云铮怒道："我以兄弟待你，你纵然奉命而行，也不该如此，若非这些夫人赶来，岂非便要送命在你手上？"

原来沈杏白等了许久，终是忍耐不住，下车来瞧瞧动静，他只道如此深夜，绝不会有人发现他踪迹。这时温黛黛与黑衣圣女恰巧走过，温黛黛早已深知沈杏白之奸狡，见他鬼鬼祟祟的模样，便知他必有诡谋。沈杏白见到黑衣圣女们的身形，已是吓得软了半截，赶忙钻回车里，只望黑衣圣女们已忘记了他是谁。

但他做梦也未想到，温黛黛竟也变成黑衣圣女之一，方自关起车门，车门便被打开，被人一把抓了出来。温黛黛瞧见云铮，亦是吃了一惊，当下解开了云铮的穴道，云铮宿酒已醒，也未想到出手救他的黑衣蒙面女子，会是温黛黛，下车大骂沈杏白，这时雷鞭父子已听到动静，飞掠而来，温黛黛瞧见这紫袍老人，也吓得不敢声张，几重巧合，便造成了此刻这微妙复杂的局面。

这时曙色将临，已可辨人面目。冷一枫生怕云铮发现自己，动也不动地站在风九幽身后，他怕的倒非云铮，而是日后座下的黑衣圣女。司徒笑更是不敢露面，躲在冷一枫身后，黑星天躲在司徒笑身后，白星武躲在黑星天身后。

盛大娘喃喃骂道："没用的东西。"但她站在白星武身后，亦是动也不动，盛存孝长叹一声，背转身子，似是不愿再瞧这些人的丑态。云铮纵是朝这面瞧过来，也只能瞧见风九幽一人，何况此刻正是怒愤填膺，眼里除了沈杏白一个人外，谁也瞧不见的。

温黛黛眼见自己梦寐中人便在眼前，却不能上前相认，心里当真是爱恨交迸，又惊又喜。

雷鞭老人忽然大喝道："少年人，你骂完了么？"

云铮眼睛一瞪，道："关你何事?"

雷鞭老人道："孺子如此无礼，可知老夫是谁?"

云铮大喝道："铁血大旗门下，谁也不怕!"

司徒笑等人见他竟敢对雷鞭老人如此顶撞，心下都不觉暗喜，只道他这番必定有苦头吃了。哪知雷鞭之生性，见着有骨气的少年，最是欢喜，竟然不怒而笑，道："大旗门下，骨头果然都硬得很。"

云铮道："你知道就好!"

雷鞭笑道："但老夫只是要与救你的这几位夫人说话，你若还未骂完，老夫也不妨等上一等。"

云铮瞧了那黑衣妇人们一眼，反觉有些不好意思，道："你们在此说话，我到别处去骂无妨。"他也与盛存孝一样，是个服软不服硬的脾气。

雷鞭老人哈哈大笑道："好! 好小子……"向黑衣妇人们微一抱拳，笑道："日后夫人近来可好么?"

站在中央之黑衣妇人道："连阁下身子都还如此硬朗，日后夫人福礼，自然也康健得很。"

雷鞭老人笑道："有理，有理……温黛黛在哪里?"

他突然问出温黛黛的名字，一群人中倒有大半吃了一惊，云铮方待将沈杏白抱走，此刻也霍然顿住身子。

黑衣妇人却仍冷冷道："谁是温黛黛?"

雷鞭老人哈哈大笑道："你们休想瞒得过老夫，温黛黛一出少林寺，便失去踪影，若非已跟随你们，老夫怎会寻找不着?"

黑衣妇人道："那也说不定。"

雷鞭老人一手捋须，微微笑道："温黛黛若非已跟随你们，老夫宁愿割下头来，与你相赌。"

黑衣妇人道："阁下若要割下自己的头，我等也无法拦阻。"

雷鞭老人笑声一顿，怒道："你还不承认，难道要老夫……"

黑衣妇人冷冷截口道："阁下若定要说温黛黛已跟随我等，不妨指出谁是温黛黛来，否则……哼哼!"

另一黑衣妇人道："阁下若是指错了人，他日与日后相见之时，只怕有些不便。"语声冷漠，竟与先前之人相差无几。

雷鞭老人怔了一怔，定眼望去，只见七个黑衣妇人站在对面，自顶至踵，都被黑衣紧紧裹住。七个人不但装束一样，连身材高矮几乎完全相同。

只听最左一人道："我是温黛黛么?"身旁一人立刻跟着道："我是温黛黛么?"这七人一个连一个说将下去，连语声都无差别，七人若不动弹，谁也无法瞧出她们有何差异之处。

雷鞭老人一生中，遇见的棘手之事，也不知有多少，却也未如此刻这般为难过，竟是呆在地上，说不出话来。

这时铁中棠已绕了个圈子，隐身在那辆马车之后。

他虽然确知这七个黑衣妇人中，必有一个是温黛黛，但要他指出谁是温黛黛来，亦是有所不能。不但是他，连云铮与司徒笑，也是一样分辨不出，只听黑衣妇人道："阁下若是指认不出，就请莫再无理取闹。"

雷鞭老人又急又怒，道："这……这……"

沈杏白突然一个翻身，扑到他面前，大呼道："小人若能指出谁是温黛黛，前辈又当如何?"

雷鞭老人喝道："老夫都认不出，你这臭小子反倒认得出？好! 你若认得出，老夫便作主今日放过了你。"

沈杏白道："真的?"

雷鞭老人一脚踢了过去，将他踢得连滚两滚，口中怒骂道："什么真的假的! 老夫说的话，一千匹马也追不回来。"

沈杏白虽然挨了一脚，神情却大是欢喜，道："小人并非目光比你老人家敏锐，只是温黛黛方才在小人面前露了马脚。"

雷鞭老人道："什么马脚牛脚，快说出便是。"

沈杏白道："除了温黛黛外，谁也不会认得小人，更不会认得

云……云大侠，但方才有位黑衣夫人，瞧见小人和云大侠时，却脱口喝出了小人与云大侠的名字，小人那时便已猜出这位夫人是谁了。"

雷鞭老人道："你那时纵然猜到，此刻也未必分辨得出。"

沈杏白笑道："但小人那时便已乘着那位夫人拉出小人时，在她手上留了些记号，她当时也未觉察……"

说到这里，右面第二个黑衣人情不自禁，悄悄将手往衣袖里一缩，沈杏白眼内瞥见，霍然反身，大叫道："就是她！"

呼声未了，雷鞭老人已闪电般掠到那黑衣妇人面前，厉叱道："就是你！温黛黛，你还想逃么？"

那黑衣妇人身子一阵颤抖。

沈杏白哈哈大笑道："温黛黛，谁教你要将手缩在衣袖里，其实你手上哪有什么记号。"

铁中棠又是惊奇，又是感叹，惊奇的是不知这老人为何要寻温黛黛，感叹的是这沈杏白的确饶富心计。只见那黑衣妇人顿了顿足，大声道："你认出我也好，不认出也好，反正我死了也不跟着你。"她反手摘下面幕，露出那虽然美丽，但却憔悴的容颜，云铮见了这面容，身子竟不由自主，为之一震。

雷鞭老人大笑道："老夫既已认出了你，你便得跟我走。"

中央那黑衣妇人忽然冷冷道："为什么？"

雷鞭老人道："她与老夫已有约定。"

黑衣妇人截口道："她已死过一次，任何约定都可不必遵守。"冷笑一声又道："只因人既死了，任何事都无法做了！"

雷鞭老人哈哈笑道："不错，既入日后座下，必定死过一次，但她纵然死了，这件事也可做的。"

黑衣妇人道："凭什么？"

雷鞭老人道："只因她与老夫约定之事，乃是将身子交给老夫，却未言明死活，这身子不论死活，老夫都要定了。"

这一着确是厉害非常，黑衣妇人们立刻无话可说，只因惟有这件事，死人确是一样可做的。

　　温黛黛目光四望，两行清泪，夺目而出。

　　云铮突然大喝一声，挺身而出，厉声道："瞧你也是个武林前辈，怎地欺凌弱女，别人不管，云某却是要管的。"

　　温黛黛身子一震，双目中露出惊喜之情，云铮竟仍然对她如此关切，她纵然真的死了，也是甘心。

　　雷鞭老人瞪眼瞧着云铮，瞪了半晌，突然抚掌笑道："不错，不错，就是你！老夫先前竟未认出。"

　　云铮怔了一怔，道："什么没有认出？你胡言乱语什么？"

　　雷鞭老人道："老夫救了你性命，你怎能对老夫如此无礼？"他此刻方自认出，云铮便是自己送入少林寺的少年。

　　云铮却更是茫然不解，道："你几曾救了我性命？"

　　雷鞭老人道："若非老夫，你怎进得了少林寺？"

　　云铮又惊又疑，道："但……但她……"

　　雷鞭老人道："她便是为了要救你，才将身子交给老夫，傻小了，难道你直到此刻，还不知道么？"

　　云铮身子一震，倒退数步，呆在当地。

　　雷鞭老人招手道："小子，过来。"那紫衫少年满面苦笑，走上前去。

　　雷鞭老人道："站到温姑娘身旁去。"

　　紫衫少年连连咳嗽，站了过去，温黛黛痴痴地瞧着云铮，别的事什么都不管不顾了。

　　雷鞭老人瞧瞧他儿子，又瞧瞧温黛黛，捋须大笑道："好！好！当真是天造地设，郎才女貌，女的既漂亮又聪明，男的也不差，将来为老夫生个孙子，哈哈……哈哈！当真妙极……妙极……"

　　温黛黛这才回过神来，诧声道："什么？孙子？"

　　雷鞭老人道："你与我儿子生下来的，自是我的孙子，嫡亲的

大旗英雄传

孙子。"他似是生怕别人不懂，解释得详详细细。

温黛黛更是大出意外，道："你……你原来要我与你儿子……"

雷鞭老人满面俱是得意之情，道："老夫一生纵横，孙子若是不佳，岂非一大憾事？是以老夫一心要找个好媳妇……"仰天大笑数声，接着："找来找去，终于找到了你，老夫阅人无数，深知笨女人生笨儿子，聪明女子生聪明儿子，此乃千古不变之理，如今老夫有了你这般聪明美貌的媳妇，好孙子也眼看便可到手了……诺诺，你瞧，我儿子少年英俊，文武全才，与你正是天生一对。"这老人自说自话，越说越是得意，那紫衫少年却是满面苦笑，咳嗽也咳得更是厉害了。

风九幽格格笑道："妙极！妙极！当真妙极！温姑娘，还不跪下叩头，亲亲热热地叫一声老爷子!"

云铮再也忍耐不住，大喝一声道："放屁!"

雷鞭老人道："傻小子，站开些。"

云铮道："温黛黛是我的，岂能再嫁你这臭儿子?"他也不知自己怎会说出这句话来，只是冲口便已说出，温黛黛听在耳里，几乎欢喜得晕倒在地。

雷鞭老人浓眉怒轩，厉喝道："傻小子，你不知老夫是谁，对老夫无礼倒也罢了，岂能骂老夫的儿子?"

云铮道："骂了又怎样?"

雷鞭老人大怒道："小子，快去教训教训这呆鸟。"原来他"小子"上若没有加别的字，便是唤他儿子。

紫衫少年苦笑道："但……但……"

雷鞭老人喝道："但什么？莫非你要做个不孝之子，还不快去……念在这傻小子还有把硬骨头，莫伤他性命就是。"

紫衫少年叹了口气，道："好……"

哪知云铮出手一向快得骇人，不等他话说出，便已一拳击出，风九幽怪笑道："好小子，怎会是少林拳？"

一句话说完，云铮已攻出五拳之多，风九幽道："贤侄，你瞧这傻小子真打，还不揍他？揍他！"

中央那黑衣妇人乘着此时，附在温黛黛耳畔，悄声道："我等缠住这老头子，你也走吧！"

温黛黛垂首道："到……到哪里去？"

黑衣妇人取出一个铜哨塞入她手里，道："到海边一吹，自有船接你，到了常春岛，就不必再怕任何人了。"语声方了，微一招手，六个黑衣妇人身形齐展，只一闪，已将雷鞭老人团团围住，身法当真快如行云流水。

雷鞭老人怒道："你六人要怎样？"

黑衣妇人道："要教你脱身不得。"六人身形旋转不停，突有一人拍出一掌，直打老人肩头。

雷鞭老人大喝道："闪开！老夫素来不愿与妇人交手。"

黑衣妇人道："不交手也得交手。"六人连环出掌，配合之佳妙、掌式之奇幻，什么话也形容不出。

雷鞭老人虽是当世之雄，但陷身在此阵之中，空自暴跳如雷，一时间也休想冲得出去。

温黛黛脚步已开始移动，一双眼睛却再也离不开云铮。只见云铮拳势犹如狂风暴雨般，攻向那紫衫少年，那紫衫少年似已无力还击，又似根本无心与他动手。温黛黛纵不想走，又不能不走，方待狠心转过身子，眼角动处，突然瞧见风九幽正瞧着她诡笑，同时，她也瞧见风九幽身后的冷一枫、司徒笑，她心头一凛："我此刻一走，岂非正好落入他们掌握？"她宁可被雷鞭老人所擒，也不愿被这些人沾着一根手指，当下又顿住脚步，当真是进退维谷。

突听紫衫少年悄声道："这马车是空的。"

温黛黛心中一动，云铮却大喝道："空的又怎样？"

紫衫少年一面闪避他的拳势，一面压低声音道："空的便可坐

大旗英雄传

人，人坐上去便可逃走。"

云铮道："你休想逃走!"

紫衫少年又是好气，又是好笑，温黛黛却已赶了过来，悄声道："他是要你坐上马车走呀!"

云铮拳势仍是丝毫不停，怒道："我为何要逃走?"

紫衫少年叹口气道："你总可带着温姑娘走吧?"

云铮这才怔了一怔，道："你……你说什么?"

紫衫少年叹道："傻小子! 真是傻小子! 你两人逃走，我替你们挡住追兵，岂非什么事都没有了?"

云铮道："哼! 你焉犹如此好心?"

紫衫少年着急道："你当温黛黛是天仙，我却未见瞧得上她呀，但你若还不走，我便真要娶她做老婆了。"

云铮纵然再傻，此刻也能体会出这少年的一片好心了，心下不觉甚是感激，口中却犹自喝道："傻小子，你……"

紫衫少年道："好，我是傻小子，好了吧，可以上车了吧?"温黛黛忍不住噗哧一声，悄然掠入了车厢。

云铮终于住手，道："但……"紫衫少年不等他再说话，突然手掌一伸，不知怎地一来，已扣住了云铮脉门，将他推上了马车，口中轻呼一声，手指轻弹马腹，健马长嘶一声，扬蹄奔出。马车一走，车后的铁中棠便无法藏身，他此时此刻，怎能露面? 只有攀在车厢上，跟着马车走了。

健马方自长嘶，紫衫少年已掠到风九幽、冷一枫等人身前，张开双手，笑道："各位可认得在下么?"

风九幽道："认得……莫放那马车走……"袍袖一拂，便待追出，黑、白双星、司徒笑亦自举步。

哪知紫衫少年年纪虽轻，武功却高，身子飘飘摇摇，始终挡住了风九幽的去路，眼睛却瞪着司徒笑等人沉声道："各位还未答复在下的话，走不得的。"司徒笑等人被他气势所慑，果然不敢动弹。

风九幽忍住气道："你乃雷鞭之子,风某怎不认得?"

紫衫少年笑道："不敢,不敢……"随手一指司徒笑等人:"这几位兄台贵姓大名,也请为小侄引见引见。"

风九幽满腔怒火,终于瞧在雷鞭面上,不敢发作,只狠狠瞪了紫衫少年几眼,将司徒笑等人姓名说出。

紫衫少年哈哈一笑,飘身闪开道路,道："各位请追吧!"

风九幽怒道："此刻哪里还追得上?"

紫衫少年笑道："此刻若是追得上,我也不让路了。"

风九幽火冒三丈,却也奈何不得他,只得挺胸顿足,破口大骂,却又不敢指明骂的是谁。紫衫少年再也不理他,转首望去,但见那六个黑衣妇人旋转更急,几乎已看不出她们的身形,只剩下一团淡淡的灰影。

灰影中,雷鞭老人连声怒叱,突然长啸一声,冲霄而起,啸声犹如雷鸣,风云为之变色。众人虽然久知雷鞭老人之能,但听他一啸之威,竟致如此,也不禁为之战战兢兢,群相失色。

风九幽低笑着道："我大哥动了真怒,对方无论是谁,都不管了,这几个妇人此番少不了要吃些苦头。"

哪知啸声未了,黑衣妇人们身形已自散开,各各垂手而立,再无动作,雷鞭老人飘身落下,须发皆张,双目含威,看来当真犹如九天雷神,怒下凡尘,只见他一身紫缎锦袍高高鼓起,不住波动,显见得其中胀满真气,众人瞧得此等登峰造极的气功,更是为之舌矫不下。

雷鞭老人大怒喝道："久闻常春岛'大周天绝神阵'大小由心,妙用无方,老夫正要领教,各位怎地停了?"

黑衣妇人缓缓道："大周天绝神阵虽是大小由心,但六人终是不能显出它的威力,何况温黛黛早已去远,我等又何苦多费气力?阁下若定是要瞧瞧绝神阵的威力,常春岛上随时都有人候教!"语声低沉缓慢,仍是丝毫不动意气。

雷鞭老人暴怒道："常春岛?哼哼!常春岛难道真是龙潭虎

穴，老夫难道真的不敢去么？"

风九幽道："她们真是当大哥不敢去的。"他自身不敢闯入常春岛，此刻自是极力鼓动别人，自家便好乘机混水摸鱼。

雷鞭老人被他激得更是怒火冲天，跺一跺足，道："小子，咱们走！"这一足跺下，泥地竟被跺下一尺。

风九幽暗中大喜，道："小弟虽然无力为大哥助拳，但跟从大哥前去，最少也可助一助大哥的威风。"

雷鞭老人厉喝道："要去的俱都跟随老夫前去，老夫就不信那常春岛真是龙潭虎穴，此番就要闯它一闯。"

司徒笑等人都为之喜动颜色，紫衫少年却不禁暗中叹息。


奔驰的马车中，云铮、温黛黛对面相坐，温黛黛面上笑容犹未敛，云铮怒道："你笑什么？"温黛黛不声不响，垂下头去。

云铮道："你既觉得那少年比我聪明得多，为何不跟着他去？"温黛黛仍是低垂着头，不言不语。两人默然半晌，车马奔驰更疾。

云铮忽然又道："我方才虽然挺身而出，但那也不是单为着你，别的任何女子受了欺负，我也一样会如此。"

温黛黛道："我知道……"

云铮似是满肚子别扭，温黛黛越是如此柔顺，他便越是恼怒，忽而捶打车壁，忽而瞪眼发威。温黛黛还是低垂着头，也不理他。又过了半晌，云铮忍不住道："你虽然救了我性命，但也害得我够苦了，我丝毫也用不着感激于你。"

温黛黛道："我知道……"

云铮突然跳了起来，"咚"地一头撞上车壁，嘶声大喝道："你不知道……你不知道……你什么都不知道！"

温黛黛幽幽望了他一眼，幽幽叹道："你怎知我不知道？"这一眼望将过去，云铮似是被人在心上扎了一针。这目光中那种如怨如慕，千回百折的情意，便是铁石人见了，也禁受不住，何况这么条血气生生的汉子。云铮再也忍受不住，突然扑过去，紧紧抱住了温黛黛软绵绵的身子，嘶声道："你不知道，我……我是……"

他生性激烈，大喜大怒，若要不理别人，便瞧也不瞧那人一眼，若是感情迸发，那火一般热情，也实是令人动心。温黛黛埋首在他胸前，幽幽道："我知道你是感激我的。"

云铮道："我不但感激，而且……而且还……"

温黛黛道："还什么？"

云铮道："我……我还……"

温黛黛道："男子汉大丈夫，连个爱字都不敢说么？"

云铮大声道："不错，我爱你，我爱你，我爱你，我宁可什么都不要，也不能没有你。"

温黛黛抬起头来，娇靥上已满是泪痕，颤声道："我纵然受尽千辛万苦，但只要能听到这一句话，便什么都满足了。"

云铮紧紧抱着她，似是生怕她突然飞了，口中不住道："我爱你……我爱你……你若喜欢听，我每天都可说上千百次。"

温黛黛幽幽道："但我以前曾经做过一些见不得人的事，也曾做过些对不起你的事。"

云铮捂住了她的嘴，道："不论你以前做过什么，也不论你以后要做什么，只要你真心对我，永远不离开我，我就心满意足了。"温黛黛嘤咛一声，伸手搂住他脖子，俩人身体相偎，脸面相依，热泪相流，似乎都忘了自己置身何处。

车厢外只听得热泪奔腾，又是感动，又是欢喜的铁中棠，竟也不觉为之热泪盈眶，暗道："傻小子……傻小子，你终于明白了……"他虽不愿偷听，但车厢中字字句句，却都传入他耳里，他虽不愿再听，但却又忍不住想多听一些，好代他们欢喜，只因这两人若是幸福，他真比自己幸福还要高兴。

云铮的确是全心全意，在享受着这无比的幸福，口中喃喃道："你纵然见着比我聪明的人，也莫要舍下了我。"

温黛黛见他说得诚心诚意，似是还未忘记方才那紫衫少年的事，忍不住破颜一笑，轻轻骂道："傻小子!"

云铮道："我虽是个傻小子，但却是全心爱着你，那些聪明人，不知有多少人会去爱他，但我只有你一个。"

温黛黛道："只怕不止一个吧!"

云铮道："真的只有一个，你若不信，我……我……"

温黛黛突然抱紧了他，在他脖子上狠狠咬了一口。她脸上又是笑容，又是泪痕，道："傻小子……傻小子! 别人都爱聪明人，我却只爱你这股傻劲。"

云铮脖子被她咬得生疼，心里却是甜甜的，突然笑道："若是如此，只怕还有别的女孩子喜欢这股傻劲也未可知。"

温黛黛咬着嘴唇，轻轻道："若是有别的女孩子再喜欢你，我就将她杀了，剥了，煮了，一口口吃下去。"

云铮纵声大笑道："好凶的雌老虎……纵然有人要来喜欢我，听见这话也要吓得跑回去了。"他笑声中满是得意高兴，早已将那些不幸的往事，忘得干干净净，温黛黛瞧着他，瞧了半晌，突然轻轻一叹。

云铮道："这么高兴的时候，你为何叹气?"

温黛黛眼帘一阖，垂下头去，幽幽叹道："咱们现在虽然这么高兴，但高兴的时候不多了。"

云铮大骇道："谁说的? ……谁说的……"

温黛黛道："到了海边，我便要坐船到常春岛去，从此……天涯海角，人天两隔，只怕我……永远……"

云铮大喝道："不准你说了……也不准你去!"

温黛黛道："我又何尝愿意离开你? 但……但你莫忘了，我已是个死人，只有常春岛才是我的去处。"

云铮又急又怒，热泪夺眶而出，紧抱着温黛黛，嘶声道："谁说你是死人? 那些胡说八道，你休要听它。"

温黛黛道："我已加入她们，不去也不行。"

云铮咬牙道："谁说不行? 谁若敢强迫你，我将那人……那人煮来吃下去，我……我去放火将常春岛烧了!"

温黛黛伸出衣袖，轻轻拭去了他面上的泪痕，道："傻小子! 日后武功绝世，座下高手如云，你能对付得了么?"

云铮身子一震，犹如当胸着了一拳。

温黛黛见他面上突然没了血色，两眼瞪得滚圆，唤他一声，他也不应，直似已变得痴了，呆了!

她不禁又是心痛，又是着急，流泪道："你……你怎么样了……你……你醒来……再想法子……"

云铮茫然道："什么法子……什么法子?"放声大哭道："没有法子了! 我……我……对付不了他们。"

温黛黛垂首道："想来总是有法子的。"

云铮定了定神，突又跳了起来，"咚"地又一头撞上了车顶，他也不觉甚疼，大喜道："真的有法子?"

温黛黛更是心痛，更是怜惜，轻抚他的头，道："日后虽然武功通天，总也不能强迫别人一定要做死人吧!"

云铮拊掌笑道："不错，不错……"

温黛黛道："我若是去求她，想来她也绝不会勉强我们。"

云铮道："不错，不错……我陪你去。"

温黛黛瞧了他一眼，突又道："只是，我却不愿意去求。"

云铮大呼："你……你……为什么?"

温黛黛轻轻道："你若又犯了那少爷脾气，只想起我的错处，又不理我了，我倒不如死了的好。"

云铮面孔急得通红，大叫道："云铮若再对温黛黛有丝毫相弃之心，老天只管叫云铮死于……"

温黛黛急忙捂住了他的嘴，破涕笑道："我相信你，你莫再说了，老天若是有眼，便令我两人天长地久，永不相弃。"

云铮道："对，天长地久，永不相弃……"两人面面相对，眼光相视，似是一时一刻也不舍离开。

大旗英雄传

铁中棠听了温黛黛的言词语意，早已知她这诸般做作，不过是欲擒故纵，以退为进之意。但他对温黛黛却毫无责备之意，只因他深知温黛黛这一番苦心，她如此做法，也不过是想要云铮与她永不分离，若非如此，她又怎能伏得住那野马般的云铮？铁中棠只觉她这番心意大值怜惜，颇堪同情，纵然用些手段，使些巧计，也是情有可原，怪不得她的。

铁中棠虽非女子，却当真可算是女子们的知己，只因天下女子，惟有对她们喜爱的人，才肯如此费尽心计，那男人若是不值女子一顾，便是求女子对他用些手段，使些巧计，那女子也是不肯的。

转目望去，只见车马奔行在荒野中，竟似无人驾驶。铁中棠暗中一笑忖道："他两人说得起劲，我听得起劲，竟将赶车之事忘却了，此刻他两人想必还是不会想起，我也端的不该再听下去了，且让他两人温存温存，我便为他们赶车也罢。"当下轻轻掠上前座，拾起缰绳，策马而去。

这时天光已大亮，万丈金光，破云而出，将那辽阔的原野，照得一片金黄，风声中已隐隐传来浪涛声，大海想必也已不远了。铁中棠但觉精神一振，且将一切烦恼之事，俱都抛在身后，正是：人逢喜事精神爽，愁来无事瞌睡多。他见了云铮与温黛黛如此光景，莫说要他一日一夜不睡，莫说要他赶马，便是要他三日三夜不睡，便是要他掌炉，他也是欢喜的。

大旗英雄传（下）

许明康 许黎黎／绘

　　铁中棠轻轻掠上前座，拾起缰绳，策马而去。

　　这时天光已大亮，风声中已隐隐传来浪涛声，大海想必也已不远了。

# 第三八章　无语问苍生

车行半晌，大海忽在眼前，但见朝日宛如金钲，海波亦如涂金，金波浩瀚千里，令人眼界为之一宽。铁中棠一眼望去，却瞧不见海滩陆地，心头不觉一怔，再看前面岩石嵯峨，竟是一道断崖。原来方才健马无人驾驶，放蹄狂奔之下，便失却方向，此刻若非已有铁中棠赶车，车马只怕便要笔直冲入海里。

铁中棠大惊之下，硬生生挫腕勒住缰绳，但车马兀自冲出丈余，方自停顿，只要再进三尺，车马若想停顿，亦是有所不能了。俯首下望，但见断崖之下，怪石林列，石色如铁，海浪汹涌，打上岩石，飞激四溅，人马若是跌下，哪里还有命在？

车厢中的云铮与温黛黛，虽已忘却天地万物，但车马骤停，两人心念一转，也不禁惊出一身冷汗。温黛黛惶声道："该死！该死！咱们竟忘了无人赶车！"

云铮道："我去瞧瞧，这是怎么回事？……"

话声未了，人已掠出，却见一条黑衣汉子，端坐在马车前座上，云铮更是惊奇意外，脱口轻叱一声："什么人？"

铁中棠惊魂未定，掌心犹自捏着冷汗，听得这一声轻叱，也未及思索，便转过头来。

云铮目光动处，面色大变，狂吼道："原来是你！"吼声中呼地一掌，直击而出。

大旗英雄传

667

铁中棠也不知是不及闪避，还是不愿闪避，竟被这一掌着着实实击在左胁之上，只听"砰"地一声，他身子已自马车上飞了出去，远远跌入断崖下，只留下半声惊呼，飘飘渺渺，飘荡在海风中。

　　温黛黛听得这一声惊呼，方自抢掠而出，只见云铮左掌握着右拳，正站在地上呆呆地发怔。他面色惨白，毫无血色，双目中却布满了红丝，温黛黛又是惊诧，又是着急，惶声道："什么事？"

　　云铮道："铁中棠……铁中棠……"

　　温黛黛更惊，失声道："铁中棠？铁中棠在哪里？"

　　云铮一伸手向断崖下一指，道："被我一拳打下去了！"

　　温黛黛惊呼一声，颜色惨变，身子也似站立不住，摇了两摇，终于"噗"地一声，跌坐在地。云铮面上忽然泛起一丝笑容，喃喃道："打下去了！一拳就打下去了……"那笑容极是古怪，也不知是悲哀还是欢喜。

　　温黛黛身子发抖，指尖冰冷，道："你……你好……"其实她喉头哽咽，一个字也未能说出口，挣扎着站起身子，跌跌撞撞，狂奔到断崖边缘。只见断崖下浪涛击石，泡沫四溅，哪里还瞧得见铁中棠人影？惟见一方黑色衣袂，挂在岩石上，犹未被海浪打湿，仍在迎风招展，看来却似铁中棠的一只手掌，还攀在岩石上，想挣扎着自海水中爬起。

　　温黛黛这一眼瞧下，心中悲痛，哪里还能忍耐？双手紧抓着崖边岩石，立时放声痛哭起来。云铮见她竟为了铁中棠如此悲痛，又嫉又恨，忍不住大怒道："铁中棠背师叛友，人人得而诛之，你哭什么？"

　　温黛黛霍然转身，痛哭着道："他……他有哪点对不起你？你若不是他，今日哪还有命在？"

　　云铮冷笑道："如此说来，我反应感激他不成？"

　　温黛黛道："自……自然！"

云铮大怒嘶喝道：“你不知他害了我多少次？第一次在那迷林中，他便将我送入司徒笑手中，若非我挣扎着逃出来，又……又遇见了你，早已要被他们非刑拷打而死，我还应感激他？感激他什么？”

温黛黛流泪道：“错了……错了……”

云铮大声道：“此乃我亲身经历之事，怎会错了？”

温黛黛嘶声道：“你可知那次他非但未曾害你，且是拼了性命救你，他为了救你，假意向司徒笑跪拜，又乘机将司徒笑击伤，那时他若将你放下不顾，本可逃生，但他死也不肯放下，终又落入别人手中，幸好遇见个存心向‘大旗门’报恩的赵奇刚，但赵奇刚也只能救出一个人而已，在那种选择之下，他仍是选择了救你，便令赵奇刚负你逃生，自己却落入百丈绝壑之下！”这些话她本是白司徒笑、铁中棠等人口中零碎听来，隐忍了多时，此刻终于一口气说出。

云铮听得面上阵青阵白，道：“但……”

温黛黛道：“赵奇刚舍命将你送到安全之处，你却偏偏要疑心那是别人要非刑拷打于你，竟逃了出来。”她惨然一笑，又自接道：“但你却不知真要害你的，是我而不是他，若非司徒笑定要我将你诱回‘大旗门’的老家，他好在暗中跟踪，要把你‘大旗门’一网打尽，你伤势未愈时便已将你杀了！”

云铮头上冷汗交迸，道：“但到了洛阳，他为何……”

温黛黛道：“我自以为事机做得极是隐秘，到了洛阳李宅，便被铁中棠看破真相，但你那时已恨他入骨，不可理喻，他只有以钱财将我诱惑，好教你对我死心，哪知你非但不知此意，反而更恨他了！”

云铮颤声道：“但……但他为何又跟司徒笑……”

温黛黛道：“那只是他的金蝉脱壳之计，他要胁潘乘风易了那老人的容貌，令司徒笑等人将之当做铁中棠，他自己便好专心专意，在暗中对付他们，他智计万方，又岂是别人所能猜出！"

云铮只觉双膝发软，"噗"地，也跌倒在地。

温黛黛道："那时我对你本无丝毫好感，只是铁中棠时时刻刻，劝我莫要害你，是以在荒祠之中，我才会那般说话。"

云铮黯然垂下了头。

温黛黛道："那日在铁匠村中，也是他将艾天蝠诱开的，他为了要救你的性命，自己险些死在艾天蝠掌下！"

一阵风吹来，云铮激凌凌打了个寒噤。

温黛黛道："那时你已负伤，我将你抱回居处，却被司徒笑等人追踪而来，又多亏铁中棠救了你也救了我！"

云铮流泪道："原来你……你是喜欢他的……"

温黛黛亦是满面痛泪，颤声道："不错，有一阵我是喜欢他的，但他为了你，到处避着我，直到……直到……"她垂首啜泣了一阵，方自接道："直到那日你负伤时，我抱着你满山狂奔，那时我才发现，我整个心都已被你打动，我宁可自己死上一千次、一万次，也不能让你死，但……但若不是他，我们又怎有今天……"一面说话，一面流泪，话未说完，珠泪已湿透衣襟。

云铮呆在那里，已不知动弹。恩恩怨怨，前因后果，到了此刻，他终于全都恍然。但这恍然，却已迟些些，这激动也未免太大了些。

云铮但觉心胸中一片浑浑噩噩，似已完全失去了主宰，他似乎什么都已不知道，只知自己纵然死上百次，也不能赎罪。

温黛黛流泪道："这些话，我怕你伤心，本来永远也不想对你说的，但为了洗刷铁中棠的冤名，只得对你说了。"

云铮茫然点了点头，泪珠洒满胸前。

温黛黛啜泣道："不说别的，就说今天，若不是他及时勒住了缰绳，我们岂非早已粉身碎骨……"

云铮突然长身而起，仰天痛嘶道："铁中棠！铁二哥！小弟……云铮……太……太对不起你……”狂奔着冲向断崖，便待一头撞将下去。

温黛黛惊呼一声，滚了过去，抱住他双足。

两人一齐滚在地上，云铮惨呼道："放手！求求你放开手……我若不死，你叫我如何活得下去？"

温黛黛痛哭着道："你不能死，你怎能抛下了我，莫非……莫非你忘了，天长地久，永不相弃……"她紧抱着云铮，再也不肯放手。

云铮道："但……但我哪里还有脸活下去！我活在世上又是何等痛苦！求求你，还是让我死吧！我……我……"

温黛黛嘶声道："但'大旗门'的血仇还未报，我们的誓约言犹在耳，你怎么能死？怎么能死？"她拼命捶打着云铮的胸膛，悲嘶着道："你要死也要死得像个英雄！你要死也不能死在今日！"

云铮心头一凛，又是一身冷汗流出，道："但我……"

温黛黛却越说越是悲愤，骂得更凶："你此刻若是死了，不但抛下'人旗门'血仇不顾，也抛下我一个人孤零零无依无助，你……你若再说一个'死'字，你便是混账，便是懦夫！"

她哀求虽然无用，但这番痛打，却打得云铮又惊又愧，这番痛骂，更是字字句句都骂入云铮内心深处。温黛黛打得手软无力，骂得声嘶力竭，只觉自己实也心灰意冷，突又伏在云铮身上，痛哭着道："你要死就死吧！我也陪着你死……大家一齐死了……大家眼前……眼前都落得个干净！"

云铮长叹一声，道："我不死了！"

温黛黛怔了一怔，道："你……你说什么？"

云铮道："我活着固然痛苦，但我若死了，又怎能真的安心？你说的不错，我纵然要死，也不该死在今日。"

温黛黛又惊又喜，道："真……真的？"

云铮道："我几时骗过你？"

朝日虽已升起，但海上却起了浓雾，突然一阵尖锐的哨声响自岸边，划破了天地间的静寂，传达到远方。

过了半晌，一艘渔船自浓雾中荡出，船上卓立着一个白发苍苍的老妇人，欸乃摇橹。她年龄虽已老迈，但站立在动荡的船头上，强劲的海风间，身子却仍挺得笔直，似是一生中从未曾弯曲过。

云铮面容已麻木，与温黛黛等候在岸边，只见渔船渐渐靠岸，那老婆子目光一转，忽然锐声道："死人在哪里？"

温黛黛道："老婆婆，死人就是我。"

老婆子瞪了云铮一眼，道："他是谁？"她面容被岁月侵蚀，风雨吹打，划出了千百条皱纹，显得那么衰老不堪，但一双眼睛却仍亮如闪电，似是只要一眼瞧过去，任何人的秘密，都再也休想瞒得过她。

温黛黛陪笑道："他也是要去常春岛的。"

老婆子哼了一声，道："你上来，他留下！"

温黛黛惶然道："为……为什么？"

老婆子怒道："他凭什么能到常春岛去？"

温黛黛道："他……他……"

云铮突然厉喝道："你莫要求她，云某要到常春岛去，也未见得非坐她的这艘船不可！"

哪知这老婆子听了这句话，如见鬼魅般，面容突然大变，颤声道："你……你说你姓什么？"

云铮大声道："云！"

老婆子颤抖着伸出手指，指着他道："你可是大旗门下？"

云铮道："不错，你要怎样？"

老婆子身躯摇了两摇，突然回过头去，道："你也上来吧！"

温黛黛大喜道："多谢婆婆。"

云铮心中却大是惊诧："为何我一说出姓名来历，这老婆子就变了颜色？这其中难道又有何隐秘？"

只听温黛黛道："快上来呀！"一把将他拉上船去。

两人上船入舱，那老婆子始终背对着他们，再也不瞧云铮一眼，长篙一点，渔舟便离开了海岸。

温黛黛道："还要相烦婆婆一件事，不知婆婆可答应？"

老婆子道："说吧！"

温黛黛黯然道："晚辈们有个朋友，失足落在左面的岩石下，请婆婆荡船过去瞧瞧，他……他的尸身还在不在？"

老婆子也不说话，却将渔舟荡向左方。

温黛黛心里也不觉奇怪，暗道："这老婆子先前什么事都不肯答应，如今却是有求必应，这是为了什么？"

海浪汹涌，雾更重，哪里还寻得着铁中棠的尸身？云铮、温黛黛相视一眼，又不禁潸然汨下。老婆子虽仍未回头，却似将他们举动瞧得清清楚楚，锐声问道："这尸身是你们的什么人？你们竟为他如此伤心？"

温黛黛流泪道："是……是他的二哥。"

老婆子身躯似乎又一震，道："他的二哥，姓云还是姓铁？"这句话问将出来，可见她对大旗门竟是知之颇深。

温黛黛瞧着她背影，迟疑着道："姓铁……"忍不住又问道："婆婆你莫非也知道'大旗门'？"

老婆子却不答话，也不再说话，双手紧紧握橹，用力将渔船荡向浓雾深处，但闻水声荡荡，海天俱寂。她似是对这条海路极是熟悉，虽在浓雾之中，也不致迷失方向，温黛黛瞧着她身形，不觉竟已瞧得出神。却未想到那老婆子突然叹息一声，伸手在她面上轻抚了一下，道："孩子，你为什么要对大旗门……"她似是有许多话要说，但只说了半句，便戛然而止。

温黛黛只觉她的手掌，比任何沙石都要粗糙，摸在脸上犹如锉子一般，不禁问道："婆婆在海上已有多久了？"

老婆子默然半晌，缓缓道："我在这海上……一个人……荡来荡去……已有十九年八个月零三天了！"她将时日记得如此清楚，

显见这一天天孤寂的岁月，是如何难以打发，温黛黛只觉心头一阵凄楚。

只听老婆子又道："将近二十年的岁月……唉！过去得真是慢，但有许多事，再过二十年，还是忘不了的!"她也不知是对人倾诉，还是自言自语。

温黛黛茫然，更不知该如何对答，但她已隐隐猜出这老婆子，必定有段伤心事，而且还必定与大旗门有关。三个人个个俱是心事重重，谁也不再说话，也不知过了多久，老婆子自舱中取出几个馍馍，三人分来吃了。那馍馍又粗又干，温黛黛若非早已饿了，实是难以下咽，便不禁又自叹道："海上如此困苦，婆婆你为何不歇歇?"

老婆子道："困苦?……歇歇?……"突然纵声大笑起来道："若非这种困苦的日子，又怎能磨得去我心头的恨事?"笑声中充满了怨毒，也充满了诡异。

温黛黛只听得一阵寒气自心底升起，再也不敢说话。

船行约莫三个时辰，方自靠岸，云铮道："多谢!"一掠而去，他只觉自己留在这老婆子身旁，心里便有说不出的别扭，真是越早离开此地越好，但这究竟是为了什么，他自己心里也是一片茫然，不得其解。

温黛黛也说："多谢婆婆……"方待转身。

哪知老婆子却一把拉住了她，轻叹道："傻孩子，千万莫要为大旗门子弟伤心，大旗子弟是从来不为女人伤心的。"她终于将先前那句未说完的话说了出来，温黛黛呆了一呆，还想再问，老婆子却已将她推开，径自摇船去了。

岸上雾已淡去，极目望去，但见岛上椰林高耸，四下佳木葱茏，果然不愧为"常春之岛"。温黛黛迎面瞧不见人影，忍不住呼道："弟子温黛黛，奉命前来……"呼声未了，已有两条人影一掠而至。这两人轻功俱不弱，身材却极是窈窕，面貌也极是娟秀，在

674

淡雾中看来，更是风姿绰约，貌美如花。温黛黛本当这岛上之人，不是头蒙黑巾，便是容貌怪丑，神情生冷，如今见了这两个少女，心情不觉一松。

那两个少女瞧了他两人一眼，面上却不禁露出惊诧之色，左面一人道："这位公子怎会也来到岛上？"

云铮唉叹一声，道："在下奉命而来的。"

那少女道："奉谁的命？"

"少林掌门，无色大师。"

少女们对望一眼，右面一人道："无色大师，位尊武林，他老人家派来的人，娘娘想必不会不见的。"

左面一人道："我去通知。"转身一掠而出。

右面那少女面带浅笑，道："两位请稍候……"眼波转向温黛黛，道："不知这位姐姐是不是……"

温黛黛不等她说完，便已抢着道："我也是死人。"

少女嫣然一笑，道："那些死人、活人、上天使者一类的话，只是在外面说的，到了岛上，便用不着了。"

温黛黛本当这岛上之人，必定甚是矫情做作，不近人情，听了这话，暗中又不禁松了口气。

那少女道："武林中人，大半奸诈百出……"转首向云铮一笑，道："我可不是说你。"

云铮见她笑语温柔，也不禁对她甚有好感，道："无妨。"

那少女这才接道："对付奸诈之人，咱们也只有用些手段，好叫他们心生惧怕，不敢对咱们使坏心思，所以咱们一出此岛，便以黑巾蒙面，言语诡异，但回到岛上，大家却都像似姐妹一般，你想娘娘就是为了天下女子们多不幸，才将咱们救上这岛来，对咱们自然温柔得很。"

她咭咭咕咕，又说又笑，温黛黛也不禁染上几分喜气，暗道："岛上之人，若都像她一样就好了。"但心念一转，又不禁忖道：

"但瞧那几个救我之人，言语冰冷，语气间似有重忧，又不似故意做作出的，莫不是她们才是真正的伤心人，而这少女却没有什么伤心事，却又不知她怎会来到这里？"当下忍不住问道："岛上的人，莫不都像姐姐这般和气？"

那少女笑道："岛上虽然有些人平日不太说话，但心地都是好的，姐姐在岛上多住几日，就知道了。"

温黛黛暗道："这就是了。"

只听那少女又道："我姓姚，别人都唤我姚四妹，姐姐你以后也叫我姚四妹最好，莫再以姐姐相称了。"

温黛黛道："我姓温。"

姚四妹格格笑道："姐姐虽不认得我，我却认得姐姐……不但认得姐姐，还认得他。"

温黛黛、云铮齐地一怔，定睛向她瞧去，看了半晌，两人心头突然一动，齐声道："原来你是……横……"

姚四妹格格笑道："对了，妹子昔日就是'横江一窝女王蜂'，在洛阳李家咱们早就见过面了。"

温黛黛这才恍然道："难怪她对我如此亲热，想不到原来竟是昔日相识，却不知这些女王蜂怎会来到这里？"

姚四妹似是已知她心意，轻叹道："昔日那一窝蜂，如今早已星散了，只有我与方才走的那杨八妹，最是幸运，被娘娘救到这里，其余的姐妹们，如今却已都不知下落，也不知是生是死？"说到这里，她容色也不禁甚是悲戚，但瞬即便又泛起笑容，道："在这里，姐姐还会遇着些想不到的人。"

温黛黛道："谁？"

姚四妹道："鬼母门下的七鬼女，姐姐可认得？"

温黛黛骇然道："她们也在这里？"

姚四妹笑道："前两天才来的，鬼母也一齐来了，还有一位，听说是鬼母妹子，年纪虽大，人却美极了，手里还抱着白猫，唉！我年纪大了时，若能也有她那样美的风姿，也就心满意足了。"

温黛黛更是惊奇，脱口道："阴嫔？"

姚四妹道："对了，阴嫔，最可笑的是鬼母门下，昔日本来和我们打得你死我活，但到了这里，却和我们亲密得跟什么似的。"

温黛黛又是惊奇，又是感叹，还想再问她一些有关岛上之事，但这时已有一阵钟声，自岛上山巅传了下来。

姚四妹道："娘娘已在召见，咱们快走吧！"

一条小路，曲曲折折伸向山峰，三个人相继而行，一路上但见青翠的山林中，种满了五色缤纷的花朵。林木间、花影里，不时可瞧见亭台楼阁，翩翩人影，当真犹如一群仙女，徜徉在这世外仙山中，四面鸟语啁啾，却听不见人声，天地间到处都弥漫着一种祥和安适之气，令人不觉顿时忘却红尘劳苦。

姚四妹轻轻笑道："姐姐你瞧这里，就是天上仙境也不过如此，咱们女人能到这里，也真该知足了。"

温黛黛长叹道："谁说不是……"瞧了云铮一眼，住口不语，云铮茫然而行，却似全然未曾听见她们的说话一般。

上山数百丈，突见一道长阶，直达峰巅，也不知有几千几百层，阶石打扫得干干净净，仿佛玉石。到了这里，姚四妹神色突然变得十分恭谨，悄声道："上面摘星峰，观日顶，便是娘娘亲事之地了。"

温黛黛悄悄点了点头，在这似可直通天上的长阶下，她只觉得那位娘娘实是高不可攀，自身却渺小无比。三人拾级而上，纵是脚步轻捷，也走了顿饭时分，方自堪堪将达尽头，道旁一角小亭，绿石朱栏，玲珑可观。那杨八妹正自倚栏相候，见了三人，轻轻招手。

三人转身走了过去，杨八妹悄声道："这位公子还请在此稍候……妹子先陪这位姐姐上去。"

温黛黛瞧了云铮一眼，眼色中满是安慰之情，似是要他放心，但云铮瞪眼望着远方，竟是不闻不见。

这时杨八妹已在亭外招手，温黛黛只得叹息一声，随她走上，只觉心里战战兢兢，怔忡难安。距离峰巅越近，她心中惊慌之情也就越深，到后来竟已垂下了头，再也不敢向峰巅观望。峰巅一方青石平台，四面围着青玉栏杆，雾气留在山顶，阳光直射，将这平台玉栏映得更是辉煌灿烂。十七八个青衣少女围坐在栏杆上，中央是一方淡黄色的凉席，看来微闪金光，也不知是什么织成。

一个青衣妇人，斜倚在席上，远眺着海洋——极目望去，但见白云悠悠，大海与苍天连接成一片青碧。温黛黛随着杨八妹走上平台，她目光始终不离杨八妹足跟，到了台上，还是不敢抬起头来。她只觉许多道目光都在瞧着她，她却不敢回望一眼，也不知栏杆上的少女都长得什么模样，更不知这位名动天下，已可算当今武林第一人的"日后娘娘"究竟是不是天仙般人物。

耳畔只听一阵和婉的语声缓缓道："你叫什么名字？"

温黛黛伏地拜道："温黛黛。"她一字不敢多说，只觉足下的玉石被阳光映闪得她眼睛都快花了。

那和婉的语声道："谁带你来的？起来说话。"

温黛黛遵命站起，恭恭谨谨将经过始末说了出来，那语声更是和悦，轻叹道："你也吃了不少苦了。"这话声既和婉，又温柔，但却总是有着种愁苦之意，似乎这说话的人昔年终日都在悲惨之中，是以连语声都变得愁苦。

这温和的声音却使温黛黛减去了些畏惧之心，情不自禁，抬起头来，悄悄望了一眼。但这时斜倚在席上的日后娘娘正转首望着他方，温黛黛终是只能看见她小巧的身子、纤纤的玉手，而瞧不见她的面容。温黛黛有心再瞧几眼，却又情不自禁地垂下了头。

日后娘娘缓缓道："你既已来到这里，什么苦都不必吃了，若是没有别的事，让八妹先陪你歇去吧！"

这言语是那么体贴而温柔，温黛黛心头当真充满了感激，深知自己若是留在这里，定必十分幸福，只是云铮……她只要一想起云铮，心胸间便似立刻燃烧起来，也说不出是甜蜜，还是痛苦，垂首道：“但……但弟子还有下情上禀。”

日后娘娘道：“有什么事，你只管说吧!”

温黛黛惶声道：“弟子一心想留在这里，只是……只是……”

日后娘娘道：“莫非你还有什么牵挂?”语声中已微带诧异之情，温黛黛更是惶急，目中不知不觉已有泪珠夺眶而出，口中也讷讷的不知应如何说话。

日后娘娘道：“来到这里的孩子，必定是都已隔绝尘世，但你若有什么为难的事，说出来我也不会怪你。”

温黛黛更惭愧，更惶急，更感激，哽咽着道：“我……他……我又遇见了他……他……我……”她说得断断续续，简直词不达意，实是令人难懂。

但四面的女子多是久历沧桑，听了这断断续续几个字，便已将她言下之意了然于胸，都不禁发出轻轻一声叹息。

日后娘娘柔声叹息道：“你本当那男子对你无情，是以心灰意冷，但后来却又偏偏遇见了他，又发觉他并非无情，于是两人山盟海誓，再难相弃，是么?”她娓娓道米，无一句不是说入温黛黛的心底。

温黛黛红生双颊，悄然颔首。

日后娘娘叹道：“我这里尽收容天下不幸女子，但却绝不希望天下女子俱都不幸，你若能幸福，我更高兴。”

温黛黛情不自禁，再次拜倒在地，道：“多谢娘娘，娘娘天高地厚之恩，小女子永生绝不忘记。”

日后娘娘道：“照你如此欢喜，那男子必定是个多情人……唉! 多情虽然烦恼，世上但多几个多情人总是好的。”过了半晌，又道：“他在哪里等你?”

温黛黛道：“就在山下小亭。”

日后娘娘道：“便是那无色大师派来的弟子?”

语声中显见又有惊诧之意，温黛黛道：“他……那男子虽因无色大师之命而来，却非少林子弟。”

她说出了个"他"字，又觉甚是难以为情，急忙改口，四下却已传出一阵轻轻的笑声。温黛黛与日后娘娘说了这一席话，已知这位武林前辈实在是善体世情，放任自然，既温和，又慈祥的妇人，绝非她昔日想像中那种愤世嫉俗，矫情做作之辈，是以听得少女们敢在她面前笑出声来，倒也不觉惊异，只是更觉难以为情，面上红晕，直透耳根。

日后娘娘道："他既非少林弟子，是何人门下？唉！你莫怪我问得啰嗦，但你既来此一趟，我便不免对你多加关心。"

温黛黛道："是大旗……"

"大旗"两字方自出口，日后娘娘突然厉吼一声："什么？"语声森严凌厉，与方才竟已判如两人！

温黛黛心头一震，颤声道："他……他是大旗门下……"突听"咯"地一声，半截如意"当"的落在她面前，想是日后娘娘盛怒之下，竟将手中如意折断了。温黛黛伏在地上，身子已吓得簌簌发抖，再也想不出日后娘娘听了"大旗门"三字，为何如此发怒？

只听日后娘娘盛怒之下，竟是不住喘息，过了半晌，突又厉声道："大旗门下！你怎能对大旗门下如此痴情？天下的男人纵然死光了，你也不能对大旗弟子瞧上一眼，你知道么？"

温黛黛又惊又疑，这同样的话，她已自那摇船的老妇人口中听过一次，语句纵然不同，意思却完全一样。她实不知这常春岛上之人，为何对大旗弟子如此愤恨，那老婆子听了云铮乃大旗门下，却又如何不再拒他上船？这爱恨之间，关系竟是如此微妙，实是令人不解，只是温黛黛心中虽有千万疑团，却一个字也不敢问出口来。只觉日后娘娘似已长身而起，在四下走来走去，一阵阵脚步声围着温黛黛打转，每一脚都似踩在温黛黛心上。

良久良久，脚步之声才自停顿，日后娘娘厉声道："带那大旗子弟上来！"杨八妹恭应一声，转身掠下。温黛黛更是说不出的惊惶，说不出的关心，不知她们将云铮带上来后，要将他如何处置？

# 第三九章　生死两茫茫

云铮上得峰巅，上了石台，第一眼便瞧见个身形纤弱的青衣妇人，背负双手，面对着大海。这妇人身材既不高大，体形亦不奇特，衣着更非鲜艳夺目，全身卜下，可说绝无丝毫抢眼之处。

但山峰上如许多人，云铮却偏第一眼便瞧见了她，这平平凡凡的妇人身上，竟似含蕴一股无比强大的吸引之力，站在她身旁的纵然都是貌美如花的绝色少女，但她却只是个背影，便已足够将天下人的目光都吸引过去，再也不会瞧到别人身上。云铮虽瞧不见她面貌，却也已断定她便是常春岛之主日后娘娘。

这被武林传说犹如神话般的人物，如今已活生生站在他面前，云铮心里不觉泛起一阵难言之激动。只见她背负在身后的双手，十指互绞，根根指节，全都苍白，心中竟似也充满激动之情，却不知为了什么？

云铮躬身抱拳道："大旗弟子参见日后娘娘。"

日后娘娘道："你是奉谁之命来的？"语声虽是冰冰冷冷，怎奈已在双手之动作中，无意间泄露了心中的激动，是以连语声听来都似有些颤抖。

云铮道："弟子乃是奉少林无色大师之命前来。"

日后娘娘突然厉声道："你既奉无色大师之令前来，便该以少林弟子身分觐见，知道么？"

云铮怔了一怔，也不知她为何暴怒，只得称是。

日后娘娘道："无色大师令你前来，是为何事？"

云铮道："无色大师令弟子转禀娘娘，说是江湖动乱已久，也该让武林朋友稍得安歇，那件纠缠数十年，几乎将天下武林高手，全都牵涉在其中的公案，此时也该作一了结。望娘娘上体苍天好生之德，下体无辜遭劫之苦，更该念此一公案中人，俱已被积年仇杀，逼得流离颠沛，苦不堪言，有时连亲人尸首都难收葬，惩罚也该够了，是以但请娘娘得放手时且放手，早些将此公案……"

突听日后娘娘大喝一声："住口！"只见她双手互绞得更紧，甚至连身子都已忍不住微微颤抖起来，厉声道："你也想教训我么？"

云铮道："这番话全属无色大师所言，弟子只是将之一字不漏转禀娘娘，至于所说的是何公案，弟子毫不知情。"

日后娘娘哼了一声，仍似薄怒未歇，厉声道："无色也未免将自己看得过高了，凭什么他来管这闲事？"

云铮瞧她如此模样，心里既惊且奇，垂首不敢言语。

又过了半晌，日后娘娘激怒方始渐渐平息，但仍未回过头来，只是徐徐道："他要你前来，只是说这几句话么？"

云铮道："就是这些话。"

日后娘娘道："你不妨回去告诉他，此事既非我种因，亦非我能了结，我一向只是袖手不问，此后还是袖手不问。"说着说着，她语声又自激动起来："无色若想将此公案了结，不妨自己设法，莫再寻着我。"

云铮道："是。"

云铮这才转首瞧了温黛黛一眼，只见她满面惊惶悲痛之色，目中泪痕未干，也正在偷偷瞧着他。两人目光相遇，温黛黛目中突又流下了两行晶莹泪珠。她眼波中竟充满惜别之情，也充满了悲痛，似是在哀求着云铮："你快走吧，莫要管我……"两人心有灵犀，情意互通，云铮一眼瞧过，便知日后娘娘拒绝了温黛黛之请求，心里只觉一股悲愤之气直涌上来。

温黛黛见他面色突变，目光似又闪亮了火光，大骇之下，颤声道："你……你万万不可在……在此……"

但云铮性子一犯，便是神仙也拦他不住。温黛黛一句话还未说完，云铮已挺胸人喝道："铁血大旗门下弟子云铮，还有一事想要请教！"

日后娘娘怒道："你竟敢又称大旗弟子？"

云铮狂笑道："云某已将少林门之事交代，自当还我本来面目，云铮生为大旗门下人，死为大旗门下鬼，为何不敢自称大旗门下弟子？大旗门武功纵不如你，但这'铁血大旗'四字说将出去，无论在何处，都要比'常春岛'响亮得多！"

日后娘娘更是怒极，嘶声道："你……你敢……"

温黛黛痛哭着扑到她足下，痛哭着道："娘……娘娘，他……他还是孩子，娘娘莫和他一般见识。"

日后娘娘冷笑道："我还犯不上为他动怒……好吧！大旗门下，你还有什么事要请教的？"

云铮大声道："我且问你，温黛黛既不愿留在此处，你凭什么要强迫于她，难道这也算救苦救难么？"

日后娘娘道："谁要强迫她留在此处？"

云铮不禁怔了一怔，心气顿时平了，他只道自己猜错，反觉有些讪讪的难以为情，讷讷道："既是如此，黛黛，咱们走吧！"

日后娘娘道："谁答应你带她走的？"

云铮又是一怔，瞬即暴怒道："你方才明明说不留她，此刻又不放她，莫非是故意消遣于我？"

日后娘娘冷冷道："她无论要去何处，我都不会留她，但要和你同走，却是万万不可！"

云铮怒道："为什么？"

日后娘娘道："她若要寻个归宿，纵是嫁于市井无赖、贩夫走卒，俱无不可，却万万不能嫁给大旗门下！"

云铮怒喝之声更大："为什么?"

日后娘娘道："只因大旗门男子，俱是无情无义的畜牲!"

云铮一跃而起，怒骂道："放……谁说的?"

他虽然终是不敢骂出"放屁"两字，但敢在日后娘娘面前如此暴跳如雷之人，普天之下，可说绝无仅有。四下少女都已花容失色，只道娘娘绝不会再放过他。

哪知日后娘娘非但未曾动手，竟连头也未回，却向温黛黛道："你此刻若是要走，我也不留你。"

温黛黛轻泣道："娘娘，我……"

日后娘娘道："但你临走之前，却要发下重誓，今生今世，绝不和'大旗门'弟子交谈一言半语。"

温黛黛道："我……我……"突然放声痛哭起来。

日后娘娘道："你不能么?"

温黛黛痛哭着道："我……我留在这里。"

日后娘娘道："你若要留在这里，也得发下重誓，从今而后，永不再对'大旗'弟子有所思念。"

温黛黛身子一震，颤声道："这……这……"突又伏地痛哭："我不能不想他，我实在不能不想他!"

日后娘娘冷冷道："常春岛上，俱是心如止水之人，你若要想他，便不能待在这常春岛上!"说到这里，不但云铮悲愤交集，热泪盈眶，便是常春岛上的少女们，也觉日后娘娘所行，委实太过不近人情，都不禁对温黛黛生出了同情怜悯之心，有的甚至已悄悄垂下泪来。

温黛黛以手搥地，嘶声道："娘娘，你怎么能令人做不能做到的事，你……你不如让我死吧!"

日后娘娘冷冷道："看来你只有死了!"

云铮再也忍不住，大喝一声，厉喝道："我大旗门与你有何仇恨……"喝声中竟已飞身扑上，一掌击向日后娘娘后背。

少女们齐声惊呼，花容大变。

只听日后娘娘冷冷道："你也敢无礼!"反手一挥，背后竟如生了眼睛般，袍袖直拂云铮胸膛。

云铮一拳还未击出，便觉一股大力涌了过来，竟是不能抵挡，狂呼一声，凌空跌出三丈开外！温黛黛惊呼着便待扑上去，但日后娘娘长袖轻垂，便已拂了她肩井穴，霎时她已无法动弹。云铮武功虽不如人，但那股慓悍勇猛的冲劲，却是天下无双，方自跌倒在地，翻身掠起，又自扑上。日后娘娘袍袖再展，云铮再跌再起，但三五次过后，他连一招都未递出，便远远跌了开去，一次比一次跌得重。他这才知道这号称武林中第一奇人的日后娘娘，武功确是神奇不可思议，自己纵然再练十年，也未见敌得过人家。

一时之间，云铮但觉万念俱灰，仰天长叹一声，目中流下泪来，只听日后冷冷道："凭你这样的武功若想救她性命，除非一死，你若死了，她才可定下心来，只看你有没有决心求死的勇气？"

云铮突然仰天狂笑，道："原来你只是要找死么？那还不容易，云某早已活得不耐烦了！"

铁中棠死后，他便早已心灰意冷，此刻悲愤化作失望，更觉了无生趣，要知云铮性情激烈，冲动时从来不顾生死，此刻又怎会将生死之事放在心上？狂笑声中，一掠而起，竟要投身那万丈绝壑之下。

哪知日后娘娘袍袖拂处，竟又拦住了他。

云铮怒道："你连死都不让我死么？"

日后娘娘道："这面崖下，俱是海水，你跃下也未必会死，若是决心想死的人，往那边跳去。"

她竟未回头，云铮狂笑道："温黛黛，我生不能陪着你，死后却再也无人能阻我与你相见了，二哥，你也慢走一步……"狂笑未了，他身子已落入另一边那万丈绝壑下，只有那充满悲愤的狂笑声，却仍在人们耳中激荡！

半日前云铮将铁中棠击下断崖，半日后他自己投身断崖下，他只道这一死不但可救得温黛黛性命，还可洗清他的罪疚，临死前心里想必十分安然，但他却未想到他这一死，可叫活着的人如何忍受？

何况，这铁血大旗门下的两大弟子，江湖后起一代中最富朝气、最有前途的两大高手，他们的性情虽是极端不同，但一个是机智百变，临危不乱，一个是热情充沛，临难不苟。这两人正都是下一代热情少年的典范，铁血男儿的楷模，江湖中正不知有多少事等着他们负担。但如今，他两人竟在一日中相继死去，这对江湖而言，又是何等巨大的损失，何等深沉的悲痛！

温黛黛身子虽然不能动弹，但心却已碎了，含泪的眼睛，望着日后娘娘，那目光中的悲痛怨恨，谁也描叙不出。只见日后娘娘竟霍然回过头来，那苍白的面容上，竟也满是泪痕，缓缓道："将温黛黛送入留云馆，好生看着她。"语声中竟是充满关怀亲切之意。

温黛黛却真想破口大骂："你既将他逼死，为何还要流泪？"怎奈身不能动，口不能言，一个字也答不出来。

两个少女走过来抱起了她，她无助地被抱了下山。

日后娘娘目送她们身形消失，突然仰天苦叹，轻轻道："不想大旗门下，竟终于有了个为情而死的男子……"她面上泪痕未干，嘴角却已泛起笑容，竟不知是悲？是喜？普天之下，只怕再也无人能猜得出她的心意。

山麓，留云馆，窗明几净。

这时正有四条人影，飘然而出，掠向海滨。

海滨，渔船上，静寂无声。

那白发苍苍的老婆婆，盘膝而坐，仰望苍天。

她似乎正在等待着什么，又似乎只是寂然静坐。苍天，碧海，衬着萧萧的白发，当真犹如吴道子笔下的绝妙图画。

留云馆中掠出的四条人影，远远便顿住身形，瞬也不瞬地瞧着她，四人身法均极轻灵，谁也未曾发出丝毫声息。那老婆婆虽未回首，却已觉察，突然沉声道："过来。"

四条人影齐地一顿，对望一眼，终于掠了过去，却原来正是"鬼母"阴仪、阴嫔、易冰梅与冷青萍。这时阴仪那经常阴沉的面容，竟又现出激动之色，阴嫔嘴角常带的娇笑，也已无影无踪。老婆子缓缓转身，面对着她们，三个人你望着我，我望着你，目光瞬也不瞬，谁也没有说话。

也不知过了多久，阴嫔突然颤声道："大姐……"

老婆子缓缓道："三妹。"

阴嫔身子一震，突然疯狂般掠上船头，站在那老婆子面前，眼睁睁瞪着她，道："大姐，真……真的是你?"

老婆子嘴角泛起一丝微笑，缓缓道："不是我是谁?"

阴嫔轻呼一声，双膝一软，扑地跪在船板上。

阴仪整个人却似已呆了，一步步走上船头，口中喃喃道："大姐，真的是你……大姐，真的是你……"

老婆子也似呆了，喃喃道："二妹……二妹……"

阴仪道："三十年不见，不想终是还能见着大姐一面。"

多年来艰辛岁月，似已将她心肠炼成如铁石，虽在如此激动之心情下，身子仍是站得笔直。老婆子喃喃道："三十年……三十年了，唉! 日子过得有时是那么慢，但有时又觉得三十年只是一转眼的事。"

阴仪道："是……"

老婆子道："你可忘了么? 我临走的时候，还替你们梳次头发，想不到……现在……你头发都白了。"

阴仪垂首道："大姐头发也白了!"

老婆子惨笑一笑，道："白了白了! 二十年前就白了，唉……想不到一转眼间，我竟已有三十年未替你梳头!"缓缓自怀中掏出把破旧的梳子，梳子上还嵌着粒珍珠，想必昔日一定是十分鲜艳而时髦。但如今，这梳子也正和她们姐妹一样，虽还残留着一丝动人

大旗英雄传

的痕迹，却早已失去了昔日的光彩，珠光也已发黄了。

老婆子目光凝注着梳子，半晌半晌，惨然笑道："你还记得么？这梳子就是昔日我为你梳头的那把。"

阴仪目光也凝注着梳子，颤声道："记得！"

老婆子道："你瞧你的头发又乱了，过来……让我再替你梳次头。"

她似乎将她这二妹还当做昔日闺中的少女，却忘了她的二妹已是名震武林垂二十年的女魔头。阴仪双目之中，泪珠突然夺眶而出，悄悄转过头，竟真的坐到老婆子身前，让她为自己梳这早已斑白的头发。梳着梳着，老婆子嘴角泛起笑容，目中却也流下泪珠，晶莹的泪珠，一滴滴落在阴仪头发上。

易冰梅与冷青萍在一旁静静地瞧着，瞧着这一幕动人、却又令人心碎的图画，早已瞧得痴了。阴嫔更是满面泪痕，突然大呼一声，扑了过去，勾住了她两个姐姐的脖子，阴仪再也忍耐不住，也翻身扑入了她大姐怀里，那老婆子张开双臂，拥抱着她这两个可爱却又可恨的妹妹。一时之间，三人竟似都忘却了自己的年纪，忘却了那一段辉煌而又艰苦的岁月，忘却了自己一生中的得意与不幸……

她三人实已全然忘却了一切，似乎又回到昔日那可以随时大哭，也可以随意大笑的日子。又不知过了多久，那老婆子终于缓缓抬起头来，喃喃道："天可怜见，天可怜见，让我阴氏三姐妹，终又回到一处。"

阴仪缓缓坐起，拭干了泪痕，淡笑道："可笑我第一次坐上大姐这艘船，竟不认得大姐了。"

阴嫔亦自坐起，道："可不是么，若不是我坚持着再回来瞧瞧，大姐只怕已气得不理我们了。"

老婆子苦笑道："大姐怎会怪你们！我若不说，你们又怎会想到这船上的可怜老太婆，便是昔日的异人阴素？"她无意中说出这句话来，却犹如千钧铁锤般，在她三人心上同时重重打了一记——昔日光耀武林的伟人，如今已变作无情海上的渡婆，昔日春花般的容貌，今日已变作丑恶的鸠盘荼。

三十年，三十年的岁月，毕竟是不饶人的。

热血已冷，激情也化作悲痛。

三人面面相望，虽然瞧不见自己容貌，但却已从对方面上的皱纹中，映出了自己苍老的痕迹。三个人这才顿然领悟，逝去的岁月，是永远也无法挽回了，逝去的欢乐，也只有留待追忆。

世上万物都有可欺时，惟有时间却是明察秋毫的证人，谁也无法自它那里骗回半分青春。世间万物都有动情时，惟有时间心肠如铁，无论你怎样哀求，它也不会赐给你丝毫逝去的欢乐。惟有岁月留下的痕迹，你想磨也磨不去，想忘也忘不了，三个人面面相坐，谁也不再能说得出话来。只因她们发觉阴氏三姐妹虽又终于回到一处，却已和往昔大不一样了。

终于还是阴素一声强笑，打破了这难堪的静寂，她便站起强笑道："你们坐着，大姐去替你们倒碗糖水吃。"

阴嫉缓缓一拭泪痕，亦自强笑道："大姐还真的把我们当小孩子嘛，我们现在只喝酒，不吃糖水了。"

阴素道："你们不吃，那边两个小孩儿总要吃的。"

易冰梅、冷青萍对望一眼，互相一笑，似乎在说："我们也已是大人，只喝酒不喝糖水了。"她们毕竟是年轻，还未曾领悟到岁月的无情，否则此时此刻，她们又怎么能笑得出来？

阴素终于还是端出了两碗糖水，冷青萍也终于喝了下去，易冰梅却乘她没瞧见，悄悄泼到海水中。

阴嫉轻叹一声，道："说真的，这三十年来，大姐你究竟到哪儿去了，大旗门那姓云的……"

阴仪突然干咳一声，似是要她莫要再说下去。

大旗英雄传

阴素却苦笑道："无妨，让她说吧，近年来，我早已麻木了，往事早已不能再折磨我了。"

阴嫔道："那姓云的可死了么？"

阴素叹道："他还好好地活着。"

阴嫔恨声道："好个没良心的，竟抛下姐姐一个人在这里，若不是姐姐救他，他还能活到现在？"

易冰梅与冷青萍都睁大了眼睛，目光中充满了惊诧与好奇，她们显然是想听听这一段武林前辈幽秘的故事，却又不敢说出口来。

阴嫔却已瞥见她们面上的神色，猜破了她们的心意，笑骂道："你们两个小丫头，可是想听听这段故事？"

易冰梅、冷青萍对望一眼，含笑垂首。

阴嫔长长叹息一声，道："说给你们听听也好，好教你们日后小心些，莫要上了那些臭男人的当。"她轻轻闭起眼帘，缓缓道："那时我年纪还小，我们三姐妹，住在一栋有着大花园的房子。花园很大，种满各种鲜花，四时不断……"她轻叹一声，嘴角泛起一丝甜蜜的笑容，接着道："那时的日子过得真妙，我们姐妹练完了武功，就在花园里修花、剪草、捉蜻蜓、扑蝴蝶，但是……有一天，花园里突然闯入个满身鲜血的人，他受的伤极重，一进花园，就扑地晕倒了。我们三姐妹跑过去，只见这男人虽然满身鲜血，显得有些怕人，但模样生得可是真俊。尤其是他脸色苍白得不带一丝血色，更显得有一种说不出的魅力，看了真教人心动。但那时我不过只觉他生得很俊而已，却不知我大姐仅只瞧了他一眼，就已……就已偷偷爱上了他。"

说到这里，阴素枯老的面容，似也泛起一丝红霞，但瞬即没有了，仰望苍天，又呆呆地出神。

阴嫔接着往后说了下去："我们瞧他神色，就知道他必定是被极厉害的仇家追赶，惊惶之中，才会闯入我们的花园。二姐那时就似乎已猜着了大姐的心意，故意说："此人又不知是什么来历，我们何必为他惹麻烦，不如送他走吧！"大姐心里虽不愿，但到底年轻面薄，也不好怎么说话。就在那时，墙外已响起呼喝叱咤之声，显然是追兵已来了，而且追来的人数还不少。大姐虽未说话，却突然抱起那男人，将他藏了起来，然后行所无事地修花剪草，竟不瞧我和二姐一眼。追兵终于追进了花园，大姐非但没有说出那男人的事，反而说他们擅闯私宅，将他们痛骂了一顿。

那时我们姐妹在武林中已有些名气，那些追兵虽然也都是厉害角色，却也犯不上得罪我们。何况，我姐妹在江湖中是出名不管别人闲事的角色，平日就算别人死在我们眼前，我们也不会伸一伸手。那些追兵想来想去，也觉得我姐妹不会将那男人藏起，竟再三向我们道歉，一个个走了。

从那天之后，大姐花也不修了，草也不剪了，整天去服侍那男人，替他治伤，弄出各式各样好东西给他吃。过了一个多月，那男人伤势总算好了，大姐整日守候在病榻旁，日久情生，更是对他着了迷，哪知……"

说到这里，她忍不住又苦苦叹息一声，嘴角笑容早已消失，转目望去，阴素却已悄悄流下了眼泪。

易冰梅听得入神，忍不住道："哪知怎样？"

阴嫔叹道："哪知那男人伤好了之后，竟悄悄走了，只留下张字条，说是要大姐永远忘记他。但大姐怎么忘得了他？大姐知道我们反对，竟说也不跟我们说一声，就悄悄地追了去。"

她又自停住了语声，连连叹息。

易冰梅忍不住又问道："后来怎样？"

阴嫔苦笑道："后来我也不知道了，我也要问大姐。"易冰梅与冷青萍的目光，立刻转到阴素身上。

只见阴素泪流满面，轻轻道："后来我终于追着了他。"

易冰梅、冷青萍齐地松了口气，似在为她欢喜。

阴素仰望苍天，又呆呆出了半晌神，嘴角竟也泛起一丝微笑，笑容是那么甜蜜，似乎使得她苍老的面容，都焕发出动人的光彩。

她轻轻道："那一段日子，我们过得真是美，我们从早到晚，整天在一起，就连他都似乎将一切事都忘记了。但是……但是有些事却是忘不了的。"

说到这里，她微笑已化做哀伤。

"他们门户为了复仇，要远赴塞外，而他们门户的规矩，是绝对不许带女子同行的。"

易冰梅接道："就是妻子也不行么？"

阴素惨然笑道："妻子也不行。"

易冰梅睁大了眼睛，喃喃道："好狠好狠!"

阴素道："他们离别了妻子，为的只是不愿练武时分神，更不愿他们下一代受到丝毫母爱。他们在冰天雪地里训练自己，训练他们的儿女，训练的严格与残忍，真是教人看了心痛。他们要将儿女训练成铁一般身子，还要将儿女训练成铁一般心肠，若是母亲在那里，就不会狠得下这个心来。只因我后来不顾一切，还是追到塞外，所以看到了这些，我虽然心狠，却也不禁看得流泪。"

阴嫔诧声道："大姐竟追到塞外去了么？"

阴素垂下头来，眼泪又是汩汩流出，道："我一生去了七次，每一次都被他们掌门人赶了回来。只因我总是不死心，无论吃多大的苦，受多么大的罪，有时甚至被打得遍体都是伤。但只要我伤一好，我还是追了去。他们食粮本少，有好的都给了孩子吃，要孩子长得快，我在冰天雪地里追他们，更是寻不着吃的。有时我一饿就是一两天，饿得连藏在雪地里的老鼠、毒蛇，都被我挠了出来，用火烤了吃。我求他们只要让我跟着，什么苦我都愿意，我用尽了各种法子，说尽了各种好话，甚至……甚至下跪。但……但他们还……还是不动心，还是要赶我……"

易冰梅、冷青萍再也想不到面前这老婆子，昔日竟犹如此伟大的爱情、如此强烈的情感，早已听得泪流满面。

阴嫔更是泣不成声，颤声道："难……难怪大姐你……你如今竟变得……变得如此苍老了……"

阴仪突然大声道："大姐你既是受了这么多苦，就该一直追到底，除非……除非他们真把你杀了!"

阴嫔道："你就从此不追了么?"

阴素默然点了点头，说不出话来。

阴嫔顿足道："大姐你真是，那姓云的既然忍心见你受苦，不管你，你又何必再管他的生死!"

阴素流泪道："他……他也没法子，除非他竟敢背叛门户。"

冷青萍心念一动，突然颤声道："那姓云的……的老前辈，是否'铁血大旗门'的弟子?"

阴素道："你……你怎会知道?"

冷青萍流泪道："我……我大姐的遭遇，也……也和老前辈的完全一样，只怕还……还要惨些。"

阴素道："真……真的?"

冷青萍道："我大姐也是在堡中救了个姓云的大旗弟子，也是悄悄爱上了他，而且还为他生了个孩子……"

阴素道："后来怎样?"

冷青萍流泪道："后……后来此事被'大旗门'的掌门人知道，我姐夫就……就被他们五马分尸了!"

她吸了口冷气，道："那大旗掌门，就是我姐夫的亲生爹爹!"

阴素身子一颤，久久说不出话来。

大旗英雄传

阴嫔恨声道："那大旗掌门真是个没有心肝的人，我若见了他，定要他胸膛剖开瞧瞧他心是什么做的!"

阴素缓缓道："他的遭遇，昔日本也一样，他也爱上了个女人，这女子却和他仇家有些关系……"

她骤然间说出这从来无人言及之武林隐秘中的隐秘，众人都不觉吃了一惊，脱口问道："真的?"

阴素凄然一笑，道："此事自也被他爹爹知道，但他却真狠得下心，将那女子活生生推落绝崖之下！"

冷青萍忍不住问道："你……你那……"

阴素道："我丈夫云九霄，就是他亲生弟弟。"

冷青萍又是一惊，颤声道："他……他既然自己也受过这样的苦，为什么还要对他亲生的弟弟和儿子如此狠心？"

阴素仰天叹道："这就是'铁血大旗'无情的传统，他们代代相传，都是如此，而且……"她突然幽秘地惨然一笑，接道："而且据说'大旗门'每一代弟子，都有过我这样差不多的悲惨的事！"

这又是件惊人的秘密，众人更是惊得呆了。

过了半晌，阴嫔又忍不住问道："这些事我从来未曾听人提起，大姐你……你却又怎会知道？"

阴素神情更是幽秘，缓缓道："我自然知道……想来你们日后自也会知道的，知道得比现在还多。"

阴嫔诧声道："为什么？"

阴素一字字缓缓道："只因这常春岛，便是……"


突然间，山顶响起了一阵清脆的钟声，响彻云霄。两个乌衫少女，手提着青竹篮，自袅娜四逸的钟声余韵中，踏着碎步奔来，遥遥便呼道："婆婆，又劳你送饭了。"

阴仪大奇道："给谁送饭去？"

阴素还未及回答，乌衫少女轻轻跃在船上，嫣然笑道："你们才来，怎么就跟婆婆这么熟了？"

她两人自不知她们原来就是姐妹，阴素也未说出，她面容又恢复冷漠，只是淡淡道："我要送饭，你们也该走了。"

少女笑道："对了，你们先让婆婆送饭去，回来再聊天，否则若是让人饿着了，可真不好。"

另一少女也笑道："你们才来没多久，我们也正好闲着，吃过饭，让我们陪你们到各处看看好么？"

阴仪、阴嫔只有含笑称谢。

她四人心中虽还有无数疑问，这常春岛便是……便是什么？又和"大旗门"幽秘的历史有何关系？阴素如此急着送饭，突竟是为谁送饭去？但此时此刻，她们四人纵有满腹疑问，也只有留待阴素回来后再寻解答，四人打过招呼，便径自去了。

骄阳仍盛，波平如镜，海面一片黄金般光彩。忽然间，冷青萍又奔回海岸，高声唤道："婆婆，婆婆。"

阴素响应道："什么事呀？"

冷青萍道："那边若是有个叫铁中棠的人，要到这里来，求婆婆好歹载他一程，莫要忘了。"

在那蜂女香舟上，她本当铁中棠已落水而死，但后来她随鬼母同赴帝宫，虽然在宫外留守，没有瞧见铁中棠，但却已得到铁中棠的消息，等到黑衣圣女将鬼母与她姐妹一齐带回常春岛后，她又辗转听到铁中棠要到常春岛来。

阴素皱了皱眉，道："他是什么人？"

冷青萍呼道："他……他也是大旗门下。"

阴素眉头皱得更紧，道："他可是那姓云的小子的二哥？"

冷青萍惊喜道："不错，婆婆你怎会认得他？"

阴素哼了一声，道："他已不会来了！"

冷青萍大奇道："他为何不会来了？"

阴素道："他已落入海中，连尸首都寻不着了！"

冷青萍大骇道："你……你说什么？"

阴素大呼道："他已死了！"

冷青萍身子一震，再也立足不住，立时晕倒在海岸上。

阴素看着她身影倒下，不禁苦叹道："幸好铁中棠已死了，不然这孩子受罪的日子可就多了！"过了半晌，喃喃道："这孩子明知大旗弟子都是无情无意的人，方才嘴里也还在骂大旗弟子没有良心，但转眼之间，为何自己也对大旗弟子如此关心？莫非那姓铁的也和云九霄少年时一样，真有令少女着迷的地方……唉！幸好铁中棠死了……幸好死了……"

但铁中棠却未死，幸好未死！

他此刻正坐在海边山岩上，下面急流澎湃，海浪汹涌，重列着千百块怪兽般的礁石，正是他落水处。海边山岩，亦是怪石嵯峨，峥嵘险恶。岩高不止百丈，铁中棠显然体力大是不支，未能一口气爬上去，是以坐在半岩略作歇息。他方才被一拳击落海中，云铮拳势虽重，但铁中棠现在是何等武功？身子随着拳势飞起，所受内伤并不重。

只是他身子落下后，险些一头撞上海水中礁石，幸好他应变奇迅，反手一掌，拍在石上。衣衫虽被礁石尖齿扯下一角，身子却堪堪自礁石边滑了下去，而掌石相击，他身子又正在坠落之际，这一震之下，竟使他晕在海水中，衣衫又被海底礁石勾住，身子不能浮起。

是以云铮与温黛黛在上面只能看到石上那一角飘扬的衣袂，却看不到他身子浮起，只当他已葬身海底。海水冰凉，过了半晌，铁中棠便已醒来。他体力全失，只有攀着海中礁石爬向岸边。

这时云铮与温黛黛已又乘着阴素的渡船寻来，铁中棠一时不愿与他们相见，便隐身躲在礁石后。

等到云铮、温黛黛苦寻不着，失望而返，铁中棠又费了不知多少气力，方自层层礁石间爬到岸边。此刻铁中棠胸膛不住起伏，喘息仍剧，目光动处，突见一艘船笔直向自己存身之处驶来。这渔船顺风破浪，来势快得异乎寻常。

铁中棠虽还猜不出这艘船来历，但他行事素来仔细，何况此刻体力如此不支，凡事更应谨慎小心。他见那渔船方向来势丝毫未变，身形一闪，寻了个石隙躲了进去，石隙前还有方怪石遮挡，正是天生绝妙的藏身之地。

渔船驶到近前，竟在那星罗密布的礁石外缓缓打住，铁中棠便已发现，船上掌舵的竟是那与温黛黛同来寻找自己的白发婆婆，她年迈苍苍，一人操舟往来海上，已是十分令人惊奇之事，更令铁中棠奇怪的是，这老婆婆竟然去而复返，却又不知是为的什么？

　　只见她俯身拾起一团绳索，打了活结，脱手抛出，那绳团便不偏不倚套在一方礁石上。

# 第四〇章　斯人独憔悴

老婆子将长索另一端，系在船上，紧紧拴住了渔船，身形突然横飞而起，掠上了礁石。她左右双手，各各提着只竹篮，身形飞掠在峥嵘险恶，滑不留足的礁石上，却是稳健迅急，足以惊世骇俗。礁石间恶浪汹涌澎湃，雪白的浪花，飞激四溅。这老婆子身形兔起鹘落，看来直如白发龙婆，凌空飞渡一般，竟是直扑铁中棠藏身之山岩。

铁中棠又自吃了一惊："莫非她已发现了我？"

刹那之间，那老婆子便已掠上山岩。但她却未接连扑上，反而沿着岩麓走了几步，突然放下竹篮，伸出双手，抓住了一方尖锐的岩石，用力一扳。那方无论是谁看来，都断然必定以为是在山岩上生了根的石笋，赫然竟在她以手一扳之下，缓缓滑了开去。

铁中棠自上面瞧将下去，恰巧瞧得清清楚楚。只见那滑开了的石笋下，乃是一块铁板，白发老婆子俯身掀开了铁板，便露出个两尺方圆的洞穴。洞里黝黯无光，深不见底。那老婆子俯在洞口，呼道："饭来了。"

呼声落处，突有一阵铁链曳地之声，自洞穴中传了出来，无底洞口响起铁链之声，令人不禁大生幽秘恐怖之感。

铁中棠越瞧越是惊奇，他无心去窥破别人隐秘，实是大为犯忌之事，当下更是屏息静气，不敢动弹。那老婆子听得铁链一响，立刻自竹篮中取出两只纸袋，轻叱道："接住。"随手抛入洞穴之中。

大旗英雄传（下）

许明康　许黎黎／绘

老婆子将长索另一端，系在船上，紧紧拴住了渔船，身形突然横飞而起，掠上了礁石。

她似乎对洞中之人，深怀畏惧之心，纸袋抛下，立刻将铁板紧紧盖起，翻转身子，推动岩石。

只听洞穴中一个嘶哑的声音道："回去告诉日后，她……"但石笋已然阖起，语声也立被隔断。

那老婆子松了口气，喃喃叹道："……可怜！可怜！一世英雄，竟……自作自受……今生无望了！"但隐约听来，却可猜出这老婆子似在为洞中之人惋惜。

但她虽在惋惜这洞中人本是一世英雄，却又说他落到如此地步，全是自作自受，要想逃出来，更是今生无望了。

铁中棠目送船影消失，心中暗暗忖道："看来这老婆子定是常春岛上之人，是以洞中人才会提起'日后'两字。"

他想到云铮与温黛黛，也曾坐这艘船来寻找自己，便更断定这老婆子必是来自常春岛的。只因那黑衣圣女要温黛黛以哨声呼唤渡船之事，铁中棠也曾听在耳里，如此说来，则温黛黛与云铮必定已在常春岛上，再也不怕有人加害了，他们既脱离险境，铁中棠自也大是放心。

但被囚在这神秘洞穴中的，究竟是谁？

此人竟敢直呼"日后"之名，那老婆子看来虽然对他那般怀有戒心，却仍称他乃是"一世英雄"，他的身份来历，想必自是十分惊人！日后将他囚禁在如此阴黯潮湿的洞穴中，显见对他痛恨极深，却又为何不索性将他杀了？而能被日后怀恨之人，却也断然必非寻常之辈。

铁中棠翻来覆去，左思右想，越想越觉此事实是诡秘之极，这洞中人的身世，必也充满了神秘的色彩。一念至此，他那好奇之心，实是再难遏止，接连几个纵身，掠到石笋前，推开石笋，掀起铁板。

但他行事从不鲁莽，生怕洞中人乘机脱逃，此人若非恶徒倒也罢了，若是凶恶之徒，自己却又制他不住，岂非要闯大祸？是以他

只是将铁板掀开了一线，万一情况不对，再将铁板关上也来得及。

要知那石笋重逾千斤，只可向旁推动，却无法向上抓起，中间隔着块铁板，洞中人便休想将石笋移开。何况那铁板厚达七寸，分量亦是极为沉重，纵有绝高之掌力，亦是决计无法将之震裂。是以洞外之人虽可进去，洞中之人却万难出来。而山岩上千石万笋，若非眼见，又有谁会知道这石笋下藏有秘密？筑建这秘窟之人，端的是独具匠心，令人可佩。

铁中棠自铁板空隙中瞧了下去，天光照射下，他这才瞧出洞中乃是条曲折幽秘的地道。突听那铁链拖地之声，又自地道中摇曳而来，一条人影随着铁链曳地声，自阴影中缓缓现出，厉声道："是什么人在外面，又来扰人清梦？"

铁中棠也瞧不清他形貌，只觉此人虽是铁链在身，被人囚禁，但语气之间，竟仍隐隐带有帝王之威。纵是帝王，身在囚禁之中，也常会失去威严。此人自然万万不会真乃帝王之尊，但在如此情况下，仍犹如此气概，一种豪雄威风，浸浸然直逼铁中棠眉睫！

铁中棠心念一闪，口中未说话，却将铁板完全掀开。

那人抬头望了一眼，怒道："何物狂奴？怎不回话？"

只见他发髻蓬乱，须长过胸，形状果然十分潦倒，但那种英雄落拓之气，却更是令人心醉。铁中棠紧抓铁板，只要他身形一动，便能立将铁板阖起，口中却道："地穴已开，你为何还不乘机逃出？"

那人再也未想到他会突然说出这句话来，也不禁一怔，但瞬息之间，便自仰天狂笑道："朱某一生几时逃走过？无知小辈，你竟将咱家瞧成了何等人物？"

狂笑之声，震人耳鼓，正是神龙遭困浅滩，余威仍足惊人！铁中棠心念又一动，大声道："你可认得朱藻？"

那人身子似乎一震，道："朱……朱藻？"

铁中棠道："不错，夜帝之子朱藻。"

那人喃喃道："朱藻……朱藻……"竟仍茫茫然有些痴了，过了半晌，突然大喝一声，道："你认得他？"

铁中棠道："认得!"

那人道："他……他在哪里？……他此刻也……也来了么？"语声竟已颤抖，显然心中大是激动。

铁中棠暗暗叹息一声，已猜出此人是谁了。

他无意中遇着此人，心中虽是又惊又喜，但见到此人竟落得如此模样，却又不禁感慨丛生，泫然欲泣。那人却是满心焦急，厉声道："快说，他可是来了？"

铁中棠叹道："他虽未来，却时时刻刻在想念着你老人家，只是……只是不知道你老人家的去处。"

那人身子又·震，道："你……你怎知他在想念着我？"

铁中棠黯然一笑，突然抓开铁板，纵身跃了下去。

那人厉声道："你要做什么？"

话犹未了，铁中棠竟已恭恭敬敬，跪倒在他面前，垂首道："小侄铁中棠，叩问你老人家福安。"

那人双目圆睁，神情更是惊诧，厉声道："你究竟是谁？你可知我又是谁？为何要向我跪拜？"

铁中棠道："小侄乃是朱藻大哥之结义兄弟，见了你老人家，自当跪拜。"突觉肩头一阵剧疼，已被那人一把抓住，铁中棠只觉这只手掌，犹如钢铁一般，劲力之强，竟是自己生平未遇。

何况武功练到铁中棠这种地步，对任何人之出手，已都有种本能之反应，无论是谁，都难将他抓住。但此人却能无影无踪般伸出手来，直到抓住铁中棠后，铁中棠方始觉察，这出手之快，又是何等惊人！

铁中棠虽是铜筋铁骨，此刻竟似也有些受不了此人一抓之力，但他却仍咬牙忍住，绝不皱一皱眉头。那人手掌不放，目光灼灼，凝注着铁中棠。

铁中棠也抬起头来，回望着他。只见他身上一件宽袍，已是千缝百补，满头长发披散，双目虽仍灼灼有光，看来却仍是潦倒已极。尤其是那副锁在他身上的一副巨大之铁链镣铐，更令铁中棠满心感慨，既是怜悯，又觉悲痛。

那人缓缓道："你已知道我是谁了？"

铁中棠道："小侄已知道你老人家是谁了。"

那人喃喃道："不错，不错，倒也可配做朱藻的兄弟。"突然松开手掌，竟自仰天大笑道："你既已知道我老人家是谁，便该称我一声老伯才是！"

铁中棠这才完全确定自己猜的果然不错，这人赫然满身镣铐，几乎连手足都难动弹的老人，正是名动天下，无人能与之抗衡之"夜帝"！霎时间，铁中棠更是惊喜交集，伏地再拜，恭声道："老伯……"

夜帝哈哈笑道："藻儿为人一向目中无人，能与他结拜兄弟的，老夫早已知道不会错了。"

铁中棠道："多谢老伯夸奖。"

夜帝道："你一时便能猜出我是谁来，倒也不奇，不想你竟能受得了我那一抓之力，面不改色，端的有几根硬骨头！"

铁中棠见他落到如此地步，心胸仍如此开朗，若非人中之杰，焉能如此？心下不禁更是佩服。

夜帝道："想不到藻儿竟还记着我？他可好么？我那住处，如今想必已被他整治得更是宽敞了。"

铁中棠心头一阵黯然，过了半晌，方自勉强忍住悲痛，垂首道："不知老伯已有多久未曾回家了？"

夜帝道："谁耐烦去记那日子，只怕有十来年了吧！"

铁中棠暗叹忖道："别人若是过他这种日子，定是度日如年，连多少天都记得清清楚楚，而他竟连多少年都记不得了，这又是何等胸襟？"口中黯然道："沧海桑田，这十余年来，世间变化已有不少……"

704

夜帝笑道："但我那住处远离红尘，想必不致有……"

铁中棠叹道："那……那地方……已……"他实是不忍将夜帝地方已被焚毁之事说出口来。

夜帝变色道："已怎样了？"

铁中棠却也终是不敢隐瞒，垂首道："已……已被焚毁了。"他生怕这老人家听得这惊人之变故，太过悲痛，竟是深垂着头，再也不敢仰首去望一眼。

哪知夜帝又自仰天笑道："烧了么……烧了也好，远在十余年前，老夫便想将它烧了的。"

铁中棠道："为……为何……"

夜帝笑道："你既与朱家人结为兄弟，便该知道我朱家人无论在任何情况下，都要享受，都不能吃苦的。"

铁中棠道："是……"

夜帝道："但无论任何享受，都定必要奋斗才能得来，你若喜欢比别人享受的好，你能力就必需比别人高些。"

铁中棠肃然道："此点小侄定必永记在心。"

夜帝笑道："我相信藻儿之能，无论环境多么恶劣，他也必能改造，是以我对他一向放心得很，只是……"笑容突然消失，叹道："只是不知他的娘如今怎样了？"

铁中棠心头一颤，头垂得更低。

夜帝叹道："她委实太过好强，一心想要胜过我，但像她那样去练武功，却太苦了，不知她那痛苦已结束了么？"

铁中棠不敢抬头，道："她老人家痛苦已结束了……"

夜帝开颜笑道："好极好极，她也该享享福了。"

铁中棠只觉心头一阵剧痛，更是不敢抬头。


夜帝道："里面有些好酒好菜，你既来了，便该陪我谈谈，莫急着要走，知道么？快进去痛饮几杯。"

铁中棠又惊又奇，几乎奇怪得说不出话来，呆了半晌，方自讷讷道：“老……老伯还要进去么？”

夜帝道：“自然要进去的。”

铁中棠道：“小侄既已将秘门打开，老伯为何还不走？不如待小侄先将老伯身上的……的东西弄去……”

夜帝道：“原来你要救我出去。”

铁中棠道：“小侄……小侄是……”

夜帝又仰天笑道：“我若要走，早就走了，还用得着等你来么？孩子，你未免太小瞧了你朱老伯了。”

铁中棠道：“老……老伯为……为何不走？”

夜帝笑道：“这其中道理，你慢慢便会知道了。”拉起铁中棠，转身向那曲折的岩洞里走去。

铁中棠又惊又叹，忖道：“这老人当真是姜桂之性，老而弥辣，到如此年纪，还是如此倔强，到如此地步，还是绝不肯接受任何人丝毫帮助，看来只有慢慢设法劝他，他才会走的了。”但他怎敢将这番话说出口来？只得相随而行。

只见这山岩下的秘洞，竟是曲折深邃，犹如诸葛武侯之八卦阵一般，幽秘繁复处尤有过之。两人走了半响，铁中棠更是发觉自己若非有老人领路，便再也休想自这曲折的道路间走回原地。越是深入，越是阴湿黝黯，到后来竟已伸手难见五指。

铁中棠想到自己结义兄弟之爹爹，竟在这种地方过了十余年的日子，更是决心要将老人说服，劝他出去。也不知转了多久，夜帝方自停下脚步。

忽然间，铁中棠只听“叮”地一声轻响，火光一闪，眼前竟突然大放光明，原来秘道中竟已亮起了灯光。只见前面岩壁，已被凿成石灯的模样，灯芯竟有十余条之多，互相连接，夜帝火石一敲，刹那间灯芯便一齐燃着，犹如魔法一般。

铁中棠瞧得内心惊奇，目定口呆。他奇的倒不是这石灯制作之巧，只是再也想不出这灯中满盏的灯油究竟是哪里来的，但更令他奇怪的事，还在后面。秘道中一直是阴湿而黝黯，这里却是干燥宽畅，左面一张石床，右面一张石桌、几张石凳。石桌边竟还有个石盆，盆沿雕成双龙抢珠之势，一缕清泉，潺潺不绝，自龙口中流了出来，又自盆底流了出去，盆中却始终保持着满盆清水，再一旁的梳洗用具，也无一样不是干干净净。

夜帝笑道："这地方还好么？"

铁中棠道："此处虽好，却非久留之地。"

夜帝哈哈笑道："说得好……说得好……"一面大笑，一面自己将那两只纸袋拆了开来。纸袋中食物倒也丰盛，铁中棠只道他要劝自己吃了，哪知夜帝提起纸袋，竟将袋中食物都倒入盆下水沟里。

铁中棠大骇道："老伯这……这是做甚？"

夜帝道："你莫非当我要绝食自尽不成？"

铁中棠道："这……这……"

夜帝大笑道："你只管放心，老夫纵然要死，也要寻个舒服的法子，万万不会被生生饿死的。"

铁中棠更是诧异，忍不住道："但老伯为何要将吃食倒了？"

夜帝笑道："这些东西只配给马吃，老夫这里既无驴，亦无马，不将它倒了，留着它做甚？"

铁中棠只听得呆呆地怔了半晌，还是忍不住问道："不……不知老伯平日是吃些什么？"

夜帝且不作答，反而问道："方才老夫曾说，若是要走，多年前便已走了，你可是有些不信？"

铁中棠讷讷道："小侄确是有些不信。"

夜帝大笑道："你倒老实得很……好！你且忍半个时辰，这半个时辰中，你无论见着什么，都莫要说话。"

铁中棠更满腹狐疑，勉强道："小侄遵命就是。"

夜帝大笑道："好！"笑声中双臂一振，身形暴长，满身铁链镣铐，突然四散而开，哗啦啦，嘟呛呛，落满了一地。

铁中棠骇然道："这……"

夜帝笑道："莫忘了不准说话!"

铁中棠只得将满心惊讶，压了下去。

夜帝转身走到水盆前，略为梳洗，脱下宽袍，里面竟是件柔丝所织，轻柔华丽的花衫。等他转过身来，哪里还是方才那落魄潦倒的老人？哪里还有一丝一毫落魄潦倒的模样？只见他容光焕发，须发犹如衣衫般轻柔，看来虽是潇洒飘逸，却又带着种不可抗拒之威严。这潇洒与威严之奇异混合，便混合成一种不可抗拒之男性魅力，令人顿时忘却了他的年纪。

铁中棠又待惊呼，虽然忍住，但张开了的嘴，却再也合不拢来。

夜帝微微一笑，缓步走到石床前，伸手一扳。那石床竟赫然应手而开，又露出了个洞穴，但洞穴中却是光亮异常，洞中秘道，亦是异常平整光洁。

夜帝道："随我来。"

铁中棠犹如身在梦境，呆呆地跟着走了下去。他天赋机智，平日别人所行所为，他事先便可料中十之八九，但今日夜帝所做的每一件事，却无一不大出他意料外。只见秘道两旁，每隔十步，便有盏石灯，走了数十步，便是道月牙石门，低垂着淡青长帘。

夜帝回首笑道："闭起眼睛，要你张开时再张开。"

铁中棠此刻对他已是五体投地，立刻闭起了眼睛。只觉夜帝引身将他引入了垂帘，又走了几步，鼻端便飘来一阵淡淡的香气，令人心神俱醉。香气浓浓，室中也渐渐温暖。

又过了半晌，夜帝方自笑道："好! 张开!"

铁中棠深深吸了口气，缓缓张开了眼睛……他眼睛不张还罢，这一张开了眼睛，几乎吓得跌倒在地。

只见此刻他立身之地，竟是个圆形石洞，虽说是石洞，但四面满悬长缀之锦帐、珍贵之毛皮……纵是大富之家的厅堂，也不过如此，何况洞中一桌一几，俱是青石雕刻而成，花色不同，各具匠心。有的石桌形如楼房，有的卧椅形如长桥，有的低几形如农舍，更有张圆桌竟雕成那"夜帝之宫"的模样。

石桌上一杯一盏，亦是花巧奇丽，有的形如鸟雀，有的形如牛马，有的形如武士，有的形如裸女。每样东西，俱是手制而成，但是匠心独运，栩栩如生，这已是任何巨室富家万难及得上之事。

更何况——锦帐下，石桌旁，低几前，竟站着十余个绝美少女。

她们有的身披轻纱，有的穿着锦袍，有的正在谈笑，有的正在卜棋，也有的正在梳妆，还有的正在作图。

此刻，每个人都停住了手，痴痴地望着铁中棠，每个人面上都充满了惊讶之色，不知这少年自何处来的。铁中棠几乎眼也花了，他平生所遇之人，可惊可奇之事虽然不少，但却当真要以此事为最！一时之间，他整个人都呆住了，莫说夜帝令他莫要说话，便是要他说话，他也说不出一个字来。

夜帝道："此地又如何？"

铁中棠道："……"还是说不出话来。

夜帝笑道："此刻你不妨说话了。"

铁中棠长长叹了口气，道："小侄真不知该如何回答。"

夜帝大笑道："好！好！"转身面向少女，笑道："这便是我那藻儿的结义兄弟，你们不妨过来相见。"

少女们掩唇轻笑，有的还不禁垂下头去。

夜帝大笑道："此地久无外客，这些丫头也不免都变得小家气了，贤侄你可莫要见笑。"

铁中棠也不禁垂下了头，哪敢回话。

夜帝道："呆望什么？还不整治些酒菜来，与我这贤侄接风？"少女们一阵娇笑，一齐走了。

夜帝道："坐下。"

铁中棠坐了下来。

夜帝道："到了这里，你感觉如何？"

铁中棠抬起了头，只见四面珠帘仍不住轻轻摇荡，一阵阵银铃般的轻悦笑声，自摇荡的珠帘中飘了过来。他又自长长叹息一声，讷讷道："小侄直到此刻为止，还有些不甚相信，不知这究竟是真是幻？"

夜帝哈哈笑道："老夫早已说过，朱家的人无论在任何情况之下，都会设法好好享受。"

铁中棠叹道："老伯实有过人之能，但……但小侄心里还是有许多无法想通的事，不知老伯能否见告？"

夜帝道："有什么事，你只管问吧！"

铁中棠道："不知老伯怎会到了这里，又怎会……怎会如此？"他实在找不出话来形容心中的惊异，只有苦笑着四面指了指，只因日后既然将他囚禁此间，此间便必是绝地，而夜帝却能将此绝地变为仙境，岂非大是不可思议？

夜帝含笑道："你问的虽然只有两句话，但我解释起来，却委实是说来话长，不知你可有耐心听么？"

铁中棠道："小侄洗耳恭听。"

夜帝微微一笑，寻了张舒服的卧榻倒身坐下，开始叙说那一段神奇的故事，只听他缓缓道："我一生行事，自信绝无愧天疚地之处，却只有件事被人骂得体无完肤，你可知道是什么？

好！瞧你微笑不语，想必心里已知道，只是未便说出口来，其实你纵然说出，又有何妨？要知风流亦非见不得人的事，只要你居心未存下流，纵然对天下女子钟情又有何妨？

我一生之中，最最倾倒的，便是那些秀外慧中，才貌双全的女子，只因惟有她们，方是天地间灵气之所钟，你且看有些女子粗劣庸俗，有些女子却是清雅如仙，这其间差别为何如此之大，便是因为上天喜恶有所不同。苍天既将灵气钟于某些女子之身，便是要人多加爱护，这正如好花好草，灵山秀水，亦是要人欣赏之理相同。若有人对这些苍天垂爱之事物，不知欣赏，不知爱惜，此人不是俗物，便是暴殄天物的呆子。"

他仰天大笑数声，接着道："幸好我既非俗物，亦非呆子，从来不敢暴殄天物，只要是上天眷爱之女子，我必定爱护有加，视如无上之珍宝。更幸好我那妻子也非俗物，知道我之所为，不过是要将天下好女子好生护着，莫教她们受了恶人欺负而已。

更令人庆幸的是，只要是好女子，便能知我之心，其实也惟有好女子，方能知我之心，我平生最大之愿望，便是与天下的女子结为知己，更愿天下好女子，也俱都将我视为知己，则人生已庶近无憾了。"

他显然已将铁中棠视如了侄，是以说话毫无顾忌，铁中棠却已听得呆了，惟有连连苦笑。只因他这番言语，说的无一不是铁中棠听所未听，闻所未闻的道理，铁中棠实不知他说的是对还是错。转眼瞧去，只见少女们已将酒菜端来，悄悄坐在四周，一个个俱是面带微笑，早已听得入神。这番话她们显然已不知听过多少次了，但此刻仍听得如此入神，可见夜帝言语间，实是大有令人动情处。

酒菜果然精致，夜帝举杯在手，突然长长叹息一声，将杯中酒一饮而尽，方自接着往后说了下去："但天下好女子中，却有个最最好的女子，非但未将我视为知己，而且根本对我不理不睬。

这实是我平生最大之恨事，为了此事，我接连七日七夜，几乎全然未进饮食，几个月里，食而不知其味，睡更不能安枕，只要一想及她来，心头便犹如针刺般痛了起来，不知你可想得出我那时之心境？

好，你还是微笑不语，我那时心境，想必你也是懂的。唉，与你这样聪明的孩子说话，也是人生一件乐事，否则与那些俗物言谈，倒不如对牛弹琴还可少生些闷气。"

他说来说去，尽是说些似通非通，玄之又玄的道理，此刻又将话题错开，又忽而要铁中棠饮些美酒，用些酒菜，铁中棠忍不住要

将方才的话再问一次道：“不知前辈怎会来到这里？”

夜帝这才说及正题，叹息着道：“你且莫着急，只因方才那些话，听来似乎与此事并无关系，其实却是我为何会到这里最大的原因。

你可知那对我不理不睬之人是谁么？她便是……好，只怕你又猜中了，她便是常春岛之日后，她若是对我不睬，倒也罢了，我最多不过生些闷气。哪知到了后来，她竟想尽办法，将我身边的女子俱都说动，十人倒有九人离我而去。

她说我用情不专，自命风流，却不过只是好色之徒，她哪里知道我之深情？她哪里知道我的深意？你可见到爱花之人，家里只种一株花的么？家里惟有一株花的，那断然必非爱花之人。这道理正与我相同，我若对女子漠不关心，又何苦用尽千方百计要她们陪伴在我身旁，辛辛苦苦地维护着她们，绝不会使她们受到丝毫伤害？爱花之人必常护花，将花移入温室，冬日焙火，夏日施水，好教那鲜花莫被狂蜂所戏，野鸟所欺，唉……不是爱花人，又怎知护花者的一片苦心？”

这番话又是听得铁中棠目定口呆，啼笑皆非，虽觉这道理大是不通，却又说不出他的不通之处在哪里。

那些少女们却听得如醉如痴，有的甚至已在偷偷落泪，铁中棠赶紧插口道：“是以老伯便赶去常春岛？”

夜帝道：“不错，那时藻儿年纪已不小，你那伯母又已坐关，我忍无可忍，便赶去常春岛。日后却早已算定我这一着，她终究不敢与我独斗，竟已集全岛百余高手之力，摆下了“大周天绝神阵”，在岸边等候于我，我方自踏上常春岛，她便与我立下誓约，只要我能破了那“绝神阵”，她便听凭我来处治，我若在三个时辰中破不了此阵，便得完全听凭她发落了。那日海上风浪极大，我下船时已是疲累不堪，而且三个时辰，又嫌太少，但我虽明知这誓约立得极不公道，却又被她这条件所诱，无法拒绝，一战之下……唉，我便到了这里。"

铁中棠也不禁为之长叹一声，沉吟着道："不知老伯临去之际，可曾将去向说给朱大哥知道？"

夜帝道："未曾，但你那伯母素来深知我心意，我纵然不说，她必也知道我要去哪里。"

铁中棠黯然道："她老人家的确知道的，只是……"他要说的是："只是她老人家未及说出，便已死了。"但却将这句话又忍在心里。

夜帝道："只是什么？"

铁中棠强笑道："只是她老人家并未告诉小侄。"

夜帝举杯在手，呆呆地出了会儿神，缓缓叹道："我十余年未曾回去，她自也不愿藻儿来找我。"

铁中棠暗暗叹道："这次你却错了。"

过了半晌，夜帝方白接着说了下去："我到了这里，不过半年，便将这岩间中的秘路全都摸熟了，但约莫十个月后，才发觉此地并非绝地，除了那入口外，还另有一条石隙，可通向外面，那时我若要走，便可走了。"

铁中棠道："老伯为何不走？"

夜帝正色道："男子立身处世，虽可不拘小节，但于人节，有关忠、孝、信、义处，却断不可亏。"

铁中棠肃然道："是。"

夜帝道："我只要留在此间不走，便不算失信于人，至于我在此地如何过活，便要看我是否有自求安逸之能力，只要我有此能力，纵然日日享乐，也无亏于心，非我定要在此受苦，才算守信。"

这番话却是说得义正词严，无懈可击。

铁中棠道："小侄明白。"心中却不禁暗叹忖道："我这伯父虽然生性风流，立论有时也不免失于偏激，但胸怀间自有一种恢宏之气，果真不失为武林第一名侠之风范。"一念至此，面上不禁露出敬重之色。

夜帝微微一笑，道："珊珊，下面的事，你都已知道了，不如由你接着往下说吧，也可说得动听些。"

一个鹅蛋脸，柳叶眉，高挑身材，肤色微黑，年纪虽已二十七八，但却仍充满青春健康之活力的少女，秋波一转，嫣然笑道："这已是十多年前的事了，但我却永远也忘记不了。"

她笑容间满含对往事甜蜜的回忆，开始叙说她的故事，轻柔的语声，令铁中棠更是听得入神。

她阖起眼帘，说得很慢："那时正是暮春时节，我和翠儿每天要赶着羊群出来，找个有水有草的地方，一面读些书，一面牧羊。有一天，已是黄昏，我正要回去了，忽然听得山下面有吟诗的声音传出来，念的是白居易的琵琶行。山下面会有人吟诗，我自然吓了一跳。

但那吟诗声是那么优雅，念的又是我熟悉的诗句，我听了两句，竟不知不觉间听得呆了。那时我心里想，山下面的纵然是鬼，也是个雅鬼，于是我和翠儿就壮起胆子，去找这声音是自何处发出来的。"

她笑容更是动人，接着说：

"你知道少女们的幻想总是比别人多些，所以我们才一心要找那雅鬼，若是换了现在，只怕我们就不敢了。我们找了半天，才发现乱草间的山石竟有条裂隙，有双眼睛正在这裂隙中呆呆地望着我们。这双眼睛的目光，也是那么温柔，绝没有丝毫恶意，我们就壮起胆子，和他说起话来。从那天之后，我们每天都要去听他说话，只因他说的全是我们从来没有听过的，我们都不禁听得着了迷。我们每天挤羊奶给他喝，他也时常用石头雕些东西送给我们，到后来，我和翠儿就都对他……都对他……"

说到这里，她脸上泛起一阵淡淡的红霞，容光更是照人，垂下了头，嫣然一笑，才接着道："到后来我们都觉得再也不能离开他了，就带着些纸笔、丹青，和一些衣物，也住进这地洞里。那时这地洞虽还没有这样的规模，但已是很干净了，我们每天陪着他吟诗、下棋、作画。

有一天他突然要我们将画好的画拿出去卖，再换些有用的东西回来，但他却又要我答应，一定要将画卖给女孩子。但闺秀少女怎会到街上来买画？幸好我们也是女人，可以在别人闺房里走动，很容易就将七八张画全都卖了出去，而且卖得价钱很高，我们就买了些丝绸、纸笔、珊瑚、象牙一类的东西回来。

这次他不但画了画，还刻一些图章，和珊瑚、象牙人一类的小玩意，于是我们又拿出去卖。那时我们到了市上，先前买我们画的几个女孩子，竟派了她们使唤的丫头，天天在街上等着我们。原来她们已对那几幅画着了迷，整日茶不思，饭不想，只是呆呆地望着那画儿出神。"

# 第四一章　各有奇遇

　　说到这里，旁边也有三四个少女面上泛起了嫣红，珊珊含笑瞧了她们一眼，继续说了下去："她们见了我，简直高兴得发狂，一定要求我们，带她们来找这画画的人，否则就不放我们走。我被逼得没法子，也实在瞧她们可怜……"

　　突听一个杏衣少女笑啐道："谁可怜？你才可怜哩！"

　　珊珊娇笑道："你还不可怜？那时候连眼睛都哭红了，我再不带你们来，只怕你们真要活活急死。"

　　那杏衫少女瞧了另几个少女一眼，格格娇笑道："就算我们着急，可总比她们要好些吧！"珊珊笑道："这倒是真话。"

　　少女们又笑又啐，闹成一团，你说我着急，我说你可怜，但瞧了铁中棠一眼，又都红着脸垂下了头。夜帝仰天笑道："好！好！你们都不着急，着急的是我……"听到这里，铁中棠不必再听，也已猜到此中究竟。

　　这些少女们想必是见着夜帝画的图画后，便自心醉神痴，忍不住想要瞧瞧这作画的才子。等她们见着夜帝后，更不禁要被他这绝世之丰神、优美的谈吐所醉，留在这里，再也不肯走了。

　　于是大家同心协力，再加上夜帝胸中之丘壑，经过十数年的辛苦经营，终于将这阴森的岩洞，变成了仙境。由此可见，夜帝不但武功绝世，而且文采风流，妙手丹青，亦非他人能及，否则又怎能迷得了这些少女？

珊珊笑道："只要是见着他图画雕刻的女孩子，十个中倒有九个要被迷住，想尽法子也要赶来。到后来，我们真怕这样下去，连这岩洞都要被女孩子们挤塌，再也不敢将他的图画雕刻拿出去卖。"

夜帝微笑道："不是不敢，只怕是不愿吧！"

珊珊粉脸微微一红，笑啐了一口，道："我不说了。"

夜帝大笑道："你也该歇歇了，翠儿，你说。"

另一个模样与珊珊生得同样标致，年纪又轻些的少女笑道："好！我说，珊姐倒不是吃醋，她若吃醋，先前也不会将别的女孩子带来了，她只是知道，凡是要买这些图画雕刻的女孩子，必定都是才女，才女瞧见才子的手笔，怎会不心动？但人来得太多，也不行呀！"

珊珊笑道："还是翠儿知道我。"

翠儿笑道："不但珊姐，别的姐妹们，也说莫要将图画往外卖了，留着自己看，总比让别人看好得多。"她笑容更是明媚，言语更是爽朗，比起珊珊的婉转娇柔，又另有一番动人心魄之处，令人见之神醉。只听她接着道："我和珊姐虽是穷人家的子女，但别的姐妹们，却都是大富人家的千金小姐。她们来的时候，就不知带了多少珠宝，尤其是敏敏，几乎把她家全都给偷搬了来。"

那杏衫少女笑骂道："我可没惹你，你穷嚼什么舌头？"

翠儿笑道："我又没说假话。"

珊珊娇笑道："我证明，敏丫头来的时候，足足装了三大车东西，就只她一个带来的，已足够大家吃一辈子了。"

翠儿道："所以虽然不卖图画，也没关系，大家每天除了吃饭，就是想尽法子将这里布置起来。"

铁中棠叹道："小侄若非眼见，真不敢相信这故事竟会是真的……唉！若非老伯此等奇人，又怎会有此奇遇？"

翠儿笑道："是呀，他若不会吟诗作画，哪有这段事？"

夜帝笑道："但我也不愿那日后知道此事，是以每日算准时

大旗英雄传

间，知道有人送饭来了，我便打扮个落魄模样出去。”

铁中棠也不禁失笑道：“却连小侄也骗倒了。”

洞中无昼夜，众人谈谈笑笑，也不知过了多久。珊珊忽然笑道：“他们男人，想必总有许多不愿被咱们女孩听到的话要说的，咱们何必留着惹厌，走吧！”

翠儿笑道：“累了一天，也该睡了。”站起身子，伸了个懒腰，少女们俱都嫣然一笑，陆续走了出去。

夜帝瞧着她们身影，微笑道：“你瞧这些女子，是否天地间灵气所钟？不用你说话，她们先已知道了你的心意。”

铁中棠道：“果然善体人意……”突然长长叹息了一声，接道：“小侄委实有句不愿被人听到的话，要求老伯回答。”

夜帝道：“有什么话？你只管问吧！”

铁中棠沉吟半晌，似乎甚是为难，不知该如何问出口来。转眼四望，只见几上纸笔犹在，他方自走了过去，提笔写了几个字，双手送到夜帝面前。

夜帝瞧了一眼，面上神色突然改变。但他默然良久，也终于说出一番话来，铁中棠听了这番话，神情竟也大变，也不知是惊是喜。只见他刹那间便已热泪盈眶，口中喃喃道：“原来如此……原来如此……灵光……朱大哥……你们……太好了！”

铁中棠究竟写的是什么？夜帝究竟说了什么？铁中棠又为何突然提出水灵光与朱藻两人的名字？

但这时朱藻与水灵光已远在千里外的王屋山下，耳畔但闻得山林松涛，又怎会听得到铁中棠的呼声？王屋山并不高峻，但山不在高，有仙则灵，自古以来，故老相传，王屋山正是颇多仙人灵迹。朱藻与水灵光到了王屋山下，但见灵山佳木，果似带着几分仙气，却寻不着那“再生草庐”在哪里。两人一前一后，将山麓四周，都寻找了一遍，朱藻微微皱眉，道：“这里哪有什么再生草庐？莫非……莫非……"

水灵光道："莫非什么？"

朱藻叹道："莫非你铁大哥只是骗我们的？"

水灵光仰首望天，幽幽出了一会儿神，缓缓道："我和中棠相识以来，他从来没有说过一个字是骗我的。"

她离开沼泽虽然已有许久，但只有自崂山至王屋山这一段路途之中，方自真正深入红尘。这一路上，她看见了许多以前没有见过的事，也看见了各色各样的世人，她虽然未曾对任何一人抱有轻视之心，但无论是谁，只要到了她面前，都已不知不觉被她那种飘逸灵秀之气所慑，而自惭形秽起来。这使得心如赤子的水灵光，也在不知不觉间培养出一种尊贵高华之气。

她昔日若是天上仙子，此刻便已是仙子中的公主，教人一心想亲近于她，却又不敢亲近。这种绝俗的风姿，竟已有几分与朱藻非凡的气概相似，两人走在人群中，当真犹如鹤立鸡群，迥异流俗。这种气质自是与生俱来，不是装作得来的。

只是童年的不幸，使得水灵光变得有些羞怯，有些自怜，对别人有些畏惧，对自己也无信心。但泥污中的明珠，终有露出光华之一日。水灵光此时正如泥中之明珠，已洗清了泥污，放出了逼人的光华，只因她童年不幸的阴影，已逐渐消失。她对别人不再畏惧，对自己有了信心。她的口吃之病，也在不知不觉间好了。此刻，她言语中更充满自信，不但深信铁中棠绝对不会骗她，也深信那"再生草庐"必定在这里。

朱藻叹道："铁二弟自然不会恶意来骗我们，他只是……"

水灵光幽幽道："你不用说了，中棠的心意我知道。"

朱藻怔了一怔，笑道："你该称他大哥才是。"

水灵光道："我偏要叫他中棠……中棠，中棠……"

朱藻仰天笑道："好个刁蛮的女孩子，二弟有了你这样的妹子，这一生中只怕难免要多吃些苦头了。"

水灵光嫣然一笑道："我总觉得只有你才像我的大哥。朱大

大旗英雄传

哥，你做我的大哥吧，我不要中棠这哥哥。"

朱藻苦笑道："唉! 唉! 今天天气不错。"

水灵光笑道："何必顾左右而言其它，你就是不认我这妹子，我还是要认你做大哥的。"

朱藻摇头叹道："十余日前你还是个温温柔柔的女孩子，不想此刻竟变得又淘气，又调皮了。"

水灵光道："大哥可知道这是什么缘故？"

朱藻道："不知道。"

水灵光笑道："我这都跟大哥学的。"

朱藻大笑道："好个……"


突然间，两条人影，自山坳后急掠而下，轻功俱都不弱，但见到这里竟然有人，两人立时放缓了脚步。只见当先一人，剑眉星目，身形英挺，一身黑缎劲装，腰畔却束着条血红丝带，脚步虽已放缓，但行止间却仍带着种英发慓悍之气，背上斜背一柄乌鞘长剑，血红的丝带，迎风飞舞。另一个却是个妙龄少女，身材窈窕，一身翠衫，背后竟也斜背着剑，娟秀的面目，配着双灵活的大眼睛，顾盼飞扬，生得虽非绝美，但娇憨明媚，极是动人，与那少年站在一起，正是一双璧人。

朱藻、水灵光目光动处，不禁暗暗喝彩，却不知这少年男女两人瞧见了他们，更已不觉瞧得痴了。两人自他们身前走过，还忍不住要回头瞧上两眼。朱藻心念一动，突然抱拳道："请教。"

那劲装少年赶紧转过身来，亦自抱拳笑道："不敢。"

朱藻含笑道："不知兄台对此间是否熟悉？"

劲装少年道："在下久居此间，对此山倒还略知一二。"

朱藻拊掌道："好极了……在下斗胆，想要向兄台打听个地点，不知兄台可否见告？"

劲装少年道："不知是何所在？"

朱藻缓缓道："再生草庐……"

这四字说出口来，劲装少年突然面色一变，倒退了一步。那翠衫少女本自一直含笑瞧着水灵光，此刻亦自霍然转过身来，厉声道："你要找谁？打听这地方作什么？"

朱藻神色不变，微微笑道："在下受人之托，带来一封书信，要交给再生草庐主人，至于草庐主人究竟是谁，在下却不知道。"他言语神情间，自有一种雍容高华之气，这几句话淡淡说来，也自有一种力量教人不得不信。

少年男女对望一眼，面色渐渐恢复和缓。劲装少年沉吟半晌，道："不知兄台尊姓？"

朱藻道："朱，朱紫之朱。"

劲装少年展颜一笑，道："既是姓朱，便可去得。"

朱藻奇道："此话怎讲？"

劲装少年笑道："那'再生草庐'虽非什么隐秘之处，但兄台若是姓云，或是姓铁，小弟便无法奉告了。"

翠衫少女亦自接口笑道："我们先前就已将两位当做姓云的，所以才吃了一惊，两位可莫要见怪。"

水灵光、朱藻对望了一眼，暗中不禁起了惊疑之心。这"再生草庐"主人，莫非是敌非友？否则怎会逃避云、铁两姓之人？但他若真是敌，铁中棠为何又要自己待他如兄弟？而且再三叮咛……这其中之矛盾，朱藻虽然绝世聪明，却也百思不得其解。

翠衫少女已轻轻拉起了水灵光的纤纤玉手，眨了眨大眼睛，娇笑道："姐姐你怎会生得这么美的？"

水灵光笑道："你才是真美……"

劲装少年却瞧着朱藻叹息道："兄台气概之高华，实为小弟生平仅见，否则小弟亦不致轻信兄台之言……"

朱藻微微一笑，道："兄台若非光彩耀人，在下方才也不敢冒昧招呼了。"两人相与大笑。

劲装少年瞧了水灵光一眼，突然放低语声，轻笑道："两位人

中龙凤，当真是天成……"哪知他语声虽轻，水灵光却听到了，截口道："他是我大哥……"眼波一转，突又笑道："我看你们两位才是……"

翠衫少女笑道："小妹叫易明，他是哥哥易挺，我们也是兄妹。"于是四人相与大笑，只是朱藻不免笑得有些勉强而已。

易挺道："我兄妹也是正要去再生草庐的，正好同行。"

朱藻拊掌道："妙极。"

笑语声中，易挺当先领路，只见他虽未施展轻功，但脚步之轻灵，却显见已是武林中一流高手。他那妹子易明，身法之灵妙，竟也不在他之下，此刻正拉着水灵光的手，低声笑语，谈得似是颇为投机。朱藻见这兄妹两人，年纪轻轻，竟都身怀如此上乘武功，心下不觉暗暗称奇，忍不住想要问问他的来历。

哪知易挺也在打量着他，面上神情，更是惊异，忽然失声叹道："小弟行走江湖多年，但如兄台这样的身法武功，小弟莫说未曾见过，就连听也未曾听过，小弟若是双眼未盲，兄台必是当今武林中的高人！"

他说的倒非是恭维之言，要知朱藻虽也未曾施展轻功，但行走间那种流云般飘逸之风姿，武林中任何一种轻功身法也难望其项背，易挺惊叹之余，却又不免对身后衣着虽随便，神情却高贵，笑容虽可亲，武功却可惊的人物，暗暗起了疑惧之心，言语间也正是在试探他的来历。

朱藻微微笑道："在下之武功，怎比得上兄台嫡传峨嵋心法？"淡淡两句话，便说出了易挺武功家数。

易挺又不免吃了一惊，道："兄台好高明的眼力！"

朱藻道："只是在下疏懒已久，对江湖侠踪，多已生疏得很，竟不知峨嵋出了贤兄妹这般少年高手。"

易挺展颜笑道："难怪在下瞧不出兄台身分，原来兄台竟是久已隐迹江湖的隐士高人！"

易明接口笑道："也许人家只是不愿说出大名而已，你又怎会知道人家真的是隐迹已久？"

易挺笑道："这位兄台虽然看出了咱们武功家数，却仍不知道咱们是谁，想必自是真的久未在江湖走动了。"

易明笑骂道："好不害臊，你以为你自己真的很有名么？在江湖走动的人，就一定会知道你？"

易挺哈哈一笑，虽未说话，但笑声中颇有些自矜之意。

朱藻暗笑忖道："这兄妹两人，倒是心直口快，瞧他们神情，必定都是少年扬名，否则又怎会如此狂放大意？"要知少年扬名之人，多半不免有些眼高于顶，但对人对事，也多半不会藏有什么心机。

·只见易挺身形一折，突然转入一条羊肠小道。这条小路蜿蜒通向山上，走不了儿步，道旁便有块小小的白杨木牌，上面写的，赫然正是："再生草庐"四字。

别人若是来寻"再生草庐"，既在山麓四面寻找不着，便万万不致将这条羊肠小路错过。但水灵光与朱藻两人，一个虽然细心，却毫无江湖经历，一个更是脱略形迹，从来不留心小处的人。若要这两人去创一番事业，那准是别人难及，但若要他两人寻路，却端的是找错了人。别人三年办不了的事，他两人也许在三天里便可办好，但别人片刻间便可寻着的地方，他两人只怕三年也寻不着。

朱藻回头瞧了水灵光一眼，苦笑道："原来在这里！"

易挺笑道："小弟早已说过，这'再生草庐'本非什么隐秘之地，天下人都可来，只是……"朱藻道："只是姓云的，和姓铁的来不得？"

易挺笑道："不错！"

朱藻道："为什么？"

易挺道："这原因我也弄不清……"

朱藻笑道："兄台平日想必胡涂大意得很。"

易明格格娇笑道："依我看来，你们两位也差不多。"

突听一阵朗笑之声，自道旁竹林中传了出来，一人朗声笑道：
"只有天下的英雄，才配做胡涂大意之人。"

朱藻大笑道："说得好，如非英雄，也说不出这样的话来……
兄台想必就是再生草庐主人了。"只见一人大笑着自竹林中飘然行
出，远远看来，只见他风神飘逸，神清骨爽，端的有林下逸士之
风。走到近前，才看得出此人实有几点与常人特异之处。

他满头长发，颔下微须，俱已花白，但眉宇眼神，却又甚是年
轻，教人再也难猜得出他的年纪。他风姿虽然飘逸潇洒，但却又带
着种说不出的刚猛慓悍之气，这两种气质本自完全不同，一个人同
时具有这两种气质，委实少见得很，这逸士之风姿，与英雄的气概
互相混合，便形成一种强烈而奇异的魅力。他笑容虽爽朗，但眼神
中却又深藏着一分浓厚的忧郁。这两种神情又是断然不同，而此刻
却又同具一身，教人一眼看去，便能觉出此人身世必有一段不平凡
的遭遇。

朱藻未见得此人，便听此人言语出众，此刻见了此人，更觉他
风姿独特，竟再也移不开目光。这再生草庐主人，也正在一瞬也不
瞬地瞧着他，口中却笑道："易家贤兄妹自何处为小兄接引来如此
佳客？"

朱藻接口笑道："客来不速，兄台不嫌唐突！"

草庐主人笑道："在下未见兄台，闻声已觉神俊，此刻一见之
下，更是不觉倾倒，只望兄台莫嫌小弟孤陋就好了。"

朱藻大笑道："兄台风骨超特，在下又何尝不深为倾倒？难怪
我那二弟要说兄台乃是当世之奇男子了。"

草庐主人奇道："令弟是哪一位？怎认得在下？"

易明银铃般笑道："姐姐，你瞧他两人，一见着面就谈个不
了，却将咱们都凉在这里，也不叫咱们进去坐坐。"

草庐主人转目瞧了水灵光一眼，笑道："在下险些忘了，这里
还有位佳客，请！请……"当下含笑揖客。

穿进竹林，只见三五间草庐，斜搭在山坡上，屋前绿水宛然，屋后却有片菜畦，果然好一个隐士居处。草庐中陈设亦是清雅有致，不同凡俗，两个垂髫童子，香茗待客，香茗固属佳品，杯盏亦是玉制。朱藻自幼享受便同王侯，但此刻在这简单的草庐里，方一坐下，便觉出这草庐其实人不简单。

他早已看出，庐中无论一杯一盏，一条一幅，俱是万金难求之珍物，心中不觉暗奇忖道："这草庐主人，退隐后仍犹如此享受，若无万贯家财，焉能如此？他退隐前莫非是个劫财无数的江湖大盗不成？"但看来看去，却也看不出这草庐主人有丝毫盗贼的模样。只听草庐主人又已笑道："不知令弟……"

朱藻微微一笑，截口道："我那二弟，有封书信要我转交兄台，是以在下专程赶来……"他一面说话，一面取出了那封书信，忽又笑道："其实我那二弟怎会认得兄台的，我也丝毫不知道。"

草庐主人怪声道："哦……"含笑接着书信，扫目瞧了一眼，面上神色突然大变，脱口道："是二弟……"语声中既是惊奇，又是欢喜。

朱藻笑道："看来兄台与我那二弟倒熟得很。"

草庐主人道："熟得很，熟得很……太熟了……"突然顿住语声，微一抱拳，道："在下告退片刻，恕罪。"话未说完，便已匆匆去了。

水灵光悄声道："看来这草庐主人倒神秘得很。"

易明笑道："不错，神秘极了，我兄妹虽然与他相识也有不少时候，但他的事我们一点也不知道。"

水灵光道："你们怎会认得他的？"

易明道："无意遇上，谈得很投机，就变成了朋友……"嫣然一笑，接道："就像我和姐姐你一样。"

水灵光道："他姓什么？"

易明笑道："我也不知道……"

水灵光失笑道："你们兄妹真奇怪，交了个朋友，却连人家姓

什么都不知道，而且自己还仿佛觉得这是合情合理的事。"

易明娇笑道："我也知道这些不合情理，但只要他人好，我们就交他这朋友，又何必要问他名字？"

这边两人嘀嘀咕咕，娇笑轻语，那边朱藻与易挺也在谈论这草庐主人奇特的行藏，神秘的身世。只听易挺道："这一年来，他的确结交了不少英雄毫杰之士，但这些朋友，也没有一人知道他的名字。"

朱藻道："既是如此，为何又有许多英雄结交于他？"

易挺道："此人不但文武全才，谈吐风趣，而且仗义疏财，挥金如土，朋友若有急难，只要求着他，他立时解囊，绝无推辞，但他却无任何事要求别人相助于他，这样的人物，自是人人都愿结交的。"

朱藻微喟道："奇男子……果然是人间奇男子……"

易挺忽然问道："不知令弟可知道他的来历？"

朱藻笑道："照此情况，我那二弟想必知道他的来历，只恨我也未问清楚，便匆匆赶来了。"

易挺道："令弟想必也是位英雄人物？"

朱藻展颜笑道："不是在下为舍弟吹嘘，放眼天下，似他那般智勇双全，侠骨柔肠的人物，端的少见得很。"

易挺叹道："如此英雄，小弟却无缘得识，岂非憾事？"

朱藻笑道："日后我必定为你两人引见引见，只是……"苦笑一声，接道："只是我那二弟行踪飘忽得很，他此刻在哪里，连我都不知道……"缓缓顿住语声，脑海中不觉已泛起铁中棠的容貌。

铁中棠提笔写的，只是：

"水柔颂，庚子四月十七。"九个字。

这本是他在夜帝宫后秘室中的黄绢册中瞧见的。夜帝看了这几个字，面上神情却自大变，过了良久，方自沉声道："你为何要向我问起此事？"

铁中棠垂首道："此事于小侄一生，关系甚大，只因……唉！这其中关系纠缠复杂，小侄一时也说不清。"

夜帝厉声道："你既说不清，为何要我说？"

铁中棠道："小侄只想求问老伯，庚子四月十七那一天，在盛家庄外的桃花林里，究竟发生了什么事？"

夜帝身子一震，道："桃花林……你怎知道桃花林？"

铁中棠重音道："小侄实是——"

夜帝突然放声狂笑，道："好！你莫要说了，不管你为了什么要问我此事，我向你说了也罢。"笑声又突顿，面上露出黯然之色，缓缓道："此乃我一生中憾事之一，我迟早总要对一个人说的。"

铁中棠屏息静气，不敢开口。

只听夜帝缓缓道："二十年前，有一日我忽然动了游兴，由江南一路游山玩水，四月间便到了中原。你知我生性素来不喜拘束，一路上既无朋友可找，更不愿投店打尖，去看那些俗人厌物的嘴脸。我若走得累了，便以天为幕，以地为席，以河流为唾壶，不但逍遥自在，而且还可从中领略天地之佳趣。

这一日，便是十七那一日，黄昏时我正自有些力乏，忽见道路前面，有着偌大一片桃林。四月暮春，桃花将落未落，正是开得最盛之际，满天夕阳，将那片桃林映得光辉灿烂，犹如仙境一般。"

大旗英雄传

他面上泛起一丝微笑，似乎那动人的风光，此刻仍是令他神醉，但笑容一闪而没，他又接着说了下去："我无意中见着此等奇景，自然不禁大喜，当下便在桃花林中歇了，沽了壶美酒，斩了只白鸡，正待对花独饮。哪知就在此刻，桃花林外，突然响起一阵叱咤喝骂之声，似是有个男子在前逃命，却有个女子在后追赶。我本是为了遣兴而出，自不愿惹上这些江湖仇杀之事，虽恨这两人大煞风景，本也待一走了之，但却又忍不住好奇之心，想要瞧瞧那女子是何角色，唉……这一瞧之下，却又平白瞧出了不少事来。"

他心中似有许多感慨，叹息半晌，方自接道："那两人轻功都

不弱，身势极快，我虽已飞身掠上桃树，在花枝间藏起身形，但酒菜却未及取上。只见前面奔逃的那人，乃是个劲装少年，发髻蓬乱，气喘如牛，神情已狼狈不堪，掌中剑也只剩下半截，似是方经一番剧战，此刻已是强弩之末，只是为了挣扎求生，是以拼命在跑。

后面追的那人，却是个高髻堆云，容貌如花的锦衣少妇，手持双股鸳鸯剑，也已累得娇喘微微，满头香汗。那劲装少年一奔入林，显见再已无法支持，身子一个踉跄，虽又冲出几步，终于扑地跌倒。那锦衣美妇一掠而来，那股鸳鸯剑，唰地刺下，劲装少年大呼道："剑下留情，先听我说句话好么？"锦衣美妇剑势果然一顿，抵住那少年的胸膛，冷冷道："你已落在我手中，还有什么话说？"那劲装少年颤声道："今日我与你才是初次相见，你……你怎么对我下得了毒手？"……"

说到这里，夜帝长长叹息一声，道："这些话都是他们当时口中说的，直到今日，我仍可记得一字不漏。"

铁中棠垂首道："不想老伯竟记得如此清楚。"

夜帝黯然道："只因这件事，在我印象之中，实是极为深刻，你既问起此事，想必已知道这男女两人是谁了吧？"

铁中棠道："是……"

夜帝道："但那时我还不知道，心里不觉暗暗称奇，这少年与她第一次相见，她为何要下此毒手？只听那锦衣美妇冷冷道："你我虽是初次相见，但却仇深似海，今日我如落到你手中，你难道不杀我？"那少年眼睛瞬也不瞬地瞧着他，轻轻道："你若落在我手中，我……我无论如何也舍不得杀你。"他生相虽有些凉薄，但却端的是个俊秀少年，尤其说话的语声甚是特别，最易打动女子的心肠。那锦衣美妇怒喝道："好个轻薄之徒，不要命了么？"喝声虽怒，但暗中却已有些动心。

只因她若未动心，剑尖一落，早就可将那少年宰了，何必还和他说话？这种女子心意，我怎会不知？那少年想必也瞧出来了，胆子更大，长叹道："不是在下奉承，似姑娘这样美貌的女子，在下实未见过。"他歇了口气，道："尤其是姑娘这双眼波，便是天上明星，也无那般明亮，便是池中春水，也无那般温柔。"他说着说着，竟悄悄推开了胸膛上的剑尖，锦衣美妇面上微微泛起红霞，似已听得痴了，竟完全未发觉。

那少年面上露出狂喜之色，突然翻身跃起，一把将她抱住了，喃喃道："姑娘，在下实已意乱情迷……"他口中胡说八道，连我也听得有些脸红了。

那锦衣美妇似是又羞又怒，突然一个肘拳，将他打得仰天跌倒，我只道她此番必要取那少年性命。哪知她还是以剑尖抵住少年胸膛，剑尖还是未曾刺下，只是怒喝道："你……你当我是什么人？"那少年颤声道："我……我实是忍耐不住……姑娘若是肯让我亲近亲近，我……我死了也甘心。"他语声虽装出颤抖的模样，目中却全无半分害怕之意，只因他已算准，那锦衣美妇此刻已下不了手。

那锦衣美妇手果然软了，少年又推离了剑尖跃起。但这一次他并未伸手去抱，只是跪了下来，道："姑娘若是不肯，不如一剑杀了我，我能死在姑娘手下，已心满意足了。"这番话说得可真是动听，再加上他那种说话的声音，也难怪女子听了要心动。那锦衣美妇竟垂下了头，脸上红得更厉害，过了半响，才轻轻道："你知道我已不是姑娘了。"那少年道："但你在我的心里，却永远是最纯洁的姑娘。"那锦衣美妇听了这句话，心里实似有许多感触，双目之中，竟不知不觉泛起了泪光。那少年语声更温柔，道："我早已听说，你婆婆与丈夫都待你不好，唉，我真不懂他们怎忍心对你不好……"那少妇喝道："谁说的？他……他们对我很……很好……"她嘴里虽不承认，但神情却早已承认了。

那少年叹道："我的那些兄弟，也对我不好……我们本自无冤无仇，又何必为了他们而互相仇视……"只听"当"的一声，那少妇手中两柄剑都掉了下来，喃喃道："他们对我不好，我为何要为

大旗英雄传

他们拼命……"那少年大喜道："对了……"突又叹道："我一生之中，便是梦想能遇着你这样的女孩子，但你那眼睛……你那樱唇……却比我梦想中的女子还要美上百倍、千倍，我若未见你，真不信世上有这么美丽的女孩子……"那少妇道："真的么？"少年道："我怎忍骗你？"那少妇幽幽长叹了一声，缓缓阖起了眼睛，轻轻道："为什么以前从没有人对我说这样的话。"那少年叹道："那些不解风情的莽汉，整日只知打打杀杀，又何解温柔？又怎知灵魄？似你这样冰雪聪明，绝色无双的女子，却委身于他，岂非辜负了青春？唉！上天对人，为何如此不公？"这句话更是说入了那少妇心里，只见她眼圈儿又是一红，娇躯突然软软地倒在那少年身上……"

听到这里，铁中棠耳畔似又响起了水柔颂在那"死神宝窟"中，狞笑着对铁青笺说出的言语："……二十年前，你曾经跪在我面前，说我是你平生所见，最美丽、最温柔的女孩子……二十年前，你生命已落在我手中，只恨我听了你的花言巧语，不但饶了你的性命，还在桃花林中……"那时铁中棠虽已猜出了此事的真相，但此事的始末详情，铁中棠直到此刻，方自完全清楚。

他心中暗叹忖道："想那盛存孝身子既有不能对外人道的残疾，又是个铁铮铮的汉子，自不会说这些甜言蜜语，水柔颂年方少艾，春闺寂寞；见了铁青笺那样的少年，听了这些挑逗的言语，自不免动心。"

只见夜帝面上笑容甚是奇特，接着说道：

"那时我心里虽恨这少年花言巧语，但也恨那少妇的丈夫不解风情，是以一直袖手旁观，也不想多管闲事。只见两人轻言细语，那少妇被少年说得一会儿哭、一会儿笑，显然也已意乱情迷，芳心难以自主。那少年突然瞧见我遗留在桃花树下的酒菜，笑道："不想苍天也凑趣得很，竟平白送了些酒菜来。"两人也不问酒菜是何处来的，便对斟起来，这时夜色已浓，桃花林中，春意更是撩人。

我瞧他们在树下享受我的酒菜，我却在树上喝风，心里惟有苦笑，也颇以能瞧见这段情史为乐。"

那少妇酒量甚浅，我那酒又是陈年佳酿，后劲甚足，她喝了几杯，不但醉了，而且醉得十分厉害。这时她已罗襟半解，积郁的春情，突然间全部发作，那当真犹如黄河决口般，一发不可收拾。我只当此番郎情妾意，必有一番缠绵。哪知那少年竟悄悄摸着了一柄鸳鸯剑，喃喃冷笑道："贱人，你不杀我，我可要杀你了……"那少妇犹在昵声呼唤于他，他却提起剑来，一剑向那已对他完全倾心的女子刺了过去。"

这一变化，倒是大出铁中棠意料之外，他竟不由得脱口惊呼一声，夜帝道："你想不到吧？"铁中棠叹道："这一着小侄委实未曾想到。"

夜帝道："那时我又何尝不是大吃一惊？先前我只道那少年虽然狡猾，但总算是个多情的少年。这时，我才知道这少年实是个冷酷无情之辈，竟忍心对这样的女子下得了如此毒手！无论原因如何，但此等事却是我万万不能忍受，当下大喝一声，自树上跃了下来。那少年自然吃了一惊，反手向我刺了一剑，却被我一把就将剑夺下，那少年更是吃惊，竟吓得呆了。"

铁中棠暗笑忖道："以夜帝这样的武功，铁青笺自是做梦也未想到，也难怪他要吓得呆了。"

只听夜帝接道："那时我虽恼恨他不该如此来骗这女子，只因这女子并非淫妇，只是委实寂寞难耐，又被他百般挑逗，难以自主，但我可怜他年纪轻轻，虽然盛怒之下，却也并未取他性命。"

## 第四二章　阴错阳差

"那少年呆了半晌，见我还未动手，话也不敢说，便亡命般奔逃而去，转眼间便逃得无影无踪。我自未追赶于他，但见那少妇在地上婉转娇哼，对身旁发生的这一些事，竟然全都犹如未见。我知她实已醉得不省人事，正想设法使她清静些，哪知……哪知我方扶起她身子，她竟一把抱住了我，将我当做那少年了。那时月光自桃花间射了下来，满地月光浮动，落花缤纷，衬着她蓬松云鬓，如梦星眸……她那火热的身子，在我怀抱中不住轻轻颤抖，一阵阵花香随着春风吹来……我也不免为之情动……"

这段事后来的变化，竟是如此离奇，委实令人吃惊。

但铁中棠吃惊之外，心头还有一分狂喜，一时之间，当真是惊喜交集，口中反而一个字也说不出来。

只见夜帝双目一垂，似又入定，但嘴角却仍挂着一丝凄凉的笑容，默然良久，才自接着说出了此事之尾声。只听夜帝缓缓道："事过之后，那少妇便沉睡如死，但面上却带着满足的笑容，口中犹在喃喃呼唤那少年的名字。我本想等她醒来，突然瞧见那少年带来的那柄断剑之上，竟刻有'铁血大旗'四字，才知他竟是大旗门下。那时我本要与大旗掌门一晤，只是大旗弟子行踪飘忽诡异，无论是谁，也休想将他们寻着。

我见那少年竟是大旗门下，惊喜之下，也不暇多想，立刻飞身追了出去，只当以我轻功，必可追着。哪知那少年行事却甚是仔细，生怕有别人追来，一路上竟布下许多疑阵，竟将我引上了岔路。等我追他不着，再回桃林时，天光已大亮。

那少妇早已走了，桃花林中，却是一片狼藉，桃树都被打得枝叶分离，想是她悲愤之下，便以桃树泄愤了。唉……那时我心里也甚是难受，虽想追寻于她，无奈……仓猝之间，我连她名字都不知道。"

铁中棠听完此事始末，惊喜之外，又多了分感慨。

水柔颂自始至终，都认为自己乃是失身于铁青笺，醒来时却已瞧不见他，自然终生对他恨之入骨。

铁青笺虽明知她并非失身于自己，但在那"死神宝窟"中，却不敢说出，又想以"一夜大妻"之情，来打动于她，是以便承认了孩子是他的，只当水柔颂顾念旧情，便不致向他出手。哪知他这一念之差，竟使自己丧命，而水柔颂一时之失足，便使自己终生痛苦，这岂非深足令人感慨？

这件事确是阴错阳差，是以才犹如此之巧合，但夜帝若非如此奇特之生性，此事也不会是如此结果。夜帝若是凶淫奸恶之人，纵然见色起意，见到水柔颂貌美而情动，他便万万不会放过铁青笺之性命。

但他若是一丝不苟的君子，便也不会等到那时才出手，若不早已将他们惊散，便该早就走了，怎会在树上一直看下去？只叹造化弄人，竟是如此不可思议，竟偏偏要夜帝这种不拘小节而又怜香惜玉，既非君子亦非小人的人物遇着此事，而这事每一个关键，又偏偏与大旗门犹如此密切之关系。

惟一令铁中棠欢喜的，他终于知道水灵光并非自己的堂妹，这眼见已将令他终生痛苦的死结，竟神奇地解开了。他神情虽是忽悲忽喜，变化甚剧，但夜帝却始终未曾瞧他一眼，只是仰首捋须，不住叹息。过了半晌，只听他黯然叹道："我一路之上，虽也不免有留情处，但惟有此事，却令人终生每一思及，便觉憾然。

只因我事后方自发觉，那少妇虽是已嫁妇人，却仍是处子之身，我纵对她并无恩情，也该对她有些道义之责，终生维护着她才是，但……但我这一生之中，此后竟未再见过她。何况我这一生之中，从未在那般情况下占有过女子，她……唉！她只怕到此刻，连我是谁都不知道，倒是她的名姓在事后经我几番打听而得知。"

只见他满面俱是自责自疚之色，铁中棠叹息一声，缓缓道："还有一事，老伯若是知道，只怕更要……唉！更要难受了。"

夜帝道："什么事？"

铁中棠道："她已为老伯生了个孩子。"

夜帝身子一震，一把抓住铁中棠肩头，嘶声道："真的？你怎会知道？那……孩子此刻在哪里？"

铁中棠叹道："那孩子名叫水灵光……"当下将自己由身落沼泽，直到遇着朱藻为止，这一段曲折离奇的经过，俱都简略说了出来。

夜帝虽然久经世故，但听了这段故事，亦不觉为之目定口呆，心头又是惊奇，又是悲痛，却又有些欢喜，只听他喃喃道："灵光……灵光……原来她已这么大了……她……她可生得可爱么？"

铁中棠但觉一阵也不知是酸、是甜、是苦的滋味，由心底直冲上来，凄然一笑，点了点头。

夜帝凝目瞧了他两眼，忍不住仰天叹道："天意……天意……我委实未想到你竟是大旗弟子！"

铁中棠忽然问道："小侄只求前辈相告，大旗门的恩怨情仇之中，究竟有什么惊人的秘密？"

夜帝面色微变，喃喃叹道："不错……这其中实有秘密，这秘密我也知道，但此刻却不能告诉你。"

铁中棠嘶声道："莫非这秘密小侄竟听不得么？"

夜帝道："并非你听不得，只因……只因你此刻先需全心学武，万万不可为此事分心。"

铁中棠道："为何小侄此刻定要全心学武？"

夜帝缓缓道："只因我要将一生武功，全都传授于你，以你之根基天赋，三个月里，便可有成，但若分心，便不成了。"

铁中棠心头一震，又不知是惊是喜，讷讷道："但……"

夜帝截口道："但你若专心学武，三个月后，我必将武林中这件久已湮没之秘辛，完全告诉你。"

铁中棠道："但……但老伯为何要以绝技相传？"

夜帝微微一笑，道："你乃藻儿结义兄弟，又是灵光……灵光的患难之交，我武功不传给你，难道还传给别人么？"

铁中棠终于伏身拜倒，顿首道："多谢老伯！"

夜帝捋须而笑，并不答礼，过了半晌，缓缓叹道："若是藻儿与……与灵光也在此……唉！他两人此刻不知在做什么？"

铁中棠面色突变，脱口道："不好！我竟要铸下大错！"

夜帝道："什么事如此惊慌？"

铁中棠道："大哥与灵光乃是兄妹！"铁中棠满头大汗，涔涔而落，惶然道："但……但小侄已请人设法尽快为他们完婚了！他两人此刻若是……若是……"但觉心头一寒，再也说不下去。

夜帝亦自面色大变，颔下长髯，无风自动，双拳紧握，指尖冰冷，口中喃喃道："这……这怎生是好？"

王屋山下，再生草庐中，已燃起了灯光。那神秘的草庐主人，正在灯下展视着铁中棠的信笺。他反反复复，其实早已不知瞧过多少次了，此刻只是呆呆地瞧着信笺出神，嘴角带着一丝微笑，眉宇间却含蕴着一丝悲痛。这封信显见是在匆忙中写出来，不但字迹甚是潦草，语句也简单已极，但草庐主人却尽可了然。

信上写的是：

前函想必已收悉，弟甚佳，惟因事不能赶来，时机已将至，兄与弟必需倍加忍耐，以待功成。送信人乃夜帝之子朱藻，亦弟之义兄，此人天纵奇才，倜傥不羁，乃人杰也，望兄善待之。另一乃弟前函叙及之灵光，兄当已知其身世，当亦知弟无法与之终生厮守之苦衷。

此番弟令其与藻兄同来，正因藻兄对其情有独钟，弟亟盼兄能将他两人婚事促成，灵光若不愿，兄可婉转相劝，甚至以弟终生不再相见之言相胁，兄才胜弟百倍，想必还另有良策。

嫂侄子均安，勿念，相见虽已有期，但弟临笔亦多感慨，惟望兄善自珍摄。弟中棠叩上

朱藻、水灵光与易氏兄妹还在惊奇于这草庐主人身世之奇秘，交友之慷慨，草庐主人已飘然而出。他含笑望了朱藻与水灵光一眼，眼色已较方才更是亲密，突然走到朱藻面前，伏地拜倒。

朱藻大惊道："兄台为何行此大礼？"亦待离座还拜，但却被这神秘的草庐主人紧紧按在椅上。

易氏兄妹与水灵光瞧他突行大礼，也不觉甚是惊奇。

但闻草庐主人恭声道："但望兄长莫再以兄台相称，兄长既是铁中棠的大哥，便也是小弟的大哥了。"

朱藻望着他满头花白的头发，还未说话。

易挺已动容道："铁中棠？莫非是那近日名动江湖，号称剑法之快，当世无双的大旗弟子铁中棠么？"

朱藻与草庐主人听人夸奖铁中棠，神情俱是十分得意，犹如听人夸奖自己一般，齐地含笑道："不错……"

水灵光更是睁大了眼睛，道："你认得他？"

易挺沉吟道："虽未谋面，但闻名已久……"

易明忍不住道："闻得那铁中棠剑下曾胜过紫心剑客盛大哥与黄冠碧月，我兄妹两人本想也找他较量较量。"

朱藻心念一动，道："莫非贤兄妹亦是……"

草庐主人接口笑道："红鹰剑客易挺，翠燕剑客易明，亦是'彩虹七剑'中之名侠，兄长莫非还不知道么？"

易挺苦笑道："我兄妹昔日本有寻他一较高下之心，但今日见

了兄台之武功，方知我兄妹实是浪得虚名。"

朱藻道："兄台太谦了。"

易明道："真的，大哥的武功，我们做梦也赶不上，二弟的武功，还会错么？这场架不打也罢。"

易挺微笑道："我妹子倒知趣得很……"

草庐主人大笑道："贤兄妹当真是心直口快，其实中棠剑法虽快，也未见能强如贤兄妹……"

朱藻含笑截口道："不是在下为我那二弟吹嘘，近日以来，他武功实是较昔日精进十倍！"

草庐主人大喜道："真的？"

朱藻笑道："在下怎敢以虚言相欺！"

草庐主人满面俱是狂喜之色，仰首向天，喃喃道："苍天垂怜！我门户中兴已有望了！"

水灵光暗中吃了一惊，脱口道："贤……贤主人莫非与中棠乃……乃是同一门户中人？"

草庐主人沉吟半晌，缓缓道："正是！"

朱藻、水灵光、易氏兄妹这一惊更是非同小可，四人齐地失声道："原来兄台亦是大旗子弟！"

草庐主人瞧了易氏兄妹一眼，苦笑道："不是在下一直不肯将身世言明，只是……唉！此中实有绝大之秘密。"

易氏兄妹面面相觑，过了半晌，易明强笑道："你是怕我兄妹把这秘密泄露，所以才一直瞒着我们？"

草庐主人道："贤兄妹心直口快……"

易明截口道："我兄妹虽然话多，但若真有绝大之秘密，咱们的嘴里，绝不会泄露半个字来。"

草庐主人长长叹了口气，道："既是如此，在下若是再加隐瞒，便是未将贤兄妹视为知友了。"

易明笑道："是呀，你可不能再瞒着咱们了。"

水灵光讷讷道："不知你……你究竟是哪一位？"

草庐主人笑容突敛，神情变得十分沉重，一字字缓缓道："在下便是大旗门中那不肖子弟……"

突听"当"的一响，水灵光手中茶杯已跌得粉碎，她目定口呆瞧着这草庐主人，颤声道："你……你是中棠的大哥?"

草庐主人垂首黯然道："不错……"

易挺亦自面色大变，惊呼道："莫非兄台竟是独探寒枫堡，又……又与冷大姑娘巧定良缘的云铿云大侠?"

要知这段事早已流传江湖，成为武林少年豪杰口中一段充满着传奇色彩，也充满着冒险与浪漫情调的轶事佳话。

草庐主人沉声叹道："在下正是云铿!"

易明痴痴地瞧着他，面上隐隐泛出红霞，喃喃道："这段事我们早已知道了，不……不想云铿竟是你!"

要知这一种浪漫而神秘的故事，在少女心目中更是多彩多姿，而那悲剧的结果，也更易令少女们神醉。已不知有多少少女曾为这故事中那多情的男女扼腕叹息，悄然流泪……

易明什夜梦回，也曾幻想过自己便是那城堡中的公主，在痴痴地等待着那冒险的王子，骑着白马来叩她的窗扉。如今，这不知曾引起多少少男少女在枕畔玄思流泪的故事中的王子，便在她眼前，易明亦难免心动神驰……但她心念一转，面色又不禁大变，颤声道："但……但那云铿岂非……岂非已在大旗门铁血门规下牺牲了么?"

草庐主人云铿黯然道："不错!"

众人俱不禁为之耸然失色。

易明面容已变得煞白，颤声道："那么……那么为何直到此刻，你……你还是活在世上?"

云铿长长叹息道："这便是我那中棠二弟，救了我性命，若不是他，我此刻早已被五马分尸了。"

众人长长透了口气，但面面相觑，仍是说不出话来。云铿道：

"那日我在门规之下，本是死而无怨，是以不等家父动手，便反掌自震天灵，以求自决了。"

易明幽幽叹道："你……你真忍对自己下手，若是我……唉！可是再也不会下这么大的狠劲！"

易挺沉声道："铁血大旗门下弟子是何等人物？怎能与你这自幼娇生惯养，不知天高地厚的小姑娘相比？"

云铿苦笑道："哪知我掌到临头，终是手软……唉！这一掌竟未能取了我自己之性命！"

易明道："换了别人，也不行的，这怎怪得了你？"

云铿道："但我那时已存必死之心，是以家父人走后，我虽醒来，但仍求中棠赐我速死！"

易明道："铁中棠便是主刑之人么？"

云铿黯然道："我这二弟平日沉默寡言，看来最是冷酷，家父生怕别人下不得手，是以令他主刑！"

易明幽幽道："有时外表冷酷的人，心里其实却是一团热火，只是平日不易流露出来而已。"

朱藻拊掌道："正是如此，越是此等面冷心热的人，越是多情多义，他虽不轻易动情，若一动情，便比他人深厚。"

水灵光缓缓垂下了头，黯然忖道："但他却又为何对我如此无情？如此冷淡……"泪光莹莹，已将夺眶而出。她却不知，情到浓时情转薄，无情只是多情处。

只听云铿叹道："两位说的不错，我那二弟实是情义深重，我虽一心求死，他却定要我活。"

易明道："如此……他岂非也犯了你们大旗门之门规？"

云铿黯然道："不得枉法纵情，正是我大旗门铁律之一，犯者亦与叛师通敌者同一罪名！"

易明骇然道："五马分尸？"

云铿道："不错！"

众人不禁都倒抽了口凉气，易明道："他……他竟不惜被五马分尸也要救你，他……他好大的胆子！"

云铿默然半晌，缓缓道："这自是因他与我兄弟之情，甚是深厚，但除此之外，还有个最大原因。"

众人不觉又甚感惊奇，诧声道："还有原因？什么原因？"

云铿仰首向天，沉声道："只因他不忍见到我大旗门弟子，世世代代都走向同样的道路，造成同样的悲剧，他立下决心，要将我大旗门的命运，从此改变，他要将这连绵数十年的仇恨，在他手中断绝！他要使这自古以来，武林中最大的悲惨故事，自他这一代终止……"

众人俱都耸然动容，只因直到此刻为止，就连朱藻与水灵光也不知铁中棠竟犹如此伟大的抱负！

云铿道："是以他要我活下去，好眼见这惨剧的终止。"

易明道："你……你答应了他？"

云铿黯然道："我纵有必死之心，我纵不敢违背师命，但听了他竟犹如此抱负，又怎能再拒绝于他？"

易明松了口气，展颜笑道："这才是男儿本色！"

云铿道："但那时我伤势颇重，他又无法分身照顾于我，只因他势必要装作已曾施刑，而向家父复命。"

易明皱眉道："那怎么办呢？"

云铿道："当时大雨倾盆，他冒雨疾驰数里，寻来一辆大车，将我送至数十里外一个荒村中的野店歇下，一路上连劫了十七家大户，筹集了三千两白银、五百两黄金，要我在王屋山下安身落足，静养伤势，静候他的消息，然后片刻不停赶回原地，这一夜他往来奔波……唉！委实苦了他了。"

水灵光颤声道："这……这……"

易明却截口叹道："这才是大英雄、大豪杰的行径，要做出惊天动地的大事，便不能拘泥于小节。"

朱藻拊掌大笑道："好！我二弟做得痛快，姑娘也说得痛快！

果然不愧为女中豪杰，好教在下佩服！"

易挺微笑道："就是话太多了些，人家说一句，她便要问一句。"但他自己也忍不住问道："后来怎样？"

云铿道："我马不停蹄，到了王屋山，便在这里住下，但这屋子那时却只是两间樵舍，乃是我以三百两银子向个古稀樵翁买下来的，那樵翁拿了这笔银子，便出山开了家小小的酒店，日子倒也过得甚是安逸，直到最近，还不时揣三五斤佳酿，寻我来对酌一番。"说到这里，他沉重的面容，方自露出一丝笑容。

易明笑道："三百两银子买两间樵舍，那老头子自然感激你的……但不知又是谁将这樵舍修成如此精致？"

云铿道："我在这里住下之后，竟有三个月未曾得到他的消息……唉！那时我真是为他担心。"

水灵光面上也泛起了一丝朦胧的微笑，轻轻道："那时……那时他正在沼泽之中，已遇见我了。"

云铿道："不错，到后来他才命人将这事告诉了我，要我安心，还为我送来一笔为数颇为可观的银子。"语声微顿，笑道："这银子也就是在你那里寻得的。"

水灵光恍然道："他将这银子分做了好几份，又将每一份的用处都告诉了我，但只有一份银子，他是做什么用的，我始终都不知道，他也不说，直到现在……"嫣然一笑，接道："现在我才知道了。"

朱藻大笑道："现在我也知道了，方才我还当你是个退隐的绿林豪杰，是以居室才犹如此华美。"

云铿微微一笑道："他便是要我以此银子，修筑居室，结交朋友，还为我送来两个僮仆，好奉茶待客。"

水灵光笑道："那是他自粉菊花处买来的。"

云铿忽然长长叹息一声，道："但自那日在雨中分别之后，我却始终未曾再见过他，不知他此刻……"

朱藻笑道："他此刻不但武功精进，身子也安好得很。"

云铿展颜一笑，道："他本与我约好，在这两日里必来探望于我，却不知又有什么事耽误了？"

朱藻这才将铁中棠近日的遇合，简略说了出来。这一段曲折而离奇的故事，云铿固是听得动魄，唏嘘感叹，易氏兄妹也不禁为之目定口呆，舌矫不下。

过了半晌，易挺方自苦笑道："如此人物，端的不愧为当世奇男子，可笑在下方才还要寻他一较身手。"

易明笑道："幸好咱们认识了云大哥与朱大哥，否则真与他打将起来，那可要吃不了，兜着走啦！"

于是云铿摆上酒菜，为客洗尘。当日晚间，大家都已歇下，云铿却寻了水灵光，步入竹林，道："二哥还有件事要你做，你可知是什么？"

水灵光眨了眨眼睛，道："不知道。"

云铿苦笑道："你口里说不知道，心里必已知道。"

水灵光眼圈儿忽然红了，垂首道："他无论要我做什么，我都答应，但……但我绝不嫁给别人！"

云铿道："朱大哥当世奇才，文武双全，可说是……"

水灵光幽幽道："我不是说朱大哥有何不好，但……但比他再好十倍百倍的人，我也不嫁！"

云铿怔了半晌，长叹道："我也知你对我二弟实是情深义重，但……唉！造化弄人，却偏要叫你两人谊属兄妹。"

水灵光泪珠终于忍不住夺眶而出。

云铿沉声道："男大当婚，女大当嫁，你两人既……"

水灵光顿足道："我什么人都不嫁！"

云铿又自默然半晌，缓缓道："你莫忘了，你此刻也是大旗门的子女，便该为大旗门设想……"

水灵光道："我一生不嫁，与大旗门又有何关系？"

云铿叹道："话虽如此，但大旗门若想中兴，便需要天下英雄相助，似朱大哥那样的人物，更是万不可少。"

水灵光睁大了眼睛，道："你……你要我为了大旗门的恩怨而嫁给他？好教他为我大旗门出力？"

云铿肃然道："不错！大旗门若有夜帝之子加入，情势必将完全改观，有许多秘密亦将从此披露！"

水灵光流泪道："大旗门凭什么要我牺牲？"

云铿厉声道："只因你是姓铁的后人，只因你也是大旗门子女，这就是上天之旨意，亦是我大旗门之铁律！"

水灵光身子一阵颤抖，垂首低泣起来。

云铿胸膛起伏，过了半响，方自沉声道："你可知道，大旗门为了这纠缠之恩怨，历代已有多少子弟牺牲？但百年以来，我大旗门下前仆后继，从无一人退缩，你既生为大旗门之子女，亦是你的不幸。"

水灵光哭声更是悲恸。

云铿目中似也有泪光莹然，长叹又道："何况，你既为二弟之知己，便该知他一番苦心，便该助他完成他的抱负！"

水灵光痛哭着道："但……但……"

云铿道："你如此做了，不但乃是为大旗门尽了你一份为子女之责任，也是为了他，你若是真的对他好，为何不能为他牺牲？何况，你这牺牲，比起别人的牺牲，又算得了什么？大旗门弟子的辛酸痛苦，你难道不知道？大旗门的历史，本就是以男子的鲜血与女子的眼泪写成的！"

这一句句话，像是一根根鞭子，无情地抽在水灵光身上，又像是一根根尖针，刺满了他的心。在这无情的鞭挞下，谁能不动心？水灵光垂首低泣，良久良久，突然抬头道："好！"

云铿实未想到她突然答应，倒不觉一怔，道："什么？"

水灵光头又垂下，一字字道："我答应你！"

这本是大喜的事，但云铿心头却只觉甚是辛酸，过了半响，他

大旗英雄传

743

方能说出话来，道："这才是好孩子，也不枉二弟他……他对你的一番心意，不但他终生感激你……"

突听一阵脚步之声，自竹林外传了过来。接着，又听得朱藻的话声大笑道："如此良夜，如此良朋，还有谁能入睡？贤兄妹以为然否？"

易明的声音也自笑道："不知我们的东道主可曾睡了？"

云铿干咳一声，笑道："三位清兴倒不小，但在下亦未入睡。"

朱藻大笑道："好极好极！原来主人也在这里，古人秉烛夜游，吾等虽无烛，游兴却也不输古人。"笑声之中；朱藻与易氏兄妹已大步而来。

易明眼波一转，笑道："原来水姐姐也在这里，你们悄悄地说什么，可以让我们听听么？"

水灵光悄然拭去眼泪，强笑道："没有什么！"

云铿心念一动，笑道："有的，我两人正在说一件大事。"

易明眼睛睁得更大了，道："什么大事？"

云铿瞧了水灵光一眼，道："我这妹子的终身大事。"

易明、易挺齐地拍掌大笑，道："如此良辰美景，在商量如此佳事，两位真不该将咱们蒙在鼓里。"

朱藻面色却不禁微微变了一变，沉吟道："我等冒昧闯来，不知是否打扰了你们的说话？"

云铿笑道："此事也正与兄长有关。"

易明瞧了瞧水灵光，又瞧了瞧朱藻，眨着眼睛，道："莫非她……和他？"水灵光突然双手掩面，奔了出去。

朱藻也不知是惊是喜，道："贤弟怎能取笑于我！"

云铿瞧着水灵光身影远去，心头又是一阵酸楚，口中却笑道："小弟怎敢取笑兄长？只是要向兄长讨杯喜酒喝。"

易明拍掌大笑道："好极好极！朱大哥与水家姐姐当真是对璧人，我敢说天下再也找不出第二对了。"

易挺道："但不知这喜酒咱们何时才能吃到？"

云铿沉吟道："虽然未定，但越快越好。"

易明道："正该如此，反正我们江湖儿女，也没有那么多啰嗦，择日不如撞日，不如就订在……"

易挺笑道："就订在三日后如何？"

云铿瞧了朱藻一眼，笑道："这个……"

朱藻实已呆住了，呆了半晌此刻突然仰天大笑道："我岂能做那些世俗男女一般矫情作态，被你等耻笑！三日后就三日后……"

易明拍掌道："痛快痛快！朱大哥果然是英雄男儿，也惟有这样的男儿，才配得上水家姐姐那样的女子。"

易挺笑道："蜗居便在左近，小弟这就去命家人，将婚事应用之物送来，哈哈！少不得还要几坛美酒。"

云铿道："如此……就麻烦贤兄妹了。"

易明笑道："麻烦什么，我们真未想到，这次来竟遇着这天大的喜事，真是太好了……太好了……"

三日后，再生草庐中张灯结彩，喜气洋溢，大厅中龙凤红烛已燃起，新人立刻便将交拜天地。但，又有谁知道，在这洋溢的喜气背后，竟是一幕凄惨绝伦，令人不忍卒睹的绝大悲剧？朱藻与"朱"灵光已将结成夫妻，铁中棠与夜帝远在千里外，纵然赶到，也来不及了。何况，他两人根本无法赶来！

除了他二人之外，还有谁知道这其中惊人的秘密？除了他二人之外，还有谁能阻止这悲剧的上演……

夜帝铁青着脸色，良久，方自沉声道："你将灵光与藻儿之事，托付给谁？那人此刻在哪里？"

铁中棠道："他便是我大哥，云铿，此刻在王屋山下。"

夜帝低喃道："王屋山……"突然振衣而起，大声道："你我两人之脚程，此刻赶去还来得及阻止于他。"

铁中棠大喜道："老伯也要赶去么？"

夜帝叹道："除了日后亲口之言，别的事本无法令我出此洞窟

一步，但这件事……这件事……"跺了跺脚，厉声道："这件事我却是非去不可！"当下大声呼唤，将少女们都唤了进来。

珊珊睡眼惺忪，道："什么事？又要添酒了么？"

夜帝道："添什么酒，准备行装，我要走了！"

"我要走了！"这四个字，少女们听来，当真宛如霹雳一般，瞬眼之间，她们的面色都已变了。

珊珊颤声道："走……有什么事么？"

夜帝厉声道："自然有事！"

珊珊道："什……什么事？"

夜帝怒道："不必多问，快去整治行装，快！快！"

这老人一生行事，潇洒从容，但此刻心神实已大乱，否则又怎会犹如此暴躁的脾气？但少女们又怎知他的心事？十年以来，夜帝对她们都是那么温柔，从未有过改变，但却在此刻突然变了，变得如此疾言厉色。她们做梦也想不出这是为了什么，一时之间，你瞧着我，我瞧着你，目中都已泛出了泪珠。

珊珊含着眼泪，垂首走了出去，但走到门外，又不禁回过头来，道："你……你此去可还回来？"

夜帝见她们如此神情，心头又不觉大是不忍，长长叹息一声，道："你放心，我自是要回来的。"

翠儿道："什……什么时候回来？"

夜帝默然半晌，道："我也不知道，但想必不致太久。"

少女见他竟不愿说出回来的日子，神色更是悲戚，珊珊道："你……你不能将我们也带去么？"

夜帝叹道："这件事……你们不能去。"

珊珊流泪道："什么事？为什么我们不能去？"

夜帝满心焦急，此刻又忍不住暴怒道："莫再问了，不能去就不能去，再问还是不能去！"

少女们身子颤抖，不等他话说完，齐地以手掩面，痛哭着奔了出去，她们在这里已度了十年安闲而平静的日子，这突来的打击实令她们无法忍受，有几个方奔出门外，身子摇了两摇，竟生生晕厥过去。

铁中棠也不禁瞧得满心酸楚，暗暗叹息，他自也知道这老人的苦衷，委实不能将此行的原因说出口来。只见夜帝扭转了头，面向石壁，看也不看那些少女一眼，但面色之沉痛，已非任何言语所能形容。也不知过了多久，突然间，只听一声惊天动地的大震，将这石窟都震得不住动摇起来。杯盘碗盏，哗啦啦落遍一地。

夜帝面容骤变，惊呼道："什么事？"转身一掠而出。

铁中棠急急相随，穿过几间石室，便有一股硝火之气扑面而来，四下石屑纷飞，当真犹如山崩地裂一般。珊珊、翠儿，与那个杏衫少女敏儿，白石硝烟火中缓缓走出。

三人俱是发髻蓬乱，面上苍白得没有一丝血色。

敏儿痴痴笑道："你想抛下我们，你也走不成的！"

夜帝须发皆张，一把抓住了珊珊，厉喝道："怎地了？"

珊珊亦是满面痴笑，道："我们已用以前开辟这洞府时未用完的炸药，将出去的那条秘道炸毁了！"

铁中棠身子一震，大骇道："炸……炸毁了？"

翠儿痴笑道："不错！炸毁了！什么人也莫想出去，我们为你牺牲了一切，你也该陪着我们。"

夜帝大喝一声，反手一掌，打在珊珊脸上，珊珊却仍然痴痴笑道："你打我，你也走不了……"身子一软，突然倒了下去。

少女们放声惊呼，夜帝连连顿足，这其间惟有铁中棠还能保持冷静，心念一转，大声道："小侄方才入洞时，并未将外面石笋阖起。"

夜帝精神一振，大呼道："不错，快去！"两人先后急掠而出，将少女们的痛哭与惊呼俱都抛在身后。哪知地道尽头，那惟一出口，不知何时竟也不知被谁阖起了，岩洞中一片漆黑，哪有一丝光亮？

## 第四三章　人间惨剧

　　夜帝一听铁中棠说未将出入洞口的石笋阖起，不觉精神一振，两人先后急掠而出。哪知那惟一出口，不知何时竟也不知被谁阖起了，岩洞中一片漆黑。仅存的出路又被封锁，惟一的希望又告断绝……

　　铁中棠纵是铁打的金刚，此刻身子也不禁起了一阵颤抖，只觉手足冰冷，双膝发软，几乎便要扑地跌倒。

　　突听夜帝暴喝一声，惨厉的喝声中，他身子已平地拔起，接连两掌，向那出口处的山岩击了过去。这两掌正是名震天下的夜帝毕生功力所聚，其力道之强猛，其声势之惊人，又岂是任何文字所能形容？但闻一声惊天动地的大震，四面山壁，都为他这一掌之威所震慑，四下回声如涛如浪，良久不绝。只是回音过后，山岩仍无恙，这一掌之威虽可霸绝人间，却终是不能与天地自然之力相抗。这历经时代之变迁，日受海涛之摧打，已被磨炼得坚逾精钢之山岩，又岂是任何人力所能摧毁？

　　夜帝身形起伏不停，双掌接连发出，片刻间又击出十余掌之多——所有的气力，还是空费。到最后，这人间霸王，终于还是绝望，仰天惨号一声，扑地倒了下去，以首顿地，欲哭无泪。

　　一阵光亮，自后面照了过来，翠儿与敏儿手持火把，自曲道间转出，火光照着她们苍白的面容，照着她们面上晶莹的泪珠，照着夜帝蜷曲在地上的身子，照着他苍苍白发，满额鲜血……这绝代之雄，此刻竟被完全击倒，世上又有哪一种光亮，能照得出他心中的绝望与哀痛？

铁中棠热泪盈眶，不忍再去瞧他，悄然转首，只见石地之上，零乱散落着一些肉脯食物。只听翠儿颤声道："那老婆子下次送饭来时，便会将秘道打开来的，你……求求你莫要……莫要伤心好么？"

铁中棠道："下次再也不会有人送饭来了。"

翠儿道："为……为什么？"语声不但颤抖，且已嘶哑。

铁中棠黯然道："那老婆子昨夜送饭来时，瞧见石笋已开，朱老伯又不知去向，自然以为他老人家走了。"

他目光扫视散落满地的食物，瞧她将食物落了一地，显然心头亦是大为惊惶，只怕也找寻了一会，才失望而去，随手又将出路紧紧封死，她只当岩窟中已无人了，自然不会再来了。这些令人听了更伤心绝望的话，他本不该说的，但面对夜帝如此非常之人，与其将话忍在心里，还不如说出的好。

忽然间，一阵凄厉的笑声传来。珊珊厉声惨笑道："封死最好……永远没有人来最好，我们要活，活在一起，要死，也死在一起！"笑声不绝，珊珊已披散着头发，被少女们拥着赶来，她玉面已红肿，明媚的双目也哭红了，看来实是凄楚动人。

但铁中棠瞧见这罪魁祸首，却忍不住一股怒火直冲心头，厉声道："你可知他老人家为何要出去么？"

珊珊嘶声道："为什么？为什么？你说为什么？"

铁中棠大喝道："为的是……""为的是"三个字喝出，语声突然断绝，再也说不出话来，只因这件事委实是惨绝人寰，又有谁能说得出口？

哪知夜帝却突然翻身跃起，目光逼视着珊珊，口中一字字缓缓地道："你要知道为什么？好! 我来告诉你!"

他额角已被自己撞裂，宽阔的前额上流满了鲜血，他那充满绝望与悲愤的双目，却比鲜血还红。

珊珊直被他这种目光瞧得心胆皆寒，忍不住退后两步。

夜帝那凄厉的语声，已接口道："我要出去，只因我若不能立时赶去王屋山，我的亲生女儿，便要与我的亲生儿子成婚了。"他说得虽然简短，但其中包含着的是何等悲惨的故事，无论任何人听了，都能了解，都要心碎。

少女们忍不住都嘶声惊呼出来，有几个身子已是摇摇欲倒。珊珊以手掩口，痴痴望了半响，颤声道："你……"一个字出口，便又晕厥过去。

翠儿与敏儿被惊得呆了半响，突然扑地跪下，颤声道："我……我们对不起……"一言未了，齐地放声痛哭起来。后面的少女，也跟着跪满一地，跟着放声痛哭，一时之间，天地仿佛已布满了这种凄惨的哭声。

铁中棠只觉肝肠俱断。

夜帝已是泪流满面，突然仰天狂笑道："你们哭什么，我不怪你们，这……这只是上天在惩罚我的罪孽……"

凄厉的笑声突然中断，威猛的身形再次跌倒。

苍天呀苍天，你纵要惩罚他的风流罪孽，但这惩罚却也未免过分了些……太过分了些……


铁中棠横抱着夜帝的身子，穿过跪伏在地上痛哭着的少女，穿过寒气森森的曲折地道，走回了石室。他石像般的面容，已布满泪珠……这泪珠在他那坚定的轮廓上，更显得分外晶莹，分外夺目。石室依旧，但那些华丽的陈设，此刻也都似失去了原有的光彩，惟有一阵阵刺骨的寒气，逼人而来。

铁中棠以珍贵的皮裘盖住了夜帝的身子——皮裘虽珍贵，却又怎能挡得住那刺骨的寒意？只因他已冷到心底!

突然，又是一阵惊呼传来。

铁中棠面色立时惨变，这铁打的人儿也会变色，只因他所受的打击委实太大了，他已无力再承受别的打击。但打击还是来了，随着少女们的步履奔腾声，哀号痛哭声传过来："珊……珊姐撞岩自尽了!"铁中棠身子一震，颓然跌坐。

只见少女们拥抱着珊珊奔来，珊珊俏丽的面容，此刻已是血肉模糊，口中犹自呻吟着道："我对不起你……对不起你……"

铁中棠一跃而起，大声道："她还未死，快救她!"

珊珊道："谁……谁敢救……救我? 我不想活了!"

突听一个沉厉的语声道："你不想活，我也要你活!"原来夜帝已不知在何时醒来，翻身坐起。

少女们痛哭着扑倒在他足下，齐声哀号："你……你把我们都杀了吧……我们都不想活了。"

铁中棠悄然拭泪，悄然后退……

夜帝突然大喝一声："站住! 谁要你走的?"

铁中棠垂首道："小侄实不忍……"

夜帝厉声狂笑道："如此悲惨之境，全因你来才造成的，你纵然不忍，却也只有在此看下去。"

铁中棠怔了一怔，哑声道："全……全因小侄……"

夜帝道："若非你来，我全不知此事，怎会有此刻之悲痛? 我若不好生惩罚你，实是心有不甘。"

这道理实是不通之极，但此时此刻，铁中棠怎敢辩驳? 惟有俯首道："老伯要小侄怎样，小侄万死不辞。"

夜帝厉喝道："真的?"

铁中棠道："若有虚言，天诛地灭。"

夜帝道："好! 我要你在三月之内，尽得我武功真传，你若学不会，我立刻便要取你性命。"

铁中棠又自一怔，亦不知是惊? 是喜?

夜帝大喝道："还有，我要你三个月后，立即出去!"

铁中棠俯首道："小侄必定设法……"

夜帝怒喝道："谁要你设法！我自有办法，那山隙虽被炸断，但绝对不会断死，有三个月的时间，还不能开通么？"

铁中棠不禁大喜，但心念一转，想到三个月后，朱藻与水灵光必已成亲，立时又不禁为之心痛如绞。

夜帝面向少女，沉声道："你们若觉对我抱憾，便将在这三个月里，设法打通那炸毁之山隙。"语声顿止，目光又自闪电般凝注铁中棠，一字字沉声道："你出去后，我要你设法寻着那朱藻与灵光两人……"

铁中棠心头突然一寒，颤声道："做……做什么？"

夜帝霍然转过头去，嘶声道："你已立下重誓，完全听命于我，是么？"嘶哑的语声中，竟似已生杀机。

铁中棠惊怖欲绝，道："是……但……"

夜帝厉声道："好，重誓已立，永无更改！"突然大喝一声，喝声犹如霹雳，夜帝长身而起，双目之中，光芒犹如雷轰电闪，慑人魂魄，口中嘶喝道："我万万不能容他两人并存世上，我要你将他两人斩于刀下。"

少女们骇极惊呼，铁中棠已立时晕倒。


王屋山下，再生草庐中，红烛双燃，喜气洋溢。云铿已卸下青袍，换上吉服。

那一身粉红衣衫的易明，上上下下瞧了他几眼，忽然格格娇笑道："不想云大哥换了衣服，竟变得如此漂亮了。"

云铿笑道："漂亮的还是你，只是……只是……"

易明跺足道："只是什么，快说呀！"

云铿道："只是你换了这身粉红衣裙后，名字也要改上一改才是，再唤'翠燕'两字，已是名不符实了。"

易明转了转秋波，道："你瞧该叫什么才合适？"

云铿故意沉吟半晌，缓缓道："粉燕……不好，粉仙子……也太俗……嗯，不如就叫粉红豹吧！"

易挺拍掌大笑道："妙极！妙极！她那两只爪子，倒也和母豹子相差无几，只是却又比豹子刁蛮多了。"

易明娇喝着扑了上去，道："你……你骂人……我抓死你……"纤纤十指，往易挺抓了过去，果然与豹爪相似得很。

易挺连连闪避，道："莫找我，又不是我说的。"

易明顿足娇嗔道："不来了，你们一齐欺负我，我……我只当云大哥是个好人，哪知也是个坏东西。""坏东西"三字出口，她自己却又不禁嫣然失笑。

大笑声中，忽听小坡下有人大喝道："易老弟！易大妹子！你们可是在上面么？"呼声嘹亮，中气充足。

云铿道："谁？"

易明眼珠一转，笑道："听声音像是盛大哥，我去瞧瞧。"一面娇呼"来了"，一面奔了出去。山坡下五马并骑而立，马上人衣衫色彩鲜艳，有蓝有紫，有黄有黑，在日光下看来，耀眼已极！

易明目光一扫，拍手笑道："好呀，全来了……易挺，你快出来瞧瞧呀，看是什么人来了？"

易挺带笑奔出，道："我早瞧见啦……"

一言未了，山坡下五人翻身下马，急奔而下，五个人三男两女，身法俱是迅急轻快已极。易明两只手，左手抓住了一个翠碧衣衫，身材娇小的少妇，右手抓住了一个蓝衣蓝裙，柳眉凤目的绝美少女，又是顿足，又是娇笑，道："告诉我，快告诉我，你们怎会也找来了？"

那碧衣少妇娇笑道："还说呢！咱们先找去你家，你们兄妹都不在，打听了老半天，你们家那个老人才肯说出你们在这里。"只见她面如满月，体态丰腴，说起话来，嘀嘀咕咕的不停，正是"碧月剑客"孙小娇。

易明笑道："来得早，不如来得巧，咱们正愁喝喜酒的客人不够，你们赶来了，莫非你老远就闻到酒味了么？"

大旗英雄传

孙小娇道："我又不是狗鼻子，哪有那么灵……"忽然发觉这岂非自己在骂自己，红着脸去哈易明的胳肢。

易明一面躲闪，一面娇笑："这可是你自己说的，又不是我……哎哟，痒死了，柳姐姐，救救命呀！"

那蓝衣少女只是微笑旁观，既不插口，更不插手。她容貌虽然绝美，面上虽带微笑，但眉宇间却似有一种说不出的冷漠之意，当真是艳如桃李，冷若冰霜。

那边易挺也迎着了一个紫衣大汉，一条黄衣黄冠的顾长汉子，还有个全身衣衫漆黑如墨，面色却苍白如雪的少年。黄冠道人自是与孙小娇秤不离锤，锤不离秤的"黄冠剑客"钱大河，紫衣大汉赫然却是"紫心剑客"盛存孝。

易挺握手寒暄，又笑道："诸兄远道而来，固出小弟望外，盛大哥居然也会远道而来，小弟简直是大吃一惊了。"

钱大河笑道："还有要你奇怪的，连咱们也是被盛大哥约来，你想不到吧？"此人笑将起来，高冠跟着直动，神情虽然滑稽得很，但笑容却甚是枯涩，似是因为终年难得一笑，是以笑起来也觉不大习惯。

易挺道："盛大哥有亲在堂，向不远游，此番孤身一人前来，其中必有缘故，小弟愿闻其详。"

盛存孝骤见良朋，虽也含笑，但笑容却掩不住他眉宇间的忧郁沉重之色，果然仿佛有许多心事。只听他压低声音，沉声道："愚兄此番前来相约各位贤弟，便是奉了家慈大人之命，是以昼夜兼程赶来。"

易挺诧声道："盛老伯母相召，却又不知为的何事？"

盛存孝语声更低，道："贤弟久在家居纳福，自然有所不知，今日之江湖，已是风涛险恶，满伏危机，非但久绝红尘之一些绝代高手，此番都已倾数而出，甚至那名声仅次于日后、夜帝之雷鞭……"

易挺忍不住脱口道："雷鞭老人也出山了么？"

盛存孝道："正是，此老一出江湖，便惹出了无穷风波，竟与日后座下之使者发生冲突，声言定要一闯常春岛。"

易挺耸然变色，忍不住又自脱口道："常春岛岂是凡人们能擅入？此老纵然武功绝世，此番只怕也要有去无回。"

盛存孝叹道："此老性情之孤傲倔强，贤弟也该耳闻，他若要去，谁能拦阻，愚兄本也要追随于他……"

易挺失色道："盛大哥，你可千万去不得！"

盛存孝道："他非但定要愚兄追随，而且还要家母与黑星天、白星武等人相随前去，一行人中，还有个扎手人物……"

易挺道："谁？"

盛存孝长叹了口气，一字一字道："风梭风九幽！"

易挺身子一震，竟被惊呆了。

盛存孝道："愚兄又何尝不知此行之险恶，但事已至此，也只好打算将性命交付于他，哪知……唉！幸好雷鞭老人虽然神通广大，但海上航行数日，却也寻不着常春岛所在之地，只有失望而返。"

易挺这才松了口气，展颜笑道："但闻海外有仙山，山在虚无飘渺间，凡夫俗子自然寻它不到。"

盛存孝道："人虽已返，事却未毕，到了岸上，家母便令我前来邀约各位贤弟，以助声势。"他沉重地叹息一声，接道："愚兄本不愿惊动各位贤弟，但家母之命，又不敢违，惟望贤弟瞧在昔日之情……唉！"长叹一声，垂首无语。

这忠义凛然之英雄汉子，此来显见并非出自本意，只是他的孝心，却能使他做任何一件他本不愿去做的事。

易挺沉吟半晌，缓缓道："此行必定甚是凶险，而且有些师出无名，若要换了别人来约，小弟只怕难以从命。"语声顿处，忽然仰天一笑，大声接口道："但盛大哥你来么……要小弟水里走，小弟便水里去，要小弟火里走，小弟便火里去……"话未说完，盛存

大旗英雄传

孝已是热泪盈眶，一把捉住易挺的手掌，久久说不出话来。

突听云铿放声呼道："贤弟要到哪里去？你可千万走不得，千万要将这些位朋友，一齐约来喝杯喜酒。"他只听得易挺说话中最后一个"去"，便当易挺要走了，连忙大呼着奔了出来，要强行留客。

易挺忍不住展颜一笑，呼道："小弟万万不会走的。"转首向盛存孝笑道："小弟必随大哥前去为盛老伯母效劳，但盛大哥今日却必定要先喝小弟一杯喜酒。"

盛存孝瞠目道："贤弟你大喜了么？"

易挺失笑道："大哥且莫管是谁的吉日，且喝了喜酒再说。"竟不由分说，拉着盛存孝、钱大河等人便走。

那边易明也早已拉着孙小娇与蓝衫少女走上山坡，这些少年男女，共有七人，一个个非但笑容爽朗，神情明快，就连衣衫的颜色，亦是明朗鲜艳已极，不问可知，这自然就是近年方自崛起江湖，声名便已震动武林的"彩虹七剑"了。

"彩虹七剑"气味相投，情如手足，只是平日分散四方，极少相见，今日竟能不期而合来喝这杯喜酒，确属一大盛事。

但易挺兄妹却也未免太粗心大意了些，竟忘了此间主人乃是铁血大旗门下，盛存孝却是他不共戴天的仇家子弟。等到各人入门，易挺兄妹蓦地想起此事，却已太迟了。

兄妹两人，你瞪我一眼，我瞪你一眼，正在彼此埋怨，云铿已笑道："佳客远来，贤弟怎地不为我引见引见？"

易挺干咳一声，道："这……这位……"

易明已抢着道："我这位最最漂亮的姐姐，就是'蓝凤剑客'柳栖梧，她的'飞凤十八剑'，江湖中谁不知道？"

蓝衣少女一面含笑作礼，一面偷偷瞪了易明一眼，妩媚而又冷锐的眼波中，有些责怪，也有些欢喜。

易明娇笑着接道："漂亮的姐姐，自然要有个英俊的姐夫才能相配，这些人里面谁最英俊，谁就是'墨龙剑客'龙坚石。"

易挺道："我!"

易明道："哎哟，好不害臊，你……你配么?"一手拉着孙小娇，两人一直笑得直不起腰来。

云铿目光凝注那黑衣少年，抱拳道："这位当是龙兄?"

黑衣少年亦自抱拳道："不敢，在下龙坚石。"

此人虽是面容苍白，神情冷削，但明锐的目光中，却有一种英姿飒爽之气，教人不得不另眼相视。云铿目光左右瞧了几眼，不禁喟然叹道："游龙飞凤，龙凤连璧，今日一见，果然是珠联璧合，名下无虚!"

易明娇笑道："我这位柳姐姐与龙姐夫，表面看来，虽然是一个冷冰冰，一个冰冰冷，两人在一齐，好像三天三夜不说话都没关系，其实呀，两人却是爱得发狂，一时一刻都不能分开。"

孙小娇笑骂道："疯丫头，乱嚼舌头……这些情呀爱呀的话，也是你这未出嫁的大姑娘能说的么?"

易明道："你瞧，我一夸赞别人，我们的孙姐姐就吃醋了，好，我说，这位孙姐姐，又小巧，又娇嫩……"

孙小娇道："鬼丫头，你……你再说!"

于是两人又是一阵纠缠笑闹，易明娇笑道："好了，还有两位，一个是孙姐夫，一个就是我们的大哥。"

她故意又吵又闹，为的只是想在笑闹中，将"紫心剑客"的姓名混过去不提，却不知这又怎能混得过去? ——少女的自作聪明，虽然可笑，却也是可爱的。

云铿目光早已凝注在盛存孝身上，口中缓缓道："如此说来，"彩虹七剑"今日竟全都到了……"

易挺暗道一声："要糟! 盛大哥虽不知他是大旗门下，但他却已认出盛大哥，这……这怎生是好?"

大旗弟子与仇家相见，向来必定是血溅当场! 此刻盛存孝与云铿若是拔刀相见，易家兄妹左右为难，当真不知要怎生是好了。

哪知云铿竟然微微一笑，接道："这位兄台气宇不凡，想必就是江湖中第一孝子，武林中第一剑客盛大侠了。"神情之间，竟毫无仇恨之意。

盛存孝全不知对方是谁，自然更是惟有含笑答礼，易挺兄妹心目中必将发生的流血争杀，竟无发生之征兆。易挺、易明又惊又喜，反倒不觉呆住了。

他们自不知铁中棠书信之间，已将那日风雨林中被困，盛存孝仗义放行之事说了出来，还再三夸奖这"紫心剑客"盛存孝乃是条孝义双全之英雄汉子，铁中棠与云铿非但俱是大旗子弟中最开明之人，而且恩怨最是分明，铁中棠既如此说话，云铿又怎会再对盛存孝存有仇恨之心？自古以来，英雄与英雄之间，必定惺惺相惜。

"墨龙剑侠"龙坚石、"紫心剑客"盛存孝等人见到云铿如此风采，自不免要请教姓名，探问来历。

云铿哪肯将姓名说出，只是微微一笑道："在下本是两世为人，昔日姓名早已忘去。"

孙小娇眼波流转，娇笑道："瞧这位大哥的模样，昔日必曾有段伤心之事，所以连姓名都不愿说了。"

易明道："这下可给你猜对了。"

孙小娇道："既是如此，你便该好生安慰他才是。"

易明虽是女中丈夫，此刻也不禁红生满颊，笑啐道："你……你要死了么……"笑着要打。

孙小娇早已娇笑着逃到盛存孝身后，喘着气道："易小妹总是欺负我……大哥你不管管她么？"

盛存孝微笑道："朋友相交，贵在知心，不知姓名，又有何妨？这位兄台既有苦衷，咱们便不必再问了。"

云铿叹道："盛兄果是快人，好教在下佩服！"

再生草庐中本无贺客，此刻加上盛存孝等人，总算可以凑满一桌，当下摆上酒筵，开怀痛饮。一桌酒本嫌太少，八个人也不算多，但有了易明与孙小娇两人，还想没有笑话？还想不会热闹？于是一向寂寞的再生草庐，此刻便充满了喜气，也充满了欢笑，酒过三巡，就连墨龙蓝凤面上都已满带笑容。

孙小娇卷起衣袖，露出了半截嫩藕的玉臂，娇笑着与易明猜拳赌酒，玉腕上的翡翠镯子，在笑声中叮叮当当的直响，仿佛悦耳银铃，又像是珠落玉盘，输了三拳，她更是眼角含媚，满面春生，娇笑的声音，也更响了，到后来，谁也分不出究竟是镯子声像银铃，还是她的笑声？

忽然间，一个人自内堂大步冲了出来，大笑道："好热闹的场面，定需得算卜我一份!"竟是满身吉服的新郎倌到了。

易明又惊又笑，道："哎哟，怎么新郎倌出来了，还未拜天地就冲出来喝酒的新郎倌，你们见过么？"

一向潇洒自如的朱藻，此刻虽是吉服吉帽，全副披挂，但在别人的惊奇喜笑声中，却还是一副满不在乎的模样，持杯大笑道："你们不笑倒也罢了，你们这一笑，我哪里还憋得住，少不得要来找你们抢酒喝了。"

云铿含笑道："按照规矩，新郎此刻确是不该出来的。"

朱藻一把扯开衣襟，大笑道："规矩礼法，岂是为我辈而设!来来来，且待我先敬各位三杯。"当真仰起脖子，连干了三杯。

桌上虽然俱是平日脱略形迹的江湖豪杰，却也未曾见过如此豪爽狂放的男儿，有谁不肯陪他喝这三杯! 三杯过后，孙小娇竟突然站了起来。

她娇躯摇摆，已有些站不稳，双颊之上，更早已红如胭脂，口中娇唤道："大家不要动，听我说话。"

易明吃吃笑道："酒鬼，谁动了呀，是你自己眼花。"她说别人酒鬼，其实自己也喝得不少，舌头也已有些大了。

孙小娇伸出一根春葱般的手指，指着朱藻，道："像你这样的人，才是男子汉，我孙小娇最喜欢了。"

　　钱大河道："咳、咳！醉话醉话……坐下坐下……"伸手拉她，却被她甩手摔脱了。

　　易明格格笑道："幸好朱大哥今日是新郎倌，否则我们这姐夫的醋罐子真要打翻了。"

　　孙小娇眼波乜斜，瞅着朱藻，道："你虽不认得我，但我却认得你……钱大河，你莫非忘了他么？"

　　钱大河凝目瞧了朱藻两眼，面上神色突变，手中酒杯"当"地跌了下去："你……原来是你！"

　　孙小娇拍手道："你瞧，我可没有醉吧，我一眼就瞧出他是谁了……喂，朱大哥，你看我醉了么？"

　　别人自不知道，那日在"小小少林寺"前，钱大河与孙小娇两人早已见过朱藻，也曾领教过朱藻那惊人的武功。只是朱藻那日麻衣麻鞋，今日却是满身吉服，钱大河一时竟未认出，一经认出后，自不禁为之惶然色变。

　　朱藻亦自想起这两人是谁了，面色亦自微变，但瞬即大笑道："我只道两位乃是新交，却不知原来竟是故友。"

　　孙小娇格格笑道："钱大河，你发什么呆，变什么脸？咱们与这位朱大哥，既无冤又无仇，咱们今天能与这样的英雄同桌喝酒，正该觉得高兴才是，来，朱大哥，我夫妻先敬你一杯。"

　　朱藻笑道："在下正当与贤夫妇立饮一杯。"举杯一饮而尽，钱大河呆了半晌，终于强笑着取过易挺的一杯酒喝了。

　　众人早已瞧出他三人神色间之异样，方自在暗中担心，此刻见了这情况，才不禁松了口气。只听孙小娇道："好，朱大哥，咱们酒也喝过了，总算已是朋友，你的高姓大名，总可以说出来让咱们听听了吧！"

　　易明娇笑道："说出来准骇你一跳，还是莫说吧！"

　　孙小娇道："不说可不行……"

　　易明道："好，我替朱大哥说，他就是夜帝之子！"她若不是喝得有八分醉意，再也不会说出朱藻的身分。如今她既说出来了，别人怎会不耸然变色!

孙小娇"噗"地跌在椅上，道："我的妈呀! 我虽早知他是个英雄，可也万万没有想到他会是……会是这么大的英雄，易明，你怎不早些说呀!"这句话虽有醉意，但却也是众人心中俱有之心意，只因众人虽早知朱藻必非泛泛之辈，却万万不曾想到他竟是夜帝之子。

一时之间，众人心头俱不禁有些惴惴不安，笑声也少了，只因"夜帝之子"这四字名头委实太过吓人。但转念一想，自己今日竟能与夜帝之子同桌饮酒，终究是件值得向人夸耀的荣宠之事。再加以朱藻大笑把盏，连声劝饮，众人又不觉渐渐忘去了他那惊人的身分，只记得他是个好客的主人，于是心情恢复开朗，笑声更响了。

易挺转眼四望，不禁暗叹忖道："看来今日倒端的是个良辰吉日，是以凡事俱可逢凶化吉，这真是朱大哥的运气。"

他见到两次纠纷，但都在无声无息中消弭于无形，心头自不免在为朱藻与水灵光暗暗欢喜。却不知纠纷若是发生，反倒可阻延这惨绝人寰之悲剧上演，那才是他真正值得欢喜之事，如今纠纷既未发生，一切俱十分顺和，婚礼亦将顺利举行，大家俱是欢欢喜喜，欢喜的背后，却正是人间最大之惨剧。

欢喜的本是悲惨，悲惨的才是欢喜，这悲惨与欢乐间，关系是如此微妙，如此复杂，身在局外的易挺，又怎能分辨得清？

非但易挺，就连云铿此刻俱是满心欢悦——小小的风波已过，新人立将成礼，他的心愿，都已完成了。于是这两人不禁同时举起杯来，互相祝饮，易挺笑道："大哥你还不快请新人出来，让他们交拜天地。"

云铿大笑道："正该如此。"

前堂的笑声，透入重门，穿入内室。内室便是新房，此刻自然更是挂红堆绿，满室锦绣，锦绣堆中，端坐着凤冠霞披的新人水灵

大旗英雄传

光。新房的陈设，即使与高官巨富的独生女出嫁时的高贵景象相较，也丝毫不显逊色，且犹有过之。新娘的环佩，更是珠光宝气，令人艳羡。但这华贵富丽的新房中，却似乎弥漫着一种冷寂凄凉的意味，令人艳羡的新娘，面上更是满带着悲哀与悲怨。

自易府来的喜娘早已被赶了出去，只因水灵光不愿被人瞧见她神情的忧郁，更不愿被人瞧见她的泪痕。前堂笑声更响，水灵光忽而顿足，忽而皱眉，忽而用手塞住耳朵——笑声越欢乐，她心里便越悲伤。忽然间，只见她长身而立，在房中走了几个圈子。

她满是泪痕的娇靥上，忽然露出了一种坚决的神色，跺了跺脚，将头戴之新人凤冠，重重摔在床上。自对面的菱花铜镜中，她瞧见了自己苍白的面色、失神的眼波，纵有珍贵的脂粉，也掩不住她容颜的憔悴。她咬了咬牙，迅速地脱下了身上的吉服，换了旧日的衣衫，翻身掠到窗前，推开了窗子。

窗外夕阳漫天，远山如披金玉，一片辉煌。她又咬了咬牙，便待自窗子里一跃而出——她此刻若是真的跃出，便犹如脱笼之燕，又可任意翱翔。

但就在这时，她却皱了皱眉，翻回身子，走回那崭新的菱花铜镜前，呆了半晌，叹息了半晌。然后，她突然又下了决心，以颤抖着的纤纤玉指，沾了些玉盒中剩下的胭脂，在那菱花铜镜上，写下了几个字：

"大哥，我对不起你，我走了。"她指尖颤抖，字迹扭曲。

那鲜红的字迹，写在淡金的铜镜上，仍显得异常的鲜艳夺目，教人见了，心胸说不出的舒畅。于是她再次掠到窗前，又待一跃而出——她此番若是跃出，惨绝人寰的悲剧，也就此终止。哪知她身子还未跃起，突然长叹一声，竟又呆住了。

她柳眉深皱，泪光盈眶，她心中显是有说不出的矛盾，竟然无法自决……是走呢，还是不走？她深深痛苦，她无法选择……就在这时，门外已响起云铿慈和而稳定的口音："大妹妹，你装扮好了么？朋友们都在等着你哩！"

水灵光身子一震，缓缓回身，颤声道："我……我……"

云铿道："你若装扮好了，我就叫喜娘进来接你。"

水灵光缓缓垂下眼帘，轻轻长叹一声，道："叫她们在门外等着，我……我马上就……就出来了。"她悄然拭去泪珠，悄然再穿上吉服。

然后，她哀怨的眼波四转，瞧见了铜镜上的字迹——字迹模糊，只因她目中已泛起泪光。她终究下不了决心反抗，她只有垂首来接受命运的摆弄。

——可怜世上的弱女子，为何你们全都是这样？

她以掌中罗帕，拭去了镜上字迹。雪白的罗帕上，立刻染上了点点鲜红，犹如瓣瓣桃花，又犹如斑斑血迹，她拉下覆面红巾，隔断了人们的目光。于是别人再也瞧不见她面上的幽怨，目中的泪痕……于是她轻轻呼唤："好了，你们进来吧!"

一个体态丰腴的喜娘，喜气洋洋，扭动着腰肢，急踩着碎步，出自内堂，拍手娇笑道："新娘子到了。"

满堂哄然喝彩，放声大笑。易挺站起身子，为朱藻扣起了衣襟，笑道："兄台纵然不拘小节，但交拜天地时，也该老实些。"

朱藻笑道："松些……好……"突然长长叹息了一声，别人不禁奇怪，如此良辰吉日，新郎为何叹气起来。

只听朱藻摇头叹道："不瞒贤弟，我委实……委实有些慌了，这交拜天地的勾当，我实是平生第一遭。"

众人又自哄然大笑，这时人人都已知道，这"夜帝之子"，实也是个凡人，而且是个极为可爱的凡人。于是人人心中都不禁对他更觉亲切，笑声自也更响。

孙小娇笑道："你们听他说的多可怜呀……平生第一遭……仿佛再多拜几次，他就可不慌了。"

易明已笑得直不起腰来，喘着气道："交拜天地，一生中本来只有一遭，你莫非还想有第二遭么？"

哄堂笑声中，洒脱的朱藻面上居然也有些红了，干咳几声，轻轻道："易贤弟陪我前去好么？"

易挺笑道："一切有小弟在旁照料。"

易明道："你懂什么？你连一次都没有。"

易挺笑道："经验经验，也好多些见识，等到下次轮到我时，我便不会慌了。"扶着朱藻走向前面香烛。

易明哈哈笑道："好不害臊，又有谁会嫁给你这个呆头鹅，下次……下次可也轮不到你呀！"

孙小娇板着脸道："不错，说得有理，下次就轮到咱们的易家大美人了，怎么会轮得到别人哩？"

易明伸手要打，却已笑得手都软了。这时云铿已终于扶着红巾蒙面的新人水灵光缓步而出。臃肿的吉服，却也掩不住她窈窕的身段，轻盈的体态。

易挺拍掌大喝道："谁来做礼官？"

孙小娇推着她丈夫钱大河，娇笑道："叫他去……你们瞧他戴着顶高帽子，还有谁比他更像礼官？"

易明拍手道："不错，再好没有了……"与孙小娇一左一右，推推拉拉，终于将钱大河推了出去。

平日阴阳怪气的钱大河，今日居然也高兴起来，笑道："好，我来就我来，你们可得静些，立时就交拜天地了。"

"蓝凤剑客"柳栖梧一直凝目瞧着新娘子，此刻微微一笑，道："瞧新人的轻盈风姿，想必是个绝色美人。"

"墨龙剑客"龙坚石亦自微微一笑，道："若非美人，又怎能配得上朱兄那般盖世的英雄？"

易明笑道："你们瞧奇怪不奇怪，柳姐姐不说话，他也不说话，柳姐姐一说话，他也说了。"

这时，喉咙嘶哑的钱大河已在大声呼喝着道："一拜天地！"

新郎朱藻、新娘水灵光各自跪下……

# 第四四章　往日泪痕

柳栖梧轻叹道："我越瞧越觉这新娘子风姿的确太美了，却不知她是什么人家的好女子，姓什名谁？"

这时钱大河已又喝道："再拜祖先。"于是新人再拜。

易明眼睁睁地瞧着，竟似已呆了，柳栖梧拉了拉她衣袂，易明方自回过神来，娇笑道："新娘子叫水灵光。"

那钱大河又已大呼道："三拜……"

他竟不知道这第三拜该拜什么，呼声一顿，方自呆住，盛存孝却突然一把拉住易明手掌，厉声道："她叫什么？"

易明见他面上突然变了颜色，不禁又是惊奇，又是诧异，又有些慌了，道："她……她叫水……水灵光。"

盛存孝身子一震，喃喃道："朱藻……水灵光……"易明在一旁瞧得目定口呆，只当她这盛大哥定然有了毛病。

那边易挺与钱大河打了几个手势，嘴皮动了几动，钱大河点了点头，干咳两声，鼓足气力，大呼道："三拜……"

盛存孝突然暴喝一声，抓起把酒壶，往新郎、新娘之间抛了出去，砰地一声，落在香案上，龙凤花烛，立被击倒。

礼官钱大河骇得呆了，张大了嘴，阖不拢来。

满堂立时大乱，众人面上俱都变了颜色，纷纷大喝道："盛大哥……这是怎么回事？你要做什么？"

易挺与易明在百忙中交换了眼色,这兄妹两人,只当盛存孝早已认出云铿乃是大旗子弟,这刻方自发作。

新郎朱藻霍然转身,一步掠到盛存孝面前,厉声道:"我与你素无恩怨,你为何要在我吉日捣乱?"他平日虽是雍容大度,但这婚礼却委实是他平生第一件动心的事,有人突然捣乱,他怎能不为之变色?

盛存孝面色已成紫赤之色,嘶声道:"我……我……"

他平日纵有泰山崩于前而不变色,此刻却急得说不出话来。墨龙、蓝凤、碧月,自也不禁为之惊诧莫名。云铿亦已赶来,亦是面目变色,朱藻道:"盛存孝,你今天究竟是为的什么,若不说出,我便要……"

盛存孝怒气上涌,脱口喝道:"你便要怎样?"他究竟也是武林中久负盛名的人物,怎能受人如此喝问?此刻盛怒之下,纵有理由,也不愿说出了。

朱藻亦更怒极,突然仰天狂笑起来,狂笑道:"好,好,既是如此,我今日便要教训你这狂夫。"狂笑声中,轻轻一掌拍出,他怒极之下发出的这一掌,看来虽飘柔,但掌势变化无端,自是足以惊世骇俗之杀手。

盛存孝无暇思索,亦一掌迎出,但两人武功实在相差太远,两掌相击之下,紫心剑客眼见便要血溅当场。若真是如此,"彩虹七剑"自不能坐视,非但立即混战起来,而这一场误会,也将永远不能解释。

只因当今世上,只有盛存孝一人知道这其中的曲折秘密,他若死了,"彩虹七剑"固是说不定便要在今日这一战中全军覆没,武林中自亦又得掀起巨波,朱藻与水灵光也将抱恨终生——这后果之严重,影响之巨大,实是不堪设想。

就在刹那间,"彩虹七剑"齐声惊呼,却已挽救不及。

幸好云铿一见朱藻狂笑,便已暗中戒备。

此刻朱藻一掌还未拍出,云铿便已抱住他身子,连声大喝道:

"两位且慢动手……两位且慢动手。"

突然"呛啷"一声龙吟，"墨龙剑客"龙坚石匣中长剑已出鞘，冷冷道："盛大哥无论有何理由，此刻也不必说了。"

此人素来不喜多言，但说出来的话，分量却极重。他这短短两句话，自是说无论盛存孝今日为何如此，无论他是错是对，只要盛存孝出手，他便立时挥剑。

"蓝凤剑客"柳栖梧轻轻掠来，站到她夫君身后，虽一言未发，但纤纤玉手也已握住了剑把。

"黄冠剑客"钱大河大喝道："谁敢动盛大哥一根汗毛！我……我……"瞧了朱藻一眼，语声微微一顿。

他暗中委实有些畏惧朱藻之武功，但此时此刻，已不容他有所选择，终于顿了顿足，接着喝道："我和他拼了。"

"碧月剑客"孙小娇酒意上涌，更是不顾一切，反手拔出长剑一挥剑，大呼道："易明、易挺，你们难道就只在一旁看着么？"纵身跃上桌子，将桌上杯盘酒盏，哗啦啦俱都踢落在地。

朱藻仰天大笑道："好，你们竟要以多为胜么？我今日倒要与"彩虹七剑"周旋周旋，瞧瞧究竟是谁胜谁负？"

龙坚石冷冷道："胜负俱无关，生死亦无妨。"他平日看来最是冷漠，其实却是满腔热血，这短短十个字说完，厅堂中立刻充满了杀气。

大旗英雄传

云铿虽是连声劝阻，但也无人去听他的，双方眼睛都红了，也个个俱是剑拔弩张，眼看一触即发。

忽然间，一条人影横掠而来，一字字道："你们要动手，就先杀了我！"竟是满身吉服的新人水灵光。此刻她蒙面巾已去，面色苍白得全无一丝血色，这异样的苍白，衬得她的美貌更加强烈而动人心魄。众人也不知是被她这绝色的容貌所慑，还是为她那冷漠的语声所动，竟不由自主，齐静了下来。

水灵光目光移向朱藻，轻轻道："你先坐下好么？"轻柔的语

声中，也似有着一种不可抗拒的魔力，竟使得这绝世英雄朱藻，身不由主地坐了下去。

水灵光幽然一叹，缓缓道："紫心剑客盛存孝素来不是鲁莽无礼之人，今日如此做法，其中必有原因，是么？"

她那楚楚动人的风姿、悲怨凄楚的神情、温柔悲哀的眼波，足以使百炼精钢，化为绕指之柔。

盛存孝也不觉怒火顿消，仰天长叹一声，道："不错，在下如此做法，其中委实有着原因。"

水灵光道："不知你可愿说出来？"

盛存孝道："在下……在下……"他神色间也满含悲痛与为难，似是有着不能将那原因说出的苦衷，但又委实不能拒绝水灵光的请求。只见他面色忽青忽紫，终于顿了顿脚，黯然道："这其中的秘密，在下说起实在伤心，但……"仰天长长叹息了一声，道："但在下若是不说，水姑娘与这位朱……朱大侠却又势必要抱恨终生。"

众人耸然动容，云铿亦自变色道："既是如此，兄台如肯说出，在下等感激不尽。"

盛存孝面色凝重，一字字缓缓道："别人俱可与水姑娘成婚，但这位朱大侠却是万万不能和她成婚的。"

朱藻忍不住大喝道："胡说八道，为什么？"

盛存孝忍下怒气，缓缓道："只因……只因……唉，在下未说出这原因之前，先得说个故事。"

水灵光道："好，你说吧，我们都静静听着你的。"

朱藻双眉一挑，方待发话，但听得水灵光这温柔的语声，只得忍住，别人更屏息静气，凝神倾听。

盛存孝垂首默然良久，似是在思量着该如何措词，又似是这故事委实令他伤心，是以他一时竟不忍出口，过了约莫盏茶工夫，他方自黯然将这故事说了出来。

"昔日有个……有个'某人'，自幼酷好练武，但他只是个极为平凡之人，资质无超人之处，是以虽然昼夜苦练，武功进境却仍不快。此人之母，望子成龙，却一心将她儿子，当做绝世的天才，只望她儿子将来必能成为不世出的大剑客。某人既不忍令他母亲失望，但自己却又偏偏无法练成惊人的武功，其内心之痛苦，决非他人所能体会。他在这痛苦的煎熬下，终有一日，竟将那江湖中无人敢练的'断绝神功'开始练了起来。"

他方自说到这里，众人已情不自禁脱口惊呼出来："断绝神功？他……他好大的胆子，竟敢练那断绝神功？"

要知在座俱是武林高手，人人都知道这"断绝神功"的来历，无论是谁，只要一练这"断绝神功"，非但必将失却养育子孙之能，而且一个练得不好，便将走火入魔，其至因此丧生。

是以江湖中虽有不少人知道这"断绝神功"的练法，却无人愿意牺牲一生之幸福去练它。

云铿黯然道："慈母之爱，有时爱之反足害之，此人若非被他母亲所逼，又怎会练这绝子绝孙的断绝神功？"

易明颤声道："他如此牺牲，却不知可练成了么？"

盛存孝又自黯然半晌，才缓缓接着说了下去：

"此人实是天资愚鲁，苦练三年，竟毫无所成，但……但却已将他生育子孙之能白白断送了。他母亲也在无意间得知此事，悲痛惊惶之下，一面严禁爱子再练，一面立即忙着为他爱子成婚。"

易明失声道："这……这岂非苦了那女……"面颊一红，顿住语声，孙小娇正听得入神，此番竟未取笑于她。

盛存孝叹道："某人虽不肯以自己残废之身，来害别人大好女子之一生幸福，却又不敢违抗母亲之命。只因他母亲终是抱着一线之希望，但……但某人成亲之后，两年毫无所出，他妻子却日渐憔悴了。那时某人心中更是痛苦不堪，哪知他母亲对她爱子希望仍未断绝，竟将这不能生育之责，怪在她媳妇身上。"

众人又不禁失声惊呼，易明日中竟已流出了眼泪，喃喃道：

"好可怜的女孩子，竟遇着这样悲惨的事!"

孙小娇眼圈儿也红了，一面揉着眼睛，一面恨声道："这本是男人的世界，受罪的都是咱们女人。"

钱大河道："那……那也未必见得，有的女人……"

孙小娇瞪了他一眼，嗔道："谁要你说话的？……那女子后来怎样？莫非被她婆婆休了么?"

盛存孝满面沉痛，黯然道："他们乃是武林中素着盛名之世家，怎能随便休妻，被江湖朋友耻笑?"

易明恨恨道："她定是怕那媳妇将原因说出来，是以……"心念一转，突然变色道："在如此情况下，某人的母亲，莫非……莫非竟将她媳妇杀了么?"

盛存孝默然无语，神情更是悲痛，竟默认了。

易明"哇"地一声，扑在孙小娇身上，放声痛哭起来，孙小娇咬牙切齿，恨声道："她难道还要为她儿子再娶媳妇不成?"

盛存孝垂首道："正是……"

孙小娇骇然道："她害了一个不够，还要再害一个……她那儿子若是稍有良心，便不该再娶了。"

盛存孝一字字缓缓道："但某人却是个孝子，他母亲莫说要他成婚，便是要他死，他也会立刻去死的。"

云铿叹道："这样的孝顺，岂非太过?"

盛存孝肃然道："天下无不是的父母，母亲养育之恩，实如天高地厚，为人子者，怎忍违抗于她?"

朱藻早已听得动容，此刻委实忍不住了，突然大声道："这岂是孝顺，只不过是愚孝而已，愚忠愚孝，俱非我辈男儿汉的行径，那……那某人只顾了他母亲，便将别人家的好女子一个个害得那般模样，这……这非但愚不可及，而且简直……简直有些混账了。"他越说越是激愤，说到后来，竟破口大骂起来。

水灵光悲戚道："此人的孝心，虽然有些……有些太过，但如此纯孝的人，我却佩服得很。"

盛存孝感激地望了她一眼，朱藻却不禁更是怒形于色，不知水灵光为何总是帮着盛存孝说话。他自然再也想不到水灵光与盛存孝之间的关系竟是那般复杂——水灵光的母亲，便是盛存孝的妻子。水灵光虽然怨怪盛存孝害了她母亲　生，但却又不禁对他抱有一种与常人不同的亲切之心。此等心情之微妙与复杂，自也非别人所能了解——其实在座之中关系微妙复杂的，又何止水灵光与盛存孝两人而已？

　　盛存孝终于接道："某人第二次成亲之后，生怕他母亲再……唉，于是便对他妻子时刻留意，处处保护。但无论多么样的体贴与关心，也总是不能令正值青春的少妇……满意的，他第二个妻子，也日渐憔悴了。"

　　他这"满意"两字用得可说极是"谨慎"，但"蓝凤"柳栖梧、"翠燕"易明等少女听了，却又不禁羞红了脸。

　　孙小娇恨声道："只怕某人对他妻子，只不过像保护货物一般保护着而已，绝不会对她体贴关心，你说是么？"

　　她究竟是已婚妇人，深知女子若能被夫婿体贴关心，纵然有些地方不"满意"，也不致日渐憔悴的。

大旗英雄传

　　盛存孝默然半晌，长叹道："不错，某人身怀残疾，自卑自愧，总是不敢对他妻子亲近，只是远远地保护着她。如此过了两年，倒也平安无事，突然有一日，某人家族中不共戴天的仇家，大举来犯，双方立时展开死战。某人那媳妇亦是武林名家之后，武功颇不平常，掌中双股鸳鸯剑施展开来，已是武林一流名家的身手。某人族中人丁不旺，仇家来犯，媳妇也不能坐视，手提双股鸳鸯剑，与仇家的一个少年子弟血战起来。某人虽然在担心他媳妇与人交手经验不够，但自身已被对方两人缠住，一时之间，自是无法照顾他人。他天赋虽差，但勤能补拙，这时武功已颇具火候，只是剑法惟以沉稳见长，谈不上"狠、准、辛、捷"四字。而对方的武功，却是以慓悍泼辣见称，在此般情况下，某人应付自是吃力，最多也不过只能保持不败而已。

幸好这时某人的盟友已赶来，他那仇家不但行迹飘忽，而且行事奇怪，一击不中，立时全身而退。但这时某人却也突然发觉，他的妻子竟已在恶战中失踪了，某人焦急之下，立时前往寻找。他不敢惊动别人，只因他得知他母亲对这媳妇已有嫌弃之心，若是知道媳妇失踪，定不准别人去找的。但一人之力，终是有限，他过了半个多时辰后，方自寻至一片桃花林外……一片桃花林外……"

说到这里，他面色更是悲怆沉痛，连语声都已颤抖起来，似是这往昔的故事，直到此刻仍在刺着他的心。过了半晌，他方自缓缓接着说了下去："那时月光满天，满林月影浮动，落花缤纷……而那桃花林中，却传出了一阵阵……一阵阵销魂之声。某人虽非君子，亦非小人，听到这声音，立时顿住了脚步，方待转身离开，而那林中的销魂呻吟，已变成了呼唤。"

他说的本是最最旖旎之事，但语声神情间却充满悲愤。

少女们虽因他所叙之事而脸泛羞红，却又不禁被他神情语气所惊，相顾之间，俱皆愕然失色。

但闻盛存孝一字字恨声道："这呼唤一入某人之耳，他便已发觉竟是自他妻子口中所发。而他妻子口中呢声呼唤着的，正是那仇家少年的名字。"

众人一听之下，又不觉失声惊呼，每一人本都对那"某人"的妻子甚是同情，此刻这同情之心却不觉俱都转到"某人"身上。

盛存孝面容已扭曲，语声已颤抖：

"某人惊骇悲怒之下，霍然转身，便待冲入桃花林，但冲了几步，那悲愤之情却又不禁化做自责之心。他想到这件事的发生，本是他自己铸下的大错，他妻子虽然不对，但他自己也并非完全没有责任。一念至此，他全身都软了下去，立时没有了冲进去的勇气，竟倒在一株桃花树下，再也难以爬起。"

他目光凝注窗外，缓缓顿住了语声。厅堂内一片死寂，众人心头俱是十分沉重。

过了良久，孙小娇方自长叹道："如今我才知道，他妻子虽然痛苦，但他本身的痛苦，实还在他妻子之上。"

水灵光幽幽叹道："而他在那种情况下，还能为别人着想，如此宽大而仁慈的心肠，还有谁能及得上？"

易明悄悄抹了抹泪痕，哑咽着道："后来怎样？"

盛存孝缓缓道："他身虽已跌倒，但目光却在无意中瞧见了那桃花林中的景象，这一瞧之下，他又骇得呆了。原来他妻子口中呼唤的虽是他仇家子弟的姓名，但此刻正与他妻子……纠……纠缠的，却非那少年……"

众人齐出意外，脱口道："那是谁？"

盛存孝道："与他妻子纠缠的，竟是一位在武林中声名极响，但却以风流著名的江湖奇人。某人年纪虽不大，声名地位，更难与那江湖奇人相比，但幼时却在无意中见过那奇人一面，印象极是深刻。是以虽相隔多年，但某人一眼瞧过，便已看出那奇人是谁来，那时他心中之惊奇骇异，更是无法形容。他实在不懂那仇家少年怎会变作这江湖奇人，也猜不出这其间究竟存有什么曲折离奇的变化。一时间竟呆住了，等他定过神来，那奇人却似想起一件极为重要的事，竟突然离去，那身法之快，岂是人所能及。某人那时之心境，实是混杂着悲愤、自疚、惊奇、诧异，成千成百种不同的情感，亦不知是酸是苦。只见他妻子已似晕迷在地，又似睡着了，衬着满地桃花，那睡态……唉！某人心中爱恨交迸，突然冲了进去……"

易明嘶声惊呼道："他……他可是将他妻子杀了？"

盛存孝黯然道："那时他实有一刀将他妻子杀却之心，但……但哪知他那妻子却在梦呓中叫出了他的名字。这一声呼唤虽轻，但在他听来，却犹如轰雷击顶。这时，他才知道，他妻子心底还是有着深情，只是……他太无能，他太无用，他委实错怪了他的妻子。"

这铁汉越说声调越高，突然一掌重重击在桌子上，碎了的瓷

杯，俱全割入他手掌之中，他手掌立时满流鲜血。

但他丝毫不觉疼痛，只是长叹一声，黯然垂首，缓缓道："那时他便想到，他自己既是满身罪孽，他妻子的一时失足，他为何不能原谅？于是他不发一言，将他妻子抱回家中，也未将此事向别人提起。"

众人俱不禁为之唏嘘感叹，少女们已凄然落泪，水灵光更是泣不成声，只因她已听出了此事的究竟。

孙小娇流泪道："这……这某人倒也不愧是条男子汉……"

易明抽泣道："完了么？"

盛存孝亦是热泪盈眶，道："往事已矣，我本也要将此事永远藏埋心底，哪知，过了几个月，我才发觉她……她竟已有了身孕。"

说到最后，他终于还是说漏了嘴，说出了"我"字，他身子不觉为之一震，倏然顿住了语声。其实他纵然不说，别人心里又何尝没有猜到，目光早已带着无限的怜悯与同情，投注在他身上。

盛存孝双目四望，凄然笑道："这故事中的'某人'究竟是谁，在下不用再说，各位想必也知道了。"

众人长叹一声，垂下头去，不忍去瞧他凄痛的神色，惟有朱藻端坐不动，面色亦是沉痛已极。

易明突然道："但……但这又与水姐姐有何关系？"

盛存孝道："你可知我那妻子是谁？"

易明怔了一怔，摇头道："不知……"

盛存孝流泪道："我那妻子便是水灵光的母亲，她那时肚中所怀的身孕，便是水灵光这……这孩子。"

水灵光身子摇了两摇，猝然晕了过去。

易明痛哭着扶起了她。

孙小娇道："但这……这又与朱……"转目瞧了朱藻一眼，突似想起了什么，骇然道："莫……莫非那江湖奇人，便是……便是……"

再瞧朱藻一眼，但见朱藻双目竟已血红，身子不住颤抖，神情当真怕人已极，孙小娇身子一震，倏然顿住语声。

盛存孝却已一字字道："不错，那奇人便是夜帝，水灵光与朱藻本是血亲兄妹，是以万万不能成婚!"

众人虽然早已猜到这事实，但此刻听他说出口来，心神仍不禁为之震栗，孙小娇双目一闭，似也将晕了过去。

突听朱藻仰天长啸一声，啸声有若龙吟，震得四下窗帷都起了一阵阵波动。长啸未绝，朱藻双肩一振，突然穿窗而出，但见他吉服上的金条在夜色中闪了两闪，便已瞧不见了。

云铿要想追赶，已是不及，惟有连连顿足长叹。

环顾室中众人，无一人面上不是泪光莹然，片刻前还是满堂欢笑的再生草庐，此刻已满布愁云惨雾。盛存孝默然垂首道："在下实在该死，竟……"

云铿截口叹道："若非兄台前来，此间已铸成滔天大错，此等恩情，在下实……唉! 请受在下一拜。"话未说完，忽然翻身拜倒。

盛存孝也赶忙拜倒在地，两人本还互相谦谢，互相扶携，但到后来，竟只是跪在地上垂首流起泪来。

众人看到这般模样，心里自也大是悲痛。但想到若非盛存孝无意中闯来，大错便已铸成，那情况更又不知要比此刻悲惨多少倍了。

于是众人又觉这实是不幸中之大幸，自己本该欢喜才是——而此时此刻，又有谁能欢喜得起来? 一时之间，众人也不知自己心里究竟是悲痛还是欢喜，一个个木立当地，也不觉都呆住了。也不知过了多久，孙小娇方才牵了牵钱大河的衣角，一面轻拭着面上泪痕，一面低语道："咱们走吧!"

钱大河茫然道："走?"

孙小娇道："再不走……我真要疯了。"

钱大河目光四转，喃喃道："对，还是走的好。"

大旗英雄传

　　"墨龙剑客"龙坚石扶起盛存孝的身子，缓缓道："此间既已无事，我等委实已该告辞了。"

　　云铿道："但……"他本想留客，但想到此刻情况，留下来也是徒增伤心，也只有将留客之意忍了回去，垂首无语。

　　易挺、易明兄妹对望一眼，心中亦在暗暗忖道："少时盛大哥若是知道云大哥的身分，不免又有烦恼。"一念至此，两人不约而同脱口道："盛大哥还是走吧!"

　　龙坚石皱眉道："你们难道不随大哥前去?"

　　易挺垂首道："小弟自是要去的，但……"

　　易明接口道："但水姐姐……我实在不忍抛下她不管，不如……不如你们随大哥先走，我们随后就来。"

　　龙坚石沉吟道："也好……"

　　易明道："不知盛大哥去哪里，我们好寻去。"

　　龙坚石道："崂山山阴上清道观。"

　　盛存孝望着云铿，似乎还要说什么，但此时此刻，无论任何言语，俱都已是多余，惟有长叹一声，黯然抱拳别过。云铿目送他几人身影消失，接着，便是一阵马嘶之声，然后马蹄奔腾，渐去渐远，终于听不到了。

　　五马前后而行，马上人衣衫虽仍鲜艳如昔，但神情却已失去昔日之明朗，心头更是一片沉重。直走了顿饭工夫，还是孙小娇忍不住叹道："天下事有时真是凑巧，老天的安排，更是教人弄不懂。"

　　龙坚石仰天长叹道："造化弄人，自古皆然，有些事之阴错阳差，曲折离奇，当真非人们所能预料。"

　　众人想到这件事的复杂与巧合，俱不禁为之唏嘘感叹。

　　钱大河忽然道："那再生草庐的主人，小弟总觉得他有些奇奇怪怪，实在猜不透他的来历。"

　　盛存孝一字字道："此人必是大旗子弟。"

　　众人骇然，齐地脱口道："大哥怎会知道?"

776

盛存孝叹道："愚兄虽然鲁钝，却也能稍别颜色，瞧他与水灵光之间神情关系，已可猜出其中究竟。"

　　孙小娇叹道："平日我总觉自己武功虽不如大哥，但却比大哥聪明些，今日才知道咱们这些人里，聪明的还是大哥。"

　　柳栖梧缓缓道："大哥的阅历之丰富，考虑周密，又岂是我等能及？只不过平日深藏不露而已。"她这句话说得实是中肯之极，要知盛存孝虽非绝顶聪明，但考虑之周详，行事之冷静，确非他人能及。

　　钱大河忽又道："大哥既然早知他是大旗弟子，为何不出手？"此人气量最是褊狭，那日败在铁中棠手下，至今仍是怀恨在心。

　　盛存孝长叹道："我与大旗门上辈虽是仇深如海，但其中恩怨纠缠，是非曲折，谁也分辨不清。"

　　钱大河道："莫非大哥要将此仇忘去不成？"

　　盛存孝道："我只望这纠缠近百年的仇恨，能在我们这一代中化解，世世代代的流血争杀，能在我们这一代终止。"语声微顿，凄然一笑，接道："我虽无后，但却愿我们这一辈的后人，能从此平平安安地度其一生，只因……只因我已得知终日生活在仇恨与争杀中，实是件再也痛苦不过的事，何况我深信大旗弟子中不乏侠义之辈，例如铁中棠……唉，他的想法就必然与我一样。"

　　钱大河听他夸奖铁中棠，心中更是愤愤不平。

　　龙坚石却慨然道："大哥之见解，实令小弟佩服已极，江湖豪杰若都有大哥这般胸怀，何愁天下不太平？"

　　柳栖梧、孙小娇虽然无言，但神情看来，却显然也对盛存孝此等侠义的胸襟、仁慈的心肠大是钦服。

　　钱大河愤然道："既是如此，咱们又何必赶去？"

　　盛存孝沉声截口道："愚兄此番相请贤弟们出山，并非为了要各位贤弟助愚兄流血争杀。"

　　钱大河道："那又是为的什么？"

　　盛存孝肃然道："我只求贤弟们能在一旁相助，将这纠缠百

大旗英雄传

777

年，死人无算的仇恨，从中化解。"他仰天长叹一声，黯然接道："贤弟你也该想到，以一己之仇恨而令后辈终生痛苦，又是何等自私残酷之事。"

钱大河寻思半晌，终也长叹垂下头去。

这时水灵光已自醒来，伏在易明怀中啜泣不止，易明口中不断在安慰着她，却又不断陪她流泪。

云铿强笑一声，道："往事已去，贤妹又何苦再为往事流泪？但愿贤妹能多想想来日之欢乐，愚兄便可安慰了。"

他话中含有深意，别人虽不懂，水灵光自是懂的。她与朱藻既是兄妹，与铁中棠的情感从此便再无阻碍。

但不知怎地，水灵光仍是觉得一股凄楚之情从中而来，竟是不可断绝，目中眼泪，一时间哪能停止？这一夜便在人们的悲伤与欢喜两种截然不同的情感互相煎熬下过去，不知不觉间，曙色已染白窗纸。

于是水灵光也要走了。她要去找铁中棠，也要去找她的兄长朱藻——在她心底深处，她更是深切盼望能见她那名震天下的爹爹一面。

云铿自不能劝阻，惟有黯然叹息道："只恨愚兄不能相伴贤妹前去……"缓缓顿住语声，目光望着易明、易挺。

易挺慨然道："小弟可代大哥一尽照料之责。"

易明展笑道："对了，水姐姐有我们照顾，必定不会出任何差错的，云大哥你只管放心好了。"

云铿忍不住喜动颜色，道："贤兄妹之侠气爽朗，真无人能及，灵光有贤兄妹照顾，我自然放心得很。"

出门之后，易挺兄妹才想起自己本已答应为盛存孝尽力，此刻又怎能照料盛存孝之仇家？但这兄妹两人行事虽然大意，却都是一诺千金的好男女，此刻心里虽为难，也只有自己承当了。

朝阳满天，将大地照得一片金黄。这兄妹两人都在暗中盼望，这一路能平安无事，水灵光能找着她要找的人，昔日的恩仇，能在人们互相宽恕、互相了解中渐渐消失。

但这三人一路同行，自然不会人过无事。水灵光的绝代风姿、易明的明媚爽朗、易挺的慷慨英挺……这在在都要吸引人们的目光。易挺与易明也不觉学得小心起来——竟已将那华丽马车遣回，也不骑马，只雇了辆普通大车代步，是以一路上倒也平安无事。

这一日已近崂山，他三人竟不敢在大城即墨留宿，却令车夫越过即墨，早早便在个小小的山村歇下。鲁人本少奸恶，山村之中更是民风淳朴。村人虽暗惊于这远客的风姿与华贵，但也只当是自己这小村中的极大荣宠，对他三人只有客气恭敬，绝非冷淡嫉视。

晚饭过了，生性好动的易明忍不住要出去逛逛，拉着水灵光相陪，易挺也只有跟去照料。何况在晚饭时吃着白鸡喝了几杯村人新酿的米酒，兴趣本也颇高，一路聊聊说说，不知不觉已走出村外。

突见山麓旁一片灯火闪烁，其中虽有人影出没，但却寂无声息，风吹长草，四野看来充满了神秘诡异。易明忍不住又动了好奇之心，沉声道："这是在做什么？其中必有古怪，水姐姐咱们去瞧瞧好么？"

她不叫易挺而叫水灵光，只因得知水灵光性情温柔，必会跟她去的，水灵光一去，易挺也只有去了。水灵光果然颔首笑道："瞧瞧也好。"

等到易挺要加劝阻时，她两人已去得远了，易挺也惟有叹息一声，撩起衣袖，大步跟随而去。三人目力俱都不凡，走到近前，便看出长草之间，竟蹲伏着许多条人影，动也不动，也不出声。

易挺变色道："小心了，这……"

话犹未了，突然间，一条人影不声不响地自草丛蹿了出来，左手里黑忽忽的似乎拿着盾牌之类的武器，右手里似乎提着根短矛，口中似是在轻声叱道："看你还往哪里跑？"

易挺大惊之下，拉着易明、水灵光倒退三步。

只见那人影竟扑到地上，左手那"盾牌"往地上一扣，口中轻轻笑道："捉到了……捉到了。"

　　易挺双掌已蓄势待发，但却已看清此人乃是条村汉，他手里的"盾牌"只是个竹篓，长矛却是木棍。

　　那人抬起头来，认出了易挺三人，含笑道："三位客官也出来瞧热闹么，但这里可危险得很。"

　　易明奇道："有何危险？你捉的是什么？"

　　那人也不答话，将竹篓掀开了一线，以木棍在里面拨了两拨，竹篓中突有一条毒蛇蹿了出来，但下半身却又被竹篓压住，夜色凄迷，灯光闪烁之中，只见那毒蛇昂首作态，红舌闪吐，看来十分狰狞可怖！

大旗英雄传（下）

许明康　许黎黎／绘

大旗英雄传（下）

那人也不答话，将竹箩掀开了一线，竹箩中突有一条毒蛇蹿了出来，昂首作态，红舌闪吐，看来十分狰狞可怖！

# 第四五章　夜半歌声

易明惊呼一声，顿觉这村民笑容中也似充满了诡秘之意，情不自禁，倒退了两步，叱道："你……你要做什么？"

那村民笑道："小人只是将捉的蛇拿给客官瞧瞧。"伸出木棍，在蛇首上轻轻一敲，毒蛇红信一闪，又缩回竹篓之中。

易明厉声道："深更半夜，来捉毒蛇，显然必非安分良民。"手肘一碰易挺："抓住他，问问他究竟是何来路？"

那村民立时大惊失色，颤声道："客……客官请慢动手，小人半夜来捉毒蛇，只不过贪得几两银子。"

易明道："什么银子？哪里来的银子？说清楚些。"

那村民战战兢兢，颤声道："前两天，山上来了位活佛，不但有降龙伏虎之威，而且还能生吃毒蛇，据说他老人家曾在西天佛祖面前发下心愿，要吃满十万条毒蛇方能修成正果，重回西天，是以他老人家终日便以毒蛇为餐，还出了一两银子一条的高价，来向小人们收买毒蛇。"

他说的虽近神话，但易挺等三人一听入耳，便已猜到那生吃毒蛇的"活佛"，必定是个行迹诡异的外门高手。

易挺皱眉道："那活佛长得是何模样？"

村民惶声道："小人们肉眼凡胎，可不敢去瞧他老人家，只知他老人家终日在山上一座山神庙里参禅打坐。"

易明道："你们瞧不见他，如何拿得到银子？"

那村民道："小人们捉了毒蛇，只要装作一篓，送到山神庙前，第二日清晨一觉醒来，便会发现那竹篓已飞回小人们的桌上，竹篓里毒蛇已不见了，却装满了佛爷赐给小人们的银子，几天以来，从未错过。"

易明还想说话，却被易挺使了个眼色止住。

村民道："不……不知客官还有何吩咐？"

易挺道："这就是了，你们快去捉蛇吧，咱们也该回去安歇了。"一手拉着易明，转身大步而去。

水灵光见到易明居然竟抛下如此奇秘诡异之事不再过问，也乖乖地跟她哥哥走了，心里不觉有些惊奇，忍不住笑道："今儿天气只怕不好。"

易明瞪大了眼睛，奇道："有何不好？"

水灵光微微笑道："若是好天气，你怎肯回家安歇？"

易明噗哧一笑，道："你当我哥哥真是安分守己的人么？小时他的调皮捣蛋，当真是人人见了都要头大如斗，如今他虽然装出一副道貌岸然的样子来，可也装不久，此刻他哪里是要回去安歇，只不过是要躲开那些村民的目光，然后再走另一条路，偷偷绕上山去。"

水灵光瞧了易挺一眼，笑道："是么？"

易挺垂首笑道："哥哥的事，妹妹总是最清楚的。"

他非但不敢接触水灵光的目光，而且被水灵光瞧上一眼，脸就有些红了，只是水灵光心有别属，却全未在意。三人绕了个弯子，果然再次觅路上山。

易明两只眼睛一闪一闪的，充满了兴奋之情，口中不住喃喃道："那活佛的模样，长得必定奇怪得很。"

水灵光见她一遇着新鲜的事，便像个孩子似的，心中不觉暗暗好笑，其实她自己一想到世上竟有日食数十条毒蛇之人，心里那好奇之心，也是再也无法忍耐，脚步也不觉越走越快了。

三人究竟俱是少年心性，都只想到此事之新奇与有趣，竟无一人想到，此行实是步步危机，充满凶险。那"活佛"既然僻处在半山废庙之中，自是一心要隐迹藏形，若是有人要去窥探他的秘密，他怎会轻易放过？他既以毒蛇为粮，想必早已练成了一种极为毒辣的外门功夫，以易挺等三人的武功，难保不遭他的毒手！

荒山寂寂，冷月窥人，荒草之间，虫声啾啾，荒山在夜色笼罩下，到处都弥漫着一种凄清幽秘之意。易明脸蛋儿虽是火热的，但手足却早已冰冰冷冷，一路不住低语道："莫要害怕，这草里不会有毒蛇的。"

她叫别人莫要害怕，自己心里却害怕得紧，一路提心吊胆，生怕被草里的毒蛇蹿出来，在脚上咬一口。水灵光暗暗好笑，突然轻呼道："蛇！"

易明嘤咛一声，整个人都扑到水灵光怀里，面上已吓得全无一丝血色，颤声道："蛇……蛇在哪里？"

水灵光笑道："蛇在那活佛的肚子里。"

易明又笑又啐，道："原来你是个坏东西，我真恨不得要你真被毒蛇咬上一口，那才称了我的心。"

突听易挺沉声叱道："噤声！"

水灵光、易明随着他目光望去，只见林木间，背山处，隐约已可看见一座庙宇的朦胧黑影。昏黄黯淡的灯光，自残砖瓦间透了出来，更增加了这废庙的神秘与诡异，当真犹如神话中妖魔鬼怪的居处。

三人不约而同，提气蹑足，伏身而行。忽然间，一阵沙沙的脚步声自山下传了上来。三人心头俱是一跳，齐地在乱石树木间藏起身子。

只见一盏白纸灯笼，自山下飘了上来，来到近前，才可看到灯笼后的四个青衣人，手里各各提着只竹箩。这四人垂首急行，既不敢东张西望，也不敢抬头望上一眼，走到庙门前，远远便停下脚

大旗英雄传

785

步。四人轻轻放下了竹箩，一齐跪了下去，对着破庙，恭恭敬敬地磕了三个头，口中还似在喃喃默祷。

白纸灯笼，火光荧荧，将这四人已骇成铁青的面色，照得更是怪异可怖，这时乳白色的夜雾，已自荒草间升起。夜雾弥漫下，寒风吹动中，一盏白纸灯笼，随风摇晃，四个行迹诡异的青衣人，面对着破庙跪拜。

这又是何等奇诡幽秘的景象！

易明情不自禁，悄悄拉起水灵光的手掌，紧紧握住，她指尖已不觉有些颤抖，掌心也不觉沁出了冷汗。只是她心头虽然充满恐惧，却也充满了兴奋。

忽听破庙中有人缓缓道："去吧！"短短两个字，语声出奇的低沉，却又出奇的有力，每个字都像是一柄铁锤，在人心上重重击了一下！

易挺等三人心头都不觉一凛："此人好深厚的内力！"那四人早已匆忙爬起，倒退数步，转过身子，飞也似的奔下山去。

这时残破的庙门，突然"呀"的开了一线。一个头戴竹笠，身穿灰袍，瘦骨嶙峋的灰须老者，自庙门里一闪而出，身手之轻灵，已是武林一流高手。他往返两次，霎眼间，已将四只竹箩都提了进去，庙门瞬即阖起，发出"吱呀"一声，仿佛恶魔的叹息。

接着，破庙中便传出一阵低语，却听不清说的是什么，易明附在水灵光耳畔，轻轻道："里面有两个人。"

水灵光道："另一个想必就是那活佛了。"

易明道："不知……不知他是何模样？"

两人附耳低语，易挺也不知她两人在说什么，但瞧了水灵光一眼，他竟突然长身而起。

易明赶紧拉住他衣角，易挺俯身低语道："既已来了，好歹也得去瞧瞧，那活佛究竟是什么人物？"

易明不觉奇怪道："哥哥的胆子怎地突然大了？"

只听易挺道："你若是害怕，就留在这里。"

易明咬了咬牙，立即站起，三个人屏息静气，一步步走过去，谁也未曾施展轻功，只怕风声惊动了庙中的高手。

那破庙果然已颓败不堪，砖瓦间随处都有破隙，二人在贴近地面处各自寻了个较小的裂口，眯起眼睛望了进去。但见这残败的破庙里，竟早已打扫得干干净净，一尘不染，神案龛幔，早已被抛出，庙中空无一物。惟有一盏孤灯，放在中央，发着昏黄的火光。闪烁的火光中，一个满身红衣如火的僧人，盘膝坐在迎门的一个蒲团上，寂然不动，宛如佛像。他身材极是高大威猛，一颗头颅，更是大如芭斗，赤红的脸膛，焕发着一种妖异而眩目的红光，甚至连头顶与双眉俱都是红的颜色，惟有一双目光，却是黑白分明，锐利如电！他生得倒也并非十分狰狞古怪，只是从头到脚那一身妖异眩目的鲜红颜色，却委实红得慑人魂魄。

易明定睛向他瞧了两眼，连眼睛都似已刺痛起来。再看方才提入蛇笼的那灰袍人，此刻盘膝坐在他身旁，瞧两人坐的方向，这灰袍人显见乃是那红衣僧的门人弟了。

水灵光等三人也瞧不见这灰袍人面目，只见他双手不停，将笼中的毒蛇，一条条捉了出来。那般狰恶凶猛的毒蛇，到了他那枯瘦漆黑的手掌中，竟都变得生气全无，听凭他翻来覆去，随意摆布。顷刻间，灰袍人便已自毒蛇中选了十余条最大的放在笼中，恭恭敬敬送到那红袍异僧面前，然后倒退而回。

大旗英雄传

这时易明等三人都似已觉出将有一幕残酷的景象在眼前出现，三人眼角的肌肉，都不禁激动得颤抖了起来。只见这红袍异僧微一伸手，便将一条毒蛇攫在手中，接着，他竟张开那血盆般巨口，一口将蛇头咬住！

易明等三人都不觉心头一寒，但见这红袍异僧并未有任何动作，只是胸膛不住起伏。而那粗壮的毒蛇，竟随着他胸膛起伏，渐渐萎缩了下去，转眼间，便只剩下一条蛇皮空壳，血肉竟都已被那红衣异僧吸入腹中，易明只瞧得胸口作呕，若非咬牙忍住，早已吐

了出来。但那红衣异僧却似将这毒蛇视为天下无双的美味，不到盏茶工夫，便将六七条毒蛇血肉都吸下了肚。

他生吃毒蛇固然骇人，但这张口一吸便将毒蛇血肉吸得干干净净的内力，却更是令人可惊！只见他满身散发的那妖异红光，越来越是鲜艳夺目，目中神光，也越来越是充足，似乎每多吃一条毒蛇，他功力便更增进一分。

易明又惊又怕，实在看不下去了，伸出手，悄悄拉了拉水灵光的衣袂，意思自是要水灵光走了。水灵光点了点头，也悄悄拉了拉易挺的衣袂。但三人还未站起身子，那灰袍人突然回转头，似有意，似无意，向三人偷窥之处瞧了一眼。

三人心头俱是一震，而水灵光之惊震尤胜于易家兄妹，只因她已瞧出这灰袍人竟是她本就认得的人物。幸好这时那红袍异僧低声说了句话，灰袍人便又转过头去，水灵光等三人，哪里还敢停留？三人不约而同，悄悄退步，转过身子，飞掠而出，直奔到回头瞧不见庙里灯光，三人这才松了口气。

易明喘息着道："好厉害！"

易挺沉声道："那红袍僧所练的外门毒功，显已登峰造极，他若发现了咱们，只怕咱们谁也休想活着下山了。"

易明道："他是谁？你可认得？"

易挺叹道："江湖侠踪，我虽也颇不生疏，但此等显已隐居世外的大魔头……唉！我还是不认得的好。"

水灵光忽然道："但他弟子我却认得。"

易明张大眼睛，道："谁？"

水灵光缓缓道："他便是寒枫堡主冷一枫。"

三人回到山村小店，易明犹自惊奇不已，不住喃喃道："冷一枫？他怎会做了那魔头的弟子？"

易挺叹道："连冷一枫都肯拜他为师，此人之身分武功，自可想而知，咱们还是莫要招惹他的好。"

788

易明道："谁招惹他了？我只是想……"

易挺道："最好连想也莫要去想。"瞧了水灵光一眼，突然又道："我倒并非心寒胆怯，但咱们此行为的只是寻人，又何必多管闲事？"

易明噗哧一笑，道："我瞧你正是已心寒胆怯了，你不承认也没有用……水姐姐，你说是吗？"

水灵光含笑瞧了易挺一眼，易挺脸又红了，干咳两声，道："明晨还要赶路，还是早些睡吧！"他竟再也不敢瞧水灵光一眼，逡巡着走了出去，易明少不得又有一番嘀咕，然后方自渐渐入睡了。

水灵光却是翻来覆去，难以成眠。她白日虽然也有笑容，但每值夜深人静时，她当真是思潮翻涌，百念纷生，剪也剪不断，理也理不清。再加易明这一夜竟不停地做着噩梦，不时梦呓着道："蛇……蛇……火……火一样的蛇……"

水灵光轻叹一声，披衣而起，悄然推开窗子，窗外星月满天，夜凉如水，她口中却在低念着铁中棠的名字。

"如此星辰如此夜，为谁风露立中宵……"

不知何时，她心中悄悄涌起了这两句残缺不全的诗句，她忘记了诗是谁人作的，也记不起这字句是否与原诗一样。但此时此刻，这两句残诗竟在她心中留连不去，她仔细咀嚼其中之滋味，只觉一种销魂之意，直泛心头。

突然，晚风中传来一阵悲泣之声，悲悲切切，本已令人神伤，听在水灵光此刻伤心人耳中，更是声声断肠。她目中竟也不知不觉地流出了眼泪，不知不觉地掠窗而出，仿佛落魄似的，向哭声传来处走了过去。她却不知如此星辰，如此月夜中，除了她之外，还有一人也是难以成眠，也在推窗而望。

此人正是易挺。他瞧见长发披肩，白衣如雪的水灵光突然出现在月下——月光下的水灵光，更有一种出尘绝俗的美。他也不知不觉瞧得呆了，失魂落魄地掠窗而出。

大旗英雄传

哪知水灵光竟纵身掠出了墙。

易挺一惊，方待跟出去，但心念转处，却又停下了脚步，微一沉吟，便去唤醒了沉睡中的易明。

易明睡眼惺忪，一跃而起，大呼道："蛇……"转眼瞧清了易挺，心才定了，却不禁皱眉道："什么事？"

易挺道："水姑娘听见哭声，一个人走出去了，我……我有些不放心，你跟去瞧瞧好么？"

易明嘟着嘴，皱着眉头，道："你既不放心，你去好了，我还要睡……"话未说完，身子又要倒下。

易挺连忙拉住了她，强笑道："女子半夜啼哭，说不定是谁家的大姑娘小媳妇受气，我一个男子汉，跟出去算什么？"

易明轻叹一声，摇头道："我为何要是你妹妹，我为何不是你哥哥？"一面匆匆穿起了衣衫。

等她追出去时，水灵光已走得远了，幸好她走得不快，那一身雪白的衣衫，在夜色中又十分惹眼。易明终于发现了她，提气纵身，赶了过去，本待埋怨几句，但瞧见水灵光面上那凄婉的神色，又只得忍住。

水灵光见她来了，凄然一笑，道："你听。"

易明这时才觉出那哭泣之声，果然甚是悲切，心也不禁动了，皱眉道："谁家的女子受了欺负，咱们去瞧瞧。"

哪知这哭泣之声听来虽近，其实却极遥远，只因这山村之夜，委实太过静寂，是以远处的哭声听来也极清晰。水灵光本是漫步而行，此刻却不禁越走越快，到后来两人索性施展开轻功身法，飞掠而去。这里已是崂山，山脚下，有一点香火，宛如地上的孤星，那哭泣之声便是自香火处传过来的。

水灵光与易明赶到近前，星光下，但见那一枝香火，乃是插在山脚下的一块青石上，却有两个黑衣素服，身材纤弱的女子，正跪在香火前啼哭，她们的面上，竟蒙着块黑纱，似是不愿被人瞧见她们的面目。

易明停下脚步，又皱起眉头，道："原来她们不是受了别人欺侮，只不过是自己在这里啼哭而已。"

水灵光黯然道："瞧她们哭得如此悲泣，所哭的想必是她们十分亲近的人，却不知那人听得见她们的哭声么？"说着说着，她早已又是满眶泪水。

易明暗叹忖道："水姐姐真是多愁善感。"口中却道："那人若是死了，有人为他如此伤心，他死的也算值得了。"

水灵光凄然道："但……但……"

易明截口道："但是那人若未死，却令别人为他如此伤心，他不是混账，便必定是个呆子。"

她两人的说话声音虽不大，却也不小，但那两个黑衣女子悲恸之下，竟似谁也没有听到。晚风似也在伴着她们的哭声呜咽，在这凉夜中混成一阕断肠的乐章，水灵光本已泪流满面，此刻更是泣不成声。

易明轻叹一声，摇头苦笑道："人家哭的人，你连认都不认得，你却又陪着人家哭个什么？"

水灵光流泪道："她们哭她们的亲人，我哭我的伤心事，大家都是伤心人，能在一齐哭哭，也是好的。"

易明怔了一怔，揉着眼睛道："你说的话，我不懂，但……但你若再哭，我……我也忍不住要哭了。"

水灵光道："好，哭吧……哭吧……但愿天下的伤心人，都能到这里来，尽情痛哭一场……能哭出来，总比闷在心里好。"

易明道："你们都有人好哭，我……我却连一个能为他哭的人都没有，我……我岂非比你们还要可怜多了？"说着说着，她越说越觉伤心，终于也忍不住放声痛哭起来，而且哭的声音，比别人都大。

朦胧的星光，映照着四个痛哭着的少女……婆婆的树影，在鸣咽的晚风中回舞着柔枝。这是何等美丽，却又是何等凄凉的图画？

　　四个人又不知哭了多久，那两个黑衣少女突然回过头来，抽泣着道："姐姐们……莫要再哭了吧!"

　　易明道："你们哭得如此伤心，却为何要我们不哭？只要你们不哭，我们也自然不会再哭了。"

　　那黑衣少女道："我们……我们又怎能不哭？但姐姐们若无什么真的伤心事，还是莫要再哭的好。"

　　易明道："你又有什么真的伤心事？"

　　那黑衣少女仰面向天，道："一个人死了，他一生之中，不知为人牺牲了多少，但却从无一人知道。"

　　另一少女接道："他牺牲了一切，但却连他的兄弟亲人，都不能谅解他，他的师傅，也将他当个叛徒。"

　　黑衣少女道："他生而无母，他的爹爹也死了，他在世上，惟有一个最最亲近的人……但……但……"

　　另一少女道："但最后他却是死在这亲人手上。"

　　简简单单几句话，却叙出了个惨绝人寰的事，再加上这少女们凄婉的语声，又有谁能不为之断肠？

　　易明更是听得痴了，呆呆地出了会儿神，喃喃道："若真是这样的人，我……我也要为他哭的。"

　　垂首哭泣着的水灵光，突然抬起头来，反手抹了抹脸上泪痕，颤声道："你……你们说的是谁？"

　　黑衣少女们转过头，望向她。星光映着她那苍白、憔悴，但却美绝人间的娇靥，满天星光，都似乎没有她一双眼波明亮。黑衣少女们竟也似痴了，良久良久，说不出话。

　　水灵光道："你们……你们为什么不说话？"

　　两个黑衣少女，突然痛苦着一齐扑在地上。

　　水灵光花容更是惨变，道："你……你……"

　　黑衣少女泣不成声地断续着道："我们……我们哭的人，姐姐你……你本也知道的……"

　　水灵光颤声道："谁？……究竟是谁？"

黑衣少女道："铁……中……棠!"

易明再也忍不住脱口惊呼出来："铁中棠?"

水灵光早已一把抓住了那少女的衣襟，嘶声道："铁中棠?你……你说的真是铁中棠?"

黑衣少女凄然道："世上还有什么人，比铁中棠牺牲的更多?……除了铁中棠外，我还会为谁如此悲痛?"

水灵光全身都颤抖起来，犹如风中之枯叶，口中却大呼道："你骗我，铁中棠不会死的，不会死的……"

黑衣少女道："他真是不该死的，但却真的……真的是死了……水姐姐我又怎忍骗你?"

水灵光道："你……你认得我?你是谁?"

黑衣少女道："冷……青萍……"

水灵光轻呼一声，目光望向另一少女。那少女将蒙面的黑纱，轻轻掀起，露出她那能令任何男人销魂蚀骨的面容，露出她满眶泪珠……

她，正是温黛黛。

水灵光身子摇了摇，全身上下，突然变得一片虚空，再没有任何力量能支持住她的身子。只因她深知别人的话纵然会假，但这两人却是万万不会骗她的——她软软地倒了下去。

易明娇呼着抱着她，一面大叫道："是谁杀死了铁中棠，是谁敢杀死铁中棠?快告诉我!"

温黛黛垂首道："他的义弟云铮。"

水灵光身子又是一震，易明也呆住了，呆了半晌，方自喃喃道："云铮……云铮……他在哪里?"

温黛黛道："他也死了!"

水灵光柔弱的心，哪里还能忍受这任何人都难以忍受的打击?她一声惨呼还未出口，便已晕厥过去。

易明仰首向天，嘶声道："苍天呀苍天，世上为什么有这许多悲惨的事？难道你就不伸手管管么？"

　　她却不知就在今夜里，悲惨的事此刻还未发生哩！

　　铁中棠虽然未死，但却比死还要痛苦得多。在这段日子里，他所忍受的，除了他之外，世上只怕再也无人能够忍受，他的心，当真已磨炼得犹如钢铁！

　　他咬紧牙关，将一切不该想的事都自脑海中逐出，设法忘记——若非自己也有着一段刻骨铭心，椎心刺骨，连梦魂中都难以忘怀的悲情往事的人，绝不会知道这"遗忘"两字做来有多么困难，多么痛苦！

　　但坚强如铁的铁中棠却做到了，他将全部精神、全部意志，全都集中起来，不分昼夜，苦苦练武。他拼命折磨着自己，鞭策自己，绝不让自己有丝毫休息，只因他只要稍有停顿，那痛苦就犹如毒蛇般啃噬他的心！

　　人类，确是种奇怪的动物。天下万物中，惟有人类心灵的痛苦，甚于肉体，也惟有人类能以肉体的折磨，减轻心灵的痛苦。

　　夜帝，却终日石像般呆坐着。

　　这幽秘的地窟陈设虽华美，但少了他豪迈的笑声，一切就变得黯淡无光，寂寞冷清得无法忍受。那些可爱的少女们，也早已失去了她们可爱的笑容，有时她们面对铜镜，甚至已忘却了自己笑时是什么模样。她们也在不停地鞭策着自己，昼夜不息地清理着被她们炸毁了的秘道，清理着秘道中的碎石。

　　终于到了一日，她们计算距离，已将至出口，再有半日的工作，就可将整条秘道完全打通。这时她们的容颜已憔悴不堪，她们头上的青丝也失去了原有的光泽，她们华丽的衣衫已破碎而褴褛。她们昔日那柔细的纤纤玉手，如今已生满了粗糙的老茧，她们明媚的眼波，也充满了泪珠！但那却是快乐的泪珠。只因她们辛苦的工作，终将有了报偿。

　　到了这一日，铁中棠也抛下了一切，参与她们的工作，石像般的夜帝，也似乎有了生气。眼见地道已将打通了，这时他们心里的激动与兴奋，纵然用尽世上一切智能，也无法形容。

哪知，就在这最后关头……

窖然有一方千万斤的巨石，轰然而下，隔断了那最后的道路，隔断了她们一生中最大的希望，毁灭了她们一生中最大的快乐，使她们所有的辛劳，俱都化为泪水，使她们初露的笑容，又复化作眼泪。在这短暂如流星过目，却又漫长如永无止境的刹那里，少女们全身力量又复化做了虚空。她们一个个痛哭着跪倒在地，再也无力站起。

夜帝目光赤红，身子颤抖，须发一根根倒竖而起，那一双紧握着的铁掌中，握满了说不出的悲痛与愤怒！

铁中棠呆望着那一方绝非任何人力所能移开的巨石，黯然道："苍天呀苍天！你难道真要将我们困死在这里？"

但这时，红尘中却已开始流传着一件耸动天下的消息："夜帝又将复出！"这消息是自常春岛流传出的，温黛黛自也知道。

水灵光短暂的晕迷醒来后，温黛黛便简略地叙出了一切事发生的经过——她自是流着眼泪说的。

水灵光、易明也是流着眼泪在听。

只听温黛黛接着道："他们死了，我活在世上又有何生趣，本也想随他们死了，倒也落得干净，但……"她目光深深凝注着水灵光，道："但我们这样死了，岂非太不值得？我们好歹也要为他们做出一些事来，然后才能死！我们的死要死得有价值，只因惟有我们死得有价值，才算对得起他们。"

她这话虽是在说自己，却也无异是说给水灵光听的。

水灵光目光凝注着天畔最远处一点星光，喃喃道："不错，要死得有价值……我万万不会平白死的。"

温黛黛暗中叹了口气，道："但那常春岛，我实也无法再耽下去，只因若是再耽下去，我如不死也要疯了。"

这期间只有易明悲痛较浅，是以心中仍有些好奇。她眨了眨眼睛，忍不住问道："闻说留在常春岛的人，从此便是断绝红尘，那日后娘娘又怎会答应你走的？"

温黛黛道："她没有答应，是我自己走的。"

易明张大了眼睛，吃惊道："原来你是逃出来的，闻说那常春岛犹如龙潭虎穴一般，你怎能逃得出？"

温黛黛道："常春岛虽然一向纪律森严，但最近一阵子，却有一件事，使得常春岛也有些乱了起来。"

易明道："能使常春岛惊动的事，那想必非同小可……呀！是了，莫非是为了雷鞭老人要去寻仇？"

温黛黛道："雷鞭又算得什么？娘娘怎会将他放在眼里？他不去还罢，若是去了，只怕也休想回来！"

易明皱眉道："那却是为了谁？世上难道还有比雷鞭老人更强的人么？……呀！是了，还有一个。"

两人对望一眼，心里自然已知道此人是谁，易明道："但……但是他……他已有许多年未见了。"她从未说出此人的名字，水灵光却也已猜到，她只觉心头忽然闪过一丝奇异的兴奋与激动。

只听温黛黛已缓缓道："不错，多年以来，夜帝俱都未在人间现身，但那只是因为他已被娘娘用计困在海滨地窟之中。"

水灵光再也忍不住脱口惊呼出来，颤声道："那……那地窟在哪里？你……你可知道么？"

温黛黛道："我纵然知道，也已无用了，只因那夜帝已在不久以前，自地窟中脱身而出。"

易明喃喃道："这就难怪常春岛要被惊动了……"转目瞧了水灵光一眼，只见她激动的面容上，半是失望，半是欢喜。

她失望的是：她爹爹既已重入红尘，从此势必又将如神龙夭矫，翱翔天下，她又不知要等到何时听到他的消息。

她欢喜的自然是：她爹爹终究仍然健在人间，无论如何，她终有一日总会见着他的。

# 第四六章　毒神之秘

但这瞬息的轻微欢喜，立时便被永恒的沉重悲哀所掩没——时间纵将消逝，这悲痛却永将留存她心底。

铁中棠去了！

她永远再也瞧不见那坚定而又温柔的面容，永远瞧不见那有时闪亮如火焰，有时却又温柔如水的眼波。这一切在她心中占据了太多位置，如今她的心已是一片空虚，只因她的失望绝无任何事物所能代替。其实此时此刻，又何止是她？温黛黛、冷青萍又何尝不是满心悲痛，柔肠寸断，泪珠如雨……

就在这时，就在这人人俱都黯然销魂，不能自已之际，易明突然发出一声惊呼，嘶声道："蛇……蛇……"

夜色中虽瞧不见她面容，但想见她面上必已毫无血色，她颤抖着伸着手掌，指着面前的山石。只见山石上那一点香火下，果然盘着一条颜色甚是怪异的小蛇，身上似乎闪动着一层乌金色的光芒。这条蛇长不及一尺，粗不及拇指，实是小得可怜，但红舌闪缩，嗖嗖作态，却大有不可一世之概。

温黛黛本也吃了一惊，此刻见到不过是如此一条小蛇而已，微一皱眉，便待伸手去取。但她手掌还未伸出，便被水灵光一把抓住，只觉她指尖冰冷，不住颤抖，似是心中充满惊恐。

温黛黛心头一动，转首望去，只见她一双水汪汪的大眼睛里，也已充满惊恐之色，不禁奇道："这条小蛇你怕什么？"

水灵光道："这条蛇必是奇毒无比，动不得的。"

要知她自幼生长在沼泽之中，毒蛇自是见得多了，但形状如此怪异，神情如此狰恶的毒蛇，却连她也未见过。但见这金蛇仍然盘踞在石上，动也不动，似是根本未将面前这四个活生生的大人瞧在眼里。

易明越瞧愈是害怕，颤声道："怎……怎么办呢?"

水灵光目光四下搜索，口中道："此等毒蛇，说不定已深具灵性，纵是深山大泽也不常见。"

易明道："那它怎会跑来这里?"

水灵光一字字道："必是有人放出来的!"

易明倒抽一口凉气，目光抬处，突见山坡上，树阴下，鬼魅似的现出条人影，易明嘶声呼道："人……人在那里!"

只听那人影阴恻恻一阵冷笑，道："幸好那丫头还有些见识，否则你们四人此刻只怕早已都去见阎王了。"

此人头戴竹笠，身穿道袍，影绰绰依稀可看出乃是个出家的僧道，只是在黑夜中谁也无法辨出他面目。

易明道："我们与你无冤无仇，素不相识，你……你……你为何要放出这条毒蛇来害我们?"

那人冷笑道："不错，你们四个小丫头自谈不到与老夫有何仇恨，但你们哭的那人却是老夫的大仇人!"

易明怔了一怔，道："你……你是说铁中棠?"

那人狞笑道："铁中棠呀! 铁中棠，你这奸贼、恶徒，你这不是人生父母养的畜牲! 你……"他牙齿咬得格格作响，语声中充满怨毒之意。

冷青萍突然飞身而起，颤声呼道："他人已死了，你还骂他?你……"

那人目中射出杀机，轻叱道："金奴，上!"突然间，金光一闪，冷青萍语声立时停顿。

水灵光见她身子一动，面色已是惨变，但拉也拉不及了，此刻失声惊呼道："你……你没有事么?"

星光下，但见冷青萍蒙面黑巾，波浪般起伏不定，手足四肢，也起了阵阵疼挛，她似是想说什么，却无力气说出口来。再看那金蛇又已回到石上，它方才身子一挺，便已在冷青萍腕上咬上一口，来去之快，当真是快如闪电。

水灵光花容失色，温黛黛方待伸手去扶，冷青萍已跌在地上，道："你……你好……好狠!"

那人狞笑道："这本是你自找死，怪不得我，我家金奴既已在你腕上留痕，世上已无药可解，你只有等着见阎王了!"

冷青萍道："不……不错，我……我立刻便将见……见着铁中棠了……你成全了我……爹爹……"

这一声"爹爹"叫出口来，众人一惊实是非同小可，易明嘶声道："什么? 他是你爹爹?"

冷青萍凄然笑道："不错……"

那人也似骇得呆了，道："你……你是谁?"

冷青萍道："女儿……青萍……"

话犹未了，那人已大喝一声，疯了似的奔下山坡，一把拉过了冷青萍，劈手撕下了她蒙面黑巾。满天星光，映着冷青萍苍白的面容，但见她嘴角似笑非笑，面颊上却已流满了晶莹的泪珠。

那人身子一震，竟也扑地跌倒，颤声道："萍儿……果然是萍儿……"但见他高颧削腮，鼻如鹰隼。

他，赫然竟是冷一枫!

温黛黛、水灵光、易明，眼见着眼前又是一幕人间惨剧，一个个俱是泪流满面，呆若木鸡，不知如何是好?

只听冷青萍凄然笑道："爹……爹你虽未认出女儿，但……但女儿却早已听出爹爹的声音。"

冷一枫嘶声厉喝道："你……你为何不早说?"

冷青萍道："爹爹你又何尝给女儿说话的机会？一提起铁中棠，你心头便被仇恨充满，什么人的声音都听不出了。"

冷一枫双拳紧握，牙齿咬得吱吱作响，突然仰天呼道："苍天呀苍天，我好恨……好恨!"

冷青萍道："他人死了，你老人家还在恨他？"

冷一枫道："若不是他，怎会犹如今这事……我若寻着他尸身，我将之碎尸万段，也难消心头之恨!"

冷青萍苍白的面容上，突然泛起一丝奇异的微笑，道："但如今女儿却立刻便要与他相会了。"

冷一枫厉喝道："你……你敢!"

冷青萍道："女儿敢的……世上已再无一人能拦得住我……我的心一生中从未有过如此安适，如此自信……"她缓缓阖起眼帘，嘴角的笑容，更是凄艳而迷人——已散发出"死亡"那凄艳、恍惚，而迷人的魅力。她语声也变得出奇的温柔，缓缓道："看……看……他已在前面向我招手……你们瞧得见么？"

冷一枫身子早已剧烈地颤抖起来。

冷青萍道："唉! 可惜你们瞧不见他……他笑容是多么温柔……唉! 我实未想到死……竟是如此快乐的事。"

温黛黛本已泪湿衣襟，此刻更忍不住啜泣出声。

冷青萍道："莫要哭……莫要惊吵我……那甜蜜的黑暗，已渐渐近了……他的笑容，也渐渐近了。"她语声渐渐微弱，果真似乎已渐渐入睡。

冷一枫枯瘦的面容，已变为铁青，目光却变为血红! 他霍然转身，面对着那浑身散发着妖异之光的金蛇，竟要将他自己的罪孽，怪在这金蛇身上。只听他喉间发出野兽的嘶鸣："是你……都是你!"突然伸出手掌，一把抓住了那金蛇。那金蛇竟也未想到自己的忠心，竟换来主子的仇恨，惊怒之下，闪电般在冷一枫腕上咬了一口!

毒蛇反噬，其毒无比! 冷一枫宛如被人在心上刺了一针，身子陡然一阵痉挛，紧握着毒蛇的手掌，越握越紧。他枯瘦的手背，青筋已根根凸起，指节已变为惨白！

那金蛇起先还在扭动挣扎，渐渐不能动弹……蛇首渐渐垂下……冷一枫嘴角，渐渐泛出残酷而满足的微笑……

温黛黛等只瞧得手足冰冷，满身冷汗湿透重衣。

突见冷一枫摊开手掌，掌心血肉模糊——那坚韧的金蛇，竟已被他毕生苦练的掌力捏成肉浆！

易明轻呼一声，晕厥过去。

冷一枫却疯狂地仰天狂笑起来，他目光也充满了疯狂之意，浑身肌肤，已变为恐怖的黑色！

水灵光、温黛黛情不自禁，紧紧依靠到一齐，浑身颤抖，满心栗慄，要想转身奔逃，双足却已骇得发软。

只听冷一枫笑声渐渐微弱……渐渐低沉……身子渐渐跌倒……突然软软地跌在他女儿身上。无声寂绝，天地间静寂如死，惟有那香火上的一股青烟，犹在夜中袅娜起舞，但就连这青烟的舞姿，都带着种凄迷恐怖的死亡意味，就仿佛死神本身，正盘旋在晚空中，静等着摄人的魂魄！

水灵光、温黛黛木立当地，甚至连指尖都已无法移动，只有那飞舞的发丝，是这死寂中惟一的生趣。

风，不停地吹，木叶不停地在风中咽鸣。

也不知过了多久，温黛黛颤抖着伸出手，要想自那可怜的冷青萍身子上，拉起冷一枫。就在这时，她身旁突然多了一条黑影，这黑影来得全无丝毫声息，宛如地底涌起的幽灵。

温黛黛、水灵光大骇转身，星光下，只见一条高大的人影，天魔般立在她两人身后，赫然正是那食蛇异僧！那鲜红的僧袍，纵在夜色中，也显得说不出的妖异夺目，他冷冷地瞧着地上的冷一枫，那目光更是说不出的可怖。

温黛黛与水灵光已经历太多惊骇，已发不出惊呼，只是呆呆地望着他，也说不出一句话。

红衣异僧目光仍然凝注着不知是生是死的冷一枫，嘴角竟突然泛起一丝奇诡、神秘而兴奋的笑容。

只听他口中喃喃低念着道："毒神现体，天下无敌，食毒之门，横行天下……毒神现体，天下……"他翻来覆去，念的始终是这十六个字。

水灵光、温黛黛虽猜不透这四句话的含意，但已觉出这短短十六个字里，必定含蕴着一件可怖的神秘。

红衣异僧目光突然转向温黛黛与水灵光，道："毒神现体，天下无敌……这话你们可懂么？"

他生像虽然奇诡狞恶，但对水灵光、温黛黛两人，却似没有什么恶意，温黛黛只得摇头道："不懂。"

红衣异僧喃喃道："两个小娃儿，自是不懂……其实普天之下，又有几人懂得？又有几人懂得……"他似乎越说越是得意，竟忍不住仰天大笑起来。

洪亮的笑声，如天雷迸发，如海啸怒涌，惊得四下木叶飞落，惊得水灵光与温黛黛耳朵发麻。直过了盏茶时分，笑声方自渐渐微弱，温黛黛与水灵光只觉双耳早已麻木，别的什么都听不见了。

这时阴影中却偏偏传出一阵冷笑之声，道："毒神现体，天下无敌……这又有何难懂之处？"

红衣异僧心中纵然有些吃惊，但面色却绝无丝毫变化，沉声道："什么人？出来说话！"

山麓阴影中，果然缓缓走出一个人来。

只见他满身锦衣，少年英俊，目光中虽有些惊怖之色，面色虽有些苍白，但身子却仍挺得笔直。

水灵光一见此人，又不觉低呼一声，她也想不到此人竟是易挺，再也想不到易挺竟会在此刻突然现身。更令她疑惑不解的是，易挺又怎会懂得"毒神现体，天下无敌，食毒之门，横行天下"这十六个字的秘密？

红衣异僧见到现身的竟是个少年，目光中也不觉微现诧异之色，冷笑道："你小小年纪，懂得什么？"

易挺道："你怎知我不懂？"

他不但面容僵木，神情呆板，这六个字说出来，亦是死气沉沉，与昔日的飞扬活泼之态，迥然而异。温黛黛虽也觉这少年有些异样，还不大惊异，水灵光见了他如此神情，却不禁大是吃惊。在水灵光眼中，此刻这易挺竟似与昔日的易挺不是同一个人，他心神生气，俱似已被别人摄去。

红衣异僧道："你既懂得，可知咱家是谁？"

易挺道："食毒教主，飧毒大师！"

温黛黛心头一凛，暗惊忖道："原来他竟是江湖传言中魔教第一高手，已有三十年未履江湖的飧毒大师！"

飧毒大师名震大卜之时，温黛黛虽还未生出来，但她耳朵里听得"飧毒大师"这名字，却已不止一次。温黛黛虽未看见这飧毒大师手段究竟如何厉害，但却看见每一个提起他名字的人，无论是谁，只要说出"飧毒"两字，身子便难免为之悚栗——此刻温黛黛面对这江湖中人人闻名丧胆的人物，心头也不禁泛起一阵寒意！

只见飧毒大师浓眉微微一扬，道："不想你小小年纪，竟知道老僧的名字，我再问你，何谓毒神现体？"

易挺道："毒神现体，为食毒教下两大魔功之一。"

飧毒大师道："不错！"

易挺道："练成毒神之体，四体俱属极毒，纵是武功已入化境之人，一触毒神之体，也要中毒无救！"

飧毒大师道："不错！"

易挺道："但要练成毒神之体，必须牺牲食毒教下，已将毒功练至五成火候以上的一个弟子性命。"

飧毒大师道："不错！"

易挺道："而食毒教下弟子本极凋落，只因这毒功练到后来虽

大旗英雄传

易速成，但入门这一道功夫却难如登天，食毒教主选来的弟子，十人中倒有九人在练第一道功夫时便已因毒丧身，能将毒功练至第五层火候的，实是绝无仅有，食毒教主自舍不得牺牲他的性命，来练那毒神之体。"

飧毒大师道："不错!"

他一连说了四个"不错"，镇静冷酷的面容上，已充满了惊奇诧异之色，甚至连语声都已有了些改变。只因他实未想到面前这年纪轻轻的少年，非但知道毒神现体的秘密，而且居然还能说得如此详细。

易挺道："但此刻这冷一枫，却已属毒神之体了!"

这句话说将出来，听他说话的三个人身子都不觉为之一震，就连温黛黛与水灵光面上也变了颜色。她两人方听那"毒神之体"有那般神秘的魔力，此刻再听得冷一枫已练成毒神之体，心里自然吃惊。

只听易挺接道："只因冷一枫之五毒神功，本已练至第五层火候，体中神气血液，都已含蕴剧毒。他平日便要随时吞食些奇毒之物，以毒攻毒，去克制血液中之毒性，否则便要痛苦不堪。于是他体内之毒性，自是日渐加重，他掌力虽然越来越毒，但体内毒性发作时，自也越是猛烈。如此虽是恶性循环，但相生亦有相克，是以除非有了巨大的变故，他体内毒性，万万不致危害自身。但此刻他已遇着件巨大的变故。"

易挺口若悬河，将其中秘密说来，竟是如数家珍一般，这不但令飧毒大师吃惊，也更令水灵光起惑。

转目望去，竟然见到易明的一双明亮的眼睛，正也睁得大大的，凝望着易挺，眼睛里也充满惊奇之意。原来她竟也早已醒来，而且也已听得入神，瞧她的神情，显然也在奇怪她哥哥怎会知道这武林中惊人秘辛。

水灵光暗奇忖道："若是易挺早已知道这秘密，易明怎会不知？若是本不知道，此刻却又怎会知道的？"这些神秘的问题，她纵仔细去想，也未必能想出个究竟，何况此时此刻，她根本无暇思索。

这时易挺又接道："方才那金蛇不但奇毒无比，而且已具灵性，乃是天下七种最毒的毒蛇之一。以食毒教练功之秘，冷一枫平日须得以自身之精血，来喂养此蛇，好教它与自身心灵相通。若以毒教魔经所载，这金蛇实已成了冷一枫的元神，这个是毒教中人故神其说，但也并非全无道理。"

温黛黛、水灵光、易明等三人骤然听得这犹如神话般神秘诡异之事，心头自不觉寒意更重。三个人不约而同，紧紧依偎到一齐。尤其是易明，她平日看来虽然最是明朗爽放，其实胆子却最小，此刻身子早已缩成一团。

只听易挺接道："冷一枫方才被他自身元神咬了一口，他体内之毒，与金蛇之毒本已有了种奇异之感应。此刻两种毒性，相生相引，不但冷一枫体内之毒性已全被引发，而且更形成一种比原毒更胜十倍的毒性。是以冷一枫此刻本身之毒，也已较方才那金蛇之毒更胜十倍，他身体毛发，已无一不是奇毒无比之物。想那金蛇已是世上七大毒物之一，冷一枫此身之毒，自更非同小可，那毒蛇一滴毒液已足令人丧命，此刻冷一枫却只要手指一触，便已足可夺人魂魄！"说到这里，他语声方自微微一顿。

听到这里，温黛黛等人牙关已打起颤来。

易挺道："但纵是如此，还不足以构成毒神之体。只因冷一枫此刻依然身蕴奇毒，但天下武林高手们只要不被他身子触及，还是可制伏于他。"

飡毒大师赤红的面色已变为铁青，沉声道："要如何才能炼成毒神之体，莫非你已知道么？"

易挺道："江湖中人人都知道，中毒之人，无论中毒深浅，只要毒性发作时，气力必定比平时强猛十倍！而冷一枫此刻所中之毒又比世上任何人重得多，他毒性发作起来，其气力如何，乃是可想

而知。是以只要将他此点加以利用，以你的五毒掌力，激发他生命中最后一点潜力，使他变为一具毒尸，再以你毒教中迷神之药，令他完全变成一具傀儡，完全听命于你，那时他虽已不能思想，但气力武功，却比往昔强胜十倍，再加以那一身冠绝天下的奇毒，江湖之中还有谁能抵挡？那时你自己也可以他为工具，而横行天下了!"

他戛然顿住语声，温黛黛等人心房都似已停止跳动!

只见飡毒大师呆呆地木立半晌，目中神光突然暴射而出，厉喝道："我毒教之秘，你是如何知道的？"

易挺道："你走过来点，我告诉你。"

飡毒大师微一迟疑，终于大步走了过去。

易挺道："再走过来些。"

飡毒大师浓眉一扬，冷笑道："你纵有什么阴谋诡计，难道老僧还怕了你不成？"果然又往前走了两步。

就在这时，突然一条人影自飡毒大师身后横飞而来。这人影来势之快，几非目力所能分辨。

温黛黛只觉眼前一花，这人影已到了面前，手中竟是握着块巨石，只见他抡起巨石，便向冷一枫头脑砸下。

温黛黛心念一闪，恍然大悟："原来那少年乃是和此人一路的，他那番说话，只是要分散飡毒大师的注意，好让此人乘机将冷一枫完全毁去，永绝后患。"她这边心念电闪而过，那边巨石已自砸下。

这时飡毒大师已自觉察，怒喝旋身，却已扑救不及。但也就在这刹那之间，温黛黛突然飞身扑起，一双纤掌，拍上了巨石，这掌将那巨石震开三尺。只听"砰"的一声大震，巨石落在地上，砸出了个大坑。温黛黛一掌拍出，却已呆呆地愕住了。

为了铁中棠，她爱屋及乌，再加上一段时间的相处，自己对冷青萍已有了分深深的情感，无论冷青萍生死，温黛黛都不忍见她容颜被巨石所毁!

是以她方才毫不考虑，便将巨石震开，但一掌击出，她忽然想到如此做法的后果，心头却不禁颤栗起来。

那捧石掠来的人影砸下巨石，身形不停，又已掠去。但那一声巨震却令他回过头来，他再也想不到温黛黛竟会出手救了飧毒大师的危困，口中不禁惊呼出声。

他身形就只这微一迟疑，飧毒大师已挡住了他的去路，他那庞大的身躯中，早已满布着杀机！

那人影倒掠三尺，似是算定自己绝对无法逃走，竟索性顿住身子，与飧毒大师对面凝立。

飧毒大师身形虽高大，此人身子也不矮。只见他一身黑袍，长可及地，黑袍随风飞舞，显见他身子必枯瘦无比，只见他黑巾蒙面，也瞧不见面目。

两人四道发亮的眼神，犹如四柄利剑一般，你望着我，我望着你，谁也不说话，谁也不动。但在这无言的沉静中，杀机却越来越重——就连在一旁观看的水灵光等人，都似已被压得透不过气来！

也不知过了多久，飧毒大师突然道：“原来是你！”

黑衣人道：“你此刻才瞧出来么？”他语声平平和和，乍见似是毫无特异之处，但等他话说完了，竟还有一股余力震人耳鼓。

飧毒大师道：“我早该知道你来了的。”

黑衣人道：“是呀，你早该知道的。”

飧毒大师道：“除了你之外，还有谁如此清楚本门秘密？那少年只不过是你的傀儡，代你说出了而已。”

黑衣人道：“是呀，除了我之外，还有谁知道你的秘密？那少年只是无意遇着的，他姓什么我都不知道。”

这两人忽然之间，竟似数起家常来了，不但语声平平和和，而且所说的话也是平常得很。但不知怎的，这些平平常常的话，自这两人口中说了出来，便似乎变得大不平常起来。只因这两人太奇诡，别人只当他两人所说的话必定也充满诡秘，是以两人说出平常

的话来，反倒更是令人吃惊！

　　飧毒大师道："你既已来了，总是好得很。"

　　黑衣人道："不错，好得很。"

　　飧毒大师道："那你就莫要走了吧！"

　　黑衣人道："还是你莫要走的好。"

　　飧毒大师道："哪里哪里。"

　　黑衣人道："好说好说。"

　　两人忽然竟似又说起客气话来，水灵光更是诧异。这其中只有温黛黛涉世最深，早已看出这两人不但俱都心计深沉，阴狠毒辣，而且两人还必定都是势均力敌的强仇大敌，彼此都已将对方恨入骨髓，彼此谁也不敢对另一人稍有疏忽。看来两人虽在说话，其实却都在暗中运功调息，也都在暗中窥望着对方的破绽，随时准备出手一击！

　　在如此情况下，两人自然已将全副精神贯注，非但再也无余力留意对方说的是什么话，自己说的话，也是随口胡诌出来的，是以两人言来言去，自是平平常常——甚至简直有些莫名奇妙。

　　飧毒大师道："这地方不错。"

　　黑衣人道："你留下吧！"

　　飧毒大师道："还是你——"

　　黑衣人道："彼此彼此。"

　　水灵光等人越听越是莫名其妙，但温黛黛观察入微，却知道这两人说话越是莫名其妙，其中杀机便越重！

　　只因两人心头杀机越重，便只想抓住对方精神稍有松懈，好施出雷霆一击，自更无心留意口中所说的话——这其间关系端的极其微妙，除了温黛黛这饱经世故，聪明绝顶的人外，别人自是看它不出。

　　温黛黛打量距离，自己与水灵光等人距离黑衣人与飧毒大师立身之处，最少也有八尺开外。他两人这一击，威力再大，却也不致波及温黛黛等人。温黛黛这才放心，索性坐山观虎斗起来，只望他两人此刻出手之一击，威力越大越好。

只见飧毒大师面色越来越是深沉，那黑衣人目中杀机自也越来越是沉重！但两人那一击竟迟迟不肯出手。

过了半晌，两人仍是不动，又过了半晌，两人还是不动。

温黛黛却不禁有些着急起来，暗道："这两人究竟要耗到什么时候？那一击为何此刻还不肯出手？"一念尚未转完，突觉自己心胸之间，起了一股热闷之意，但手足四肢却似已变得冰冰冷冷。她先还不以为意，但试着抬了抬手足，手足竟似已有些麻痹之感，竟已不能自由活动。她这才大吃一惊，赶紧暗调真气，真气赫然竟也已不能自由运转，她心头一寒，几乎失声惊呼出来。

转口望去，夜色中虽瞧不清水灵光与易明两人的面色，但两人一双明亮灵活的眸子，竟也似失去了原有的神采。温黛黛暗中盼望，这只是她两人方才哭肿了眼睛，当下强作镇定，低声道："你两人觉得怎样？"

易明怔了一怔，道："怎样？"

温黛黛道："你两人可觉得身子有何不妥？"

易明似乎有些奇怪，道："没有什么呀，还……"语声突然停顿，月光中立时露出惊骇恐惧之色。

温黛黛失色道："怎样？是否有些不妥？"

易明道："我……我胸口似乎有……有些发闷……又热得难受……我手足竟……竟似也有些麻了。"她语声竟已颤抖起来，显见心中充满惊怖。

温黛黛心中惊怖之情，委实更胜于她，目光望向水灵光，低声道："水姑娘，你觉怎样？"

水灵光目光已散乱起来，道："和她一样……"

温黛黛身子一震，呆在那里，再也说不出话来。

易明着急道："这……这究竟是怎么回事？"

温黛黛道："咱……们……都已中……毒了。"她嘴唇似已麻

大旗英雄传

木，每个字说出来都似困难已极。

水灵光、易明齐地大骇道："中毒？"

温黛黛道："非但已中毒了，而且中毒极深。"

易明、水灵光转目四望，但见飨毒大师与黑衣人自始至终，俱未动弹一下，而四下又再无别人。再瞧易挺，也还是木头般站在那里，更不可能是施毒之人，易明忍不住道："什么毒？谁施放的毒？"

温黛黛还未答话，水灵光心念一转，突似想起一件十分可怕的事，脱口道："莫……莫非是他？"她眼睛瞧着的，赫然竟是飨毒大师。

易明诧声道："是他？怎么是他？真的是他么？"

温黛黛叹了口气，道："不错。"

易明道："但……但他连手指都未动过。"

温黛黛叹道："天下人都知道飨毒大师乃是天下使毒的第一高手，而咱们却等着他出手进击，这岂非呆子。"

# 第四七章 冷语椎心

易明骇然道："难道他站着不动，也能施毒？"

温黛黛道："不错，最厉害的是，他这毒不但能无形无影地放发出来，还能使中毒的人毫无所觉。"

水灵光黯然道："等到觉察时，中毒已深了，武功已有大半消失，这时纵然觉察，也无用了。"

易明大骇道："好厉害……好厉害……"

温黛黛叹道："咱们原本就该想到，天下使毒第一高手与人动手时，又何需施展武功？"

易明道："难怪他站着不动，他……他根本不必动的，咱们要是早想到这点，早就该防备了。"她语声仿佛越说越低。

温黛黛道："这两人看似一直站着未动，其实早已展开了生死搏斗，只是别人看不出罢了。"

易明皱着眉头道："你……你说什么？"

温黛黛愕了一愕，大声道："我说的话，你听不见么？"

只见易明满面茫然之色，道："你……"

温黛黛只听到一个"你"字，下面便只能看到易明嘴唇在动，她说的什么，一个字也听不到了。三个人心中不约而同泛起一阵惊怖欲绝之意，手掌不约而同凑到一齐——三只手都是冰冰冷冷，三只手都已流满冷汗，三只手都已颤抖起来——她们所说的话，对方竟已听不到了，谁也不知道究竟是对方耳力已失灵，还是自己根本

已说不出声音？

一阵风吹来，吹起了黑衣人一片衫角。突然，那片衫角竟被风撕了开来，随风而起，宛如风中藏着柄刀子似的，一刀便将衫角断下。接着，被风吹起的那块衣角，一块变成两块，两块变成四块，竟变成一丝丝，一缕缕，晃眼便已吹散，又是一阵风吹来，又撕下黑衣人一片衣角。这片衣角晃眼间被风撕成碎片，四下飞散。

不出片刻之间，黑衣人身上衣衫，已变得粉碎不堪，左边缺了一块，右边又失了一角……原来他衣衫竟早已被那无形无影的毒腐蚀得经不起微风一吹，这毒性是何等厉害，自是可想而知。但黑衣人身子却仍站得笔直，目中神光也依然犹如闪电，他蒙面的一块黑巾，也丝毫未见破损。非但未见破损，而且这薄薄一片丝布，看来竟犹如钢片一般，再强的风势，也不能将之吹出一丝皱纹。

这黑衣人内力又是何等厉害！他身子显已坚逾精钢，百毒难侵，那蒙面丝巾之上，也显已被满注真力，护住了他面目五官。他两人身子虽然迄未动弹，但这一场生死搏斗，却已足令在场旁观之人，见了惊心动魄。

温黛黛暗惊忖道："这黑衣人生死存亡，看来已是呼吸间事，而飧毒大师却似毫无危险，这一战，显见他已占了优势。"

要知温黛黛等三人，虽不知这黑衣人是谁，却总是盼望这黑衣人胜的，此刻见他自始至终均处于捱打的局面，竟丝毫没有制胜之机会，三人不禁更是忧心忡忡。三个人手掌相叠，温黛黛手掌压在最下，她只觉水灵光、易明两只纤手，又湿又冷，犹如两条方自水中提出来的鱼似的，还在不住颤抖。

忽然，这两只手掌竟全都移开了，但温黛黛垂首一望，那两只手掌却明明还压在她的手上。她眼中所见，竟已与她身子所觉不能一致。这骇人的发现，使得温黛黛肠胃都收缩起来，若非拼命咬牙忍住，立时便将呕吐而出。转目望去，易明、水灵光两人眼睛里，竟也似开始闪动起将要疯狂的光芒，恰似炙热屋顶上的野猫一般。

只听"砰"的一声，易挺也倒了下去。他站得最远，中毒自较迟，奇怪的是，他面上一直僵木如死，绝无丝毫变化，直到倒下时，还是那模样。

　　飧毒人师也还是那模样，但温黛黛突然发现，他那一双眼神之中，竟也现出了迷乱不安之意。他胜算已在握，为何还会迷乱不安？

　　温黛黛暗中惊异，忍不住又去瞧那黑衣人的目光，这才发现此人一双眼神之中，竟带着种妖异之气。仔细再看，他一双瞳仁几乎占据了眼珠十分之八，本该漆黑的瞳仁，此时却是诡秘的宝蓝色。

　　温黛黛心念一转，突然想起江湖间一件奇诡的传说："凡使摄心术之人，眼神必是与别人不同。"她暗骇忖道："这黑衣人莫非正在施展摄心之术？他看来完全未曾反击，却原来正待以此术控制飧毒大师的心神！"

　　这两人一个施展的是无形无影的巨毒，另一个施展出赫然竟是武林传说中，最最神秘诡异的摄心之术！两人身子纵然不动，但这一场搏斗的凶险，却已较武林中任何一场生死搏斗都要凶险十倍。黑衣人心神只要稍有松懈，那无影之毒自立刻便将乘隙而入，侵入他心腑血液，侵蚀他性命。飧毒大师心神只要稍有松懈，心神也立将被对方所摄，永生都将沦于那可怖的黑暗中，万劫不复。两人的生死存亡，实已在呼吸之间，在此等生死关头之下，两人自然谁也不敢妄动一动。

　　温黛黛再也想不到自己一生之中，竟能亲眼瞧见这种听所未听，闻所未闻，凶险之极，也奇诡之极的比斗。最可怕的是，他两人此刻实已如骑在虎背之上，欲罢不能，除非两人中有一人倒下，否则谁也休想住手。是以此战非但是无影毒与摄心术之战，而且还在考验着两人的精神、意志、胆量与耐心。

　　谁的意志坚强，谁的忍耐力久，他制胜之机便多些。谁的精神不能集中，谁的心里生出了惧死之意，便无异自取灭亡——武林中决斗生死的方法虽多，但试问又有哪一种搏斗比此刻飧毒大师与黑

大旗英雄传

衣人的搏斗更不能疏忽，更奇诡可怖！

　　温黛黛越看越是心惊，越想越是可怖——但她想的多了，心头竟突然有一丝灵机闪过。这灵机实是满天黑暗中的一丝微光，满地乱麻中的一点头绪，温黛黛自然立刻便抓紧了它，再也不肯松手。

　　她极力忍住心头的狂喜之情，将此事再三加以盘算："他两人所施展的功夫，俱犹如水银泻地，无孔不入，两人自然也不敢稍有疏忽，只因即使是丝尖般大小的疏忽，已足以取他性命，这一点他两人自己必定比我知道得更是清楚得多。在此等情况下，若是有个第三者要取他两人性命，岂非易如反掌，我……我还等什么？"一念至此，她再不迟疑，便待挣扎而起。

　　哪知那无形无影的巨毒，却已在不知不觉中蚕食了她全身精力，此刻她用尽气力，竟也不能站起。但她方自有了一点生机，怎肯轻易放松？当下喘了口气，再次挣扎，用尽她生命中每一分潜力。她身子终于一寸寸站起，但这时，她才发现，自己只要稍一用力，四肢便会生出种椎心刺骨的疼痛。她咬一咬牙，拼命忍住。

　　她这一生中早已不知忍住过多少令她心碎肠断的痛苦，这一点肉体的痛苦，她自然可以忍住，也只有她可以忍住。

　　寒夜渐逝，东方已现曙光，此刻正是一天中最寒冷的时候，但温黛黛额上却已沁出了珍珠般的汗珠。她晶莹的牙齿紧咬着自己完全失去血色的嘴唇，她虽然正在忍受着人类所能忍受的最大痛苦，但她身子终于已完全站起，终于已开始移动脚步。

　　飧毒大师与黑衣人仍然未动，谁也未曾发现他们身畔一个柔弱的女子，已开始发动对他们致命的攻击。

　　温黛黛满心燃烧着求生的火焰，这火焰燃烧起她生命中全部潜能，而变为一股令人难信的力量。这力量支持着她的身子，推动着她的脚步。她已向前走出四步。只要再走一步，她左手便可触及飧毒大师的左胁，她右手便可触及那黑衣人的右胁。她此刻手上的力量已不足以杀死一只苍蝇，但却可杀死面前这两个身怀绝技的武林高手。只因她手掌只要触及这两人的身子，他两人心神必将一震，而就在他们心神一震的这一刹那之间——

殪毒大师的无影毒立将侵入黑衣人体内，而黑衣人也必定会在同一刹那间，控制住殪毒大师的心神。那时黑衣人固将立时丧生，而殪毒大师心神既已被他控制，他一死之后，殪毒大师心神无主，其后果可能比死还要可怖。

但温黛黛这一步竟似再也无法跨出。她此刻体内气力实已用到最后一分，正如一人挑了千斤之担，犹可支持，但若再加一斤，便要跌倒。温黛黛这一步非但未曾跨步，身子竟也"噗"地跌倒。她如此挣扎，如此受苦，眼见胜利之果，已是垂手可得，哪知到了最后关头，还是功败垂成。在这刹那之间，她心头之悲愤与失望，实是任何人都无法忍受，但觉一股热血冲上头顶，竟也晕厥过去。

温黛黛醒来之时，眼前已是白云青天。

她晕厥前只道自己此番再也无法醒来，此刻醒来之后，也不信是真，但耳畔却已听得有人道："好，第一个醒的是你。"

这声音一入温黛黛之耳，她便已听出是殪毒大师的，心头不禁"通"的一跳，暗道一声："苦也!"

殪毒大师竟未在那一场恶斗中丧生，自己还是在殪毒大师掌握之中，那纵然未死，又和死有何两样？一念至此，她但觉心灰意冷，索性又闭起眼睛。

只听殪毒大师道："你既已醒转，为何还不起来？"

温黛黛口中虽不言，心中却暗暗忖道："我已被你毒得奄奄一息，哪里还能起来，你装的什么蒜……"忽然发觉自己头脑清清爽爽，眼睛明明亮亮，哪里还是先前中毒时那神智不清的模样？心头一喜，手足一伸，竟真的坐了起来，这才发现自己已被搬到山坡之上，水灵光、冷青萍、易明、易挺，还有那冷一枫，四个人直挺挺躺在身旁，也不知是生是死？

再瞧飧毒大师，正盘膝坐在一株树下，白天里看来，神情虽已无夜间那般诡异可怖，但面色仍是冷如秋霜。

温黛黛又惊又奇，道："我中的毒……"

飧毒大师道："老僧所施之毒，老僧自可随手而解。"

温黛黛道："你……你为何要救我？"

飧毒大师道："你救了老僧，老僧自得救你。"

温黛黛怔了一怔，道："我……我救了你？"

飧毒大师嘴角露出一丝诡异之微笑，道："方才你身子倒下，恰巧倒在老僧那对手足畔，他心神一震，神功便散，否则老僧还未见能如此轻易胜他。"

温黛黛身子一震，顿时又目定口呆，过了半晌，突然狂笑道："原来我反而助了你，助了你一臂之力，反而救了你……"笑声越来越响，目中突然流下泪来。

飧毒大师道："你非但方才助了老僧一臂之力，若非你伸手一推，老僧那毒神之体，也要毁在巨石之下。"

温黛黛反手一抹眼泪，道："那黑衣人是谁？"

飧毒大师道："你问他做甚？"

温黛黛恨声道："我要寻着那人，跪在他面前，任凭他将我碎尸万段，否则我这一生一世，永远也休想过得安宁。"

飧毒大师冷冷一笑，道："老僧纵然说出那人名字，你也未必认得，何况你如能寻到他，他只怕也已变作一具尸身。"温黛黛呆了半晌，再也忍不住放声大哭起来，她这一生一世，委实从未有像此刻这样哭过。

飧毒大师冷哼道："你助了老僧，反觉后悔，是么？"

温黛黛道："不错，你杀了我吧，那反倒好些。"

飧毒大师仰首望天，缓缓道："老僧虽也知你助我必非本心，但老僧一生之中，惟有此次受惠于人，这笔恩情之债，好歹是要还给你的。"

温黛黛伏地痛哭，直哭了盏茶时分，哭声渐渐收敛，头脑也渐渐清醒，突然翻身坐了起来。若是换了易明、云铮等人，想到自己竟在无心之间，助纣为虐，即说不定真要立时一头撞死，才能安心。但温黛黛却绝非那样的人，她方才虽然一时热血冲动，此刻哭过一阵，理智立刻又战胜情感，忽然大声道："好，你要还我的恩情债，不知该如何还法？"

殡毒大师道："你所说的老僧若能做到，绝不推辞。"

温黛黛道："这可是你自己说的。"

殡毒大师道："老僧平生，从无轻言，但你也得记着，你方才曾经助老僧两次，老僧今后也只还你两次而已。"

温黛黛道："你总得先将我同伴救起再说。"

殡毒大师道："好……还有一次了。"

温黛黛心里这才稍觉安慰，无论如何，自己总算救了几个人的性命，多少已可赎了些今日之罪。

但过了半响，殡毒大师却仍端坐未动。

温黛黛忍不住道："你怎地还不动手？"

殡毒大师冷哼道："你还未说出要救哪一个，却叫老僧如何动手？"

温黛黛心头一震，失声道："救哪一个？自然三个都要救的。"她只说三个，只因她知冷青萍已是万万无救的了。

殡毒大师冷笑道："这三人与老僧既不沾亲，亦不带故，老僧为何要浪费辛苦炼成的解毒之药，来救他们？"

温黛黛道："但……但这是你答应我的。"

殡毒大师道："不错，老僧是答应了要还你两次出手相助之情，但你也莫要忘记，只是两次，这里却有三个人。"

温黛黛颤声道："你……你只肯救两个，是么？是么？"

殡毒大师点了点头，缓缓阖起眼帘，再不说话。

温黛黛嘶声道："但这里有三个人，你要我忍心不救哪一个？你……你……你忍心让一个与你无冤无仇的人，死在你面前么？"

大旗英雄传

　　她呼声虽凄厉，飧毒大师却仍是面色木然，无动于衷，无论她怎样哀求，飧毒大师全似没有听到。

　　温黛黛"噗"地坐到地上，颤声道："好狠……好狠，不想你竟犹如此狠毒的心肠，我平生所见的恶人虽有不少，但你却是第一个……"说到这里，她心头突有灵光一闪，大喜呼道："第一个，你方才说'第一个醒来的是我'！那想必还有第二个、第三个人要醒来的，你其实早已救了他们，此刻只是故意要来骗我、吓我，要我苦苦求你，好教我对你更加感激，是么？你说是么？"

　　飧毒大师缓缓张开眼来，目光凝注着她，良久良久，嘴角竟缓缓泛起一丝诡秘而奇异的笑容。

　　温黛黛虽觉这笑容有点疯狂，有些可怕，但见他忽然笑了，心头那一点希望，不觉更是浓厚。

　　飧毒大师终于缓缓道："不错，还有第二个、第三个人要醒来的。"

　　温黛黛霍地站起，大喜道："是谁？是谁？"

　　飧毒大师伸手一指冷青萍，道："第二个是她。"

　　温黛黛道："她……是她？但她是已无救的了！"

　　飧毒大师嘴唇笑容更是明显，道："别人救不活她，难道连老僧也救不活么？何况她算来乃是老僧的徒孙，老僧自然要救她的。"

　　温黛黛又惊又喜，过了半晌，道："还……还有一个呢？"

　　飧毒大师手指移向冷一枫，道："这就是了。"

　　温黛黛心头一震，骇然道："他……是他？但……但……"

　　飧毒大师仰天狂笑道："毒神之体已将成就，眼见老僧已将无敌于天下，那时天下武林中人，生杀予夺之权，都将操在老夫手中，哈哈……哈哈……"笑声越来越是得意，也越来越是疯狂。

　　温黛黛再次跌倒，再也无法站起来了。


　　只见水灵光、易明、易挺三个人面色已变为可怖的青灰之色，显然都已接近死亡的边缘。温黛黛知道只要自己一句话，便可赋予其中两个人的生命，但她又岂能忍心见哪一个死在她面前？却教她这一句话如何出口？

殓毒大师冷冷道："这三个中毒都已颇深，你若还迟迟不能决定救谁，只怕到你决定时，已是谁都救不活了。"

温黛黛倒吸一口冷气，目中不禁流下泪来。她一生中已作过不少重大的决定，且这些决定于她一生都曾有着极大的关系，但取舍之间，却从未有此次这样困难。

救谁……不救谁……

她咬了咬牙，告诉自己："无论如何，水灵光我是必定要救的，只因其余的两个人，我根本全不认得，只救一个，也就罢了。"

她目光望向易明、易挺，暗问自己："救哪一个呢？"她痴痴地望着他们，只觉这两人的面容，都是这么善良、这么无辜，嘴角也还都残留着一丝对生命的依恋。她想到自己这决定势必要夺去这其中一条善良的生命，她身子再也忍不住剧烈地颤抖了起来。这心里的负担委实太重，这决定委实太令人痛苦。

她再问自己："无论这两人是谁活了，当她或他知道自己的生命竟是自另一人死亡中得来，他还能活下去么？"于是，她目光不由自主移向水灵光。

月色下，水灵光面容是那么安详，又是那么美——绝俗的美，她本似天上仙子，不应降入世俗红尘中来的。温黛黛心头一阵绞痛，暗暗忖道："铁中棠死了，云铮死了，我也迟早要死的，她还活着又有何趣味？她活着也惟有痛苦而已！"

她再望向水灵光。水灵光双目紧闭，长长的睫毛，轻柔地覆盖在眼帘上，所有的伤心与痛苦，都已远离她而去。

温黛黛也阖起眼帘，喃喃道："她也正和我一样，惟有自死亡中，方能得到安息，而另两人却仍对生命如此依恋。她活下去只有痛苦，而另两人生命中却还有无数的幸福、无数的欢乐，这种幸福与欢乐，是我与她再也无法享受的了。"

殓毒大师道："你决定了么？"

大旗英雄传

温黛黛深深吸了口气，道："我决定了!"

殓毒大师目光中闪动着一丝奇异的兴奋之色，似乎正期望着自温黛黛的决定中，获得一分残酷的满足。他也迫切渴望知道温黛黛决定牺牲的是谁，只因他心中已充满了兽性的好奇，他大声问道："谁? 你救的是谁?"

温黛黛仍然紧闭着双目，只是手指点了两点——她点的竟是易明、易挺兄妹。

一直到殓毒大师喂过易明、易挺兄妹的解药，温黛黛仍是木石般端坐着未动，也未张开眼来。

殓毒大师拍了拍手，道："不出片刻，他两人便可醒来了。"

温黛黛茫然点了点头，茫然道："哦! 是么?"

殓毒大师好奇地望着她，突然笑道："老僧实未想到你不救那女子，反救了这男子，你是如何下此决定的，不知可对老僧说么?"

温黛黛嘴唇动了两动，茫然摇了摇头。但过了半晌，她竟终于说道："你难道未曾看见，她死得如此安详，而这两人却对生命如此依恋?"

这些话她本不愿说的，却不知怎地说了出来，她甚至分不清这些话是说给殓毒大师听的，还是说给自己听的。

殓毒大师望了望犹未醒转的易明、易挺，又望了望水灵光，再望了望温黛黛，竟突然纵声大笑了起来。温黛黛张开眼睛，又阖起，再张开，望着殓毒大师。

她终于忍不住问道："你笑什么?"

殓毒大师道："方才这三人模样看来完全相同，你却说这女子看来安详，另两人看来痛苦，这只不过是你心里在如此想而已。"

这番话像根针，一针刺入温黛黛心底深处。

她身子突然颤抖起来，道："你……你胡说!"

殓毒大师微声笑道："想当年老僧也是自红尘中翻滚过来的，你心底的秘密，瞒得过人，又怎能瞒得过老僧?"

温黛黛道："我……我心底有何秘密？"

殒毒大师道："你心底必定对这女子怀有嫉妒之心，是以希望她死，什么安详，什么痛苦？只不过是你自己用来骗自己罢了。"他笑声中又充满了得意之情，只因他已将别人的心血淋淋地剥了出来，他又已获得一分残酷的满足。这笑声像是鞭子，一鞭鞭抽在温黛黛身上—— 也抽在她心上，抽得她连灵魂都不能动弹。

只听她喃喃道："我嫉妒她么？我是嫉妒她么？"突然疯狂般笑了起来，嘶声狂笑着道："我嫉妒她？……我为何要嫉妒她？"笑声渐渐凄厉……渐渐分不出是哭是笑……终于扑到水灵光身上，疯狂般放声大哭起来。

殒毒大师缓缓道："在许久以前，你两人必定爱着同一个男子，而那男子心里却只有她，你发狂恨她，嫉妒着她……"他语声虽低沉，但却又是那么尖锐，每个字都像是针一样，你若是掩起耳朵，它便从你手掌间钻过去。只听他缓缓道："到后来……过了许久，你对那男子之爱心或许已渐渐消失，但那怀恨与嫉妒却未消失，你可知道这是什么缘故？"

温黛黛痛苦着嘶声喝道："你这鬼……魔鬼! 住口!"

殒毒大师又残酷地笑了，道："只因嫉妒与怀恨乃是世上最强烈的情感，尤其在女子心中，更远比爱心要强烈得多，只因女子的爱虽强烈但却易变，虽专一但却不能持久，这正与男子的爱虽持久但不能专一是同样的。"

温黛黛痛苦着道："求求你……莫要再说了。"

殒毒大师道："是以男子可以同时爱上许多女子，而女子却不能，女子爱上某一个男子时，必定爱得发狂，绝不会去爱第二个，但等她爱上第二个男子时，她对那第一个男子之爱心，便必定早已消失得干干净净。"他狂笑数声，接道："但女子与女子间的嫉妒与怀恨，却是永远不会消失的，女子若是恨上另一个女子，必定恨上一生!"

温黛黛双手掩住耳朵，厉声道："我不要听……不要听!"

殄毒大师哈哈笑道："你不愿听，只因你深知这道理是真的，你只道已将对她的嫉妒忘去，其实这嫉妒却已在你心底生了根，是以……"

温黛黛突然惨呼一声，抱起水灵光身子，狂奔而出。

殄毒大师望着她疯狂奔逃的背影，也又疯狂地大笑起来，他知道自己已将这女子的心割得粉碎。他一生中，只有见到女子心碎时，才能获得欢愉，只因他昔日也曾为一个女子心碎过……

温黛黛放足奔逃，疯狂般奔逃——她为何奔逃？她逃避的是什么？这……这连她自己也分不清。她心里一片空白，只因她什么都不愿想，她也不择路途，只是往那最最凄凉荒僻之处奔去。她眼泪渐渐流尽，她双足渐渐麻木……

地势果然越来越是荒僻——沼泽、恶林、死水、穷谷……忽然间，她眼前出现一片灿烂的花林。鲜红的花朵，散发着迷人的香气，在阳光照耀下，便是天上庭院，也未必犹如此美丽。但这辉煌灿烂的花林，却是生在穷谷之中，沼泽之间，仿佛造物特地要在最丑恶的地方，才肯生出最美丽的花朵。

温黛黛也不知自己怎会奔来这里，但既已奔来这里，她便再也无法举步——她倒了下去。她并未发觉花林深处竟还有一条人影，她也未听到这人在泥地上翻滚时所发出的痛苦呻吟之声。但这人却发现了她。

只因这人衣衫几乎已完全破烂，瘦骨嶙峋的身子上，满沾着泥污，狰狞的面目，已因痛苦而扭曲。他看来犹如沼泽中的魔鬼，又仿佛是负伤的恶兽。他在泥地上翻滚着，挣扎着，只因惟有这冰冷的湿泥，还可减轻他身心所受的那火烧般的痛苦。

温黛黛若是瞧他一眼，便可发现他正是方才与殄毒大师恶斗之黑衣人——也赫然正是风九幽! 这阴毒凶险的魔头，虽在如此痛苦之中，耳目却仍犹如虎狼的灵敏，一闻人声，便立刻滚入了花丛之中。

过了半晌，他忍不住自花丛中露出脸来，瞧了几眼，终于瞧出了这突然闯入花林的竟是温黛黛。温黛黛两次坏了他的大事，这分怨毒之深，在别人说来已是非同小可，何况气量褊窄，含眦必报的风九幽！

他一眼瞧过，面上立刻满现杀机，咬牙暗道："天堂有路你不走，地狱无门自来投，臭丫头呀，臭丫头，今天你这条小命，还想往哪里逃？"

此时此地，温黛黛若是瞧见他这恶魔般的面容，必定要吓得晕了过去，那时风九幽要杀要割，她也不能还手。哪知风九幽暗骂了两句，突然想起自己正是毒势发作之时，此番出去，未必便是温黛黛的敌手。若是换了别人，见到自己恨之入骨的仇人便在眼前，哪里还忍得住？拼命也要冲出去的。但风九幽性子却与别人大是不同，若非被人逼得不能脱身，他再也不肯去打没有把握的架。心念一转，当下暗道："风九幽呀风九幽，你自己千万要沉得住气，方才那毒物都弄不死你，此刻死在这臭丫头手中，岂非冤枉？反正你毒势不久便可消解，这臭丫头只要暂时不走，小命迟早要送在你手上的。"想到这里，他全身上下，更是连动都不肯动了，瞪着眼睛望着温黛黛，只望她切切莫要走开。

温黛黛果然未曾走开，却又伏在水灵光身上啜泣起来，心中反来复去，只是不住在暗问自己："那老毒物说的可是真的？我难道真的有些嫉妒她么？"是真的？不是真的？……是真的？……不是真的？这问题像鞭子般抽打着她，像巨魔般折磨着她，她的心已粉碎，她实在不知该如何回答。

她忍不住仰天嘶呼道："温黛黛呀温黛黛，你这个狠毒的女人，你害死了水灵光，你为什么还活着？你为什么还活着？"

风九幽听得眼睛都直了，心中又惊又喜："这臭丫头只道这里四下无人，竟说出了心中的秘密，却不想还有老子在这里听得一个字不漏。"

若是他此刻能说话，他一定要说："是极是极，你本不该活

大旗英雄传

着，不如死了算了！"只可惜他不敢说话，温黛黛也不是那种肯随便寻死的软弱女子。

她若是要死，必定是死得极有价值。

只见她一面啜泣，一面将树上的鲜花一朵朵摘了下来，一朵朵铺在地下，铺成一面花床。然后，她将水灵光的身子轻轻放了下去。她口中轻泣着道："小妹妹，你好生安息吧，世上没有一种泥土配埋葬你这白璧无瑕的身子，我只有将你埋葬在鲜花里。"她一面将鲜花放在水灵光身上，一面低低道："蜜蜂呀，蝴蝶呀，燕子呀，你们都来陪我这妹妹吧！微风呀，你快把浮云吹来，好教我这妹妹，乘着云飞上天去，她身子本不属于这龌龊的尘世，她本就是来自那神仙居住的地方。"轻柔的言词，犹如歌曲般美丽——只是世上却又有哪一种歌曲，能唱得出温黛黛心里的悲伤？

风九幽暗道："这臭丫头莫非是疯了么？竟对个死人唱起山歌来了，你要唱就唱个高兴些的嘛，也好为老子解闷。"

# 第四八章　悲歌断肠

他一面暗暗骂着，一面却又不禁暗暗欢喜，"瞧这臭丫头这副悲伤的模样，她是万万不会立时走得了，臭丫头，你在乖乖地等着送死吗？"

哪知温黛黛心里却早已打定了主意。她低语道："小妹妹，你好生耽在这里，让燕子与鲜花来消除你的寂寞，你只管放心，我不会计你白白死的。"她竟又突然站起身子，向来路狂奔而去。

风九幽这下可惊呆住了，眼睁睁地望着她奔出花林，又是气恼，又是着急，却又无计可施。

花林里只剩下两个人。这两个人一个人活着，一个已死；一个是绝顶丑陋，一个是绝顶的美丽；一个是恶魔，一个却是天使。死了的美丽天使，落入活着的丑陋恶魔手掌中，这岂非是一件令人悲伤，令人叹息的事？

温黛黛脚步越来越缓，双眉紧皱，似是在苦苦思索。她心思本就是千灵百巧，心里若是打起了什么主意，别人便是猜上一生一世，也休想猜得到。但见她也不选路途，只是高一脚，低一脚地往前面走，目光茫然凝注在前方，似是想得极为出神。然后，她面上突然露出一丝奇异的笑容，抬起头来，四面辨了辨方向，然后向东走去。

此刻日色还未升至中央，她迎着日光而行，仍然走得极慢，又

大旗英雄传

拾了根树枝，在两旁草丛中拨动。在这荒山之中，她竟似在寻着什么珠宝似的，寻找得极是仔细——唉！这位姑娘的举动，实在是教人捉摸不透。

突然间，她瞧见几根长草，被根丝线缚在一齐，丝线极细，若不留心瞧，绝对难以发现。黑色的丝线，一点也没有什么古怪。但温黛黛瞧在眼里，面上却露出了喜色，当即弯下身子，在那堆长草里仔细寻找了起来。长草中果然有些奇怪的东西。但她却又怎会知道这长草间有些奇怪的东西？

易明与易挺终于醒来。先醒的是易明，她揉了揉眼睛，转目四望，但见阳光遍地，满山青翠，哪里还是她闭起眼睛时的光景？她模模糊糊记起昨夜的事，她记得自己突然听不见，又瞧不见了，那当真犹如噩梦一般。

但噩梦中那些恶魔哪里去了？那两个为铁中棠痛哭的女子哪里去了？水姐姐又到哪里去了？她立时吓出一身冷汗，幸好还有她哥哥在身旁，她赶紧拼命去摇易挺的身子，连连叫道："醒醒，你醒醒呀！"

易挺一惊，跳了起来，瞧见易明，方自松了口气，但目光四望一眼，面上不禁露出茫然之色，吃惊道："我怎么会到了这里？"

易明恨声道："你怎会到这里？你自己都不知道？"

易挺摇了摇头，道："我……我记不清……"

易明顿足道："你是死人么？昨天晚上……"

易挺道："昨天晚上……对了，昨天晚上你与水灵光走后，我等了许久，你们还不回来，我就忍不住出来找了。"

易明叹道："你早就该出来找了。"

易挺双眉紧皱，似是在拼命思索，口中缓缓道："我找了好久，也未瞧见你们，突然听得有人声，我立即赶过去，哪知突然有个满身黑衣，黑巾蒙面，只露出双恶魔般的眼睛的人，自黑暗中一掠而出，张开双手，挡住了我的去路。"

易明惊呼一声，道："对了，就是这个人!"

易挺吃惊道："莫……莫非你也见到了他?"

易明着急道："你先莫管，先说你后来怎样?"

易挺道："我大惊之下，厉声　叱，哪知这人只是用那恶魔般的眼睛，眨也不眨地瞧着我，我被他瞧了半晌，心里不知怎地，竟突然有些害怕起来，想逃，哪知脚竟似已软了，想避开他的眼睛，哪知却又偏偏忍不住要去瞧他。"

易明失色道："后……后来怎样?"

易挺面色更是迷茫，道："后来我不知不觉间，竟变得迷迷糊糊起来，自己做了什么，说了什么，又怎会到了这里? 我全不知道了。"

易明倒抽一口凉气，骇然道："摄心术!"

易挺苦笑道："不错，想来我必是要走上运了，此等别人瞧也未瞧见的功夫，我竟亲自尝着了它的滋味……"

目光一转，突又失色道："水……水灵光哪里去了?"

一提水灵光，易明大眼睛里就不禁急出了泪水，撇着嘴道："她……她……"说了两个"她"，便扑到易挺身上大哭起来。

易挺见她如此模样，更是吃惊，颤声道："……她莫非已……"

易明终于哭哭啼啼，将自己经过之事说了出来。易挺还未听完，手足冰冰冷冷，整个人都似被抛入冰里，而且在冷水里发起抖来。两人猜来猜去，也猜不出自己怎会晕迷，更猜不出自己昏迷后又究竟发生了一些什么事。此刻两人在荒山之间，既辨不出方向，身子也还是虚软的很，这从来不知着急的兄妹两人，如今当真是着急得要发起疯来。

易挺搓手顿地，道："无论如何，咱们也得找着她。"

易明流着眼泪道："但……但到哪里去找呢?"

易挺苦着脸，也是想不出办法，两人垂首发了半天愁，终于还

是易明心中灵机一动，脱口道："有了，咱们先去找着盛大哥他们，再请他们帮着咱们找，人多势众，总是要好得多了。"

这虽算是没有主意中的好主意，但那"崂山山阴，上清道观"究竟在哪个方向，他们还是不知道。两人只望能遇见个人问问路，鼓足气力，大步向前，转来转去，也不知走出了多远，却哪里遇得见人？直走得易明眼花脚软，心里也有些失望了。突然间，只听一声厉叱，自前面山坳后传了过来，一人怒骂道："我早就想找你了，你也知道，还装什么胡涂！"

另一人却笑道："在下实不知前辈寻找在下为的是什么？"

后面一人说话的声音，易明、易挺虽听不出，但前面那人尖厉的语声，他两人一听便知是钱大河的。两人正自走投无路时，突闻故人之声，心中自是狂喜，当下再不迟疑，放足狂奔而去。

只听钱大河厉声喝道："就算你不知道，我今日也要将你这小淫贼废了，看你以后还敢不敢胡乱寻花问柳？"

接着，便是兵刃相击声、呼喝叱咤声。易明、易挺更是听得满心惊喜，加紧脚步赶去，只见山坳中，一片林木间，正有纵横之剑气，漫天飞舞。

直到两人走入林中，钱大河仍然全未发觉。他迅急辛辣的剑法，此刻施展的每一着都是杀手，竟似与对方有着极深的仇恨，恨不得一剑便将之伤在剑下。对方却是个易明、易挺素不相识的锦衣少年。这少年武功虽不弱，但显见并非这彩虹剑客的敌手，掌中一柄剑，已渐渐只有招架，不能还击。

易氏兄妹既不便出手，也不能拦阻，只有在一旁瞧着，那两人正自拼命中，根本未瞧见有人进来。钱大河越打越是愤怒，眼睛都红了。易明、易挺与他相识颇久，也时常见他与人交手，但却从未见过他剑法使得有今日这般辛捷狠辣。他实已将本身剑法，使至巅峰。但见剑势犹如飞虹，四下木叶，在森森剑气中漫天飞舞，那景象真是惊心动魄，炫人眼目。

突然，钱大河剑光颤动间，分心一剑刺出。那少年闪避不及，肩头立刻被划一条血口。

他惊痛之下，破口大骂道："钱大河，你鬼鬼祟祟，在这里拦住我去路，就逼着我动手，你如此欺负个后辈，算什么英雄？"

钱大河厉声道："今日若不废了你这淫贼，我'黄冠剑客'一生的英名，才真是要葬送在你这畜牲手里了。"

语声中快刺七剑，那少年左胸又多了条伤口，鲜红的血迹，立刻在他织锦的衣衫上，画出了点点桃花。

他骇极之下，放声大呼道："师父！师叔！快来救救徒儿的命呀！这钱大河不知发了什么疯，竟要胡乱杀人了……"

钱大河狞笑道："你喊吧！只管喊吧！嘿嘿！你纵然喊破喉咙，黑星天与司徒笑却也万万不会听得到的。"

易明、易挺兄妹两人这才知道这少年竟是黑星天与司徒笑的徒儿，两人对望一眼，不觉更是奇怪道："钱大河岂非已与黑星天、司徒笑等人一路的么，却为何又似与这少年仇深如海，竟定要取他性命？"心念一转，突听一声轻叱：

"住手！"

三条人影，闪电般掠入林来，剑光一闪，"当"的一声，挡住了钱大河手中长剑，一人厉声道："大弟，你疯了么？"语声沉猛，正是紫心剑客盛存孝。

还有两人，一个目光闪动，嘴角带笑，护住了那少年；一个身材娇小，满面惊惶，勾住了钱大河的手臂。

目光闪动的自是司徒笑，身材娇小的却是孙小娇。

大旗英雄传

钱大河面色已气得赤红，嘶声道："小娇，你放手！大哥，你也莫要管我，说什么我今日也要宰了这小淫贼，这小畜牲！"

司徒笑微微笑道："钱兄但请息怒，沈杏白若有什么无礼之处，钱兄只要说出来，小弟必定重重责罚于他，钱兄又何苦定要取他性命？"

他满面俱是微笑，钱大河却已气得说不出话来。

司徒笑转向那少年，轻叱道："你怎地得罪了钱大叔，还不从实说来。"

那少年正是沈杏白，见到有人来了，胆子立刻大了，眼珠子一转，作出十分委屈的模样，道："徒儿也不知哪里得罪了钱大叔，钱大叔口口声声骂我淫贼，徒儿更不知是为了什么？"

盛存孝面色凝重，沉声道："大弟你究竟为了什么，但说无妨。"哪知钱大河身子只是发抖，还是说不出这是为了什么。

司徒笑面色突然一沉，冷冷道："沈杏白小小年纪，来日在江湖中还要混的，今日若是被钱兄胡乱杀死，倒也罢了，但这'淫贼'两字，却教他如何担当得起？存孝，你乃'彩虹七剑'之首，此事钱兄若不说个明白，我只得来问你了。"

易氏兄妹虽是初次见到司徒笑，但见他如此神情，听他如此言语，两人不禁齐地暗道："好厉害的人物。"

只见盛存孝果然被他咄咄逼人的语锋，逼得说不出话来，干咳一声，凝注着钱大河，讷讷道："大弟你……"

语声方出，钱大河已嘶声大呼道："好，我说！司徒笑你听着，你这无耻的徒儿，竟与我老婆不三不四，你说我是否该宰了他？"

盛存孝、司徒笑齐地一怔。

易明、易挺恍然忖道："原来是这种事，难怪钱大河说不出。"只见孙小娇自呆在那里，此刻突然放声大哭起来。

司徒笑厉叱道："杏白，此事可是真的？"

沈杏白眼珠子又转了转，垂首道："此事怎会是真的？徒儿纵然有心要勾引钱夫人，但钱夫人玉洁冰清，怎会与徒儿做出不三不四的事？"

钱大河怒喝道："放屁，你这小畜牲，还想赖……"

他这"赖"还只说到一半，面上却已被孙小娇着着实实打了一掌，他又惊又怒，还未说话，孙小娇却大哭着滚在地上。

只见她一手撕着衣裳，一手搥着胸膛，放声大哭道："我不要活了……不要活了……你杀了我吧……你若不杀我，你就是活王八，活畜牲……"

钱大河平日倒也自命是个英雄人物，但见到老婆撒泼，也和天下别的男人一样，半点主意也没有了。刹那之间，他身上已被孙小娇打了三拳，踢了五脚，踢得他满面通红，只得连连顿足道："起来起来，有什么话好好说。"

孙小娇边打、边哭、边骂道："还有什么好说的! 别人说你老婆玉洁冰清，你却定要说你老婆与别人不三不四，别人都信得过你老婆，你却偏偏信不过……各位，你们倒说说看，天下还有这种硬把绿帽子往自己头上戴的人么?"

盛存孝满面尴尬，拉也不是，劝也不是。

司徒笑背负双手，仰面向天，不住冷笑。沈杏白却已悄悄偏过头去，似乎忍不住要笑出声来。

孙小娇一跃而起，撕着钱大河的衣襟，大骂道："好，你说我让你当活王八，你怎地不宰了我? 你……你动手呀……有种的就快动手呀……"

钱大河面红耳赤，身上衣衫，已被老婆扯得七零八落，推也推不开，避也避不过，只得呼道："盛大哥，快拉住她!"

盛存孝顿足道："唉! 你胡涂了，我怎能拉她?"

这时幸好易明再也忍不住，终于一掠而出，拦腰抱住了孙小娇，拍着她的肩头，半哄半劝道："好嫂子，歇歇吧!"

孙小娇反手要打，瞧见是易明，手才放下了，一把搂住了易明的脖子，放声痛哭道："好妹子，幸好你来了，你可知道你嫂子被人如何冤枉么? 天呀……天呀……叫我往后怎么做人呀!"

易明讷讷道："钱大哥说错了话，本是不该的。"

这一来孙小娇可哭得更伤心了，道："好妹子，还是你知道我……姓钱的，你可听到易家妹子的话了么，你这没良心的，你这畜牲!"

大旗英雄传

钱大河见易明来了，暗中松了口气，早已远远走到一旁，此刻易明向他使了个眼色，道："钱大哥，你冤枉了大嫂，还不快过来赔个不是。"钱大河委实是想过来的，但瞧了沈杏白一眼，却又顿住了脚。

　　司徒笑突然干咳一声，道："此事既属误会，也就罢了，存孝，你且陪各位在此聊聊，我与杏白，却要先行一步。"他实已看出沈杏白与孙小娇的确有些不三不四的勾当，此时不走，更待何时？当下与沈杏白打了个眼色，匆匆而去。

　　钱大河这才走了过来，左打恭，右作揖，也不知赔了多少个不是，才总算将孙小娇哄得停住了哭声。但孙小娇最后还是打了他一掌，道："你以后还敢冤枉人么？"

　　钱大河垂手道："不敢了。"

　　孙小娇这才噗哧一笑，道："你这活王八，瞧在易妹妹的面上，这次饶了你。"

　　盛存孝在一旁瞧得连连摇头，连连叹息，他委实不忍也不愿再看，转过头去，便瞧见了易挺。

　　易挺躬身道："小弟正在寻找大哥，又不知那'上清道观'究竟在哪里，却不想误打误撞地在此遇着了。"

　　盛存孝叹道："你们来得倒是凑巧，否则你们纵然寻着上清道观，也未见能寻着我等，只因我等早已离去了。"

　　易挺奇道："离去了？去了哪里？"

　　盛存孝道："此刻我等之居处，有时当真可说是一日三迁，幸好我等俱都身无长物，他说要走……唉！立刻便可走了。"

　　易挺更是奇怪，忍不住又问道："那却是为了什么？"

　　盛存孝仰天长长叹息，久久说不出话来。

　　孙小娇却抢先道："你不知道那位雷鞭老人可真难伺候，他深怕暗中随时有人在窥探着他的秘密，是以时时刻刻都得换个居住，而且每日都逼着我们四下查访，有时等我们回去时，他又已撤走了。"她面上泪渍未干，口中却已咭咭呱呱说个不停。

易挺皱眉道："不想雷鞭老人如此声名，如此地位，竟然也会疑神疑鬼……他如此脾气，你等怎能容忍?"

孙小娇道："不能容忍也没法子呀，盛大哥的母亲定是……"瞧了盛存孝一眼，终于未将下面的话说出口来。

盛存孝面色更是悲怆沉重，仰面向天，不住长叹，易挺见了他如此神情，也只有黯然垂首。

易明突然问道："咱们此刻回去时，他若又已搬了，却教咱们如何去找?"

孙小娇笑道："这倒无妨，司徒笑他们昔日本有暗中联络的标志，此番咱们出来寻访，也用他们的暗记互相联络，互相呼应，无论他们走到哪里，咱们都可找得到的，妹子，来，我这就带你去瞧瞧。"她不由分说，便拉着易明走了，盛存孝等人也只有随后跟去。钱大河这才知道他们方才必是随着沈合白留卜的暗记寻来的，他痴痴地望着孙小娇那娇小婀娜的背影，心里也不知究竟是何滋味——司徒笑的"五福联盟"与盛存孝的"彩虹七剑"，从此便埋下一粒不祥的种子。

温黛黛拨开草丛，只见草丛中果然有五粒黑色的棋子，后面四个，堆成一堆，前面一个，指向东方。原来这正是司徒笑等人留下的指路标志，温黛黛昔日与司徒笑关系非浅，对他们的暗记自然了若指掌。她先前本已瞧见了这些标志，只是那时满心悲伤，便未留意，此刻她暗中已下决心，要找寻雷鞭老人与司徒笑，便一路寻来。

她凝目瞧了半晌，竟将那孤零零的一粒棋子，自前面移到后面，也就是将路标自东方移到西方。然后，她方自拍了拍手，扬长东去，想到司徒笑等人势必要被这错乱的路标弄得晕头转向，她嘴角不禁露出一丝微笑。

她一路行来，又寻得了四五处路标，她自然又将这些路标全部

弄乱，好教司徒笑等人摸不着方向。最后到了一处，已入穷谷之中，前面虽仍有道路可寻，左右两边，却是山高百丈，壁立如削。而草丛中的路标，却指向右方。

温黛黛怔了一怔，仰首望去，只见那山壁高入云霄，壁上虽有藤萝攀缓，但纵是猿猴，只怕也难飞渡。她又惊又奇，暗暗忖道："莫非已有人先我而来，将这路标弄乱了？"但知道这路标暗记的，世上也不过只有司徒笑等寥寥数人而已，他们又怎会自己将自己摆下的路标弄乱呢？温黛黛想来想去，也想不通其中的道理。

她呆呆地木立半晌，只觉风吹衣襟，向后飘舞，此刻她本是面向山壁而立，这风莫非竟是自山壁里吹出来的？

这发现立时触动了她的灵机，当下向山壁间有风吹出之处跃了过去，百忙中还是未忘将那路标棋子换了个方向，指向危崖。山壁间果然有条裂隙，虽然被满布山壁的藤萝掩饰得极为隐约，但温黛黛以树枝拨了半晌，终于发现了。她此刻实已浑然忘却了恐惧，这山隙里是龙潭，是虎穴，她全部不管了，拨开藤萝，便闯了进去。

山隙中自是狭窄而阴暗的，草木也显然已有被人践踏过的痕迹，但若非温黛黛心细如发，留心观察，还是难以发现。她吃力地走出数十丈后，眼前豁然开朗。但见一片谷地，宽广辽阔，似无边际，阳光普照，风吹长草，犹如无情大海中黄金色的波浪。温黛黛实未想到这山隙里竟犹如此辽阔的天地。一时之间，她竟似已被这一片雄丽壮观的景象所窒息，痴痴的站在那里，良久良久，动弹不得。

辽阔的草原中，长草几有人高，温黛黛行走在草丛中，更犹如行在大海波浪中一般，茫然无主。她根本完全瞧不见四下景物，更辨不出方向，她本当入了山隙便可寻着雷鞭老人，如今方知大大的错了。

在这辽阔的草原中寻人，实如大海捞针一般，在这无人的荒山之中，她实已不敢放声呼唤。至于草丛中是否有毒蛇猛兽？是否有

大旗英雄传（下）

许明康　许黎黎／绘

但见一片谷地，宽广辽阔，似无边际，温黛黛实未想到这山隙里竟有如此辽阔的天地。一时之间，她竟似已被这一片雄丽壮观的景象所窒息，痴痴的站在那里，良久良久，动弹不得。

强敌窥伺？这些她倒未放在心上，只是迈开大步，直向前闯。但草丛委实太密，纵是对面有人行来，她也难发觉，纵是全力迈开大步，她也无法走快。走了两三盏茶工夫，四下还是绝无动静，她还是什么也没有发现，但闻风吹长草，在耳畔飕飕作响，这响声当真令人心慌意乱。

她终于忍不住了，奋身一跃而起，跃出草丛，放眼四望，但见草浪如涛，哪有什么人影？她再想瞧仔细些，但真气已竭，只有落下。就在这将落未落的刹那之间，左面的草浪，动得似乎有些异样，但等她跃起再看时，已是什么都瞧不见了。在这长草之间行走，本来危险已极，只因长草间到处都可以埋伏陷阱，到处都可能埋伏着危险。若是换了旁人，此时此刻，怎敢胡乱去闯。

但温黛黛算定这谷地中只有雷鞭老人这一伙人在，左面既然有人踪，便必定是这伙人其中之一。她想也不想，便闯了过去。又走了数十丈远近，她一顿足，便听得前面似是有一阵阵轻微的窸窣声，似是衣衫摩擦草丛所发出来的。

温黛黛轻叱道："是谁？"

叱声出口，这轻微的窸窣声便告消失。温黛黛皱了皱眉，轻轻向前走去。哪知她脚步一动，那声音便已响起，似在向后退去，只要她脚步一停，那声音便也立刻停止。这情况当真犹如捉迷藏，但却又不知比捉迷藏要凶险多少倍，空山寂寂，风声飕飕。

温黛黛纵然已将生死置之度外，此刻也不觉有些胆寒。这种出乎本能的惧怕，本是人性中不可避免的弱点之一。

她再次停下脚步，轻叱道："你究竟是谁？"

风吹草动，四寂无声。温黛黛道："我此来绝无恶意，无论你是谁，都请出来相见好么？"

她这次声音说得已大了些，但四下仍无回答。

她这一生中，不知已到过多少凶险之地，但无论多么凶险的地方，那凶险总是可以看得出来的。而此刻这长草丛中，看来虽然平安，其实却到处都埋伏着不可知的危险，这种不可知的危险，实比世上任何危险都要可怖。

她口中不禁喃喃骂道："这鬼草，怎地长得这么长……"话声未了，突听前面草丛中"擦"的一声。

温黛黛骤然一惊，也不顾面目被长草所伤，奋身掠了过去，激得长草哗哗作响，四下仍是瞧不见人影。转身四望，身体立时又被那打不断、推不倒的长草包围，到了这时，温黛黛心头不觉泛出一股寒意。

她忍不住呼道："你难道听不出我的声音么，我是温黛黛，你可是黑星天？白星武？司徒笑？盛存孝？"

她说了一连串名字，还是无人回答。

她不禁皱眉忖道："莫非前面根本无人，只是我听错了？无论如何，我此刻已是有进无退，好歹也要往前闯去。"

一念及此，咬牙往前冲去。穹苍渐渐阴暝，风势渐渐大了。突然间，温黛黛一步踏空，竟似陷入了陷阱之中，身子不由自主，往前面笔直栽了下去。但她年纪虽轻，江湖历练却极丰，在此等情况下，犹能惊而不乱，双臂一振，硬生生拔了起来，向旁跃去。哪知她脚尖方自落地，突然两根树枝自草丛中弹起，尖锐的树枝，犹如利剑一般，挟带风声，笔直划了过来。温黛黛引臂击掌，身随掌走，"龙形一式"，再往前蹿，哪知脚下又是一软，身子还是栽了下去。

这次她真力已尽，再也无法蹿起。但觉眼前一黑，一只黑布袋子，自颈上直套下来，套住了她双臂，令她完全动弹不得。温黛黛骤然遇伏，竟然未能反抗，便被制伏。

她不禁放声惊呼道："你是……"

"谁"字还未出口，嘴也被一只强大而有力的手臂捂住，接着，身子也被那人凌空提了起来。温黛黛双足乱踢，拼命挣扎。但这人却是力大无穷，一双手臂，更似钢铁铸成一般，她哪里挣得脱？但觉胁下一麻，她根本动也无法动了，身子似已被那人扛在肩上，大步向前走了出去。

温黛黛忖道："这人究竟是谁？究竟要将我怎样？他莫非与我有着什么仇恨，是以方自这般暗算于我？"

但路标所指，这谷地显然乃是司徒笑等人潜伏之处，雷鞭老人在这里，还有什么别的人敢在此落足？温黛黛心念数转，恍然忖道："是了，这必定是司徒笑记念前嫌，是以方自暗算于我，为的只怕是要将我好好羞侮一场。"一念至此，她心倒定了。

哪知这时前面突然响起轻语之声，那是女子的口音。只听她自语："四哥，你真的出手了么？"虽是女子声音，但语声却刚强得犹如男子。扛着温黛黛的那人，哼了一声。

那少女又道："爹爹再三吩咐，未摸清对方路数之前，千万出手不得，妄自打草惊蛇，小不忍而坏了大事。"

那男子哑声道："你可知这女子是谁么？"

那少女道："我怎会知道，我根本谁也不认得。"说到这句话时，她语声中似乎微带酸楚之意，听来才总算多少有了些少女们应有的温柔。

那男人冷冷道："这女子是来寻找司徒笑的。"

简简单单一句话里，竟似含蕴着山一般重的仇恨，海样深的怨毒，那少女轻轻惊呼一声，再也说不出话来。然后，两人谁也不再说话。风吹草浪，使这无边的沉静显得更是沉静得可怕，温黛黛心头寒意也更重。

她在心中暗暗忖道："这男女两人究竟是谁，是司徒笑的仇人，还是司徒笑的朋友？是为了我来寻访司徒笑而迁恨于我，还是为了怕我向司徒笑复仇，是以先将我擒获？"

# 第四九章　铁血柔情

温黛黛终是猜不出这少年男女两人究竟是谁？更猜不出这两人究竟要将自己带往何处？如何处置？她只觉这两人行走甚急，似乎在这长草间出没已久，是以长草虽如大海般难辨方向，但两人却不以为意。

走了半晌，突听那少女耳语般轻叱道："停!"

温黛黛便觉自己身子沉了下去，显见那少年已蹲了下来，而且屏息静气，连呼吸之声都不再闻。这时右面草丛间，已传来一阵脚步移动，衣衫"窸窣"声，温黛黛伏在少年肩头，但觉他心房怦怦跳动。

她不觉暗奇忖道："这少年如此紧张，想必是怕来人发现于他，来的想必是他的强敌，在如此隐秘的狭谷草中，居然竟潜伏着势如水火的两派人物，这当真是令人想不到的事，却不知除了雷鞭老人一派外，还有一派是些什么人？想来这少年男女，必定是与雷鞭老人敌对一派中的。"她好奇之心一生，反将自己安危忘了，只恨不得草中来人直闯过来，也好让自己知道他们是些什么人物。

哪知脚步之声到了他们身旁数尺外，便停下了，接着，一个尖锐而奇特的女子口音道：

"咱们在这里说话，万万不会被旁人听去。"这语声听来又是年轻，又是苍老。

这语声一入温黛黛之耳，她心头不禁一跳，暗忖："原来是盛大娘来了！"这既年轻又苍老的语声，正是盛大娘独有的，无论谁只要听过一次，便再也不会忘记，温黛黛虽然明知盛大娘必定在此草原中，但骤然听得她语声，仍不免吃了一惊。

又闻另一人叹道："如此隐秘之地，也亏得雷鞭老人找到，只可笑他还不知足，还要说此地暗中必定有人窥伺。"

温黛黛听得这语声，心头又是一跳，忖道："黑星天也来了。"

她好奇之心不觉更盛，暗道："盛大娘拉着黑星天鬼鬼祟祟地在此说话，说的又是些什么不可告人之事？这我可得听听。"

风吹草动，两人说话的声音更轻。盛大娘冷笑道："依我看来，那老头子近来神志已有些不清，咱们若也随着他乱闯，哪能成得了什么大事？"

黑星天叹道："只可惜咱们已是骑虎难下，走也走不了啦！"

盛大娘道："他死了又如何？"

黑星天似是吃了一惊，过了半晌，方自缓缓道："大娘的话，小弟有些不懂？"

盛大娘道："你懂的，我早已瞧出，咱们剩下的这些人里，只有你是条敢做敢为的汉子，是以才拉你来说话。"

黑星天默默不响。

盛大娘又道："那老头子虽然疑神疑鬼，但对咱们却丝毫不加防范，咱们只要在他那酒葫芦下些毒药，嘿嘿……"

黑星天倒抽了口凉气，道："但……但咱们此刻正想倚他为靠山，来复仇雪恨，若是害死了他，岂非反倒于咱们有害无益？"

盛大娘冷笑道："你难道还未看出，他随手带着的那两本绢册，便是他一生武功的精华，他若死了，就是咱们的了。"

黑星天心已显然有些动了，讷讷道："这……"

盛大娘截口道："此刻日后已隐，夜帝失踪，咱们只要学得雷鞭的武功，何愁不能横行天下，你还考虑什么？"

黑星天长长吐了口气，道："只是他那儿子，外看虽胡涂，内

大旗英雄传

里聪明，只怕还在老头子之上，却当真难以对付得很。"

盛大娘道："老的已死了，还怕小的？不说别人，就凭你一双铁掌，我一袋天女针，再加上孝儿一柄剑，就足够要他的命了!"

黑星天又自默然不响。

过了半晌，盛大娘方自道："怎样？"

黑星天缓缓道："只要大娘行动，小弟必定追随。"

盛大娘轻轻一笑，忽然又道："你看司徒笑这人怎样？"

黑星天似是怔了一怔，道："这……这小弟……"

盛大娘恨声道："此人自作聪明，什么都要占强，他非但瞧不起我，也根本未将你们放在眼里，连你们的徒弟都被他抢了去，你难道还无所谓么？"

黑星天又自吐了口气，道："小弟对此人，也早已心存芥蒂，只是念在一派同盟的份上，始终不愿对他下手而已。"

盛大娘道："咱们有了雷鞭的武功，还要此人何用？"

黑星天沉吟道："只是此人武功虽不佳，为人却比狐狸还要狡猾三分，咱们要想除去他，只怕还未见十分容易。"

盛大娘笑道："这个我早有成竹在胸，你只管放心。"

黑星天道："大娘有何妙计？小弟愿闻其详。"

盛大娘道："此计便着落在钱大河与孙小娇身上。"

黑星天似乎有些奇怪，诧声道："孙小娇？"

盛大娘道："孙小娇是何等样人，你难道还未看出？"

黑星天干笑道："这女子的确是个危险人物，世上的男子，除了她丈夫外，仿佛都是好的，她都要来尝尝滋味。"

盛大娘道："这就是了，她非但与沈杏白勾勾搭搭，还想去勾引雷鞭那儿子，但真正迷恋着她的，却是司徒笑那老狐狸。"

黑星天奇道："哦……真的？"

盛大娘冷笑道："他两人偷偷摸摸，已非止一日，老娘都是暗中瞧在眼里，暂时也未说破，只等着机会来了……"

黑星天道："机会来了又怎样？"

盛大娘道："机会来了，我便将钱大河带去，让他瞧瞧他们在做的好事，嘿嘿！那时他还会放过司徒笑么？"

黑星天道："但……但钱大河却未必是司徒笑的敌手。"

盛大娘格格笑道："钱大河纵非他敌手，但彩虹七剑，势共生死，那龙坚石见了这情形，还能在一边袖手旁观不成？"

黑星天笑道："不错，司徒笑武功再高，到时也得死在这两柄剑下，咱们只要在一旁静观其变，根本不必出手。"

盛大娘笑道："正是如此，你总算懂了。"

黑星天叹息道："直到今日，小弟才知道大娘智计之高明，司徒笑那厮纵然奸似鬼，此番只怕也要吃盛大娘的洗脚水了。"

盛大娘笑道："姜是老的辣，这话你切莫忘记。"

黑星天道："小弟在此预祝大娘成功，小弟也好沾光。"

盛大娘道："事成之后，自是你我共享其利，存孝那孩子心眼太直了，此事我连他都瞒着，你切莫走漏出去。"

黑星天笑道："小弟还未发疯，怎会走漏如此机密？"

盛大娘亦自笑道："这就是了，一言为定。"

说着说着，两人带着轻微的得意笑声去了。

温黛黛听完了这番话，也不觉倒抽了一口凉气，掌心已流满冷汗，她心头实是又惊又喜，暗道："天教我在此听得他们这一番阴谋毒计，只要我不死，只要我还能见着他们，就凭这些话，我就能要他们的好看。"

盛大娘与黑星天脚步之声，终于渐渐去远。

那少年这才松了一口气，道："三叔的话，果然不错，只要咱们能忍耐得住，这一窝蛇鼠，迟早总有自相残杀之一日。"

那少女幽幽道："三叔的话，几时错过了？只是……只是他老人家说二哥、三哥吉人自有天相，迟早终必回来，却不知说的准不准？……唉！咱们人力如此单薄，二哥、三哥若是还不回来，只怕……只怕……""只怕"什么,她终未敢说出来。

那少年轻轻叹息一声,也未接着说下去。

温黛黛心头一动,忖道:"二哥?三哥?是谁?"

但这时那少年又扛着她走了,她也未及仔细去想,只是在暗中隐隐约约地感觉到,有什么事不对了。究竟是什么事不对了?她却也说不出。

又行了顿饭工夫,温黛黛只觉一股阴森霉腐之气,透过布袋,扑鼻而来,似是走入了个地穴之下。她已感觉出地势越来越低,霉气也越来越重。突然,一个苍老雄浑的声音问道:"什么人?"

那少年道:"是孩儿们回来了。"

那老人语声道:"你们去了哪里?还不快进来!"

突又惊"咦"一声,厉声道:"你可是胡乱出手了?背的是什么人?"

这老人不怒时说话,已是威势凌人,此刻厉声而言,更是令人胆寒,温黛黛虽未见着他,但已可想见他神情之威霸!

只听少年道:"她是司徒笑的……"

那老人怒道:"纵是对头,你也不该胡乱出手!"

少年嗫嚅道:"这女子是来寻司徒笑他们的,但却还未见着司徒笑,是以孩儿想,纵然将她绑来,也不致惊动别人。"

老人怒喝道:"你想?这种事也是你胡乱想得的么?你难道不想我等已是何等情况?你难道不想想我拼命咬牙,忍到如今,为的是什么?你难道不想想你幺叔是怎会落入对头手中的?你竟敢如此胡作非为,你……你孽子,你难道真想将我等汗血,被你一时冲动就葬送么?"

他越说越怒,温黛黛但觉这少年身子已颤抖起来。

又听另一语声道:"大哥且请息怒,先看看这女子是谁再说。"

这语声虽也低沉有威,但已远为柔和得多。

老人"哼"了一声,道:"还不放下她来!"

少年颤声应了，将温黛黛放到地上。

老人道："你两人守着门户，三弟你拍开她的穴道。"

语声未了，已有一只手掌拍在温黛黛身上。

温黛黛穴道被解，轻叹一声，伸了个懒腰。

那老人怒喝道："到了这里，你还敢如此轻狂，莫非不要命了？"

温黛黛幽幽道："我早已不要命了。"

那老人似也不觉一怔，瞬又喝道："你是什么人？"

温黛黛且不答话，伸出手将蒙头的布袋扯下。


只见她此刻存身之地，乃是个不小的洞穴，一枝火把斜插在壁孔上，将洞中钟乳映得光怪陆离，不可方物。流光闪动间，一个身穿褪色锦袍，满颊虬髯如铁，看来犹如雷神天将般的威猛老人，枪般笔立在她面前。

这老人身旁，还另有一老人，身形颀长，面容清癯，五绺长须，飘飘如仙，想见少年时必是个绝美男子。那少年男女两人，男的短小精悍，英气勃勃，女的虽是娇靥如花，但眉宇间亦自有一股逼人的英气。

这四人衣衫俱甚狼狈，神情也有些憔悴，但目光炯炯，一股慓悍威猛之气，仍是令人心折。

温黛黛瞧着那老人，轻叹道："我想的果然不错。"

老人厉喝道："你想什么？"

温黛黛悠悠道："你果然是我想像中的模样。"

老人怔了一怔，面色已变，另三人也不禁为之耸然动容，老人踏前一步，目如闪电，厉声道："你想我如此模样，莫非你已知老夫是谁了？"

温黛黛道："不错，我已知道你老人家是谁了。"

老人暴喝道："谁？快说！"

温黛黛缓缓道："你老人家想必就是'铁血大旗门'的当代掌

门人……"

她话未说完，老人须发已自暴长，一把拉起了温黛黛，反手一掌，向她脸上掴了过去。温黛黛既不挣扎，亦不反抗，只是凝目瞧着这老人，等着捶打，目光中也无丝毫惊惧害怕之色。

但那老人铁掌掴到一半，却突然硬生生顿住，厉声道："说！你究竟是什么人？怎会知道老夫的来历？你若是有半字虚言，便要你尝尝铁血大旗严刑的滋味！"洪厉的语声中，充满杀气！霸气！但温黛黛非但仍无丝毫畏惧，嘴角反而泛起了一丝微笑。

她微微笑道："铁血大旗门严刑之酷，早已名满天下，但我死且不怕，还怕什么？你若以严刑相胁，我死也不说。"

这老人正是以严厉、刚强之名，冠绝天下武林的"铁血大旗门"当代掌门人云翼。他一生以严御众，以威慑人，端的可说是令人闻名胆裂，他委实未曾想到这女子竟犹如此大胆，竟敢反抗于他。

此刻他心中虽然惊奇愤怒，却又不免有些异样的感觉，火炬般的目光，逼视着温黛黛，厉声道："你真的不说？"

温黛黛眼睛眨也不眨，回望着他，含笑摇了摇头。

云翼暴喝道："好！"他手掌第二次抬起，但却被那清癯老人拉住了。

云翼怒道："这女子既是前来刺探消息的奸细，还敢如此大胆，你……你拉我做甚？莫非你还要留下她不成？"

那老人道："且先问过她再动手也不迟。"

他神情看来，永远是那么心平气和，和颜悦色，与云翼那凌人的气势，恰成极强烈的对比。但云翼对他却似言听计从，果然垂下手掌，倒退三步。

那老人转向温黛黛，和声道："我等若以严刑相胁，你便不肯说出真情，但我等若是好言相询，想必你便肯说的了？"

温黛黛含笑点了点头，道："不错。"

那老人亦自含笑道："既是如此，你此刻便该说了。"

温黛黛轻叹道："我虽未见过你们，但却从别人口中，时常听到你们的言语神态，是以今日一见，我便可猜出你们是谁。"她一笑接道："你老人家想必就是大旗门中最有智能的云九霄，后面的那两位，想必就是云婷婷与铁青树了。"

云九霄实也未曾想到这少女对大旗门人事如此熟悉，面上不禁为之变了颜色，沉声道："这些事是谁向你说的？"

温黛黛缓缓道："云铮……铁中棠。"

云九霄面色更是大变，云婷婷与铁青树齐声惊呼。

云翼身形暴长，须发皆张，咬牙怒骂道："畜牲！畜牲！不想这两个畜牲，竟敢随意将本门机密向外人泄露，老三，我早要取了他们性命，你偏偏不肯，如今……唉！如今他两人终于做出此等事来，你……你……你还有何话说？"

云九霄长叹一声，垂下头去。

温黛黛缓缓道："我已是云铮的妻了。"

这句话说出口来，众人更是群相失色，一个个呆在地上，半晌不能动弹，半晌说不出话来。云翼又暴喝一声，顿足道："反了！反了！本门血仇未雪，这畜牲竟敢在外擅自娶亲。"一步蹿到温黛黛面前，又自一掌劈下。

云婷婷娇呼着扑了上来，挡在温黛黛身前。

云翼怒喝道："闪开！"

云婷婷颤声道："她既已是三哥的妻子，你……你老人家就……"

云翼嘶声道："老夫不认这门亲事！畜牲，还不闪开？"飞起一足，将云婷婷的身子远远踢了开去。

但云婷婷却又挣扎着扑了上来，面上已满流热泪。

她抱着她爹爹的腿，流泪道："你老人家纵然不认这门亲事，便叫这女子与三哥断绝就是了，又何苦定要取她性命？"

大旗英雄传

温黛黛突然道："谁说我肯与他断绝？"语声虽轻，但却有说不出的坚定。

云翼更是激怒，云婷婷回首道："你……你何苦……"

温黛黛凄然一笑，道："世上已永远再无一人，能从我身旁夺去他……他永远是我的了，你知道么？永远……永远……"

别人还未听出她话中含意，云九霄却已面色大变，惊呼道："莫非他……他已……"

温黛黛缓缓阖起眼帘，泪珠一连串流下。她梦呓般低语道："你们永远再也见不着他了。"

云婷婷嘶声而呼，铁青树扑地跌倒，云九霄面上立无血色，云翼犹如被人一锤当头击下，钉在地上。

然后，他山岳般坚定的身子，开始秋叶般颤抖起来，突然惨呼一声，撕开了前胸衣襟，大喝道："是谁害死他的？"

温黛黛摇了摇头，闭目不语。

云翼一把抓起她头发，惨呼道："说！快说！这血债必定要以血来还的！"

温黛黛更是咬紧牙关，不肯说话。

云婷婷突然在她面前跪了下去，痛哭着道："求求你……求求你将我三哥仇人的姓名，说出来吧，否则……否则我立时就死在你面前。"

温黛黛泪流满面，凄然道："不是我不肯说出他仇人的姓名，只因我纵然说了出来，也是……也是一样无用的。"

铁青树嘶呼道："为什么？为什么无用？"

温黛黛扑倒在地，道："只因世上没有人能为他报仇，只因迫死他的，乃是……乃是天下无敌的常春岛日后娘娘。"

云翼惨呼着倒退三步，跌坐在一方青石上。

云九霄面如死灰，颤声道："他死了，中棠可知道？"

温黛黛霍然抬头，面上流的已不知是热泪，还是热血？

她语声亦嘶裂，惨然道："铁中棠并不知道，只因……只因铁中棠已先他而死了!"

大旗门人纵有钢铁般的意志，却也承受不住这打击。温黛黛说出这话后，云翼等人的模样，世上委实没有人描述得出——也没有人忍心将之描述出来。

良久良久，云翼方自道："他……他是如何死的?"这犹如钢铁铸成的老人，此刻却颤抖得比秋叶还要剧烈，他那凌人的气势，此刻早已付于眼泪。

温黛黛木然道："害死他的人，我更不能说了。"

云婷婷反腕抽出一柄尖刀，抵住自己胸膛。

她眼泪似已流尽，目光赤红如血，一字字道："你不说，我就死!"

温黛黛咬住牙，流着泪，不住摇头。

云婷婷道："好!"手一按，尖刀已刺入胸膛，鲜红的血，激涌而出，只要再深一些，刀尖便将划破她的心。

但温黛黛已死命拉住了她，痛哭着嘶声呼道："你们定要我说么? 好，我说……我说出来，害死铁中棠的，便是……便是云……云铮!"

"当"的一声，尖刀落地，云婷婷立时晕厥，铁青树再难站起。

云九霄失魂落魄般低语："云铮? 这会是真的?"

温黛黛道："不! 不是真的，你……你们杀了我吧!"

她扑倒在地，云九霄却扶了她起来，惨然道："云某活到如今，难道连真假都分不出么? 我……我只是可惜，中棠他……他本是个有作为的孩子……"

云翼茫然颔首道："不错，他是个好孩子! 苍天若是让他多活些时，他必定能为我大旗门做出一番事业，只是……只是……"他突然发了狂似的仰首大呼："苍天呀! 苍天! 你为何要他现在就死? 我大旗门实有亏负于他，他如今死了，叫我等怎能安心? 叫我

等如何是好？他生前纵有过错，但那都是为着别人的，都可原谅……他一生中从未为过自己……"

温黛黛突然痛哭着道："不错，你们都有亏负于他，你们既然知道他是好的，为何在他生前那般逼他？"她以手顿地，失声道："你们既知一生行事，都是为了别人，都是为了大旗门，在他生前却为何要说他是大旗门的叛徒？如今他已死了，你们再说这些话，岂非已太迟了！他……他已永远听不到……"

云翼双拳紧握，不言不动，但见他目光血红，须发如刺，那凄厉的神色，看来煞是怕人！

突然，只听一阵凄厉的啸声，自洞外传了进来……


铁中棠虽然未死，却已与死相差无几。

那华丽的地下宫阙，如今已变为悲惨的人间地狱，昔日的娇笑与欢乐，如今已只剩下悲惨的哭泣。没有一个少女能停止她的眼泪。珊珊的伤，本已渐有起色，但如今又一天天重了，如今她瘦得只剩一把枯骨，终日俱在晕迷之中。但只要她一醒来，她便要嘶声低呼："求你原谅我……求你原谅我……求你原谅我……"她挣扎着不肯死，只因为她知道自己死了也无法赎罪。

就因为她一时的激愤，如今竟使得这许多人，都被活活埋葬在这地狱之中，这罪孽岂是死所能赎的？她觉得最对不起的便是铁中棠，她宁可铁中棠将她千刀万剐，也不愿忍受这心头负疚的痛苦。

但铁中棠却反而不时安慰她说："这是天命，怪不得你。"他看来已渐渐恢复镇静，其实，又有谁能比得上他心中的痛苦？

他还没有活够，他一生中全力以赴的大事还没有做完，他心头最最珍爱的人正活着在接受命运的悲惨。然而，他竟无能为助。他不能死，也不想死，然而，他却想不出活下去的方法，也想不出活下去的理由——在这地狱中活下去，岂非生不如死？他心头还有件最大的遗憾。

他向夜帝求告道："但望你老人家能对我说出大旗门的一切秘

密，你老人家若是不肯说出，我实是死不瞑目！"

然而夜帝却道："什么秘密？哪有什么秘密？"

铁中棠跪下哀求，他便道："纵有秘密，我也不知道，你也还是莫要听的好，只因安心地死，总比疯狂而死要好得多。"

铁中棠不能了解他这话中的含意，也无法再问。只因他若是再问，夜帝也不会回答了。

这昔日威震天下的老人，如今竟是日日夜夜呆坐在那里，动也不动，任何饮食，都拒绝入口。他若是不愿一件事时，世上又有谁能强迫于他？他若是不愿说话时，世上又有谁能令他说出一个字来？

眼看他玉质般坚实的肌肤，已渐渐干枯下去，渐渐起了皱纹，眼看他明锐的目光，渐渐黯淡，渐渐无神……显然，他旺盛的生命力，已随着时光的流逝，一分分，一寸寸，悄悄地自他身上消失了。这无声无息，无形无影的侵蚀，眼见就要将他生命完全摧毁，世上没有人能阻挡，没有人能救他。这一代巨人，眼见就要倒下。

铁中棠又何尝不是如此？他又何尝再有支持生命的力量——人若没有希望，又怎会有求生的斗志？

绝望中，死亡已渐渐近了！

铁中棠惟有向苍天默祷："求求你老人家，让云铮好好地活着，大旗门复兴的希望，此刻已完全着落在他身上了。"

但云铮此刻在哪里？他是否还好好地活着？

铁中棠宁愿牺牲一切，只要能换取有关云铮的一点消息，但他此刻若真得到了云铮的消息，只怕一头便要撞死在山壁上。

大旗门潜伏的洞窟，显然十分深邃隐秘，但此刻这啸声远远自洞外传来，仍是震得人双耳欲聋。温黛黛暗骇忖道："此人好深厚的内力！"这心念一起，立刻跟着又有个心念泛出，她立刻想起雷鞭老人那日在少林寺外震动山门的长啸声，当下忖道："这莫非便是雷鞭老人？他一人在外面长啸，却又为的是什么？"究竟为的是什么？她立刻便有了答案。

只听雷鞭老人长啸道："躲在洞里的人，快出来吧！"

众人俱是一惊，云翼霍然长身而起，反手一掌，掴在铁青树脸上。铁青树又惊又骇，颤声道："你……你老人家……"

云翼怒道："若非你泄露行藏，他怎会知道咱们在这里？"

铁青树骇得面如死灰，嘴唇激活，却说不出话。

云翼厉声道："三弟，家法处……"但他"处治"两字还未说出，洞外啸声又起。

雷鞭长啸道："你们还不出来么？……嘿嘿！老夫早已知道这草原中必定有人潜伏，你们躲也没有用的。"

云九霄松了口气，叹道："原来他并未发现我等行藏，只是已有怀疑，原来他这呼啸声，只不过是虚声恫吓。"

铁青树也不禁悄悄松了口气，垂下了头，云翼双拳紧握，木立当地，面上满面痛苦之色。

温黛黛瞧他神情，暗叹忖道："这老人已在后悔自己打错铁青树了，但他的脾气……唉，他宁可自己心头痛苦，也不会安慰别人，更不会认错的。"

哪知云翼却颤抖着伸出手掌，轻抚着铁青树头顶。

铁青树生于大旗门，长于大旗门，二十余年来，从未见过掌门人犹如此举动，一时间反而吓呆了。他只当掌门人还是要责罚于他，身子不禁骇得籁籁发抖，但仍咬牙站在那里，绝对不敢闪避。云翼见了他如此模样，神情更是惨然，长叹道："孩子，莫要怕，我只是……唉！"他猛然一顿足，接道："我已亏待了你兄长，本该好好待你才是，但……唉！我这脾气，竟是永远不能更改。"这样的话，也是铁青树从来未曾听到过的，他几乎不能相信自己的耳朵，满面俱是惊喜迷茫之色。

云翼目中竟已有泪光闪动，胸膛起伏，过了半晌，终于又道："孩子，我错怪了你……你莫要恨我。"

# 第五○章 草原风云

铁青树扑地跪到地上，嘶声道："你老人家无论对孩儿怎样，都是应当的，你老人家何必说这样的话……但……但孩儿今日能听着你老人家这番话，便是立刻就死了，也是……也是高兴的了……"这慓悍精干的少年，本有着铁牛般拗强的脾气，然而他此刻说完了这番话，也已不禁泪流满面。

云翼木立当地，老泪又何尝不是泫然欲落？云九霄捻额颔首，云婷婷仰视着她爹爹，那日光神情，正如仰视着天神一般。

温黛黛眼瞧着这一幕充满感伤，也充满了柔情的画面，一时之间，心中也不知是悲？是喜？是甜？是苦？她暗中自语："变了、变了……这老人终于变了……但究竟是些什么原因，使这刚强的老人变的呢？"

大旗英雄传

云翼缓缓道："铁血大旗门，如今已只剩下我们四个人，从现在起，到我死之日，我必要善待你们，只因……"他拧转头，闭起眼睛，喘息了半响，勉强将那将要夺眶而出的眼泪忍了回去，方自黯然接道："只因从今之后，我等的情况，已势必要比昔日更加艰苦，而你们所受的苦，本已够多了。"

云九霄叹道："大哥，你还是歇歇吧!"

云翼惨笑道："这些话我必定要说下去的。"

云九霄垂首道："但……但大哥不说，我们也知道。"

云翼道："你知道……唉! 你可知道敌我双方之战，我等能战

胜的机会，还有多少？那几乎已接近绝望。"他语声突变激昂，接道："但我等却不能不战，明知不可为而为，正是我铁血大旗门弟子应有的豪气，我等四人……"

温黛黛突然大声道："我等五人!"

云翼、云九霄、云婷婷、铁青树，齐地为之动容。

云翼厉声道："你怎能算是大旗门人？"

温黛黛道："我为云铮之妻，自是大旗门下，云铮生前未能为大旗门流血尽责，我自当为他挑起这担子。"

云翼凝目瞧了她半晌，缓缓道："你当真要如此？"

温黛黛凄然一笑，道："我若非要尽此心愿，早已随云铮于地下了!"说到这里，云婷婷、铁青树又已热泪盈眶。

云翼神情亦已被激动，道："但我方才之言，你想必已知道，我铁血大旗门即将要遭受的艰苦，你可能忍受得了么？"

温黛黛道："若怕吃苦，我早就去死了。"

云翼突然双目圆睁，厉叱道："你当真有为大旗门效死之决心？"

温黛黛道："温黛黛生为大旗门人，死为大旗门鬼!"

云翼道："你可知本门'铁血'两字之意？"

温黛黛怔了一怔，瞬即恍然，当下提起云婷婷跌落的那柄尖刀，一刀往自己肩头划落了下去。刀锋过处，鲜血涌出。温黛黛神色自若，连眉头都未皱一皱，大声道："这便是'铁血'两字之意!"

她话未说完，云婷婷已奔了过去，颤声道："嫂子……你……你受苦了。"

温黛黛凄然笑道："能听到你唤我一声嫂子，吃些苦，又算得什么？"她温柔的检视着云婷婷胸前的伤口，云婷婷也检视着她的。两人的伤口都不重，但两人这一刀划下，却非但要有过人的勇气与决心，还得要有火热的激情。

云翼突然仰天狂笑，道："好女子！好女子！惟有这样的女子，才配做我铁血大旗门的门人。如今本门凋落至斯，不想竟能遇着这样的女子。"

温黛黛垂首道："但孩儿昔日也曾犯下不少过错。"

云翼道："人非圣贤，焉能无过？往日的过错，你休要放在心上，只要从今而后，莫做出有背门规之事。"

突然间，那震耳的啸声竟又响起，而且似更近了。

雷鞭老人道："你们真的不肯出来，是么？好！老夫反正也不想在这草原中留下，待老夫数到'四'字，你们若还不出来，老夫便将这一片草原烧了……老夫倒要看看你们究竟是些什么样的人物？"

他语声一顿，立刻雷震般人喝道："一……"

这草原被火一燃，必成燎原之势，那是谁也救它不得，更无人能在这草原中任何一处藏身了。云儿霄变色道："不好，听此人声音犹如雷鸣，内功想必已至绝顶，这样的人，说出话来，想必便做得出的。"

温黛黛道："你老人家莫非还不知他是谁么？"

云九霄道："我等在这草原中潜伏已有许久，直到昨夜，才在暗中窥得司徒笑等人也到了此间，却不知他们之中竟犹如此高手，更不知此人是谁了。"

温黛黛吸了口气，道："他便是雷鞭老人。"

云翼等四人身子齐地为之一震。

云九霄耸然变色道："这些昔日本只是江湖传说中听到的人物，如今怎地竟俱都出现了，而且竟还与司徒笑等人一路？"

温黛黛叹道："此中因由，说来话长，但孩儿却可断定，这些绝世高人，都多少与我大旗门之恩仇有些关系。"

语声未了，喝声再响："二……"

云九霄垂首叹道："雷鞭老人既已与司徒笑等人走在一路，我等更是绝无胜望，我等如何行止？但请大哥定夺。"

大旗英雄传

云翼微一迟疑，一字字道："冲……出……去!"短短三个字里，充满了悲愤凄凉之意。

云九霄咬牙道："与其等着被他火烧逼出去，倒的确不如现在就冲出去的好，纵是同样一死，也要死得壮烈。"

云翼摇头笑道："好! 果然不愧是我的三弟。"

温黛黛倒真未看出如此温良的云九霄，竟也犹如此壮烈的豪气，但见云九霄也正在瞧着她，叹息道："只是……温……温姑娘，你方自投归本门，便遇着今日之事，你……你也未免太苦命了。"

温黛黛道："今日咱们也未必就定要战死。"

云翼怒道："若不战死，莫非归降不成?"

温黛黛赶紧道："孩儿并非此意，只因雷鞭老人此刻虽与司徒笑等人同在一齐，但孩儿却有法子令他们分将开来。"

云翼又惊又喜，道："只要雷鞭老人置身事外，我等便可与司徒笑等人斗上一斗……但你究竟有何法子?"

温黛黛还未答话，外面喝声已三响："三……"

云翼变色道："时已无多，你快说吧!"

温黛黛道："孩儿这法子，其中关系甚是复杂，一时间也说不清，但孩儿却深信必定是万万不会失手的。"

云翼皱眉道："我等又该如何行事?"

温黛黛垂首道："孩儿不敢说。"

云翼怒道："事已至此，你还有什么不敢说的?"

温黛黛头垂得更低，道："只要你老人家不声不响，无论孩儿说什么、做什么，你老人家都莫要有任何举动。"

她话未说完，云翼果然已现怒容，厉声道："如此说来，你莫非要我们做你的傀儡不成?"

云九霄接口道："这孩子我虽是初见，但我已瞧出她的胆智俱都不在中棠之下，她既如此说法，其中想必自有缘故。"

云翼嘶声道："但……但我大旗门怎能……"

云九霄长叹道："只要能使我大旗门有复仇雪恨之一日，你我今日纵然受些委屈，也是值得的，何况这孩子已是本门子弟。"

云翼默然半晌，狠然顿足道："也好。"

这两字才出口，洞外最后的喝声已起："四……"

温黛黛早已展动身形，飞也似的掠了出去。她道路不熟，一路上不知被石棱擦破了多少伤口，但她却丝毫也不觉疼痛，一口气奔出洞外，纵声大呼道："我们出来了。"

草浪起伏，四无边际，仍然瞧不见人影。

但雷鞭老人的大笑之声已自传来："好，果然出来了……嘿嘿，你们定要说这草原中无人，只是老夫疑神疑鬼，如今这出来的难道不是人么？"狂笑声中，一条人影自草巅飞掠而来。

草长及人，这长草末梢是何等轻柔？在此等长草上飞掠，那当真与通常"草上飞"的轻功不可同日而语。但这条人影飞行草上，却如履平地一般，温黛黛不用瞧清他面目，便知道雷鞭老人已亲身赶来了。

雷鞭老人瞧见出来的竟是温黛黛时，却不禁大吃一惊，身子"嗖"地落了下来，失声呼道："原来是你！"

温黛黛嫣然笑道："你老人家还认得我？"

雷鞭老人哈哈笑道："你是老夫亲自选的媳妇，老夫怎会不认得你？但……但你明明在常春岛，却又怎会跑到这里来了？"

温黛黛垂首道："不瞒你老人家说，常春岛那种寂寞冷清的日子，我实在过不惯，是以就……就偷偷溜出来了。"

雷鞭老人捋须笑道："好！好！溜得好！"

这时草浪中已又有人声传来。

温黛黛眼波一转，道："现在我有许多话要对你老人家说，但……但却不能被别的人听到，你老人家说怎么办呢？"

雷鞭老人不等她说完，已厉叱道："回去，回去等着。"

草浪中果然有人应了一声，人声便已渐渐远去。

他目光转向温黛黛，面上立又现出笑容，道："你这孩子虽然对不住我老人家，但我老人家还是喜欢你的，只因我老人家看来看去，除了你外，世上实已再无人配做我的媳妇，只是……不知道你这小丫头如今可曾已回心转意了么？"

温黛黛眼波流动道："我若能做你老人家的媳妇，我也高兴得很，却不知你老人家是否肯除去我的仇人，保护我的朋友？"

雷鞭老人欢喜笑道："自然如此，你若做了我家媳妇，你的仇人，便是老夫的仇人，你的朋友，也成了老夫的朋友。"说到这里，突然瞥见自洞中大步行出的云翼等人，面色立时改变，目光电射，厉声道："这些是什么人？"

温黛黛微微笑道："这些就是我的朋友。"

雷鞭老人"哦"了一声，失笑道："好丫头，原来话已说在前面了，既是你的朋友，老夫自不能难为他们……但他们也该前来参见于我才是。"

他目光逼视着云翼，云翼目光也逼视着他……他目光虽较锐利，但云翼目中那一股威严肃杀之气，却更是难当!

两个威猛的老人，面面相对，虽然一个华服锦袍，一个衣衫破旧，但那凌人的气势，却是一般无二。只因两人俱是一派宗主的身分，都有着宁折不屈的刚强，两人目光相遇，似已磨擦出火花。

雷鞭老人身形一闪，已到了云翼面前。他身法之快，端的令人吃惊，但云翼非但面色犹如铁石般毫无变化，就连眼睛都未眨动一下。

雷鞭老人厉声道："叫你参见于我，你可听见？"

云翼胸膛起伏，闭口不语。

雷鞭老人怒道："你这老儿莫非是聋子不成？"

云翼突然暴喝一声，道："老夫为何要参见于你？"

这一声大喝，当真是声如雷霆，连雷鞭老人都不觉吃了一惊，瞬即勃然大怒，厉声道："你若不肯参见，老夫便要你的好看。"

他这一生之中，委实极少有人敢和他动手，只因别人纵然不知他的身分，也要被他气势所慑。何况，他那双闪闪生光的眼神，他那犹如洪钟般的语声，便已告诉了别人他内力之深厚。

哪知云翼又自暴喝一声："好!"

"好"字出口，雷霆般一拳已自击出，这一拳招式并不奇特，掌风亦不惊人，但气概却是并世无俦。

雷鞭老人又吃了一惊，急退三步，喝道："好老儿，你竟敢胡乱出手，你可知老夫是谁?"

云翼喝道："你若非雷鞭，也不配老夫出手了。"

这边他两人拳来语去，那边云九霄却不住以眼色向温黛黛示意，显然是要她将这两人劝阻。哪知温黛黛却犹如未见，只是含笑旁观。云九霄又惊、又怒、又急，又不敢出手相助——云翼与人交手时，却是死了也不肯要人相助的。

云九霄却不知温黛黛早已摸透了雷鞭老人那吃硬不吃软的脾气，正是要云翼的刚强来折服于他。只因她深知云翼武功虽然不及雷鞭，但那一般刚猛强傲的气概，却或许还在雷鞭老人之上。

铁血大旗门的刚强，本是天下无双。

云翼喝声出口，雷鞭老人果然纵声大笑起来，大旗门人本是热血奔腾，满心激愤，此刻却不禁为之一怔。

只见雷鞭已笑道："常言道：鹏鹰不与燕雀共飞，麒麟不与狐鼠同林，我家温黛黛的朋友，果然都是角色。"他伸手一拍云翼肩头，又道："来来来，你我两个老头儿，今日倒得交上一交，且随我前去，痛痛快快地喝上几杯。"

温黛黛心念一动，突然道："你老人家可是有个酒葫芦?"

雷鞭老人怔了一怔，道："不错。"

温黛黛道："那葫芦此刻是否有酒?"

雷鞭笑道："若是无酒，老夫要个空葫芦做甚?"

温黛黛道："葫芦此刻在哪里？"

雷鞭大笑道："小丫头，你这话倒是越问越奇怪了，老夫既不能学那些矫情作态，自命风尘异人的老疯子们，终日将葫芦提在手上，自然只有将葫芦挂在壁上了，却不知你问这些，又为的是什么？"他虽然饱经世故，却实也猜不透温黛黛问话之意。

温黛黛眨了眨眼睛，含笑不语。

雷鞭老人奇道："你若有话说，为何不说？"

温黛黛道："我的话此刻是不能说的。"

雷鞭老人更奇，道："要等到何时？"

温黛黛道："要等到见着盛大娘时。"

雷鞭老人摇头笑道："这丫头之精灵古怪，有时连老夫都难免要上她的当，咱们且莫理她，且去痛饮三杯。"他又自一拍云翼肩头，转身大步而去。云翼瞧着他背影，迟疑半响，终于亦自大步相随。

这两人不但身材相仿，气势相当，性情本也有许多相似之处，两人若是惺惺相惜，倾盖论交，亦非奇事。只是雷鞭老人夭矫纵横，笑傲江湖，他既未将天下人瞧在眼里，举止自较洒脱，自较不羁。而云翼颠沛流离，忍辱负重，一身担当着铁血大旗门之安危存亡，一身担当着数十年连绵不绝的血海深仇。

在如此情况下，他看来自是满面秋霜，不苟言笑。

一行人，自大草原中斜穿而过，草浪深深，不见人踪。但雷鞭老人却突然停下脚步，侧耳倾听，他面色亦已突然沉下，似是又听得什么异常的响动。

温黛黛暗笑道："这里哪里有人，只怕连鬼都没有一个，难怪别人要说他终日疑神疑鬼了。"一念至此，忍不住脱口道："你老……"但她话未说出，嘴已被雷鞭老人掩住。

只听老人在她耳畔道："那边有人在鬼鬼祟祟的，不知说些什么，咱们且去瞧瞧。"

他施展的正是江湖秘技，"传音入密"之术，除了温黛黛外，谁也听不清他说的是什么，但这时众人耳畔也响起他传音的语声说道："众位且在此静候，勿言勿动，老夫与她去去就来。"

这细如游丝般的语声，竟能使云翼等四人，每一人都听得清清楚楚，云翼、云九霄对望一眼，不约而同在心中暗赞道："果然好功夫，果然名下无虚，但四下既无人影，亦无响动，他突然带温黛黛走了，是为的什么？"

温黛黛亦在心中暗道："那边哪有什么人说话，你老人家只怕听错了，咱们不去也罢！"但她嘴被掩住，话自无法说出。

也就在这时，她身子竟腾云驾雾般离地而起，只两闪又落入草丛，但却已远离云翼等十余丈。他身形起落，绝无丝毫声息发出，温黛黛正在暗中惊服他轻功之佳妙，耳畔却已听得左方有轻微人语。雷鞭老人竟未听错，这里果然有人在鬼鬼祟祟地说话，这轻微得犹如虫鸣般的语声，他相隔二十余丈竟已听到。

温黛黛更是惊服，又是猜疑："这是谁在说话？莫非司徒笑等人，也在密商着什么诡计，他若也邀约黑星天来陷害盛大娘，那就更妙了。"

只见雷鞭老人面色凝重，已在倾听，但温黛黛却只能听得些模糊的语声，根本无法听出字句。她着急之中，灵机一动，当下将耳朵贴在地上，恰巧那边两人也是伏在地上说话，她便听了个仔细。

只听一人道："到了此等隐秘之处，纵有人，你我也可惊觉，但兄台还要伏在地上说话，兄台也未免太谨慎了。"听他语声，此人想必亦是少年，但温黛黛却从未听过他的声音，也猜不出他究竟是谁。

又听另一人道："龙兄有所不知，家父耳目之灵敏，敢夸是天下无双，你我只要稍有大意，他纵在数十丈外，也立时便会发觉的。"这语声入耳，当真更是大大出了温黛黛意外，她实未想到在这里窃窃私语的，居然会是雷鞭老人之子。他又有何秘密？为何要

大旗英雄传

861

偷偷在这里说话？还要瞒着他爹爹，这姓龙的少年，又是何许人物？

姓龙的少年已问道："兄台要向小弟说的，莫非不能被令尊大人得知？"

雷鞭之子道："正是不能让家父知道。"

温黛黛偷眼一瞧，雷鞭老人眉宇间已现怒容。她心中虽然好奇，却又不禁为这少年担心，只因这少年对她和云铮，都有过一番相助之情。

龙姓少年已叹道："小弟虽不知兄台有些什么事要瞒住令尊，但只要小弟能对兄台有效力之处，小弟绝不推诿。"

雷鞭之子道："小弟只不过要问兄台一件事。"

龙姓少年显然有些惊奇，道："什么事？"

雷鞭之子轻叹道："这件事小弟积存在心中，已有数年之久，当真是令小弟寝食难安，而小弟又无法以自身之力解决。"

龙姓少年道："兄台但说无妨。"

雷鞭之子道："彩虹七剑，近年名声流传极广，而墨龙蓝凤，侠踪更是遍于四海，是以小弟想向兄台打听个人。"

温黛黛这才知道这龙姓少年乃是"彩虹七剑"中的人物——这少年正是"墨龙剑客"龙坚石。

龙坚石道："不知兄台要打听的什么人？"

雷鞭之子道："此人是个女子，乃是小弟的总角之交，但这数年以来，小弟竟得不到有关她的丝毫消息。"

龙坚石奇道："她既是兄台好友，兄台怎会不知她下落？"

雷鞭之子叹道："不瞒兄台说，她与小弟，本有婚姻之约，怎奈……唉！她母亲却与家父素来不睦，是以……"

龙坚石道："是以便将婚事拦阻，是么？"

雷鞭之子道："正是如此，是以她忿然之下，竟一怒出走了，唉！她千不该，万不该，不该在出走时竟未通知我一声，这几年也未曾给我捎封信来，唉……她性子是那么刚强，这几年在江湖中，必定吃尽了苦了。"低沉的语声中，充满了款款深情。

温黛黛暗道："难怪他不肯娶我，原来他早已有了意中人，只是……那女子却未免有负于他，非但不告而别，也不肯与他捎通音讯，而他……他心里虽然伤心、失望、着急，却丝毫没有埋怨那女子，反而只是为她担心，如此看来，他原来也是个痴情人……也是个痴情人。"一念至此，她不禁对这雷鞭之子生出了无限的怜悯与同情，也不觉将自己情怀触动，想到他总算还是有个可以思念的人，而自己却如孤魂野鬼般，连个可以思念的人都没有了。

龙坚石似也听得颇为感伤，默然半晌，方自缓缓道："不知那位姑娘姓什么？"

雷鞭之子道："她便是'烟雨'花双霜之女花灵铃。"

龙坚石失声道："原来竟是'烟雨'化二娘之女！"

雷鞭之子道："不错，不知兄台近年来可曾在江湖中听见过她的名字？"

龙坚石道："未曾听过。"语声微顿，又道："她既是花二娘之女，又是兄台的知心人，那武功人品，自是可想而知，这样的少女若是在江湖走动，不出两个月，声名便该震动四方，但小弟既未听人说起这名字，只怕她已……"

雷鞭之子截口道："以她的性情，万万不会在深山巨泽之中潜伏得下去的，小弟与她相交多年，这点已可断定，只是她纵在江湖行走，也必定改变了姓名，她……她……她既已出走，自然不愿被花二娘再找回去。"

龙坚石叹道："若已改变姓名，就难找了。"

雷鞭之子道："但兄台不妨仔细想想，近几年来，江湖中可曾出现过词色冷傲，武功绝高，又喜着绿衣的少女？"

龙坚石寻思半晌，道："不曾。"

雷鞭之子失望地叹息一声，道："小弟终年追随家父，心里虽然着急，也不能出去寻找于她，但望兄台日后行走江湖时，为小弟留意留意，小弟委实感激不尽……唉！小弟虽有幸身为雷鞭之子，

大雄英雄传

但……但也因如此，便连个朋友也难结交得到了……"一种寂寞萧索之意，溢然流露出言辞之间。

温黛黛心头却突然为之一动，突然想起了自己那日在铁匠村里遇着的那艳若桃李，冷若冰霜的柳荷衣。她大喜暗道："柳荷衣岂非既美艳又冷傲，岂非武功绝高，岂非喜着绿衣？她……她莫非便是花灵铃的化身么？"

但闻龙坚石慨然道："兄台之托付，小弟必不敢忘。"

雷鞭之子道："小弟先此谢过，兄台若是……"

雷鞭老人突然沉声道："你还未说完么？"

草丛中那两人，这一惊显然非同小可，两人俱都从地上跳了起来，雷鞭之子语声惊惶，道："是……是爹爹么？"

雷鞭老人厉声道："还问什么？还不过来！"

草浪突分，龙坚石与雷鞭之子垂首走了出来。温黛黛心房怦怦跳动，更是为这两人担心。

雷鞭老人凝目瞧着他爱子，只是缓缓道："你还在想着她？"

雷鞭之子垂首道："爹爹明鉴。"

雷鞭老人道："她对你不告而别，这数年来片纸只字也不给你，花二娘更是将你视为蛇蝎，但你还在想她？"

雷鞭之子咬了咬牙，垂首道："是。"

雷鞭老人突然狂笑起来，道："好，雷小雕呀雷小雕，不想你倒真是个货真价实，不折不扣的多情种子，我倒对你佩服得很。"

温黛黛已听出这老人狂笑声中的愤激之意，那雷鞭之子雷小雕，头垂得更低，更是不敢说话。

雷鞭老人笑声果然突地顿住，大喝道："还不跪下！"

雷小雕扑地跪了下来，龙坚石只好陪他。

雷鞭指着温黛黛道："你可瞧见了她么？"

雷小雕道："瞧见了，孩儿正在奇怪……"

雷鞭道："你奇怪什么？记着，她已是你妻子，从今以后，你只许想她，除她之外，别人谁也不准想!"

雷小雕变色道："但她的……她的云……"

雷鞭大喝道："云什么？别的人与你何关？站起来，随我走，再说一个字，打断你的腿!"转身大步而去。

雷小雕却还跪着，竟似还想说什么，但温黛黛却拉了拉他衣襟，向他使了个眼色，雷小雕一怔，终于站起。温黛黛侧着头，举起手，作出摇铃的模样，又指着自己，点了点头，雷小雕大喜，温黛黛却已一笑而去了。

# 第五一章　祸福无常

一个黝黑的洞窟中，燃着堆火，闪动的火焰，更为这洞窟平添了一些幽秘。盛大娘、黑星天、白星武，围坐在火堆旁，三个人俱是不言不动，望着火焰呆呆地出神。

"蓝凤剑客"柳栖梧皱着眉，仰着头，也正在凝思——她自是在想雷小雕将她夫婿拉出去，不知为的什么？洞中四人，但却寂无声息。

只见洞窟一角，堆着些麻袋，似是装的食物干粮，一方凸石上，却放着只鲜红的大酒葫芦。突听一阵脚步声响，盛大娘脱口道："回来了！"

柳栖梧眼波凝视着洞口，显然正在企望着她的夫婿，但当先走进来的，却是雷鞭与温黛黛。跟着，云翼、云九霄、云婷婷、铁青树、龙坚石、雷小雕，六个人也鱼贯走了进来，六人俱是面沉如冰。

盛大娘等人骤然瞧见温黛黛，已是吃了一惊，再见到"大旗门"门下竟全都来了，更是吓得魂飞魄散。三个人霍然站起，目定口呆，哪里还说得出话？

大旗门人虽明知他们在这里，但骤然见着不共戴天仇人便在眼前，也不禁热血奔腾，面目变色。云翼胸膛起伏，面目赤涨，双目之中，似有火焰喷出，显然他的确费了许多气力，才忍住未曾出手。

雷鞭目光转动，皱眉道："这是怎么回事？"

盛大娘脱口道："他们怎会……"

黑星天脱口道："这些人……"

白星武脱口道："你老人家怎地……"

三个人抢着说话，乱成一团，结果是三人说的话都无法听清。

雷鞭怒喝道："全都给我住口！"但目光转向温黛黛，又道："你说！"

温黛黛不答反问，道："你老人家方才说的话，此刻可忘了么？"

雷鞭怒道："老夫怎会忘记……快说这是怎么回事？"

温黛黛微微一笑，伸起手掌，春葱般的指尖，却尖刀般地指着盛大娘等三人，一字字缓缓道："他们便是孩儿的仇人，你老人家为孩儿除去他们吧！"

这句话说出，众人更是大惊，连大旗门人都不例外，只因他们到此刻还摸不清温黛黛与雷鞭之间究竟是何关系？

盛大娘等三人更是面色惨变，齐地倒退数步。

雷鞭愣立半晌，道："他……他们是你的仇人？"

温黛黛道："半点不假，你老人家还不动手？"

雷鞭老人面上已有为难之色，以他之身分，此刻又怎能向这些跟随自己已有多日的人骤下毒手？

黑星天颤声呼道："晚辈跟随你老人家至今，对你老人家事事恭顺，你老人家可万万不能相助大旗门人。"

雷鞭霍然回首，凝注云翼，道："你可是姓云？"

云翼沉声道："不错。"

雷鞭哈哈大笑道："老夫早已该知道的，普天之下，除了'铁血大旗门'掌门人外，谁还有你这样的气概！"

温黛黛悠悠道："你老人家可莫要顾左右而言其它，答应了孩儿的事，就该先做，别的话慢慢再说也不迟。"

雷鞭老人以手捋须，作难道："这……"

突又大笑道："但你此刻还不是我的媳妇，等你做了我媳妇，我老人家再为你出气也不迟，此刻么……老夫还不能出手。"

温黛黛一怔，想说话，但突然瞧见那葫芦，便又忍住。

黑星天大喜道："正该如此，只要你老人家不出手，我等便可……"

雷鞭厉声道："老夫不出手，这里的人谁也不准出手！知道么？都给我坐下，且待老夫与云大旗痛饮几杯。"

云翼双拳紧握，木然凝立，雷鞭已将葫芦取在手中。

温黛黛突然道："这酒喝不得的!"

雷鞭老人怒道："这是什么话?"

温黛黛道："你老人家若要喝这酒，先得让盛大娘与黑星天喝一口。"她算准盛大娘与黑星天，必定已乘方才人少之时，偷偷做了手脚。

雷鞭老人微一皱眉，目光霍地望向盛、黑两人。盛大娘与黑星天早已骇得面无人色，身子发抖。雷鞭老人目光闪动，一步步向他们走了过去，他脚步十分沉重，十分缓慢，但终于走到了他们面前。

这时盛大娘与黑星天身子已站立不住，摇摇欲倒。

雷鞭老人将葫芦缓缓送了过去，突然大喝道："喝一口!"

黑星天汗流满面，道："哑……哑……"他费尽气力，方自张开口，费尽气力，方自说出声音，但却是声不成字，谁也听不出他说的是什么。

只听雷鞭老人一字字道："喝下去!"

黑星天"噗"地跌倒，身子还未倒在地上，已被雷鞭老人一把抓住他胸前衣襟，怒叱道："你喝不喝?"

他一连问了两声，黑星天仍未应声，四肢软软地垂下，身子动也不动，他竟已骇得昏死过去。

雷鞭老人怒骂道："无用的狗奴才!"随手一抛，黑星天身子便飞了出去，"砰"地撞在石壁上，更是不会动了。

白星武似要过去扶他，但瞧了雷鞭一眼，哪里还敢举步？只见雷鞭老人已将葫芦送到盛大娘面前，道："你喝!"

盛大娘面上亦已全无血色，道："晚辈不敢……"

雷鞭老人怒道："你为何不敢喝？莫非你已知道酒中有毒？莫非酒中的毒便是你下的？说! 快些说话!"

盛大娘颤声道："晚辈怎敢在前辈酒中下毒？"

雷鞭老人道："酒中既无毒，你且喝一口瞧瞧。"

盛大娘道："前辈之酒，晚辈怎敢饮用？"

雷鞭老人怒骂道："放屁! 这酒今天你是喝定了，不喝也得喝!"将酒葫芦抛在盛大娘面前，厉声接口道："数到三字，你若再不喝，老夫要你的命!"

众人察言观色，却早已断定盛大娘与黑星天两人必定是在酒中下过毒的了，此刻哪里还有人敢为盛大娘说话？盛大娘目光乞怜地望向别人，别人也只好装作未曾瞧见，白星武更早已站得远远的，拼命地做出一副事不关己的模样。

雷鞭老人已叱道："一……"

盛大娘目光四射，嘶声道："老身年迈力衰，烈酒实已不敢入口，坚石、星武，你们瞧在存孝的面上，替我喝一口吧!"

龙坚石似已有些不忍，但身子方动，便被柳栖梧一把拉住，她虽是女中丈夫，虽然义气深重，却也不忍眼见自己心爱的人去喝别人的毒酒，就在这时，但闻衣袂划风，已有一人大步奔了进来。只见此人紫面浓眉，身材魁伟，正是盛存孝及时赶回来了。

他显然在洞外便已听得洞中言语，是以全力奔来，此刻犹自气喘未及，便一把抢过酒葫芦，道："这酒在下替家母喝了。"

盛大娘变色大喝道："你……你喝不得的……"但她语声未了，盛存孝已将葫芦中的酒一连喝了三口，盛大娘嘶呼一声，也跟着晕了过去。

大旗英雄传

这时又有一人自洞外奔来，正是钱大河，但众人俱已奔向盛存孝，谁也不曾留意及他。

盛存孝身子却仍然站得笔直，面上既无痛苦之容，亦无畏怯之意，却反而有些悲哀惭愧之色。

温黛黛望了他半晌，不禁轻叹道："呆子……呆子……你何苦来喝这酒……"

雷鞭厉声道："你为何要喝这酒？"

盛存孝道："家母既不愿喝，弟子自当代劳。"

雷鞭老人道："但酒中有毒，你可知道？"

盛存孝惨然一笑，道："酒中若是有毒，弟子更当喝了，为人子尽孝，为母赎命，本是天经地义，理所应当之事。"

云翼一直凝然卓立，此刻突然长叹道："人道'紫心剑客'天性纯孝，今日一见，果然名下无虚……青树、婷婷，自今日起，你等永远不可难为此人。"

铁青树道："但他……他也是……"

云翼厉叱道："老夫平生最敬的是忠臣孝子，我'大旗门'弟子也绝不许与忠臣孝子为敌，此点你等切莫忘记！"

雷鞭老人颔首道："好……说得好！"

盛存孝凝目望着云翼，目中似已有泪光晶莹，口中黯然道："若论'忠孝'二字，在下怎比得上铁中棠，只可惜……只可惜在下今生今世，只怕已再无缘见着他了。"

想起了铁中棠，大旗弟子更是黯然神伤。

雷鞭老人道："铁中棠？他想必是个英雄。"

温黛黛道："不错，但，你老人家怎会知道他？"

雷鞭老人道："老夫虽不知道他，但他若非英雄，怎会连他的敌人都如此赞美于他？却不知此刻他在哪里？"

温黛黛黯然无言，大旗弟子俱都垂首。

雷鞭老人动容道："莫非他已死了？"

云翼点了点头，沉声长叹道："不错！"

雷鞭老人跺了跺足，又瞧了瞧盛存孝，突然怒喝道："为何今日江湖中的少年英雄，俱都不能得享长寿？却偏偏要让一些卑鄙无耻的匹夫，苟且活在世上……"他心情显见十分激动，胸膛起伏不已，一时之间，洞窟中但闻他粗重的呼吸之声，再无别的声响。

突听柳栖梧轻呼一声，道："不对！"

雷鞭老人皱眉道："什么事不对了？"

柳栖梧凝目瞧着盛存孝，道："盛老伯母若是存心要加害雷老前辈，她在酒中下的必定是极为猛烈的毒药……"

雷鞭老人狂笑道："正是如此，毒药若不猛烈，怎害得了老夫？"

柳栖梧接口道："那么盛大哥饮了那葫芦中毒酒，毒性便应立刻发作才是，但直到此刻为止，盛大哥却还是好好的。"

众人目光俱都往盛存孝瞧了过去，只见他面色仍是紫中带红，目光仍是明锐闪亮，果然全无中毒的征象。

雷鞭老人动容道："如此说来，酒中岂非无毒了？"他目光霍然移向温黛黛。

温黛黛自是惊奇交集，讷讷道："但……但……"

雷鞭老人怒道："你还有什么话说？还不退到一边？下次你若再如此胡言乱语，老夫便得好好地教训你了！"他对温黛黛委实与别人不同——若是换做别人，纵然是他儿子，他此刻也早已出手教训了，又怎会等下次？

但即使如此，已足够令温黛黛满怀委屈。

盛存孝长长松了口气，这才回身去扶起他的母亲，白星武也不再向一旁躲了，也扶起了黑星天。紧张的情势，立刻松弛了下来，雷鞭老人已取过酒葫芦，再次瞧了盛存孝几眼，断定他确未中毒。于是雷鞭老人便将葫芦送到嘴边，自己先大大喝了一口，又将葫芦送到云翼面前，笑道："如何？"

云翼也不答话，接过葫芦，满饮一口，眼角一瞥云九霄，云九霄微微一笑，也接过喝了一口。

温黛黛虽不信酒中无毒，但见了盛存孝模样，又不得不信，她心里虽然着急，却又再也不敢说话。

雷小雕笑道："儿子也有些口渴了。"

雷鞭老人大笑道："老夫别的本事你未曾学会，这喝酒的本事你却学得半分不差，好，小馋虫，就让你喝一口。"

雷小雕含笑接过葫芦，也喝了一口，眨了眨眼睛，将葫芦悄悄送到龙坚石面前，于是龙坚石也喝了一口。武林豪杰，又有谁不好酒？瞧见别人喝酒，又有谁能忍住不喝？等到龙坚石喝完，葫芦中已滴酒不剩了。

雷鞭老人笑骂道："这些人好大的嘴，只可惜……"

突然间，柳栖梧又已经呼道："不好！"

雷鞭老人皱眉道："又有什么事不好了？"

柳栖梧失色道："钱……钱三哥怎地变成如此模样？"

众人目光，又却不禁向钱大河瞧了过去。只见钱大河身子竟已站立不稳，已斜倚在石壁上，瘦削的面容，竟已变作乌黑颜色，目中更已全无神光。众人俱都久走江湖，一眼瞧过，便知这是怎么回事了，盛存孝、龙坚石，俱都不禁耸然变色。

柳栖梧道："他……他可是中了毒？"

雷小雕沉声道："绝无疑问，他必定已中毒了！"

柳栖梧道："但……但这是怎么回事，喝过毒酒的未曾中毒，他未喝毒酒，却已中毒了，这毒是哪里来的？"

雷鞭老人沉吟半晌，道："你两人在路上可是遇着了什么事？司徒笑、孙小娇等人，又为何到此刻还未曾回来？"

盛存孝道："弟子们方才在路上确是遇见了件怪事，只是被方才发生之事一扰，弟子竟险些忘记说了。"

雷鞭老人道："此刻还不快些说来！"

盛存孝道："弟子本当与小娇等人同回，只因弟子有事与大河切磋，是以便由得小娇与易氏兄妹先行……"

雷鞭老人厉叱道："易氏兄妹是什么人？"

盛存孝道："亦是弟子同盟兄弟，只因事迟来……"

雷鞭老人"哼"了一声，道："说下去。"

盛存孝道："此地惟有弟子先陪前辈来过，而小娇等人却要寻找那路标秘记，是以弟子后走却反而先到了。"

他语声微顿，温黛黛心头立刻一动，暗暗忖道："难怪司徒笑、孙小娇等人还未回来，却不知我早已将那路标方向弄乱了，他们再等一日一夜，只怕也未必能寻着这条秘道。"她暗中不免好笑，口中却自然一字不提。

只听盛存孝接道："弟子与大河走到半途，突见路旁林中掠出一位红衣头陀，竟无缘无故地拦住了弟子们之去路……"

雷鞭老人变色道："红衣头陀？……他武功可是不弱？"

盛存孝道："此人武功之高，确实惊人，弟子与大河连变量种身法，也无法将他闪过，只得好言问他，为何无故拦路？"

柳栖栖道："是啊，他凭什么拦住你们的去路？"

大旗英雄传

盛存孝道："那红衣头陀却只说了句：'随我来！'弟子们无可奈何，只得跟去，到了树林里，便发现件奇怪到了极处之事！"

那件事显然十分奇怪，只因他此刻说来还不禁为之动容，雷小雕、龙坚石，忍不住齐地脱口问道："什么事那般奇怪？"

盛存孝长长吐了口气，道："那件事乃是……"

原来盛存孝与钱大河两人一入树林，便发现一人被高高吊在树上，一身肌肤，漆黑如铁，只穿条犊鼻短裤。树下站着个披头散发，满面泪痕，看来有些痴狂的少女，手里拿着根藤条，正不停地向吊在树上的人鞭打。

奇怪的是，她每抽一鞭，目中便要流出数滴眼泪，心头似乎痛苦已极，但鞭子却绝不停顿，下手也绝不容情。更奇怪的是，被吊在树上的那人，眼睛虽睁得大大的，身子却似已麻木，藤条抽在身上，也丝毫不觉痛苦。盛存孝与钱大河虽然久走江湖，但瞧见这情况，也不禁为之呆住了，两人面面相觑，俱都作声不得。

过了半晌，盛存孝终于问道："大师究竟有何见教？将在下等带来此间，究竟为的是什么？在下等俱有要事在身，委实不得不走了。"

红衣头陀道："你两人要走也容易得很，洒家随时都可放行，但你两人首先却必须要答应洒家一件事。"

盛存孝道："什么事？只要……"

红衣头陀截口道："此事于你等全无伤损。"

钱大河道："既是如此，便请大师吩咐。"

红衣头陀道："只要你两人用尽毕生功力，向此刻被吊在树上之人，重重击上一掌，便立时可以走了。"

这要求自是大出盛存孝、钱大河两人意料之外。

盛存孝道："但此人与在下等素无冤仇，在下怎忍出手伤他？何况，他既已被大师制住，大师为何不自己出手？"

红衣头陀道："你可知他是洒家的什么人？"

盛存孝道："自是大师的仇家。"

红衣头陀道："错了，他乃是洒家惟一弟子。"

盛存孝又是一怔，大奇道："莫非他犯了大师门规？……若是如此，大师更该自整家法，却为何定要在下出手？"

红衣头陀不答反问，又道："你可知此刻抽打他的少女是谁？"他嘴角始终带着丝诡秘的笑容，此刻这笑容已更是明显。

盛存孝道："这……这在下更猜不出了。"

红衣头陀一字一字缓缓道："这少女便是他的女儿。"

盛存孝与钱大河这一惊更是非同小可，两人目定口呆，张口结舌，更是再也无法说出一个字来。

红衣头陀微微笑道："由此可见，洒家要你等出手是绝无恶意的了，你两人还考虑什么？还不快快动手？"

钱大河怔了半晌，喃喃道："连他女儿都在抽打于他，咱们为何不可？"果然纵身掠了过去，全力一掌拍出。

　　他并非徒有虚名之辈，这一掌拍出，力道自是非同小可，那人虽被震得整个人抛了起来，但果似丝毫不觉痛苦。

　　盛存孝见此情况，自然也只得出手了。

　　盛存孝简略地说出这段经过，众人自都早已听得动容——这件事情委实充满了悬疑与诡秘，令人无法猜测。

　　只听盛存孝长叹一声，又道："弟子一掌拍出后，那红衣头陀果然将弟子们放了，但……但弟子直到此刻，还猜不出他如此的做法，究竟是为的什么？"

　　雷鞭老人皱眉沉思，别人自更无法回答他这问题，这时盛大娘与黑星天早已醒转过来，两人亦都惊得呆住。

　　火光闪动之下，但见温黛黛满头汗珠，涔涔而落，嘴唇微微颤动，似乎想说什么，却又不敢出口。雷鞭老人一眼瞧见她神色，问道："你想说什么？"

　　温黛黛倒抽了口气，喃喃道："毒神之体……"

　　雷鞭老人面色突变，一把拉住她衣襟，厉声道："你说什么？再说一遍。"

　　温黛黛一字字道："毒神之体。"

　　雷鞭老人身子突然为之震慑，缓缓松开了手掌，缓缓倒退三步，双目圆睁，须发皆动，喃喃道："毒神之体……不错，毒神之体，老夫本该早已想到。"突然转身，面对盛存孝，嘶声接道："那红衣头陀，可是身高八尺，头大如斗，甚至连头与双眉，都是血也似的赤血颜色？"

　　盛存孝奇道："不错，但……但前辈怎会知道？"

　　雷鞭老人咬牙道："老夫认得他。"

　　盛存孝忍不住又问道："他是谁？"

　　雷鞭老人沉声道："他便是万毒之尊，飧毒大师。"

这几个字说出，每个字都似有千钧之重，压得众人面容扭曲，呼吸沉重，都说不出一个字来。

雷鞭老人突又顿足道："但他这毒神之体，是几时练成的，老夫却不知道，他毒神之体既成，这……这怎生是好？"

众人见到这睥睨一世，全无畏惧的雷鞭老人，此刻竟也对这"毒神之体"如此震惊，心头不禁更是骇异。

盛存孝又忍不住脱口道："毒神之体究竟是什么？"

雷鞭老人目光四扫，沉声道："这毒神之体，乃是毒中之神，毒中之极，万人万物，一沾其体，无形无影，不知不觉间便已中毒。"

就在这时，柳栖梧突然发出一声尖锐的惊呼。

龙坚石身子突然一阵痉挛，翻身跌倒。

雷鞭老人突然飞身而起，出手如电，连点了他爱子雷小雕与龙坚石心脉左近，十八处主要穴道。

云翼、云九霄，突然盘膝坐下，面容亦已扭曲。

雷鞭老人翻身掠到他两人面前，左右双手齐出，刹那之间，竟将他两人心脉左近大穴，也一齐点中。

这些事几似是在同一刹那中发生，洞窟中立时大乱，白星武、黑星天、盛大娘三人已贴身而立。钱大河口吐白沫，早已昏迷不醒，铁青树、云婷婷泪流满面。雷鞭老人石像般木立半响，缓缓转身，正如火焰般燃烧起来的目光，瞬也不瞬地凝注着盛大娘等人。

温黛黛颤声道："酒中有毒……酒中果然有毒。"

盛存孝道："酒……酒中若有毒，在下为何未被毒倒？"

温黛黛道："这我也弄不清楚，只怕是因你体中已有了毒神之毒，饮下毒酒后，以毒攻毒，毒性互克，一时之间，两种毒性都无法发作，你便因祸而得福，只可惜……"瞧了雷鞭老人父子与云氏兄弟一眼，黯然住口不语。

盛存孝呆在地上，满面俱是沉痛之色，喃喃道："如此说来，反而是我害了他们了。"

他耳中只听得柳栖梧凄惋的哭声，不住传来，眼中只瞧见龙坚石、雷小雕、云翼、云九霄俱已僵卧不动。他顿觉心胸欲裂，大喝一声，道："我真该死！"说到"该"字，一口鲜血随着喷出，亦自晕厥倒地。

温黛黛转目四望，只见这洞窟之中，未曾中毒的，只有盛大娘、黑白双星、云婷婷、铁青树、柳栖梧与她自己七人。

这七人中，倒有三个是她的强仇大敌，她忖量情势，自己这边三人，无论奸狡武功，俱不是对方三人的敌手。何况柳栖梧是敌是友，犹未分明，云婷婷、铁青树悲恸之下，神志已晕，武功自也要大打扣折，心头不觉泛起一股寒意，只有在暗中默祷，惟望雷鞭老人能将毒性逼住，惟望他莫要倒下。

雷鞭老人果然未曾倒下。

盛大娘、黑白双星等三人，此刻心中狂喜之情，实非言语所能形容，他们本望能毒倒雷鞭一人，便已心满意足，哪知阴错阳差，百般凑巧，云氏兄弟竟也都毒倒了，他们多年来视为心腹之患的死敌，这驱之不去，铲之不绝，终年犹如冤魂般的缠着他们的"大旗门"，眼见今日就要被他们连根拔起，他们用尽心机，用尽力量不能做到的事，今日竟在无意中得来，而且得来全不费功夫，这是何等幸运之事——这三个人已几乎忍不住要笑出声来。

但他三人只要瞧见雷鞭老人那犹自站得住的威猛身形，心头的狂喜之意，便立刻消失得无影无踪。他三人几乎跃跃欲动，只因为雷鞭老人，所以迟迟不敢出手，他三人不惜一切代价，只要雷鞭老人倒下。但雷鞭老人非但未曾倒下，反而一步步向他们走了过去。

盛大娘等三人心头立时泛起一股寒意，三人情不自禁，齐地退后数步，紧紧贴住了那冰冷的石壁。

雷鞭老人目眦尽裂，厉声道："你们在酒中下的是什么毒？"

盛大娘格格笑道："什么毒？呀！老身已忘却了。"她虽想发

大
旗
英
雄
传

出得意的笑声，但雷鞭老人余威犹在，她委实笑不出来，只不过发出一连串蛙鸣般的怪响。但此刻此时，这声响却已足够令人不寒而栗。

雷鞭老人双拳紧握，嘶声喝道："你说不说？"

他雷霆般的语声，此刻竟已有些嘶裂，显见他虽犹能以数十年性命交修的功力，将毒性逼住。但剧毒实已侵入他腑脏，他那钢铁般坚强的身子，电霆般强大的力量，实已在无形无影中被侵蚀、削弱。

盛大娘心胆一壮，道："不说又怎样？"

雷鞭老人吼道："你若不说，要你的命！"

盛大娘道："我说出后，你难道便能放过我么？嘿嘿！这些骗小孩的话，你又怎能骗得过我老人家？"

温黛黛知道雷鞭老人若能立刻问出毒性，便可能及时寻得解药，若再拖延，中毒渐深，更是无救了。

她空自五内如焚，却也无计可施。

只听盛大娘狞笑又道："何况你此刻以全身功力，逼住毒性，犹自不及，你哪有力量再向我等出手？你自己也知道自己再妄动真力，便立将毒发身死了。"

雷鞭厉声道："纵然如此，但老夫最后一击之威，足可令你三人粉身碎骨！你三人若是不信，此刻便不妨来试一试。"

盛大娘笑道："我三人若不动手，你敢动手么……嘿嘿！我三人又何苦出手，等着你毒性发作，岂非好得多？"

她这话确实切中了人类共同的弱点——无论是谁，不到山穷水尽之时，都万万不会放弃求生希望的。

# 第五二章　阴差阳错

雷鞭老人面色倏青倏红，紧握着的双拳，亦已因激动而颤动，但他委实不敢妄自出手。只因他此刻一身系着数人的安危，他若是有了三长两短，别人的性命也将跟着不保。

柳栖梧突然扑地跪下，颤声道："盛大娘求求你，将那毒性说出来吧，我夫妻与你无冤无仇，你……你何苦定要他死？"

盛大娘格格笑道："昔日那般孤傲的蓝凤剑客，今日怎地也会求人了？你若是早知有今日，昔日为何不对我老人家客气些？"

柳栖梧咬了咬牙，忍住了满心的悲愤与委屈——这本是她万万做不到的事，但如今，为了她心爱的人，她不惜牺牲一切。她垂下头，颤声道："无论如何，都求你老人家快些出手，救他一命，我……我今生今世，永远忘不了你老人家大恩。"

盛大娘凝目望着她，突然格格狞笑起来，她目中突然现出了一种近于疯狂的妒嫉与怨毒之色。她格格狞笑着道："好恩爱的夫妻，你为了他，竟真的什么事都可牺牲么？你真的是全心全意地爱着他？"

柳栖梧垂首流泪道："只要他能活，我……我情愿死！"简简单单的一句话中，委实含蕴着千百句话也叙不尽的情意——就是这一分深挚而强烈的情感，已足够令山摇地动，河流改道，令铁石人动心。

但盛大娘目中的妒恨之色却更重，神色更是疯狂，狞笑道："我本还有心救他，但见了你两人如此恩爱，我反而不愿救他了……我……我要你在一旁眼睁睁瞧着他痛苦而死。"

柳栖梧哀呼一声，道："这……这是为什么？"

盛大娘怨毒的目光，凝注着远方一点虚空之色。她口中嘶声道："只因我平生最最见不得的，便是人家的恩爱夫妻，我恨……我恨人家的夫妻，为何都能如此恩爱，而我盛家的夫妻，却永无恩爱之时，我……我恨不能将天下的恩爱夫妻俱都拆散才对心思。"

柳栖梧身子一震，轻呼着跌倒。

雷鞭老人怒骂道："你……你这恶毒的妇人，老夫纵然令你粉身碎骨，绝子绝孙，也不足抵消你的罪孽。"

盛大娘突然暴怒起来，嘶声道："不错，我盛家已将绝子绝孙！但你雷家难道就不绝子绝孙么？你父子两人中了我的'绝情花'毒，难道还想活命？"

雷鞭老人骇然失声道："绝情花？"

盛大娘方才被人触及心中隐痛，激动之下，脱口说出了毒名，此刻再加掩饰，亦已不及，索性大声道："不错，绝情花！就是那被人称为'梦中仙子'的绝情花，这名字你总该知道，你也该知道世上惟有此花之毒，是绝无解药的。"

她生怕雷鞭老人生机断绝后，会突然不顾一切地扑将过来，与己同归于尽，是以暗中早已蓄势。哪知这打击竟委实太过巨大，竟连雷鞭老人都抵受不住——他竟终于跌坐在地，整个人都似已呆住了。

温黛黛更是惊怖欲绝，到了此刻，她自己这方，实已一败涂地，普天之下，只怕谁也救不了他们了。

威震天下的雷鞭老人，眼见就要在此丧命，声名赫赫的"彩虹七剑"，眼见便要因此凋零。最最令她伤心的，自还是历尽艰苦，千锤百炼，任何人都无法将之摧毁的武林铁军——"铁血大旗门"，也眼看就要在此全军覆没。

又有谁梦想得到，这小小一葫芦毒酒，竟犹如此巨大的力量？又有谁梦想得到，这许多不可一世的英雄，竟会葬送在盛大娘与黑白双星这三个卑不足道的人物中——这若是天意，天意也未免太残酷了些。

雷鞭老人茫然自语道："绝情花毒，乃是自然中最毒之物，毒神之毒，却是人为的最毒之物，一是自然毒中之极，一是人为毒中之极，两种毒性，自能相克，惟有绝情花能克得住毒神之毒，也惟有毒神之毒，方能克得住绝情花毒，但……但这两种毒物，为何竟如此凑巧，遇到一齐！"

盛大娘怪笑道："若非如此凑巧，怎害得到你？"

雷鞭霍然抬头，道："绝情花又号'梦中仙子'，只因此花生长之地，最是飘忽不定，难以寻找，你等是如何找到的？"

盛大娘格格笑道："这'梦中仙子'四字，当真取得妙到极处，你若故意要梦见仙子，总是偏偏无梦，你若不着意，仙子却往往会在你梦中出现……绝情花既有'梦中仙子'之名，自然亦是如此。"

黑星天接道："但我等弄得此花，却还得感激于你。"

雷鞭老人喃喃道："感激于我？"

黑星天道："正是得感激于你，只因你定要我等四去搜索，我等才会闯入那一片幽秘的沼泽之地，世上梦寐难求的绝情花，便偏偏是生在这片沼泽里。"

温黛黛心头一动，脱口道："沼泽？"她立时想到了她以繁花埋葬水灵光的那片沼泽，也立时想到了沼泽中那些辉煌而灿烂的花朵。

突听黑星天轻叱一声，道："还跟这老儿啰嗦什么？待我取他命来！也好教天下英雄得知，雷鞭老人是死在何人掌下。"语声未了，已抽出盛存孝腰畔长剑，飞身而起，剑光如惊虹，如闪电，笔直往雷鞭咽喉刺下。

大旗英雄传

温黛黛只道雷鞭老人纵有绝世的武功，此刻也已不能闪避招架，惊呼一声，便待飞身扑将过去。哪知身形还未动弹，雷鞭老人突然暴喝一声，挥手而出，只见他衣袖流云般卷起，向剑光迎去。轻飘飘一片衣袖，此刻看来却似重逾千斤。

黑星天只觉手中一震，胸口一热，一股不可抗拒的力道迎胸撞了过来，他身子跟着被震得飞了出去。青光一闪，长剑竟被震得飞出洞外。

盛大娘、白星武面容齐变。但见黑星天凌空翻了两个筋斗，方自落地，又自踉跄退出数步，依着石壁，方自站稳身形。他面上已无一丝血色，掌中长剑，早已不知飞向何处，这还是他始终对雷鞭存有畏惧，出手之间，犹自留着退路，否则他此刻只怕已无命在，但纵然如此，他也不禁骇得心胆皆丧，再也不敢动了。

百足之虫，死而不僵——威震天下的雷鞭老人，果然余威犹在——就只这一线余威，已够震慑群丑。但雷鞭老人一击之后，已是气喘咻咻。

盛大娘冷笑道："你已死到临头，还何苦如此拼命?"

雷鞭老人嘶声道："老夫今日纵要丧命此地，却也容不得你们这无耻的奴才，沾着老夫一片衣袂或一根毛发!"

盛大娘格格笑道："好，好，我们就不沾你，就让你自己死，但你死了之后，我却要将你刲骨扬灰，碎尸万段，那时你又如何?那时你还能拦得住我?"狞恶的笑声，犹如深山鬼哭，枭鸟夜啼。

雷鞭老人激怒之下，连牙关都已颤抖起来，他几乎想不惜一切，拼命出手，但却又都忍住。

白星武目光闪动，突然冷笑道："你既已如此愤怒，为何还不肯出手?你还在等什么?你难道还要等人来救你不成?"

盛大娘接道："只可惜此地委实太过隐秘，普天之下，再也无人会寻得着此地，更做梦也休想有人来救你。"

白星武接道："最可笑如此隐秘之地，本是他自己选的，你妄自称雄一世，只怕再也未想到到头来竟作法自毙。"

盛大娘冷笑接道："何况'绝情花'之毒，天下根本无药可解，无人可救，此刻纵然有人前来，也未必救得了你。"

两人一搭一档，冷嘲热骂，只当雷鞭老人必将更是激动，哪知雷鞭老人此刻竟已垂下眼帘，对他们完全不理不睬。这威震天下的老人，确有不凡之处，在这种生死关头中，才显出了他坚忍不拔的意志之力。不到最后关头，他绝不放弃求生的机会，他纵已心胸欲裂，但仍咬紧牙关，挣扎下去，忍受下去。

但温黛黛听了那两人的对话，心里却不禁大是后悔。

她后悔自己千不该，万不该，不该将那指路的标志弄乱，否则易明、易挺兄妹与孙小娇必定早已回来，他们纵然无法救得这些中毒的人，却至少可以救得铁青树与云婷婷两人的性命。

她知道只要雷鞭老人功力被侵蚀殆尽，不支倒下时，盛大娘等人是万万不会放过铁青树与云婷婷的。而雷鞭老人的倒下，已不过只是迟早间事。

一念至此，温黛黛的目光，便不觉向铁青树与云婷婷两人望了过去，目光中充满怜惜，也充满歉意。只见云婷婷与铁青树两人，木然跪在早已昏迷了的云翼与云九霄身旁，满面俱是泪痕，满面俱是悲愤怨毒之意。他们四只眼睛，狠狠地瞧着盛大娘，目光虽已将喷出火来，但两人竟也能咬牙忍住，绝不轻举妄动。

温黛黛对他两人在怜惜之外，又不觉大是钦佩——年轻的人便已能如此忍耐，的确是件令人钦佩的事。

铁血大旗门对门下弟子那寒暑不断，日以继夜的锻炼、折磨、鞭策，为的只是要大旗弟子学会"坚忍"两字。是以铁青树与云婷婷年纪虽轻，却已学会了如何忍受，他们奋斗不到最后关头，绝不轻言牺牲。

白星武目光也移到他两人面上，突又冷笑道："你两人又在等什么？你两人为何还不出手？"

盛大娘冷笑道："人道大旗门子弟俱是铁血男儿，哪知这两个却是懦夫，你们若怕死，为何还不跪下？"

白星武道："你们若是跪下求饶，我……"

铁青树突然暴喝一声，道："住口！"

盛大娘格格笑道："不住口又怎样？"

铁青树霍然站起，嘶声道："我……我……"

盛大娘冷笑道："你又怎样？你难道还敢动手么？……来呀……来呀……迟早总是一死，你还怕什么？"

铁青树嘴唇已咬出血来，突然紧握着双拳。

云婷婷哀呼道："你……你可曾忘了爹爹的教训？"

铁青树狂呼一声，再次扑地跪下。

盛大娘狂笑道："懦夫！无用的懦夫，你还是不敢，反正你是死定了，我老人家就让你多活片刻，又有何妨？"

白星武目光一闪，突然冷笑道："要他立时就死，也容易得很。"

盛大娘瞧了雷鞭一眼，道："但……他……"

白星武双眉一轩，做了个手势，温黛黛瞧见了这手势，立刻暗道一声："不好！要用暗器了。"

心念一闪，盛大娘已笑道："不错，正该如此，我竟险些忘了。"手掌一缩一伸，追魂夺命的"天女针"已到了手掌之中。

就在这时，盛存孝恰巧醒来，恰巧望见了她的动作，和身滚了过去，一把抓住了她的手掌，颤声道："万万不可。"

盛大娘狞笑道："有何不可？大旗子弟要杀我们时，还不是什么手段都做得出么？……放手，快快放手。"

但盛存孝却死也不肯放手，道："求求你老人家……"

盛大娘怒道："不孝的畜牲！我将你养到这么大，你却帮起外人来求我了，滚！"飞起一足，踢在盛存孝身上。盛存孝咬牙忍住了痛苦，手掌仍不放松。

盛大娘更是暴怒，怒骂道："畜牲，孽子！"怒骂声中，又已踢出数足。

盛存孝既不敢闪避，更不敢回手，嘴角渐渐沁出了鲜血，面色更是苍白，身子也渐渐地软了下去。

就连白星武都看不过了，笑道："大嫂叫他放手就是，又何苦……"

盛大娘怒道："我打死这孽子，也不用人管。"又是两足踢出，手掌一震，盛存孝终于再也把持不住。只见他踉跄后退，退到墙角，沿着墙滑了下去。

温黛黛早已掠到铁青树、云婷婷身旁，三人俱都双拳紧握——此刻实已到了最后关头，他们只有准备拼了。

只听盛大娘狞笑道："小畜牲，拿命来吧！"狞笑声中，手掌扬起——

突然间，风声噗响，　道寒光，白洞外飞来，犹如青虹经天而过，"叮"的一声，竟钉入了石壁。

长剑竟能穿石而入，掷剑人是何等功力！盛大娘手掌虽扬起，大女针却被惊得忘了发出，黑白双星、盛存孝、温黛黛……满洞中人，俱都耸然。

就连雷鞭老人都不禁睁开眼睛，骇然而视。一时之间，洞窟中又复静寂如死。

盛大娘忍不住喝道："外面是谁？"

洞窟外寂无应声，但忽然间……一种沉重的脚步声，响了起来，得、得、得、得……自远而近。这单调的脚步声，在此时此刻，却似有着种慑人的魔力，众人心神竟都不由自主为之所慑。

得、得、得、得……脚步之声更近、更响。

众人心房怦怦跳动，也已渐渐加剧，所有人俱都张大了眼睛，瞬也不瞬地望着洞窟入口处。只见一条魁伟的人影，随着那沉重的脚步声，渐渐在黑暗中出现，渐渐走了过来……脚步之声突顿，这人影也突然停顿在黑暗中。

大旗英雄传

火焰闪动，难及他企立之处，众人谁也瞧不清他面目，却只觉他浑身都散发着一种慑人的妖异之气。

盛大娘张了两次嘴，竟发不出丝毫声音来。

但这时已有一阵慑人的语声自黑暗中传来。只听他缓缓道："妙极，这里果然有人……妙极，雷鞭果然在这里……这当真是踏破铁鞋无觅处，得来全不费功夫。"

雷鞭嘶声道："你……你是谁?"

那人影笑道："冠绝江湖的雷鞭老人，如今真地连多年故人的声音都听不出了，这倒是件怪事。"

雷鞭嘴角突然一阵扭曲，身子突然一阵震颤，宛如突然被一条冰冷的毒蛇卷住他的身子。良久良久，他方自长长吐出一口气，道："是你……"

那人影道："不错，是我。"

雷鞭道："你来做甚?"

那人影阴森森笑道："自是来寻你。"

雷鞭道："你……你怎会寻来这里的?"

那人影笑道："我怎会寻来这里? 这经过倒也妙极，我本已知在崂山左近，只是云深不知其处，虽然寻访多日，也寻不着你，直到方才，我无意中发现两人，鬼鬼祟祟地，似是在草丛中寻找什么。"

雷鞭忍不住问道："那两人是何模样?"

那人影道："一人四十左右，满面俱是诡笑，一人年纪轻轻，满面俱是奸猾之容，嘿嘿! 两人看来俱不是好东西。"

他指叙得虽然简单，但众人已俱都知道这两人是谁了。

雷鞭怒道："这必是司徒笑与沈杏白两个奴才。"

那人影笑道："我虽不知他两人是谁，但见他两人神情，却不觉动了好奇之心，悄然跟去一看，才发觉草丛中竟藏着几粒棋子，显然是作为指路用的，我见这些人将路标做得如此隐秘，更是要追根究底，瞧个究竟。"

雷鞭道："你一直跟在他们身后，他们岂未觉察？"

那人影笑道："就凭这两人，也配能听出我的动静？嘿嘿！除你之外，普天之下，又有谁能觉察出我之行踪？"

雷鞭怒骂道："死人！两个死人！"

那人影道："我一路跟到外面山壁处，那两人终于停下身形，不问可知，自然是地头到了，但两人却犹在迟疑，那少年道：'奇怪，路标怎会指向悬崖之下？'"

听到这里，雷鞭也不觉大是奇怪——除了移动路标的温黛黛外，洞窟中人又有谁不在奇怪？

那人影已接道："两人商商量量，到最后还是那满面诡笑的角色说道：'那老匹夫选择藏身之地，素来十分隐秘，想必就是在这悬崖下，你我好歹也要设法下去。'"

他大笑数声，接道："那时我不免奇怪他说的'老匹夫'是谁，如今我才知道这'老匹夫'竟说的是你。"

雷鞭怒道："你为何不跟他们下去？"

那人影道："你只得怪那两人未怀好心，在下去之前，竟将那路标换了个方向，指向这边的山壁。那少年边笑道："咱们将路标这一变，那些蠢才们可当真惨了！'两人诡笑着爬了下去，我不愿行踪被他们发现，便等了一等。"

温黛黛暗叹忖道："凡事俱有天定，此话当真不假，我将那路标改变时，又怎会想到竟还有人将它变回去。"

只听那人影接道："哪知我方自等了半晌，竟突然又有两个女子与个少年，咭咭呱呱一路说笑而来……"

温黛黛忍不住脱口道："孙小娇与易明、易挺兄妹？他三人既已来了，为何还未瞧见？他……他三人此刻在哪里？"

那人影也不回答，自管接道："这三人也在寻找路标，我只当他们必定要找错了，哪知世事竟是如此奇妙，对的本错了，错的才是对的，他三人找了半晌，便找着那条秘道，若非他们三人，我怎

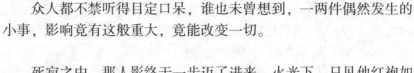

寻得着这亘古便少人迹的草原？若非那柄长剑斜插在外面，我又怎知草原中还有这幽秘的洞窟？"说到这里，他忍不住放声狂笑起来。

众人都不禁听得目定口呆，谁也未曾想到，一两件偶然发生的小事，影响竟有这般重大，竟能改变一切。

死寂之中，那人影终于一步迈了进来。火光下，只见他红袍如火，面容亦如火。

众人目光动处，不禁齐地脱口惊呼道："飧毒大师。"

惟有温黛黛却大呼道："你将易明他们三人怎么样了？你既已出手救了他兄妹，便不能再将他们害死。"

飧毒大师道："就凭他们三人，还不配洒家出手取他性命，他三人此刻都还好好地活着，只是暂时动弹不得而已。"目光一转，瞧见了角落中的盛存孝与钱大河两人，突又狞笑道："不想为洒家'毒神之毒'出道时试手的两人居然也在这里，只是……你怎地直到此刻还未死？"

目光再一转，瞧见了四下中毒之人，面色微微一变，俯下身子，翻开了雷小雕的眼皮，瞧了两眼。这两眼瞧过，他面色更是大变，脱口道："绝情花……绝情花！这里谁有绝情花淬炼的毒药？姓雷的，莫非你也中了绝情花毒？"

雷鞭老人"哼"了一声，算作回答。

飧毒大师突然大喝道："本门毒神何在？"喝声未了，已有一条人影幽灵般出现在众人眼前。

只见他周身如铁，面容木然，两道目光，却像是两柄钩子，随时都可钩出任何人的魂魄。他身子似是完全僵木，不能曲折，行动本该十分笨拙，但他来时却是无声无息，只一闪便已到了众人眼前，众人顿觉一股寒意自足底直凉到心底，却恨不得自己方才便已闭起眼睛，莫要瞧看这怪物一眼。

但只要瞧上一眼，目光便被吸引，似乎再也移动不开。盛大娘瞧了半晌，突然打了个寒颤，颤声道："冷一枫！"

殓毒大师狞笑道："冷一枫已死，这只是本门毒神，假冷一枫之躯壳现身……"倒退半步，一掌拍在"毒神"后背之上，大喝道："毒神听令。"

他于掌下，那"毒神"身了便起了一阵奇异之颤抖，显见他这一掌之中，便藏着可以催动"毒神"的魔力。

殓毒大师沉声道："毒神现体，天下无敌，食毒之门，横行天下……咄！本门毒神，还不快将洞窟中人全都杀死！不分男女，无论老少，斩尽杀绝，一个不留……去！"说话间，他身形退后七步，"毒神"双手已缓缓抬起。

那悬崖并不十分险峻，亦非绝高，但司徒笑与沈杏白两人，还是费了九牛二虎之力，吃尽苦头才爬了下去。两人下了悬崖，衣衫早已被扯得七零八落，帽子也早已不知去向。蓬乱的头发里满是草叶，那模样当真狼狈不堪。

司徒笑恨声道："那老匹夫当真是古怪到了极点，怎地选了这鬼地方，却害得咱们也得跟着他吃这苦头。"

沈杏白长叹一声，道："弟子如今再抬头往上看看，委实难以相信自己真是从那上面爬下来的，此刻若要弟子再爬一次，弟子非摔死不可。"

司徒笑道："我要你爬时莫往下看，便是怕你摔死。"

这两人端的是臭味相投，谈笑之间，转身而行，但见这悬崖之下，乃是一片低矮的杂木林。于是沈杏白仗剑开路，司徒笑相随在后，这段路不问可知，自也走得十分辛苦，两人衣衫更是被扯得破烂不堪。但走完了杂木林，他两人还是未曾发现有人的踪迹。

司徒笑皱眉道："那老匹夫躲到哪里去了？"

沈杏白道："莫非咱们走错了么？"

司徒笑"哼"了一声，抢在前方，放足而奔，又奔了顿饭工夫，他两人越瞧越不对了。司徒笑心念闪动，突然驻足，道："不好，真的走错了。"

沈杏白道："但那路标明明指向这边，怎会……"

司徒笑截口道："咱们既可移动路标，又怎知别人不会移动？说不定已有人先到了那里，先已将路标换了方向。"

沈杏白怔了一怔，道："不错，想必是如此。"

他瞧了瞧自己的狼狈模样，不禁破口大骂道："是谁这般卑鄙无耻，竟害得咱们平白吃了这许多冤枉苦头。"他却忘了自己的卑鄙无耻，并不在别人之下，他自己也曾将那路标移动过的，只是他未能害着别人，别人却先害苦了他。

司徒笑长叹一声，苦笑道："方才咱们将路标再一变动，反将错的变成了对的。"

沈杏白道："如今咱们怎生是好？"

司徒笑道："怎生是好？自然要赶紧回去。"

两人齐地转身，但身形方转，便听得远处传来一声呼声，两人对望一眼，纵身向呼声传来处掠去。

但四野茫茫，呼声瞬即消失。两人奔行了一阵，又摸不清方向。

沈杏白忍不住道："若再往前走，只怕连回去的方向都寻不到了，依弟子之见，咱们不如就此回去吧！"

司徒笑皱眉道："但那呼声，委实来得奇怪……"

说话之间，他两人脚步并未停顿，但说到这里，司徒笑却突然驻足，目光遥注远方，道："你瞧，那是什么？"

沈杏白随着他目光望去，但见一片红花林，犹如火焰一般，散发着辉煌夺目的奇异光彩。他虽非爱花之人，此刻也不禁脱口赞道："好美……弟子实未想到世上竟有这样美的鲜花。"

司徒笑却是双眉紧皱，沉吟道："如此险恶的山林沼泽之地，却生着如此美艳的鲜花，此花想必定有古怪，咱们过去瞧瞧。"他生性素来谨慎，一入花林，便放缓脚步，走得极轻、极缓，仿佛生怕惊动了什么人似的。

沈杏白目光四转，忍不住道："这……"

司徒笑不等他第二个字出口，便轻轻"嘘"了一声，沈杏白只得压低了语声，悄声道："这花林中并无人影，你老人家为何如此小心？"

司徒笑冷笑道："偌大的花林中，你怎知定无人迹？"

沈杏白呆了一呆，讷讷道："这……弟子自不敢断定。"

司徒笑道："这就是了，如此诡秘的花林，若是有人，那必定也是诡秘已极的人物，咱们自当小心些好。"

沈杏白陪笑道："你老人家说得有理。"

一句话未曾说完，繁花堆下，突然伸出两条乌爪般的手掌，一左一右，闪电般的抓住了两人的足踝。两人身形立时跌倒，大惊之下，方待惊呼。

但那两只怪手已自他们足踝上移开，又闪电般堵住了他们的嘴，一个虽阴森但却极为熟悉的语声已在他们耳畔说道："莫响。"

两人情不自禁，移动眼珠子，自眼角望过去，只见花丛中人瘦骨嶙峋，目如鹰隼，赫然正是风九幽。

司徒笑大奇道："你……你老人家怎会在这里？"

风九幽悄声道："莫要说话，快躲进来，若是被那边的一个魔头听得这边的响动，咱们可就都死定了。"

司徒笑、沈杏白自然立刻躲了进去，但心中却不禁大是惊疑，他两人实未想到连风九幽这样的角色也会对别人如此惧怕，那边那"魔头"的厉害，自是可想而知——两人哪里还敢出声，几乎连呼吸都停顿了。

他三人屏息静气，等了半晌。突听一阵歌声，自花丛那边传了过来："驱车上东门，遥望郭北墓，白杨何萧萧，松柏夹广路，下有陈死人，杳杳即长暮，潜寐黄泉下，千载永不寤……"

歌声委婉曼妙，凄恻动人，令人闻之又觉悦耳，又觉伤心，就连司徒笑等人都听得呆了，亦不知是悲是喜。但无论是悲是喜，他们心里的惊奇，总还是大于悲喜。司徒笑与沈杏白委实想不到，这

令风九幽如此惧怕的"魔头"，竟是个能唱出如此凄婉曼妙歌声的女子。

这时歌声虽已停歇，但余韵仍飘渺于繁花间。

风九幽突然悄声道："莫动，来了。"

# 第五三章　因祸得福

　　微风吹拂，花浪如海。繁花堆中，一个乌发堆云，满头珠翠的华服丽人，左手提着只花篮，右手提着柄花锄，漫步而来。遥遥望去，只见她眉目如画，肌肤胜雪，体态更是绰约如仙，每一举步间，都似有风情千万。花光与人面相映，鲜花虽美，但却不及人艳。

　　花浪起伏，莲步姗姗，起伏的花浪虽也有自然的韵味，但比起她绰约的丰姿，却又差了千百倍。司徒笑与沈杏白又不觉瞧得痴了，心头更是惊奇。

　　"如此天仙般的丽人，为何却令风九幽如此惧怕？难道这样弱不禁风的女子，也有着绝世的功力？她是谁？"

　　只见那华服丽人颦眉漫步，神情显得十分落寞，意兴显得十分萧索，心中仿佛满怀着如丝如缕，不可断绝的愁绪。但她那明亮的眼波，却不住四下流动，若瞧见特别鲜艳，特别大的红花，她花锄轻轻一挑，红花便到了花篮里。这挑花姿势，也是那么灵巧，那么美妙，但司徒笑却已看出，就只这花锄轻轻一挑之势，至少也要有数十年的功力。她出手竟是那么准确，用力竟是那么稳妥——这只要差错半分，鲜花又怎能恰巧飘入花篮里？她渐渐走了过来，走到近前。

　　司徒笑又发觉她丰姿虽然绝美，但年华却已渐渐老去，额头眼角，已有了淡淡的皱纹。只是她年华虽已老去，但仍有一种描叙不出的魅力，能使人愿意为她付出一切，牺牲一切。她那惊人的美丽，竟似能战胜无情的岁月。

风九幽的手掌本握着司徒笑的右腕。此刻司徒笑但觉他冰冷的手指，竟已有些颤抖起来。司徒笑与沈杏白虽不觉得这华服丽人有丝毫可怕之处，但受了风九幽的感染，心头也不觉有些发寒。三个人伏在泥地上，既不敢呼吸，更不敢动弹。

不知何时，一只虫蚁爬上了风九幽的鼻尖，风九幽竟也咬牙忍住了，绝不敢伸手去拂它下来。华服丽人走得虽缓，但终于走了过去——这一段时间在司徒笑眼中看来，当真比十年还要长。

司徒笑又发觉这华服丽人走过的泥地上，竟绝无丝毫足印，长裙掩映中，她足下一双绣鞋，鞋底竟也是干干净净，似是全无沾着这沼泽中的烂泥——她若施展轻功，全力而奔，这样倒也不算稀奇。但她姗姗而来，姗姗而去，走得却极缓。

司徒笑忍不住倒抽一口凉气，悄然道："好功夫! 好厉害!"

风九幽冷笑道："废话，她若不厉害，我怎会如此畏惧于她，老实告诉你，老子平生天不怕，地不怕，最怕就是这恶婆娘。"

司徒笑嘴唇激活，似是想问什么，又忍住，但最后还是问了出来，他一字字轻轻问道："她究竟是谁?"此刻那神奇的宫装丽人早已走得很远，是以他才敢问出这句话来，但语声仍是十分轻微。这轻微的耳语声，甚至连沈杏白都听不清楚。

但是他语声方了，一阵清风过处，那宫装丽人的百褶绣裙，已犹如奇迹般随风飘展在他眼前。司徒笑顿时骇得连心房都停止了跳动。

只听宫装丽人仙子般的语声，已自鲜花丛中漏了下来。她也一字字问道："你究竟是谁?"司徒笑匍匐在地上，哪里敢回答? 哪里敢动弹?

但风九幽却在他腿上重重拧了一把，口中虽未说话，但言外之意无疑是在说："你惹下的祸，你还不出去?"

大旗英雄传（下）

许明康　许黎黎／绘

繁花堆中，一个乌发堆云，满头珠翠的华服丽人，左手提着只花篮，右手提着柄花锄，漫步而来。司徒笑与沈杏白又不觉瞧得痴了，心头更是惊奇。

风九幽手劲是何等厉害，直疼得司徒笑整个人都跳了起来，一柄花锄斜斜伸出，勾住了他胸前的衣襟。他身不由主，被勾了出去，他挣也挣不脱，逃也逃不了，甚至连倒也无法倒下，只有直直地站着。

宫装丽人柳眉微颦，似愁似怒，柔声道："说话呀！"

司徒笑道："晚……晚辈……"他虽想说话，怎奈牙齿直是打颤，哪里说得出来？

宫装丽人叹了口气，道："还有两人，也请出来吧！"

话声未了，花丛中已有一条人影飞出，带着惊呼之声，笔直扑向这宫装丽人，却另有一条人影，向后面如飞而逃。原来风九幽竟抓起沈杏白的身了，向这宫装丽人掷出，他便想乘宫装丽人对付沈杏白的工夫，远远逃走。哪知就在这刹那间，宫装丽人身子竟突然移开三尺，手中花锄一带，司徒笑反而迎上了沈杏白。"噗"地一声，两人同时跌倒。

但闻宫装丽人道："原来是风老四，你也回来吧！"她口中说话，袖中已有一道银线飞了出去。

这银线去势，又直又快，但却不是向风九幽的身子飞去的，一眨眼，这银线已越过风九幽身前。司徒笑百忙中偷眼一望，心里方自奇怪，谁知这银线到了风九幽身前，竟突然爆散为一蓬银雨。烟雨光芒，如银花火树，四下飞激，有的两旁散发，断绝了风九幽的去路，有的迎面射向风九幽面目。

原来这条笔直的银线，竟是一连串小如芝麻的银星，首尾相衔，电射而出，看来虽似同一速度，其实却有着快慢的差别——前面的稍慢，后面的稍快，只是这快慢差别极小，肉眼自然难以分辨。前后银星，既有差别，越过风九幽时，后面的银星，撞着了前面的，一线银光，便爆散为一蓬银雨。而银星与银星撞激时，力量若是略偏，银星便往两旁散开，后面的银星力量若是稍弱，便会被前面的银星激得反射而出，射向风九幽的面门，这其间部位之准差，力道之大小，绝不可差错半分。

宫装丽人看似随手间便发出了这串暗器，其实却已将每粒芝麻般银星射出时的方向、速度、力量、时间，都控制得分毫不差，她实将自己手上的力量控制得入了化境，直可惊动天地，震慑鬼神。

司徒笑见到这宫装丽人发射暗器的手法，竟是如此惊人，如此神奇，更是骇得目定口呆，呆如木鸡。银光一闪，银雨四散，风九幽狂吼一声，双掌全力挥出，身子却凌空倒翻而起，要待越过花丛。宫装丽人花锄一展，那蓬远在数丈外的银雨便如有灵性一般，跟着风九幽身后飞了回来。

风九幽听得耳后丝丝风响，似已心胆皆丧，身子凌空，再也无力闪避，竟"噗"地落入了花丛中。司徒笑若非亲眼目睹，再也无法相信世上竟犹如此不可思议的暗器——这暗器竟似由魔法催动，而非人力使出。只听一连串"叮当"轻响，银光顿敛，银雨顿收。那数十点银星，如群蜂归巢，如百鸟投林，全都投向花锄，原来这花锄上竟有吸力，竟能将发出去的暗器收回来。

宫装丽人纤手轻挥，将那些已被吸得黏在花锄上的银星，全都扫入袖中，口中轻叹道："风老四，起来呀!"风九幽躺在花丛里，动也不动。

宫装丽人道："风老四，你装死么?"

风九幽还是不动。

宫装丽人道："唉! 你若真的要死了，我索性再补你一锄。"花锄扬起，便向花丛中的风九幽锄了过去。

风九幽这才大叫一声，自花丛中翻身而出，拍了拍身上泥土，拉了拉那身早已破烂不堪的衣服，嘻嘻笑道："二姐好吗? 小弟这里给您请安了。"那模样当真犹如小丑一般，哪里还像是个名震八表的武林异人?

宫装丽人叹道："总算还好，还没有被你们气死。"

风九幽道："小弟怎敢来气二姐?"

宫装丽人道："那么，我且问你，你既已瞧见我在这里，为何还要鬼鬼祟祟地躲着，不敢出来见我？"

风九幽抓了抓头，强笑道："这……这……"

宫装丽人道："这是为什么？快说呀!"

风儿幽突然一指司徒笑，道："是他叫我躲着的。"

司徒笑骇了一跳，翻身爬起，嘶声道："晚辈……我……"他平日伶牙俐齿，但此刻见了这美如天仙般的妇人，竟不知怎地，连辩白的话都说不出来了。

宫装丽人道："莫要怕，我知道不是你。"

风九幽大声道："明明是他……明明是他……"

宫装丽人叹道："风老四，你又骗我了，他根本不知道我是谁，所以才会出声来问你……是么？"她心中似有满怀幽怨，每说一句话，便要叹口气，但她这幽怨的叹息声，在司徒笑听来，却比什么狂呼厉吼都要可怕。就连平日那么凶狠的风九幽，此刻都已被她这叹声骇得身子都软了，结结巴巴道："二姐……小弟……"

宫装丽人道："只有你知道我是你的二姐，只有你知道我在这里采花，是为了要制淬炼暗器的毒药。"

风九幽拼命摇头道："我不知道……我不知道……"

宫装丽人叹道："你知道的，你还知道我在做有关暗器的事时，无论有谁在偷瞧，我都一定要将他杀死!"

司徒笑心头一寒，扑地跪倒。

风九幽大叫道："我没有偷瞧……我没有偷瞧……"

宫装丽人幽幽叹道："这绝情花本就要用鲜血来和药，毒性才会完全发挥，只可惜……唉! 你的血却嫌太少了些。"

风九幽道："对! 对! 对! 我的血太少了些，又有些臭气……那边两人年轻力壮，血包管又多，又好。"

司徒笑大骇，颤声道："我……我的血也……也是臭的……"

宫装丽人轻叹道："像你们这些无耻男人的血，本就又臭又冷，但用又臭又冷的血来和毒药，却是再好不过。"

风九幽大叫道："我的血香……好香……"突然张口在自己臂上咬下，鲜血立时沁出，他将这条又黑、又瘦的手臂送到宫装丽人面前，嘿嘿笑道："真的香，不信你闻闻，好香……好香……"他此刻不再像是小丑，却已像是个疯子。

宫装丽人缓缓道："果然很香……香的更好。"

风九幽身子一震，倒退三步，嘶声道："你……你……"

宫装丽人道："你们还要我来动手么？"

风九幽突然跳了起来，大骂道："你这妖妇、毒妇，你这疯子，你只当我风老四真的怕你么？……别人怕你，我风老四却知道你只不过是个疯子，你……你表面看来虽然还很正常，其实自从你女儿跑走的那一天，你便已疯了!"他跳足捶胸，龇牙咧嘴，破口大骂，骂得嘴角都喷出了沫子，骂的话也越来越是凶狠、恶毒。

司徒笑骇得手足冰凉，面无人色，只当那宫装丽人此番更是不会放过他们的了，哪知他骂了半晌，这宫装丽人非但未曾动怒，反而突然轻轻啜泣了起来，眼泪竟犹如断线珍珠般一连串落下。

风九幽骂得累了，方自喘口气，瞧见宫装丽人如此模样，也不禁为之张口结舌，呆呆地怔住。只见宫装丽人越哭越是伤心，索性以手掩面，痛哭起来，花锄、花篮，满篮的鲜花，但却落到了地上。

她痛哭着道："灵铃! 我的女儿，我的乖女儿，这臭男人说的不错，妈自从你走了后，便已疯了……"此刻她那绝世的风华，优美的姿态，俱都早已荡然无存，看来便和世上任何一个心痛爱女的俗妇毫无两样。

突然，花丛后一堆鲜花里发出了一阵呻吟。这呻吟声是那样娇弱，那么惹人怜惜。

司徒笑、沈杏白惊魂稍定，此刻又不禁一怔。

那宫装丽人却扑了过去，长袖飞舞，拂开了那堆鲜花，便露出了那埋葬在鲜花里的丽人。宫装丽人一惊，一怔，哭声顿住，倒退三步，突然放声大笑了起来，又自扑了上去，抱起花中人。花中人虽已发出呻吟，但犹昏迷未醒。

宫装丽人亲着她的手，她的脸，又哭又笑，嘶声道："灵铃……灵铃……我的女儿，乖女儿，宝贝女儿，原来你一直躲在花堆里，难怪妈找不着你。"

司徒笑与沈杏白此刻已瞥见这自花堆里出现的，赫然竟是水灵光，两人相顾之下，不禁愕然。

司徒笑实在忍不住了，又问道："水……水灵光真是她女儿？"

风九幽诡笑着摇头道："不是，只是想女儿想得疯了！"

他本待悄悄溜走，此刻却又站住了脚步，冷笑旁观。

宫装丽人又哭又笑，又亲又摸，闹了半晌，终于将水灵光轻轻放在那鲜花堆成的花床上。水灵光面色苍白，牙关紧咬，仍是不省人事。

宫装丽人垂首贴着她面颊，柔声道："乖女儿，你见着妈，怎地不说话呀？"

风九幽目光一转，忽然道："你的女儿早已身中剧毒，若非我将她救来这里，埋在这绝情花下，使花毒与她身中之毒互相克制，她早已死了，但她中毒委实太深，此刻虽能保住性命，却还是说不出话来的。"

宫装丽人一跃而起，厉声道："毒？谁敢在我女儿身上下毒？"

风九幽道："这……唉！不说也罢！"

宫装丽人一把抓住他，嘶声道："你说不说？"

风九幽叹了口气，道："不是小弟不肯说，只是……唉！下毒的那些人太过厉害，连二姐你也未见是他们的对手。"

宫装丽人怒道："放屁！你只管说出就是。"

风九幽道："但小弟说出后，二姐却千万不可前去寻仇，否则，连二姐也被他们所害，小弟问心怎能自安？"

宫装丽人越听越怒，大叫道："放屁放屁！快说快说！"

风九幽终于叹道："飨毒大师……"

宫装丽人一怔，顿足道："好呀，原来是这个老毒物！我与他无怨无仇，他……他……他为何要下毒来害我的女儿？"

风九幽道："下毒的虽是飧毒，指使的却另有其人。"

宫装丽人道："谁？"

风九幽缓缓道："卓三娘、雷鞭、还有日后……"

宫装丽人嘶声叫道："好呀，原来是这些老怪物，竟联合起来欺负我的女儿，我的好女儿，你可受够了苦了。"

她又自俯身抱起了水灵光，道："好女儿，莫怕，你虽中了那老毒物的毒，但遇着妈，就没事了，普天之下，只有妈能解那老毒物所下的毒。"

她自杯中取出个小巧的玉匣，自匣中倒出四五粒鲜红如血的丸药，自己先将丸药嚼碎，哺入水灵光的嘴里。然后，她柔声道："灵铃，好乖乖，你吃下妈的灵药，再乖乖睡一觉，就会好了……然后，妈再去替你报仇。"

风九幽喃喃道："妙极妙极，谁想这小妮子竟然因祸得福，不但命给捡回来了，还平白蒙上这么个好母亲。"

宫装丽人霍然回头，道："你说什么？"

风九幽赶紧赔笑道："小弟正在想，二姐你连那些老怪物此刻在哪里都不知道，又怎能为我的乖侄女去报仇？"

宫装丽人道："我找得着他们……我一定找得着他们！"她挥了一挥手，接道："今日我寻着了我的女儿，再也不想难为你们了，你们走吧，让她安安静静地睡一觉。"

风九幽站着不动，沈杏白与司徒笑对望一眼，也未移动脚步，他们方才惟恐逃不走，此刻却又不愿走了。

宫装丽人皱眉道："你们为何还不走？"

风九幽道："是小弟救了灵铃性命，二姐莫非忘了？"

宫装丽人道："将功折罪，两下正好抵过，你若再在此啰嗦，吵醒了我的乖女儿，我便又要对你不客气了！"

风九幽伸了伸舌头，诡笑道："既是如此，小弟……"

他话还未说完，哪知沈杏白竟突然冲了出来，"噗"地跪在宫装丽人面前，恭恭敬敬叩了三个头，道："弟子叩见恩师。"

宫装丽人怔了一怔，怒道："谁是你的恩师？你是什么东西？也配做我的徒弟？"

沈杏白道："弟子虽不是东西，却还有些用的。"

宫装丽人忍不住问道："你有什么用？"

沈杏白嘴角泛起一丝诡笑，道："若无弟子带路，恩师你便不知要等到何年何月，才能寻着令嫒的仇人，但有了弟子带路……"

宫装丽人霍然站起，截口道："莫非你知道他们下落？"

沈杏白道："弟子若不知道，怎敢在此胡说？"

宫装丽人喝道："快些带我前去!"

沈杏白眨了眨眼睛，道："那么，你老人家是已肯收下弟子这不成材的徒弟了？"

宫装丽人怒道："你敢以此相胁于我？"

沈杏白伏地顿首道："弟子斗胆，也不敢以此相胁，只是，弟子若是带你老人家去了，那些人少不得要恨弟子入骨，弟子武功怎能与他们相比，将来岂非要死无葬身之地？弟子若能投入你老人家门下，他们斗胆也不敢妄动了。"他这番话不但说得合情合理，而且马屁也拍得恰到好处。

宫装丽人果然颔首道："不错! 这话也说得有理，好! 起来吧，有我照顾着你，你便永远也莫要再怕别人欺负你。"

沈杏白大喜拜倒，道："多谢恩师。"

司徒笑忍不住摇头苦笑，喃喃道："青出于蓝，后生可畏，这小子年纪轻轻，已能如此把握机会，将来……唉! 将来那还得了!"

风九幽道："不错，看来这小子不但比你还诡，竟比我老人家还诡三分，此刻有了这靠山，只怕连你我都不敢再惹他了。"伸手一拍沈杏白的肩头，道："小子，你既已拜师，你师傅的名字你可知道？"

沈杏白笑道："弟子虽不知道，但已有些猜着。"

风九幽道："你且说来听听。"

沈杏白道："弟子怎敢说出恩师名讳。"

宫装丽人道："无妨，你说吧，我不怪你。"

沈杏白深深吸了口气，道："风华绝代无双，暗器奇妙无双，耳目之明无双，海内异人无双……这便是我家恩师'烟雨'花双霜。"


"不分男女，无论老少，斩尽杀绝，一个不留！"

飧毒大师最后一个"去"字出口，"毒神"双手扬起。

火光闪动下，只见他一双瘦骨嶙峋的手掌，黑里透红，红中透紫，黑紫中又透着一种说不出的妖异之色。这一双手掌，看来实比鬼爪还要可怖。温黛黛、云婷婷、铁青树，三个人情不自禁，紧紧依偎到一齐，三个身子，情不自禁颤抖了起来。

盛大娘、黑星天、白星武三人身子颤抖更是剧烈。

柳栖梧紧抱着她夫婿的身子，直勾勾地瞪着这双手掌，她悲痛过剧，竟似已全然忘却了惧怕。

雷鞭老人双拳紧握，目眦尽裂。

他目光亦自瞪着毒神鬼爪，口中嘶声呼道："能逃的人，快些逃出去，留得一命是一命！"

飧毒大师冷笑道："斩尽杀绝，一个不留，有洒家守住洞口，你们这些人一个也休想逃出去，拿命来吧！"毒神鬼爪笔直伸出，"噗"地，只一插，便插入了钱大河的头颅，他五根手指，竟似比精钢还要锐利。钱大河脑浆迸现，鲜血飞激，未能惨呼，便已倒地，云婷婷却已被骇得忍不住嘶声惊呼起来。

毒神鬼爪一缩，再次伸出——

白星武等人虽想逃跑，但已被骇得四肢发软，一步也逃不出。

雷鞭老人突然狂吼一声，道："老夫与你拼了！"

百足之虫，死而不僵！这威猛绝世的老人，虽已身中剧毒，此刻竟奋起最后一股真力，向毒神扑去。他身子还未到，已有一股风声激荡而来。这一掌当真有开山裂石之力，风云变色之威，飧毒大师似也未曾想到他这最后一击，犹有此威力，不禁失色道："本门毒神，小心了！"话犹未了，只听"砰"地一声巨响，雷鞭老人那慑人心魄的最后一击，已着着实实击在"毒神"身上。

毒神之体，虽已坚逾精钢，但仍禁不住这一击之威，身子被震得飞了出去，撞上石壁，那石壁竟都被他撞得裂了开来，石屑纷飞如雨。雷鞭老人身子也被他反震之力，震得踉跄后退数步，虽然拼命想站稳身子，却仍然还是不支倒了下去。

温黛黛等人连呼吸都已停止，只盼望雷鞭老人还有余力，只盼望"毒神"从此倒地不起。哪知"毒神"一个翻身，便又站了起来，身子竟似毫无伤损，甚至连双目中的妖异之光都不曾减弱半分。

飧毒大师嘻嘻大笑道："姓雷的，如今你可知本门毒神的厉害了么？你纵然拼了老命，也难伤得了本门毒神毫发。"

雷鞭老人喘息不定，道："再……再来！"

飧毒大师冷笑道："你手掌一触毒神之体，剧毒便已攻心，又何苦再作拼命？洒家索性成全了你，教你死得痛快些吧！"反掌一拍毒神后背，叱道："去！"

阴风突起，火光明灭，毒神再次移向雷鞭。

盛大娘等人虽然对雷鞭恨入切骨，但此刻也不禁在暗中默祷，只望雷鞭老人能再次奇迹般站起来。只因雷鞭老人已是他们求生的最后希望，只要雷鞭老人一死，满洞之人，谁也休想再多活片刻。

洞中一片死寂，人人呼吸都已停止——

雷鞭老人胸膛起伏，望着那步步进逼的毒神，手足俱已冰冷，满头黄豆般大的冷汗，滚滚而落。他自成名以来，转战数十年，身经大小数百战，从来也未曾受到过犹如今日般的屈辱。他再也梦想

不到自己竟会落到今日这般地位，任人宰割，他一死不足惜，但这屈辱却委实难以忍受。

只听飧毒大师哈哈笑道："本门毒神只要再走一步，你便没命了!"

雷鞭老人但觉一股热血直冲上来，狂吼一声，魁伟的身子霍然站起——竟笔笔直直站了起来!

温黛黛等人既是大惊，又是狂喜，竟忘了欢呼。

飧毒大师如被重击，竟情不自禁，后退了一步。

在这刹那之间，其实连雷鞭老人自己也怔住了，他委实连自己也不知道气力是从何而来，但此时此刻已不容他再多思索。

毒神鬼爪伸出，雷鞭老人大喝一声，双拳齐出，"砰"地，又自击上了毒神的胸膛，毒神身子又被震得离地飞起，撞上石壁。这一拳威力似乎比方才更大。但这一次，雷鞭老人身子也还是被震得踉跄倒地。

飧毒大师面色大变，却犹自强笑道："姓雷的，你还有气力再站起来么?"

雷鞭老人咬紧牙关，暗调呼吸。忽然间，他发觉自己体内真气已越来越是流畅，竟比他方才还未与"毒神"动手时还要流畅得多。

这时"毒神"又已站起，强敌当前，雷鞭自己此刻虽无法思索这其中的道理，但温黛黛心念数转，却已恍然大悟。

她忍不住狂喜呼道："绝情花毒与毒神之毒，两毒互克，你体中所受毒神之毒越多，真力便恢复得越快。"

雷鞭老人精神一振，仰天长啸一声，厉吼道："不错! 老毒物，你只管将你那毒神放过来吧，看老夫惧也不惧?"话犹未了，身子又已站起。

飧毒大师手掌方待拍上毒神之背，听得这番话，手掌竟是再也拍不下去，额角之上，也已沁出冷汗。

但这时雷鞭老人已展动身形，扑了上来。

殢毒大师咬一咬牙，手掌只得拍下，狂吼道："去！"众人但觉眼前一花，耳畔但觉"砰"地一声巨震。两条人影，乍合又分。毒神再次飞起，再次撞上石壁。

雷鞭老人虽也踉跄后退，但这一次，他身子却未跌倒，毒神虽也能再次站起，身子却已慢得多了。

情势突然扭转，盛大娘、铁青树、白星武、云婷婷……不分敌我，俱已忍不住狂喜失声。

温黛黛满面喜色，喃喃道："因祸得福……因祸得福，若非他方才已中了绝情花毒，此刻只怕咱们一个人也休想活得成了。"

火光闪动，但见雷鞭老人威猛的身子，凝然卓立，往昔的雄风，此刻又都已回到他身上。在火光中看来，他端的犹如天神一般。

殢毒大师满头大汗，涔涔而落。其实他本身武功亦已超凡入圣，再加上毒神之力，雷鞭老人功力纵然完全恢复，也绝非他们的对手。但此刻情势转变得委实太过突然，雷鞭老人威风重来得委实太快，竟似使得殢毒大师未战之下，心胆已寒。

雷鞭雷震般大喝道："过来！你再过来！"

殢毒大师突然将毒神身子一转，大喝道："逃！"喝声未了，毒神已滑出洞外。

雷鞭老人双手箕张，狂吼着扑了过去，他身子犹如大鹏离地飞起，双手如钩，直抓殢毒大师咽喉。

殢毒大师竟是不敢招架，拧身一掠，飞掠而出，他身子闪避虽快，但竟然还是闪避不及。只听"嘶"的一声，殢毒大师身上那件火红的袈裟，竟被雷鞭老人硬生生撕落了一片。接着，"当"的一响，一件东西自他撕开了的衣襟中跌了下来，滚出数尺，在火光下闪动着悦目的光彩。

雷鞭老人要待追出，但脚步方动，终又止住。他凝目洞外，木立半晌，方自长长叹了口气，回过身来，胸膛急遽地起伏，久久不

曾平息。方才一战，虽无精彩之处，但非但是生死搏杀，系于一线，而且洞中这许多人性命，也系于此一战中。此刻雷鞭老人固是喘息未定，犹有余悸，就连旁观之人，也是人人汗湿重衣，犹如自己也方经一场生死搏杀一般。

雷鞭老人挥手一抹汗珠，忍不住脱口道："好险! 好险!"

温黛黛颤声道："不知他……他可会去而复返?"

雷鞭老人道："那老怪物从来都是一击不中，全身而退，此次想必也是不会例外，只怕是万万不会再回来的了。"他口中虽然如此说法，其实心中并无把握。他如此说法，只不过是安慰别人，也是安慰自己，他得知飡毒大师若是去而复返，自己便未必再有方才那般奋战的豪气。

# 第五四章　因福贾祸

温黛黛长长叹了口气，道："但愿他莫要回来……"目光一转，突然瞧见火光下闪光之物，脱口道："那是什么？"

众人随着她手指瞧去，只见那竟是个具体而微的酒葫芦，大小如拳，通体俱是碧玉琢成。

雷鞭老人目光一闪，沉声道："这是哪里来的？"

温黛黛道："自飧毒怀中落下来的。"

雷鞭老人神情突地紧张，似是又惊又喜，沉声又道："你可瞧清楚了？"

温黛黛道："瞧清了。"心念一转，突也大喜呼道："这莫非是他的解毒灵药？"

雷鞭老人不等她话说完，早已一步蹿去，拾起了那玉葫芦，就着火光，瞧了两眼，面上立时露出狂喜之色。

温黛黛道："上……上面可是有字么？"

雷鞭老人大笑道："苍天有眼，终令我等绝处逢生，哈哈！老夫委实梦想不到，竟能在无意中获得这救命之物。"大笑不止，挥手道："你也过来瞧瞧。"

温黛黛早已等不及了，连忙赶了过去，灾难眼见已过，她心中生机蓬勃，四肢俱都充满了活力。只见那玉葫芦上，刻着八个蝇头小字："药中之灵，无毒不解。"

温黛黛狂喜呼道："我猜对了……想不到我竟真的猜对了，这

大旗英雄传

909

果然是那老毒物秘制的解毒灵药，大家有救了。"

云婷婷、铁青树、柳栖梧，精神俱都一振，大喜如狂，白星武、黑星天、盛大娘面面相觑，却是惨然若丧。

柳栖梧颤声道："不知此药可能解得了绝情花毒？"

雷鞭老人笑道："飧毒这老毒物虽然疯狂无耻，但使毒的本事，却当真可称得上是举世无双，天下第一……"

温黛黛忍不住插口道："使毒之人，必会解毒，那老毒物使毒的本事既是天下第一，解毒的本事也必定不差。"

雷鞭老人道："不错，他既说此药乃是'药中之灵，无毒不解'，以他的身分，想必不是故意夸大其词……"

柳栖梧不等他话说完，早已扑将过来，跪倒在地，抱住了雷鞭双足，她那冷傲的面容，此刻已流满了惊喜之泪。

雷鞭老人道："有话好说，何必如此？"

柳栖梧嘶声道："求求你老人家，将这葫芦里的灵药，赐一粒给坚石，晚辈……晚辈永生也忘不了你老人家大恩。"

雷鞭老人大笑道："你纵然不来求我，我也会给的……此间凡是中毒之人，每人都有一粒，谁也少不了。"

柳栖梧道："但药若不够，又当如何？"

雷鞭老人倏然一怔，道："这……这……"他狂喜之下，竟忘了想起此点。

温黛黛听了这话，更是面色大变，只因这句话又自触及了她心中隐痛，她又想起了她自己的遭遇。她又想到了水灵光。她面上不禁起了痛苦的扭曲，颤声低语道："不错，药若不够，又当如何？……救谁？……不救谁？……救谁？……不救谁？……"

转目四望，但见云翼、云九霄、雷小雕、龙坚石，俱都已奄奄一息，俱都急切地需要着解药。就连雷鞭老人自己，又何尝不需解药？而盛存孝……他岂非也和雷鞭老人一样，绝不容两种剧毒都留在体内。

910

温黛黛突然嘶声呼道："救谁？……不救谁……"她只觉脑中疯狂地旋转起来，几乎又要晕厥过去。

只听柳栖梧颤声道："是以晚辈只求你老人家，无论如何，也得赐给坚石一粒解药，他……他委实不能死的。"

盛大娘嘶呼道："他不能死，谁能死？难道存孝能死么？"

柳栖梧流泪道："坚石若是死了，我也不能独生，别人的命都只有一条，但我们却是两条命连在一起的。"

盛大娘大呼道："放屁！放屁！你……"

云婷婷哀呼道："爹爹若死，我也不要活了。"

柳栖梧伏地呼道："求求你……求求……"

哀呼之声，使洞中又复乱了起来。

雷鞭老人顿了顿足，厉叱道："住口！全都住口。"

他目光四扫，只等呼声俱都平静，方自沉声道："药有几粒，还不知道，你们乱吵什么？"他微一迟疑，将玉葫芦送到温黛黛面前，道："你且瞧瞧药有多少？"

温黛黛突然以手掩面，悲呼道："我不瞧……我不瞧……"

雷鞭老人怒道："此间惟有你地位超然，任何一个中毒的人，都与你全无切身关系，你不瞧却要谁来瞧？"

温黛黛流泪道："我……我……"她精神已将崩溃，她委实不能再挑起这副重担。

但这时雷鞭老人已将那玉葫芦塞入她手里。玉质温润滑腻，但温黛黛手掌触及这温润的玉葫芦，却如触蛇蝎一般，连心底都起了颤抖。她颤声低语道："但愿解药是够的……是够的……"她平日虽不甚信神佛，此刻却不禁向神佛默祷，只要解药是够的，她自己无论承受多么大的痛苦都没关系。


葫芦中倒了出来，七粒。

七粒朱红的药丸，在温黛黛冰冷如铁，但却晶莹如玉的掌心轻轻滚动着，滚出了一片神奇的光辉。温黛黛一把将药丸紧紧握在掌心里，这紧张后的突然松懈，使得她全身脱力，几乎又要倒了下去。

她目中眼泪仍不断地流着，但这眼泪已是欢喜的泪珠，而非悲痛，她双掌合什，仰首呼道："苍天……苍天……"

众人瞧见她如此神情，却不禁面色惨变。

雷鞭老人颤声道："几……几粒？"

温黛黛流泪满面，道："七粒……七粒……"

雷鞭老人倒退三步，似是突然呆住。过了半晌，他方自长叹一声，道："够了！够了！"

柳栖梧、云婷婷齐地欢呼道："够了……够了……"

温黛黛道："不但够了，还多了一粒。"

所有的哀痛，在一刹那间已都变为狂喜。

黑星天目光转动，突然冷笑道："七粒，倒巧得很！"

雷鞭老人大笑道："天从人愿，大吉大喜。"

黑星天冷冷道："只不过此事显得太巧了些。"

雷鞭老人变色道："此话怎讲？"

黑星天道："前辈为何不想想，这解药为何不可能是殢毒大师故意留下来的毒药，故意要令各位上当的？"

白星武应声接口道："不错，外面刻的是无毒不解的灵丹，里面装的却是穿肠入骨的毒药，他不用费吹灰之力，便可令各位倒地不起，嘿嘿！妙计呀妙计！"

雷鞭老人怒喝道："放屁！你……你……你两人酒中下毒，老夫还未寻你两人算账，你竟也敢在此胡言乱语起来。"他口中虽说"胡言乱语"，其实却知道这话确是大有可能，温黛黛、柳栖梧等人又不禁惨然失色。

黑星天冷笑道："在下此番说话，全然属于好意，至于信与不信，便全由得各位了，又怎可算是胡言乱语？"

雷鞭老人一步掠去，一把提起了他衣襟。

黑星天吃惊道："你……你要怎样？"

雷鞭老人厉声道："老夫要宰了你！"

黑星天道："但……但在下好意相告……"

雷鞭老人怒喝道："放屁！你如此说法，只是想要我等不敢服下这解药，在此等死，你这般恶毒的居心，老夫难道还会不知道？"

黑星天道："前辈不信，为何不试上一试？"

雷鞭老人怒道："如此生死大事，有谁敢轻试？"

温黛黛目光一转，突然呼道："有了！"

雷鞭老人转首道："什么有了？"

温黛黛道："解药多出一粒，是么？"

雷鞭老人大声道："有话快说，莫绕弯子。"

温黛黛道："解药既然多出一粒，何不令他服下去，若真是解药，他白是无事，若是毒药……唉！他反正死有余辜，死了也不可惜。"

雷鞭老人大笑道："是极！是极！妙计！妙计！"

黑星天却不禁破口大骂道："好恶毒的贱人、淫妇、朝三暮四的臭娘儿们，自从你在做司徒笑的小老婆时，我已看出你不是东西。"

他破口大骂，这番话骂将出来，云婷婷、铁青树、雷鞭老人俱都听得张口结舌，呆如木鸡。他几人直到此刻，才知道温黛黛往昔的身世，谁也梦想不到，她竟然会是司徒笑昔日的妻妾。黑星天瞧见这情况，不禁越骂越是得意。他竟又接着骂道："那时我便早已知道你在外乱偷汉子，凡是年轻力壮的小白脸，你都喜欢，所以那姓云……"

雷鞭老人大喝一声，道："住口！"喝声之中，反手一掌，搁在黑星天脸上。

黑星天半边脸立时肿了起来，牙齿也脱落大半。但他口中犹自抗声道："但……但这全是真的。"

雷鞭老人厉声道："无论真的假的，无论温黛黛昔日是何等人物，老夫今日要她这媳妇，已是要定的了。"

温黛黛泪水莹然，又是激动，又是感谢。但是云婷婷、铁青树听了这番话，却又不禁愕住。两人暗中交换了眼色，心中却在不约而同忖道："她还说要为三哥守节，此刻竟已做了雷鞭媳妇。"

只听雷鞭厉声接道："从今日起，若有谁再对温黛黛之往昔，提起一言半语，老夫必定将他千刀万剐，碎尸万段。"取了粒丸药，塞入黑星天嘴里，手掌一捏一拍，只听"咕嘟"一声，黑星天不由自主，将药丸吞了下去。他身子也不由自主，软软地跌了下去。

风仍在吹，火焰仍在燃烧。

众人屏息静气，凝目观望着黑星天服下丸药后的动静——黑星天已是面无血色，满头大汗涔涔而落。也不知过了多久，黑星天突然惨呼一声，双手捧腹。

雷鞭老人变色道："你怎地了？"

黑星天颤声道："疼……疼……毒药！"

"毒药"两字入耳，柳栖梧、云婷婷如被雷击，花容惨变。

雷鞭老人却突然纵声狂笑起来，笑声历久不绝，温黛黛先是失望，后又惊讶，到最后竟也微笑起来。她微笑着道："那丸药真的有毒？"

黑星天道："毒……毒……穿肠入骨，我……我此刻只觉腹痛如绞，只怕……只怕再也活不了多久了。"

雷鞭老人笑声突顿，厉喝道："拿刀来。"

温黛黛眨了眨眼睛，道："要刀做甚？"

雷鞭老人道："此人既已中毒，既已必死，再挣扎下去，也是多受痛苦，老夫倒不如成全了他，给他个痛快。"

他话未说完，黑星天整个身子已跳了起来，大呼道："没有中毒……我没有中毒……"

众人又惊又喜，还未猜透其中变化。

温黛黛已娇笑道："你为了要咱们不敢服这解药，竟故意作此中毒之态，你的心肠也未免太狠了，但你却未想到，飧毒大师的毒

914

药，岂是凡俗毒药可比，你故意装做肚痛，其实已露了马脚，你连我也骗不过，怎骗得了他老人家？"

黑星天面色如土，垂首无语。

温黛黛笑道："这里不多不少还有六粒解药，大家先服下去再说吧！"拾起一粒解药，首先送到柳栖梧面前。

解药吞下，不多时，各人便有了动静。

龙坚石中毒最轻，首先吐出一摊碧水，僵卧的身子，渐渐开始动弹，昏迷的神智，也渐渐清醒。柳栖梧满面泪痕，静静等待，终于忍不住轻呼一声，紧紧抱起了她夫婿的身子，颤声道："坚石，坚石……你回来了……你回来了……"这平日看来冷若冰霜的女子，此刻终于现出了她心里火般的热情——火山的熔焰，不也总是藏在冰冷的岩石下么？

接着，雷小雕、云翼、云九霄，也依次有了动静，他们的气力虽然尚未完全恢复，但也不过是片刻间了。

柳栖梧、云婷婷、铁青树、温黛黛，都不禁雀跃狂喜，竟欢喜得将他们对黑、白双星的仇恨也暂时忘去。

温黛黛喃喃道："飧毒大师使毒解毒的功夫，果然俱是天下第一，除他之外，只怕再也无人能解绝情花毒了。"

柳栖梧道："绝情花毒居然也有药可解，这本是我再梦想不到的事，我本来……本来只道坚石他……他……"说到这里，语声反自哽咽，又自紧抱起龙坚石的身子。

突听云婷婷大呼道："你们瞧雷……雷老前辈！"语声中充满惊怖之意。

众人又自一惊，转目望去，只见雷鞭老人天神般站着的身子，不知何时，竟又已倒了下去。他本已开始红润的面色，此刻又已苍白如死。

再看盛存孝，更是身子痉挛，满头大汗。

温黛黛失色惊呼道："这……这是怎么回事？"

呼声方了，洞外已又传来一阵慑人的狂笑声。接着，只听飧毒大师的语声狂笑道："这是怎么回事，只有洒家能告诉你。"

众人见了他的身影，真是如见鬼魅一般，云婷婷身子颤抖，铁青树引臂环抱着她，自己却也抖个不住。

柳栖梧扑在龙坚石身上，嘶声道："你……你走！"

飧毒大师狂笑道："走？洒家此番是再也不会走的了，洒家若是不走，普天之下，又有谁能令洒家移动半步？"

温黛黛强定心神，鼓足勇气，冷笑道："你方才明明已鼠窜而逃，此刻还有何颜面重来这里？也不怕失了你一派宗主的身分么？"

飧毒大师笑道："小丫头，你知道什么？本座方才暂时退走，只不过是以退为进，略使妙计而已，好教你等一个个自己将性命送入本座手里，完全用不着本座来花吹灰之力。"他狂笑睥睨，当真是踌躇满志。

柳栖梧嘶声道："那……那莫非果真是毒药？"

飧毒大师笑得更是得意，道："若是毒药，你等怎肯服下？何况本座若要以毒来取你等性命，也显不出本事，如今洒家的解药来取你等性命，才能显得本座手段之高明，姓雷的，如今你可已口服心服了么？"

柳栖梧却忍不住道："解药？解药怎会如此？"

飧毒大师道："这道理说来玄妙已极，莫说你不懂，除了本座这样的人物，普天之下，又有谁能懂得这其中玄妙？"他狂笑数声，接道："你等方才拾得那葫芦灵药时，必定十分欢喜，但你等可知道那葫芦只不过是本座故意掉落的？"

柳栖梧道："你……你为何要故意如此？"

飧毒大师道："只因那丹丸虽然可解百毒，但解了一种毒后，药性便也随毒性一齐立刻消失，化成碧水吐出。"

柳栖梧不觉瞧了地上的碧水一眼，道："如此又怎样？"

飧毒大师道："但那姓雷的体中，却有两种毒性截然不同的剧毒，那解药虽能解得其中一种，却势必还有一种留在他体内，他本仗着那两种毒性的互相克制之力，才能支持下去，此刻一种毒性消失，另一种毒性，自就立刻发作起来，而且此毒毒性被逼已久，一旦发作，更是不可收拾。"

柳栖梧骇然道："原……原来如此。"

飧毒大师笑道："本座若非算准必定如此，又怎会将解药故意遗落，这姓雷的老儿又怎能扯得下本座的衣襟？"他得意地狂笑不绝，众人却已面如死灰。

柳栖梧道："但……但别人却并未中两种毒……"

飧毒大师道："只要雷老儿毒发不支，别人又有何妨？这些人纵然功力恢复，又有谁能挡得住毒神之一击？"他目光环顾一眼，大笑接道："何况他们毒性初解，功力必是不能完全恢复，本座若要取他们的性命，当真犹如探囊取物一般。"

柳栖梧嘶声道："老毒物，老毒物，你的心委实比你的毒药还毒，咱们与你素来无冤无仇，你为何要下此毒手？"

飧毒大师狂笑道："你且等死了后再去问阎王吧，本座总算已对得起你，将此中玄妙说了出来，否则你死了也是个胡涂鬼。"笑声突顿，转身叱道："毒神何在？"

众人呼吸一齐停顿，情知此番只要他那"毒神"再次现身，满洞中人，性命便再也难以保存。而这次，再也不会有方才的奇迹出现。但他喝声过后，过了半晌，洞外竟一无动静。

飧毒大师面色微变，再次大喝道："毒神何在？"如雷的喝声，震得四面山壁都起了回响。但洞外仍无动静，"毒神"竟然仍未现身。

众人又惊又喜，又自不解。飧毒大师更是面色大变，更是茫然不解，若说他那"毒神"竟会抗命，那是万万不可能的事。但此刻他呼声明明已发出，"毒神"也明明未曾现身。

温黛黛冷笑道："只怕你那毒神也像你方才一样，偷偷跑了。"

飧毒大师怒道："小丫头胡言乱语，毒神现身后，必当先取你

大旗英雄传

917

的性命。"放开喉咙，第三次大呼道："毒神何在?"呼声激荡，渐渐消失。飨毒大师方待冲出洞去，瞧个究竟。

突然间，一阵银铃般的笑声自洞外传了进来。一个娇柔的女子声音道："毒神在这里。"

这笑语声传入洞中，众人俱都不禁吃了一惊。

飨毒大师自然更是大惊失色，脱口道："你是谁?"

洞外人应声笑道："你瞧瞧我是谁。"笑声未了，一个天仙般的宫装丽人，已飘飘然地飘入洞来。众人但觉眼前一亮，只觉这宫装丽人浑身所散发的光彩，竟似已使这黯黯的洞里，变成了辉煌的仙宫。

飨毒大师失声道："花二娘!"

雷鞭老人霍然张目，亦自失色道："是你! 你也来了。"

"烟雨"花双霜微微笑道："不错，我来了。"她转目凝注飨毒大师，接道："想不到吧! 我竟会来了，而你那毒神……"

飨毒大师变色道："毒神哪里去了?"

花双霜道："他已被人引开，此刻只怕已走得不知去向了。"

飨毒大师怒道："岂有此理，本门毒神，惟遵本座之令，岂会被别人引开?"

花双霜缓缓道："别人虽引他不开，但方才将他引开的人，却具有摄心迷魂之力，那手段自与任何人都不相同。"

飨毒大师骇然道："风老四，你说的是风老四?"

花双霜道："不错。"

飨毒大师道："但他已身中本座剧毒，又怎能不死?"

花双霜微微笑道："绝情花，你莫非忘了绝情花?"

飨毒大师怔了一怔，顿足道："天意……天意……"

花双霜道："不错，天意，天意令那绝情花生在此山中，使风老四能得不死，好将毒神引开。"她笑容早已敛去，眉宇间突然现出一片疯狂的杀机，口中说话，脚下一步步向飨毒大师逼了过去。

殓毒大师情不自禁，倒退两步，道："你……"

花双霜根本不让他说话，厉声接道："天意要将毒神引开，好教我取你性命。"

殓毒大师怒道："你疯了么？我与你素来无冤无仇，你为何平白无故要与本座作对？"

花双霜冷笑道："平白无故？无冤无仇？哼哼！我女儿与你无冤无仇，你为何平白无故，要将她毒死？"

殓毒大师奇道："你女儿本座连见都未曾见过，怎会要将她毒死？你莫非听了别人恶言中伤，便不分皂白，前来寻我？"

花双霜疯狂般格格大笑了起来，嘶声道："放屁！我女儿体内明明有你下的剧毒，那是谁也假冒不得的，你还想抵赖？若非有那片绝情花在，我那心肝宝贝的女儿……我那可爱的灵铃，此刻便早已被你毒死了。"她双目血红，满面杀机，早已又失去她那绰约的风姿，动人的仙子，此刻竟似已变作了索命的恶魔。

殓毒大师见她对自己怨毒竟已如此之深，不禁又是惊奇，又有些悚栗，脚下再退一步，顿然道："我几时见过你的女儿？这话是自何说起？"

花双霜道："你还不承认？好！我就叫你瞧瞧。"回转身子，呼道："徒儿，将你师姐抱进来。"

洞外应了一声，沈杏白抱着水灵光，大步而入，水灵光似已被点了睡穴，此刻犹自沉睡未醒。

温黛黛见到花双霜要取殓毒大师性命，便无异救了自己这一群人，心中自是在暗中窃喜。但此刻她见到花双霜的徒弟竟是沈杏白，见到沈杏白抱着的竟是水灵光，却又不禁大惊失色。

相反的，白星武等人，便不禁暗中狂喜起来。他们本居于最坏的情况中，殓毒大师要取他们性命，雷鞭老人也要取他们性命，大旗门人更恨不得吃他们的肉，剥他们的皮。他们算来算去，无论何方得胜，自己总是难逃一死。但此刻情况竟又突然扭转，"烟雨"

花双霜显然已控制全局，而沈杏白竟成了她的徒弟。情势一变，优劣之势大异，白星武自是喜不自胜，但这情况怎会变得如此，他们自然还是猜不透的。

花双霜手指水灵光，嘶声道："说！说！她是否你下的毒手？"

殓毒大师道："不错，但……她……她怎会是你的女儿？"

花双霜疯狂般跳了起来，大呼道："谁说她不是我的女儿？……姓雷的，我问你，她可是我的女儿么？你说，你敢说不是？"

雷鞭老人阖起双目，不言不语。

# 第五五章　天崩地裂

雷鞭自是恨不得花双霜早些将飧毒大师除去，自然不肯揭破此事，但以他的身分，亦不能说谎，是以惟有不语。

花双霜白地上一把拉起雷小雕，嘶声道："灵铃……我这宝贝女儿，你是认得的，你认得比谁都清楚，你说那岂不就是我那心肝灵铃么？"

雷小雕瞧了他爹爹一眼，道："是……好像是的。"

飧毒大师目光横扫，知道今日之事，再也辩说不清，反正非要动手不可，自是先下手为强的好。

只听花双霜格格笑道："这就是了……这就是了，老毒物，你还有何话说？灵铃，好灵铃，妈这就要替你报仇了。"

飧毒大师一言不发，悄悄将手掌缩入衣袖里——

沈杏白目光闪动，突然大叫道："师傅，你老人家莫要忘了，下毒的虽是飧毒大师，但主使却另有其人，你老人家为何不先将主使之人除去？"

飧毒大师手掌本已待挥出，听得这话，目光亦是一阵闪动，立刻又将手掌缩回袖里。

花双霜身形本已待向飧毒大师扑去，听得这话，亦自顿住了身形，咬牙切齿，恨声道："不错，主使之人最是可恨，非得先除去不可。"她疯狂而满怀怨毒的目光，已移向雷鞭身上。

大旗英雄传

雷鞭老人愣然道："主使之人？谁是主使之人？"

花双霜嘶声道："就是你!"

雷鞭老人又惊又怒，道："你疯了么？我……我怎会……"

殓毒大师突然冷笑道："雷老兄，事已至此，你还赖个什么？本座又怎会骤下毒手，来害她的女儿？"

雷鞭老人面色大变，怒道："花二娘，你且莫听这厮胡言乱语，血口喷人，试想老夫有何理由，要来加害你的女儿？"

殓毒大师冷冷笑道："只因你儿子已另有了意中人，立时就要成婚了，你父子两人生怕花姑娘从中作梗，自然一心想除去这眼中钉。"

他武功之毒，固是天下无双，心计之毒，亦是毒如蛇蝎，沈杏白在一旁听得不禁为之暗中拍掌。就连云婷婷、铁青树等人，几乎都有三分相信了他的话，雷鞭父子、温黛黛三人，面容自不禁更是惨变。

花双霜狂怒道："好呀! 姓雷的，原来你儿子已移情别恋了？老毒物，你说，谁是他儿子的意中人，此刻在哪里？"

殓毒大师指了指温黛黛，道："就是她!"

话犹未了，花双霜已转身向温黛黛扑去。温黛黛大惊之下，闪身飞奔。但她脚步方动，花双霜已到了她面前，一只春葱般的纤纤玉手，迎面向温黛黛抓了过去。温黛黛眼见这手掌抓来，不知怎的，竟是闪避不开，竟被花双霜一把抓住了她的头发，摔倒在地。

云婷婷、雷小雕等人失色惊呼。

花双霜破口大骂道："小贱人，小狐狸，你竟敢抢走我家灵铃的男人，你好大的胆子!" 反手一掌，朝温黛黛脸上打了下去。

雷鞭老人忍不住怒喝道："住手，此事与她无关，放开她。"

花双霜道："我打了她，你家父子心痛了，是么？我偏要打，再打得凶些，正要打给你们父子两人瞧瞧。"手掌不停，又在温黛黛脸上掴了七八掌。

她虽未使出全力，但手上力道亦足惊人，这七八掌掴下去，直打得温黛黛白生生的脸，都变成紫红颜色。温黛黛就算再能忍耐，此刻也不禁叫出声来。

盛大娘等人自是暗中称快，不住暗道："打得好！打得好！"云婷婷等人却已不忍再瞧，悄悄扭转头去。

雷鞭老人空自急怒，怎奈连身子都站不起来。

温黛黛满面泪痕，颤声道："你要打，就打吧！反正我是个苦命的人，你打死我也没关系，但……但他们却绝未害你的女儿，你的女儿也不是她。"

花双霜本已住手，此刻又发狂地向她脸上掴下。她手掌不停，口中怒喝道："我的女儿不是她是谁？你这小狐狸，还敢来骗找老人家……我……我今日非打死你这贱人不可。"

雷鞭老人大呼道："她未骗你，你女儿根本不在这里。"

花双霜狞笑道："放屁！你方才明明已承认，此刻再反悔也无用了……"她下手越来越重，越来越快，狞笑着又道："雷小雕，我问你，你看上了这贱人哪一点，这贱人有哪一点比我家女儿好？你……你可是瞧上她这双狐狸眼睛么？"

雷小雕道："你老人家完全误会了，小侄……"

花双霜道："哼！我老人家知道，你正是看上了她这双水汪汪的狐狸眼睛，我今日就将她这双眼睛挖出来，看她还拿什么东西迷人？"伸出两只又尖又长的手指，向温黛黛一双充满泪痕的眼睛挖了下去。

雷小雕转目不忍再看，温黛黛惨呼一声，闭起眼睛，只见花双霜两只冰凉的手指，已触及了她的眼帘。

洞外草原辽阔，惟有面带微笑的司徒笑，在看守着已被人制住的孙小娇与易明、易挺兄妹。洞中人不是中毒无力，便是温黛黛的对头仇人，除此以外，难道还有人自天上飞下，自地下钻出不成？

此时此刻，实已无人能救得了她，眼看她那一双明眸若星的美目，立刻就要被人血淋淋地挖出来。此时此刻，温黛黛心里只有一

大旗英雄传

个人的名字。

"云铮……云铮……你在九泉下等着我吧，我就来了！"

司徒笑手掌早已摸上了孙小娇的脸。

易明、易挺兄妹，瞧得目定口呆。

只听孙小娇笑骂道："死人，乱摸什么？你不怕钱大河剥你的皮？"

司徒笑微微笑道："情况变了，局势也变，从今以后，已是咱们爷儿们的天下，我还怕什么？哈哈，我什么人都不怕了。"

孙小娇眨了眨眼睛，道："不要脸，死吹牛，你既犹如此威风，为什么眼见着自己的女人被人点了穴道，死猪般躺在这里，你也不敢解救？"

司徒笑嘻嘻笑道："这还没到时候，何况……"

他目光移向易明，笑道："老天将这动也不能动的小美人儿，送到我面前，我怎能放过这大好机会，你说是么？"

易明惊呼道："你……你说什么？"

司徒笑嘻嘻笑道："我的意思，你还不懂么？"转过身子，走向易明身旁。

孙小娇笑骂道："死臭男人，吃着碗里的，还望着锅里的。唉！好吧，反正我也不能嫁给你，就替你和我这易家妹子做个媒好了。"

司徒笑大笑道："正该如此……正该如此……"俯下身子，手掌抚向易明的胸膛。

易挺嘶声怒骂道："恶贼！你敢……还不住手！"

易明颤声惊呼道："你……你不能碰我！"

司徒笑道："不能碰么？……能碰的……"一声轻响，他竟已解开了易明一粒衣扣。

花双霜的手指已将挖下……

易明前胸已露出了一片雪白的肌肤……

就在这刹那间。

突然，天崩地裂般一声大震！司徒笑身子被震得直飞出去。花双霜手掌也被震得自温黛黛眼帘上移开。

惊呼四起，震声如雷，隆隆不绝，四面山壁，都已被震得片片碎裂，石屑如雨，簌簌地落了下来。洞中人面色一个个都已苍白如死，就连花双霜都已被震得呆在当地，那两根手指再也挖不下去。

殓毒大师愕然道："这……这是怎么回事？"

雷鞭老人用尽全力，大呼道："山已将崩，大家还不快逃出去！"

雷小雕挣扎着滚过去，抱起他父亲。柳栖梧惊呼着抱起龙坚石。云婷婷、铁青树抱了云翼、云九霄。

沈杏白已紧抱着水灵光。白星武拉起了黑星天。盛大娘跺了跺足，终于抱起了盛存孝。花双霜反手挟起了已被震得晕了过去的温黛黛。这些平日镇定从容的武侠英豪们，此刻一个个竟都犹如焚林之鸟般，惊惶四散，夺路向外冲出。

就在这时，又是一声大震！这次震声比上次更响，声势也更惊人。

花双霜大呼道："徒儿，抱起灵铃，莫走散了。"

沈杏白大呼道："黑大叔，跟着我走。"

云婷婷惊呼道："四哥……四哥，你在哪里？"

铁青树大呼道："五妹，小心些……"

但这时众人耳朵都已被这两声大震，震得麻木了，彼此之间，竟是谁也听不到对方的呼声。山石一块块落了下来，打得四下沙土飞扬，斗大的石块，无论落在谁身上，脑袋都要崩裂。

柳栖梧突然惨呼一声，颤声道："救救我……救命呀！救命呀……"她竟被一方大石打中了，立时跌倒在地，挣扎着难以爬起。

但这时别人自顾尚且不暇，纵然听得她呼救之声，也不会有人去救她的，何况她呼声早已被淹没。大家只顾夺路逃出，委实谁也管不得谁了，莫说救人之心绝无，就连害人之心，也都已忘记。

沈杏白抱着水灵光，本立在洞口，此刻最先逃出。花双霜身形如风，跟了过去，反手一掌，推开了白星武与黑星天，夺路而逃，黑、白两人却也终于冲了出去。

飧毒大师本已出洞，突然狞笑一声，又折了回来。雷小雕挣扎着狂奔，眼看已将奔出洞外，猛一抬头，但见飧毒大师已狞笑着阻住他的去路。

洞外的司徒笑，虽未置身险境，但也吓得心胆皆丧，转头就跑，方自跑出数步，却又折了回来。

孙小娇娇呼道："好人，快来抱我走呀!"

司徒笑却连瞧也不瞧她一眼，竟俯身抱起了易明。

易挺怒吼道："恶贼，放下她……放下她……"

孙小娇悲呼道："黑心贼，狠心贼，你……你万万不得好死的!"

司徒笑头也不回，早已奔出数丈，耳畔但听"哗啦啦，轰隆隆"一片巨响，他忍不住回头一望——整个山岩，竟都已倒崩下来。飞扬四激的沙石尘土，瞬即弥漫了半边天空，几条人影，自尘土中箭般蹿了出来。

尘土如浓雾，司徒笑也瞧不清逃出的这几条人影是谁——他根本也无心仔细瞧了，掉首奔入长草中。就在他掉首的一瞬间，他眼角似乎瞥见逃出的人影中，有两个人被落石击中，倒了下去，他也毫不关心。

易挺、孙小娇的怒骂，早已被震声淹没，易明又急、又惊、又羞、又气，更早已晕了过去。司徒笑紧抱着她，亡命般奔入长草，身后震声不绝，山崩似是还未歇止，落石仿佛随时都会打在他身上。他哪里敢停步。

长草中举步艰难，他跟跄而奔，既瞧不见方向，也不知奔了多久，到后来实已气喘如牛，只有放缓脚步。侧耳听去，四山虽仍有隆隆不绝的回声传来，但山崩却似已停止，回声似已渐渐低落。司徒笑这才喘了口气，就在那里，盘膝坐下。这一场山崩之后，活着的还有些什么人？死了的又是些什么人？他想不出，也不敢走出去瞧。

他喃喃道："若是花双霜、沈杏白、盛大娘、黑星武这些人都死在这场山崩中，大旗门人都活着，那怎生是好？"想到这里，他心底便不禁冒出一阵寒意。但心念一转，又道："若是连大旗门人也一齐死了，只留下沈杏白、温黛黛、水灵光这几人活着，此后的日子，岂非就只有瞧着我一个人唱戏了，'五福连盟'的数千万家财，岂非也都变成了我一个人的囊中物？"想到这里，他心房怦怦跳动，又不觉为之狂喜。

但他无论如何，还是不敢走出瞧个究竟，只是一个人在那里捣鬼，忽而双眉紧皱，忽而喜笑颜开，也不知过了多久，易明呻吟一声，似将醒来。司徒笑瞧了她一眼，瞧见她已半裸的、起伏着的丰满胸膛，嘴角不禁泛起一丝得意的狞笑。

他狞笑着喃喃道："无论如何，我总是活着的，还有个年轻而美丽的女子陪在我身边，无论何时，我想要拿她怎样，便可拿她怎样……"想到面前这少女已是他掌中之物，俎上之肉，已只有任凭他随意宰割，他委实不禁笑出声来。

他心底寒意，早已消失，却似有一团火，自丹田处升起，烧得他身子暖烘烘的，几乎连衣服都穿不住。他四下瞧了一眼，舔了舔嘴唇，喃喃道："无论以后怎样，此刻我好歹也要享受了这小妮子再说。"

自从大旗门重现江湖之日，他便将那人类最为原始的欲望紧压在心底，既没有时间去想，也不敢去想。然而，此时此刻，在如此惊险的环境中，他那久被抑制的欲火，不知怎的，竟奇异地爆发出来。这一发之势，竟是不可收拾！

一种因惊震所引起的余奋，加速了他血液的循环——他突然伸出手来，将易明整件衣衫，全部撕裂。"嘶"的一声轻响过后，易

大旗英雄传

927

明那丰满而娇嫩，坚强而柔软，雪白而微带粉红的少女胴体，便呈现在司徒笑眼前。他面色已赤红，目中已射出野兽般的光芒。他喉结不住上下移动，终于向易明扑了过去。

突然，长草"哗啦啦"一响。两条人影，踉跄撞来。

司徒笑大惊长身，喝道："谁?"其实他"谁"字方喝出，便已瞧见来的是谁。

云翼毒势渐解，体力刚复。但铁青树仍扶着他，两人在草中狂奔。

云翼面容惨变，不住道："你妹子呢? ……你妹子呢……? 你为何不与她守在一起，如今却教我两人到哪里寻找?"

铁青树垂头不敢答话——其实那时山崩而下，人人俱是亡命而逃，还有谁顾得了谁? 这怎能怪他?

云翼转目四望，放声道："婷……"他方自喝出一个字来，便不禁戛然住口。

只因他忽然想到长草中随处都可能埋伏着他的敌人，他若放声呼唤，反将强仇引来，那又怎生是好? 大旗门人，坚忍无双，当真什么事都能忍得下去，只因他们的生命委实太过宝贵，又怎能轻言牺牲。

忽然，草丛中有女子的呻吟声传了过来。云翼、铁青树对望一眼，忍不住抢步奔去，只见草丛中一个人霍然站起，轻声叱道："谁?"这人自然正是司徒笑。

屡世强仇，骤然在此对面，云翼、铁青树、司徒笑，三个人都不免吃了一惊，呆了半晌。云翼目光似血红，大喝道："原来是你!"

司徒笑道："你……你……"突然转身飞奔而去。

云翼怒骂道："无用的畜牲，你逃……你逃……"抢步追出，但体力终是未复，一个踉跄，便已跌倒。

铁青树赶紧扑去，变色道："你老人家怎样了？"

云翼道："好……好……"他剧烈地不住喘息，竟是说不出话来。

铁青树轻轻拍着他的背，拍了半响，突然觉得自己身旁像是有个软绵绵，滑腻腻的东西。他一惊转首，便赫然发现了易明裸露的胴体。从来未经人事，正值血气方刚的少男眼前，骤然出现了这丰满、诱人、驯羊般裸露的少女胴体……铁青树一颗心都几乎要整个跳了出来，圆睁着眼睛，张大了嘴，竟呆呆地怔住，再也不会动了。

易明呻吟一声，醒了过来。她方自张开眼睛，便瞧见这少年吃惊的面容，瞧见这少年一双充满迷惑、好奇、兴奋的目光。这竟非司徒笑，她也不禁愣住了。她怒叱道："你这小贼，你……你瞧什么？"

铁青树道："我……我……"

易明道："你还瞧？"

铁青树只觉"轰"的一声，热血冲上头顶，脸上血也似的飞红了起来，赶忙闭起了眼睛。易明瞧着他那坚强中带着稚气，成熟中带着老实的面容，瞧着他那紧紧闭起来的眼睛，她目中似是闪着一丝笑意，柔声道："你是什么人？"

铁青树道："我……我……请姑娘穿起衣服再说话好么？"

易明叱道："我若是自己能穿衣服，还用你说么？"

铁青树怔了一怔，道："我……那怎么办呢？"

易明道："我被人点了穴道。"

铁青树道："你可是要我解开你的穴道？"

易明还未答话，云翼已厉叱道："先问清她是谁，莫胡乱出手。"这老人虽然一直未曾回头，但两人对话，他早已听得清清楚楚。

铁青树干咳道："请问姑娘姓名？"

易明眼珠了转了两转，失声道："你们……你们莫非大旗门下？"

云翼沉声道："正是！你是谁？"

易明暗中松了口气，道："晚辈易明，乃是彩虹……"

云翼截口道："彩虹七剑？"

易明道："不错。"她眨了眨眼睛，又接道："彩虹七剑中，虽也有人与'大旗门'作对，但我兄妹却不是，我兄妹还有个极好的朋友，也是大旗……"她突然发觉自己说漏了嘴，但住口也来不及了。

云翼奇道："大旗弟子中有你的朋友？他是谁？"

易明讷讷道："这……这……"她此刻自己想起，有关云铿的秘密，是不能说的。

云翼厉声道："是谁？快说。"

易明道："我……我想不起他名字了……"

云翼怒道："胡说！"脱下外衣，反手一抛，那衣服便恰巧落在易明身上。

云翼翻身而起，目光闪电般凝注着她的脸，厉声道："你为何不敢说出那人名字？这其中莫非有诈？"

铁青树讷讷道："只怕是二哥……云三哥……"

云翼怒道："放屁，若是这二人，她有何说不得？"

易明倒抽一口凉气，暗道："好厉害的老人！"

只听云翼一字字道："易姑娘，你与我等本来素无冤仇，我本不会难为你，但你若不将此事说清楚，便莫怪老夫无礼了。"他神情之间，自有一种威厉之气，叫人不得不怕。

易明竟忍不住打了个寒噤，几乎忍不住就要脱口说出。但她终是咬牙忍住，暗道："我不能说，不能说……这事我若说出，岂非害了铁中棠，他是水姐姐的人，我怎能害他？"但心念一转，突又忖道："呀！对了，铁中棠反正已死了，我将这件事说出，或许反而可令他们生出惭愧之心。"一念至此，当下大声道："他就是云铿。"

云翼怔了一怔，失声道："云铿？"

铁青树亦自怔了一怔，失声道："大哥？"

易明道："不错。"

云翼怒道："好大胆的女子，竟敢来骗老夫，云铿那不孝的小畜牲，早已死去多时，你又怎会认得他？"

易明道："你们虽都以为他死了，其实他并未死的。"

云翼道："胡说！胡说！老夫亲眼所见，怎会有错？"

易明道："你真的亲眼见他死了么？"

云翼怔了一怔，道："这……"

易明叹了口气，道："我告诉你，那日你令铁中棠掌刑，铁中棠并未真的将他处死，反将他送到别处养伤，而将另一人的尸身五马分尸了。"

这番话说将出来，云翼、铁青树更不禁怔住。

云翼却足满布怒容，怒道："那……那小畜牲，他在哪里？"

易明眨了眨眼睛，道："我不知道。"

云翼怒喝道："你怎会不知道？快说！"

易明道："大旗弟子，行踪之飘忽诡秘，一向可称天下无双，就算黑星天、司徒笑那些老狐狸，都摸不清他们下落，何况我？"

云翼默然半晌，颔首道："这也有理……"突又暴怒喝道："但无论如何，我也要将那小畜牲的下落寻出，他上次竟敢侥幸脱逃，老夫这次还是要他死在五马分尸之下！"

易明听得心头一寒，暗道："看来，这铁血大旗门的掌门人，果然是名不虚传。果然是凶得很。"

铁青树面上阵青阵红，似是想说什么话，却又不敢说，过了半晌，才总算壮起胆子，道："师傅，这些日子来，你老人家也总是想到大哥么？你老人家不是也常常跟我们提起大哥的好处？"

云翼的胸膛起伏，双拳紧握，大喝道："住口！"

铁青树骇得身子一震，但仍鼓足勇气，道："孩儿从不敢违背你老人家的话，但这次……孩儿却定要将心里的话说出来，你老人

大旗英雄传

931

家就算打死孩儿，孩儿也要说的。"

云翼虽仍满面盛怒，但居然也未出声喝止。

铁青树道："二哥、三哥都已罹难，大旗门实已渐将凋零，如今幸得大哥未死，正是我'大旗门'天大的好消息，以大哥的武功机智，实不难将我'大旗门'振兴，你老人家……唉！你老人家又怎能再次还要将他置之死地？"

云翼以手捋须，身子竟已不住颤抖起来，显见他心头已充满了兴奋与激动，矛盾与痛苦……

但这老人心肠毕竟是铁铸的！他竟然还是说道："无论如何，我'铁血大旗门'家法决不可废，已被本门家法处死之人，决不能再容他活在世上。"

铁青树默然垂下头去，早已不禁热泪盈眶。

易明更不禁暗恨自己，为何这样多嘴。

突然，远处有一阵凄厉的啸声响起！这啸声似狼嗥，如鬼哭，令人听得不寒而栗。云翼、铁青树、易明，都不禁为之失色，只听啸声自远而近，竟似乎是向这个方向移了过来。

司徒笑一见云翼与铁青树现身，自是大惊失色。他虽已瞧出云翼的模样，似已受伤未愈，但在大旗门人积威之下，他实是再也不敢出手。他话也不说，转身飞奔而出。这荒凉的草原，正是潜逃躲避的最好地方。他奔出十余丈，已瞧不见云翼的影子，他侧耳凝神倾听，也听不出有他们追来的动静。他这才松了口气，低骂道："阴魂不散的老魔头，这山崩居然还崩不死他，竟偏偏在这里撞来，撞坏了我的好事。"但这时他已知道大旗门至少还有两人未死，他自是更不敢有丝毫大意，屏息静气，试探着向前走。

他实也不知自己该走向哪里，只有瞎子般暗中摸索着，暗中不住默祷，千万别叫他再遇着大旗弟子。他又自走了盏茶多时分，已走得满头大汗，湿透重衣，要知他此刻对前途实是一无所知，心中的惧怕，自是可以想见。

# 第五六章　香消玉殒

突然间，前面草丛中似有衣物窸窣之声。司徒笑心头一震，便待转身溜走，但转念一想，终又壮起胆子，屏息静气，悄悄向前抢去。他身子本已半伏半蹲，快到那地方时，索性整个人都伏倒在地，蛇一般向前缓缓爬行。风吹长草，草枝摇动。自摇动的草隙间望过去，果然有人的影子。

但司徒笑却还是瞧不清这两人是谁，咬了咬牙，再往前爬了两步，突然，草丛中出现一个人的脸。原来那人正也向他爬了过来。两人面面相对，都不禁大吃一惊，几乎要叫出声来，但一瞬间两人便已瞧清对方是谁，赶紧掩住了自己的嘴。

司徒笑松了口气，悄声道："黑兄，原来是你。"

爬过来的，正是黑星天，还有一人，自是白星武了。三人在此见面，倒也甚是欢喜，当下凑在一堆。司徒笑道："老天有眼，两位兄台居然未死。"

黑星天苦笑道："虽然未死，却也差不多了。"

白星武道："司徒兄始终在洞外守望，洞中究竟逃出了些什么人，不知司徒兄可曾瞧见了么？"他两人心里担心的事，显见也和司徒笑一样。

司徒笑摇头叹道："当时情况，哪里还瞧得清！"

黑星天恨恨道："但愿云翼那老儿已被压死才好！"

司徒笑苦笑道："可惜这老儿却偏偏未死。"

大旗英雄传

933

　　黑、白两人，耸然动容，齐声道："你瞧见他？"

　　司徒笑叹道："正是，方才……"当下将方才经过之事，说了出来——有关易明的，他自是一字未提。

　　黑、白两人面面相觑，都不禁顿足扼腕。过了半晌，黑星天沉声道："云老儿虽然命长，但雷鞭父子，却是死定了。"

　　司徒笑动容道："你瞧见了？"

　　黑星天道："方才白二弟扶我出来，临出洞时，我瞧见飡毒大师不但已挡住了雷鞭父子的去路，而且挥出一掌，将他父子震得跌入洞里，那时山已将崩，雷鞭父子俱是伤毒未愈，哪里还能逃得出来？"

　　司徒笑"呀"了一声，叹道："雷鞭老人一世英雄，不想竟死在这里。"

　　黑星天道："他死了我等本该高兴才是，司徒兄为何叹息？"

　　司徒笑奇道："雷鞭老人虽然可恶，但总算与我等一路的，他的死，对我等有害无利，我等为何不该叹息？"

　　白星武微笑道："洞中方才发生之事，司徒兄并未得见，这自然难怪司徒兄要为他惋惜，要说出此等话来。"

　　司徒笑道："洞中方才又发生了些什么？"

　　黑星天叹道："司徒兄有所不知，那雷鞭老儿实已与大旗门连成一气，他若不死，我等便要多一个强仇大敌。"

　　司徒笑瞠目道："竟有此事，唉！世事之变化，当真是不可捉摸，又有谁能想到，这半日之间，变化竟是如此之大。"语声微顿，又道："沈杏白那孩子……"

　　白星武道："沈杏白抱着水灵光，是第一个逃出的。"

　　司徒笑松了口气，又道："花烟雨……"

　　黑星天道："以她的身手，还怕逃不走么？"

　　司徒笑道："那么……盛大娘呢？"

　　白星武沉吟道："盛大娘？……唉！这就难说了，但她母子总还有六成希望活着，柳栖梧与龙坚石，可也是死定了的。"

黑星天道："不错，我在洞中还听得她一声惊呼，似乎那时她便已被落石击中……唉！如此年轻就死了，倒也有些可惜。"

司徒笑道："钱人河？"

白星武道："那是山崩之前，便已中毒死了。"

司徒笑暗中似乎颇是欢喜，口中却长叹道："不想竟犹如许多人，死在此次山崩之中，这……"

白星武突然截口道："司徒兄难道不觉得此次山崩来得有些奇怪？"

司徒笑愕然道："奇怪？有何奇怪？"

白星武道："这山崩来得太过突然……"

司徒笑截口道："山崩地震，天地之威，本就是突然而作，突然而消，正是所谓：天有不测之风云，这又有何奇怪？"

白星武深深道："但此次山崩，却似是人为的。"

司徒笑耸然变色道："人为的？"

白星武道："不错，九成是人为的。"

司徒笑怔了半晌，失笑道："白兄只怕错了，普天之下，又有谁能使山为之崩？"

黑星天插口道："火药！司徒兄莫非忘了火药？"

司徒笑又自怔了半晌，喃喃道："不错，火药……"

白星武道："方才第一声大震之时，我便嗅到有一股硝石火药之气，仿佛是自地底发出的，但又不能确定。"

黑星天叹道："只可惜霹雳火那老儿不在那里，否则他便可确定这火药究竟是在什么地方爆发出来的了。"

司徒笑沉吟道："霹雳火……莫非就是他？"

黑星天道："那倒不至于，霹雳火这老儿脾气虽然又臭又坏，但这种偷偷摸摸，在地底搞鬼的事，他倒不会做的。"

司徒笑道："但除了霹雳火外，又有谁能将火药发挥如此大的威力？"

白星武道："这个……小弟虽也不知，但深山大泽之中，本是卧虎藏龙之地，何况，善使火药，也并非什么大不了的事。"

司徒笑道："若是隐士高人所为，他炸崩此山，又为的什么？何况，火药若是自地底爆出的，那人难道还会早已躲在地底不成？"

白星武笑道："这正也是小弟百思不解之事。"

就在这时，远处突有一阵凄厉的啸声响起——这啸声自然是与云翼、易明等人所听到的同一声音。

就在那炸毁的山岩下，果然是有人的，那火药，自然也正是自山岩下的地底爆炸而起。这本是常情常理所不能揣度之事，司徒笑等人纵是机警百出，心智灵巧之人，却也是万万猜不出的。他们更不会猜到，此刻地底下，正是他们闻名丧胆之人——那自然就是铁中棠与夜帝。

地底下的铁中棠与夜帝，在这些日子里，实如活在地狱中一般，那身体的痛苦且不说它，心底的痛苦，却非人所能忍受。他们终日眼睁睁地瞧着那方千万斤的巨石，既不言，也不语，既不动弹，也忘了饮食。就是这方巨石，隔断了他们的出口，隔断了他们所有的希望，也隔断了他们生命中最后一分活力。这时他们已不会悲哀，更不会愤怒，只是痴痴地望着这方巨石，静静地等着生命的消失……就连铁中棠，此刻都已丧失了斗志。

这少年本有一颗钢铁般的心，无论遇着多么大的失望、挫折、打击、危难，这颗心都始终未曾变过。然而此刻，他竟遇着这非人力所能挽救之事，他只有将所有的希望与雄心俱都远远抛了开去。

夜帝更是憔悴，此刻若有谁再见到他，绝对不会相信这苍迈的老人，就是昔日风流绝世，豪迈绝世的武林第一人。有时，他也喃喃自语，道："我做错了什么？……我做错了什么？……我错了……我错了……"语声中充满悲痛与忏悔，当真令人闻之酸鼻。

那些可爱的少女们，早已失去了她们昔日那可爱的笑容，也早已失去了她们昔日那如花的容貌。莹玉般的面容，已憔悴枯涩，妩媚的眼波，已黯淡无神，甚至连她们那乌黑的长发，也失去了原有的光泽。她们抛却胭脂，抛却铜镜，抛却琴棋，抛却画笔，但她们却再也抛不开心底的悔恨。

　　终于，有一天……

　　珊珊死了。这多情而痴情的少女，终于带着她所有的忏悔与悲痛，含恨而去——痴情，竟毁了她的一生。她临死之前，已是形销骨立，昔日苹果般的面颊，这时已只剩下一层苍白的皮，包着她的枯骨。她临死之前，所有的少女，都围在她身畔，只有夜帝，仍远远地坐着，连瞧也未瞧她一眼。她临死之前，还未忘记哀求夜帝的宽恕。她颤声道："你饶恕我吧……你能饶恕我么？"

　　夜帝不理不睬，他似乎什么声音都听不到了。

　　珊珊泪流满面道："我知道……他……他是永远不会饶恕我的了，但铁公子，你……你能饶恕我么？"

　　铁中棠黯然颔首，长叹道："这本不是你的错，多情……唉！多情永远不是罪恶，这只怪苍天；唉！苍天呀……苍天！"

　　珊珊的嘴角，现出了一丝微笑。这是最后一丝微笑，这微笑使得她枯涩的面容，现出了一丝奇异的光辉——这是临死前的回光。这是上天赐给将死之人的最后一份恩惠。珊珊目中也有着奇异的光辉，她目光缓缓自所有的少女们面上扫过——每一人都无遗漏。然后，她又问道："妹子们，你们……你们能饶恕我吧？"

　　少女们再也忍不住，俱都痛哭失声。这痛哭，也正是最诚心的宽恕。

　　珊珊道："你们若已饶恕我，我便要求你们最后一件事，我希望你们能答应我……说！你们可愿答应么？"

　　敏儿痛哭着道："无论什么事，我们都答应你。"

　　少女们齐地痛哭应道："都答应你。"

　　珊珊凄然笑道："好……我死了之后，希望你们将我的尸身，用火药炸成飞灰，我……我……"一口气接不上来，终于香消玉

大旗英雄传

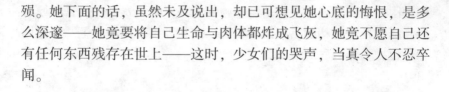

殒。她下面的话，虽然未及说出，却已可想见她心底的悔恨，是多么深邃——她竟要将自己生命与肉体都炸成飞灰，她竟不愿自己还有任何东西残存在世上——这时，少女们的哭声，当真令人不忍卒闻。

炸药搬来。一包包炸药，围满了珊珊的尸身。敏儿高举着根火折，缓缓走了过去，闪烁的火光，映着她的容貌，映着众人的泪珠，映着地上的尸身，映着这幽秘的洞窟……那景象当真有说不出的凄秘、断肠。

翠儿也奔了过去，口中道："姐姐们，都闪开吧，小心……小心炸着你们。"

少女们道："你呢？"

翠儿道："我与敏儿已决心陪着珊姐死了，所以我用这么多炸药，我但愿这火药能将我们三人都炸得干……"

铁中棠突然一跃而起，大喝道："且慢！"

少女们愕然回首相顾，只见他此刻竟是满面喜色。

敏儿高举火把，凄然笑道："铁公子，你……你休要拦我们，我们已定下决心了……"火把一沉，往火药上燃了下去……

这时铁中棠离她还在数丈之外，手无寸铁，要想赶过去抓住她的手既已不及，要想击落她火把亦是全无可能。更何况她火把若被击落，火药也将立刻爆发，那时敏儿、翠儿固是立将化为飞灰，他也难免要被波及。其实他全然并未将自己与敏儿、翠儿的生死放在心上，他如此惊惶着急只是为了那火药。这火药已是他们最后的生机，已万万浪费不得。

他情急之下，不顾一切，扬手一掌，挥了出去。他身子未到，这股掌力已撞了过去，敏儿纤弱的身子，竟被这股无形的掌力，撞得直飞出去。她撞上石壁，跌倒在地，掌中火折，亦自熄灭，铁中棠一步掠到火药旁，胸膛急剧喘息，人却已怔住。

他全未发觉，此刻山窟中数十只眼睛，都在吃惊地望着他，既惊于他行动之奇怪，更惊于他掌力之霸道。其实他自己又何尝不在吃惊——他自己委实也梦想不到，自己一掌挥出，竟犹如此强猛的威力。

他却不知道他自从得到"嫁衣神功"之后，内力之强，已不输当代武林中任何一位顶尖高手。只是那时他的内力还如一团浑金璞玉，未经琢磨，是以也未能发出它应有的光芒，发挥它应有的潜力。而此刻，夜帝的武术心法，已将这浑金璞玉琢磨成器——他昔日若只是一块精钢，此刻已变为一柄利剑。

这时，夜帝也在望着他。他枯涩黯淡的面容，初次现出一丝光芒。能眼见一个势将震动天下的绝代英雄在自己手下创造出来，这无论如何，总是件令人激动、兴奋的事。

敏儿已昏迷。翠儿扑到她身上，颤声道："铁公子，你……你为什么要这样？你为什么要这样？你难道连死，都不许我们这些苦命的人死么？"

铁中棠道："你不必死了……大家都不必死了。"

翠儿道："你……你难道有什么法子？"

铁中棠道："火药……火药。"这时他已定过神来，满面俱是狂喜之色，突然抓起一把火药，冲到翠儿面前，嘶声呼道："这火药既能将山道炸崩，为何不能再将它炸开？"

翠儿怔了半晌，雀跃而起，狂呼道："不错! 不错，我们为何早不想起这点？"少女们的欢呼中，铁中棠转身冲到夜帝面前。

但还未等他说话，夜帝也已霍然站起，大呼道："快，快将所有的火药，全部搬出来。"他自己也不记得有多久未曾站起来了，此刻但觉全身又充满生气。

坟墓般的地窖，也立刻充满了生气。窖藏的火药，俱都搬了出来。铁中棠迟疑着问道："这……这够了么？"

夜帝大笑："若是换了别的火药，再多十倍，亦是不够的，但这火药么……哈哈，足够了……足够了。"

铁中棠忍不住又道："这与别的又有何不同？"

夜帝道："你观察素来仔细，难道瞧不出？"

铁中棠道："弟子对火药之事，委实一无所知，但……但却还记得，烟火炮竹店用的火药，仿佛是黄色的。"

夜帝道："你且瞧瞧这火药是什么颜色？"

铁中棠道："黑色。"

夜帝道："这就是了，黄色火药，只能装作烟火炮竹，黑色火药，却足可开山裂石，黄色火药的制法世人皆知，黑色火药的制法，却是老夫独得之秘，此刻这些火药，也全都是老夫亲手制作出来的。"这老人此刻虽未恢复昔日那种逼人的神采，但目中已有光辉，面上已有生气，话也多了起来。

铁中棠还是忍不住要问道："黄色与黑色之间，差别为何如此之大？"

夜帝笑道："这差别不在颜色，乃是质料。"

铁中棠生机已复，好奇之心便生，他求知之欲本极盛，对一切新奇之事，都要彻头彻尾，问个清楚，当下追问道："这质料有何不同？"

夜帝道："黄色火药，我国自古已有，用料乃是以硫磺等物为主，爆炸时其声虽是惊人，其力却不足毁物。"

铁中棠道："黑色的呢？"

夜帝笑道："黑色的却是大大不同了，这乃是老夫花了多年心血，改进而成，这秘方天下可说还无人知晓。"

铁中棠道："不知……不知弟子可……"

夜帝道："连你也不能知道。"

铁中棠道："哦……"垂下头去，再不说话。

只见夜帝口中说话时，双手始终不停，以一双铁掌，一柄小刀，做出了许多引线、管子之类的东西。

铁中棠瞧了半晌，忍不住又道："这些是做什么的？"

夜帝道："都是为了引发火药之用。"

铁中棠奇道："用火一点，不就成了么，怎地又要如此麻烦？"

夜帝失笑道："用火一点，虽可将火药爆炸，但这许多火药爆炸起来，你我只怕就全都要葬身其下了。"

铁中棠脸一红，笑道："弟子竟未想到此点。"

夜帝道："有了这些信管引线，我等便可在数丈外，将火药引发，并非老夫夸口，就只这引发火药一道，已是天下无人能及。"

铁中棠道："难道……这其中也有什么诀窍？"

夜帝道："自然大有诀窍……要知这黑色火药，极易爆炸，一个弄不好，便是杀身之祸，这绝非任何人都可做得来，'霹雳堂'之所以名震天下，便是因为他们对此有独到之处，但比起老夫来……哈哈！却又差得远了。"

铁中棠笑道："这个自然。"

夜帝道："这不但要有技巧，但要有一双坚定的手，还要懂得在什么情况下，用什么方法，才能使火药发挥最大威力。"

铁中棠叹了口气，道："弟子实未想到，这火药一道，还有这么大的学问，只可惜……只可惜弟子却不能学到。"

夜帝凝目瞧他半晌，笑道："你因此有些失望，是么？"

铁中棠道："弟子……这……"

夜帝道："我已将平生所学，全都传授给你，对此却偏偏藏私，你仔细想想，可知道这究竟是为了什么？"

铁中棠道："弟子想不出。"

夜帝道："只因这火药一物，实是凶恶不祥之物。"他仰天长叹一声，接道："我当时制出它时，自是大喜如狂，立心要将之传诸天下，但我想了两日，却越想越是心寒，非但立时将那秘方毁去，也立誓从今以后，决不将之传授给任何一人，以免它留下贻害后人。"

铁中棠沉吟半晌，道："但此物威力既是如此强大，便可用之开山辟路，那岂非不知可以节省多少人力物力？"

夜帝叹道："不错，其物于世人虽也小有益处，但若是对之用于另一途，那为害之烈，实更胜于洪水猛兽。"

铁中棠道："这……弟子又想不通了。"

夜帝道："你且试想，若将之用来争战杀伐，又当如何？若是武林派系之争，那还事小，若是两国交锋，岂非不堪设想？"

铁中棠沉思半晌，失声道："呀……不错。"

夜帝叹道："自古以来，世人俱有野心，有了野心，必有争杀，自黄帝与蚩尤之战后，千百年来，这争战杀伐，几曾停止？"

铁中棠颔首叹道："正是如此。"

夜帝道："但古时争战，用的只不过是木石之属，是以伤人还不多，此后人们学会了淬铁，锻刀……"他又自长叹一声，接道："世人，自是难免为此而沾沾自喜，却不知利器制造得越多，人之野心就越大，死在利器之下的人自也越多，到后来，再学会制造可以及远的弓箭之属，更是战火丛起，而一战之下，便必定要尸横遍地，血流成河了。"

铁中棠黯然道："战场之上，人命确是贱于粪土。"

夜帝道："这黑色火药制作之方，若是传诸天下，等到战事一起，你想人们会放过此等更凶猛于弓箭百倍之物？"

铁中棠道："万万不会。"

夜帝惨然笑道："这就是了，若将此物用于战场之上，那又是何等光景？我纵然不说，你也该想像得出。"

铁中棠忍不住激凌凌打了个寒噤，委实不敢再想下去，只有在心中暗暗佩服这老人悲天悯人的心肠，高瞻远瞩之卓见。

过了半晌，夜帝缓缓道："幸好此物来得不易，纵然知道它的用处，但用量之成分、制作之程序若有丝毫差错，还是不成，只要老夫死了，这秘方便也将永绝人间，数百年内，只怕也未必再有人能做得出同样之物。"

铁中棠道："但……"他本想说什么，瞧了夜帝一眼，倏然住口。

只是夜帝却已猜出了他要说的话，黯然叹道："不错，此物既能被我制作出来，迟早总有一日，也有别人做得出的，只是……此物能迟一日出现，总是迟一日的好。"

铁中棠长长叹了口气，道："但愿它永不出现才好。"

只见夜帝已将那一包包扎得极为仔细的火药，又仔细地以长索捆成两堆，一堆较大，一堆较小。

铁中棠道："这……为何要分成两堆？"

夜帝道："这小的一堆，已足够炸毁此石，但爆炸之后，碎石必定要堆落下来，甚至会将山路堵得更死，那时便要再用这大的，炸通出口。"

夜帝与铁中棠两人，合力在那巨石之下，凿了块缺口，然后，夜帝便极为小心地将火药塞了进去。引线穿过长而曲折的地隙，直达内窟。夜帝、铁中棠，以及那些雀跃着的少女们，也带着那包较大的炸药，全部退入了内窟之中。

于是，夜帝将火折交给铁中棠，笑道："功劳是你的，你来动手。"

铁中棠大喜笑道："遵命。"

他晃起火折，口中默祷，道："但望上天垂怜，令此火到成功。"

他手掌方自垂下，但听"啵"的一声，引线已燃着了。

这引线也不知夜帝是以何物制成的，但其中显然也包含着火药，方自点着，便爆散起一蓬火星。火星如花雨，向外面伸展出来。众人俱都目不转睛，凝注着它，只觉每一点火星中，都象征着无穷的欢乐，包含着无穷的希望……

惊天动地的爆炸，终于响起。

这爆炸虽本是众人在等待着、期望着的，但大震之声突然传来，众人仍不免为之吃了一惊。有几个少女虽然早已悄悄掩住耳朵，但耳鼓仍不免被震得发麻，片刻间再也听不到任何声音。震波所及，坚固的山岩，剧烈地摇动起来，石屑、石粉、灰尘……纷落如雨，弥漫了众人的眼睛。石几石桌上的器具、摆设——每一件都是夜帝不知花了多少心血制成的，每件都是价值连城之物，也都被震落，跌得粉碎。但此时此刻，谁也顾不了这些了。

震声仍未消失，众人便蜂拥着向外奔去，都急着要瞧这爆炸的结果，都急着要瞧那巨石是否已被炸碎。越往前走，灰烟越浓，到了爆炸之处，四面更是一片雾，迷得人根本张不开眼睛，纵是近在咫尺之物，也无法瞧见。过了盏茶时分，碎石灰尘，终于渐渐落下——自沉淡的灰烟中望过去，那小山般的巨石，果已赫然踪影不见。少女们忍不住齐声欢呼起来。

夜帝满眶热泪，喃喃道："成了……成了……"这老人一生经历的事虽多，但却从未犹如此这般激动、欢喜，他目中竟也涌出了欢喜的泪珠。

铁中棠又何尝不是惊喜交集，热泪盈眶？他着魔似的不住喃喃低语道："好厉害……好厉害……"

这样的巨石都能被炸为粉碎，又何况人的血肉之躯？这样的凶器若是用于杀伐，那人命真不知要变得多么轻贱。他但愿世人永远不要再制作这样的东西。他想："若有人再制作出这样的东西，而传诸于世，等他瞧见后果时，必定不知要多么后悔。"他又想："能制作出此物的，必获暴利，等他老年痛悔时，必定会将之用来造福人群，但无论他做些什么，却也不足以补偿他为世人造下的罪孽。"他想的并没有错，一切俱都不出他所料。

后世果然又有人发明此物，那人当年果然十分痛悔，果然以他所获的暴利，设下基金，以奖励后人一些特殊的成就。若说这发明是罪恶，但世人生活却因之而改善了不少，若说他这发明是对的，但人命的确也因之变得更为轻贱。这其间是非得失，又有谁能下公论？

　　此时此刻，连铁中棠自己也不知为什么会想起这些奇怪而玄妙的问题，而情况也不容他再多想了。第二堆火药已搬来，埋在石堆中。众人再次退了回去。引线再次被点燃，火星再次爆起……轰地一声，第二次大震终又爆发。少女们欢呼着，又待向外奔去。

　　突听夜帝轻叱一声，道："且慢。"

# 第五七章　草原之猎

　　少女们愕然住足，有的脱口问道："还等什么？"

　　等到震声消失，夜帝方自沉声道："此刻纵然前去，也瞧不清什么，不如还是等一等再去的好。"他语声听来甚是镇定，平和……烟雾弥漫，也瞧不出他脸上是何神情。

　　少女虽然有些奇怪，但也只有听话地等着。然而，她们的心情，却是说不出的兴奋，说不出的激动，到后来，甚至连她们的身子都已颤抖了起来。她们的痛苦眼见已将终结，她们期待已久的光明已然在望，但——她们却必须在这里等着……等着……这等待又是多么令人焦急。烟雾渐渐落下，夜帝却仍端坐不动。

　　少女忍不住道："还要等么？为什么？"

　　夜帝缓缓道："你等得越久，所得的欢乐也就越大。"

　　他口中虽在这样说，但铁中棠已猜出了他的心情。他此刻心情，正如每一个面临重大考验的人一样，不敢骤然去面对着它，能多拖一刻，便是一刻。显然，他对此次是否成功，并无把握，而他委实已害怕失败，他委实再也禁不住任何打击！又有谁能禁得起再一次打击？

　　但致命的打击，却还是要落在这一群不幸的人的身上。

　　也不知过了多久，夜帝终于长叹一声，道："去吧！"

　　少女们欢呼着奔去，铁中棠却陪着夜帝走在最后。两人心意相通，俱都走得极慢——走到那里时，赫然发现那些少女们，竟无一人还是站着的。她们有的已昏迷，有的已痛哭着伏在地上。

巨石已粉碎，出口也已炸开。但夜帝千算万算，却终是算错了一着，他竟未算准这火药的威力，他也不知道这火药威力竟是如此之大！第一次爆炸，已将地面的山岩震裂，第二次爆炸，竟将那整个巨大的山岩都炸得崩毁。山岩崩毁，千万吨石块落下，便将那方自炸开的出口，又堵得死死的，再也没有多余的火药能将之炸开了。这一点计算的错误，对他们都无疑是致命的打击！他们所有的欢乐与希望，在这一瞬间都已随风消逝。

异啸一声初起，便已响彻草原。只听得啸声来势，急逾奔马，晃眼间便到了近前，众人惊魂初定，又听得这凄厉尖锐的啸声，更是忍不住心惊胆颤。

易明不由自主，悄悄移动身了，向铁青树走了过去。

铁青树变色道："这是什……什么人？"

云翼轻叱道："住口，快伏下身子。"话犹未了，啸声已到了头顶。铁青树不及多想，一把拉住易明，扑地伏倒，将自己的身子，紧紧压在易明的娇躯之上。在这一刹那间，他只觉得保护他身边的女子，乃是他应尽的责任，什么男女之防，他是早已忘了。

只听"嗖"的一声，一条人影，长啸着自他头顶掠过，接着，又是"嗖"的一声，又是一条人影掠过。两人一追一逃，身法俱是快如闪电，是以衣袂破风之声，亦是分外尖锐刺耳，铁青树虽未瞧见这两人身形，但听得这衣袂破风之声，也已猜出这两人委实无一不是轻功绝伦的武林高手。

云翼虽然令人伏倒，自己身子却挺立不动。这两条人影的双足，几乎已将踢着他的头颅，但这老人却连头也未偏上一偏，只是傲然挺立，凝目而视。但见这两人前面逃的赫然正是风九幽，后面追的，便是那已化为"毒神之体"的冷一枫。

啸声已远，铁青树才听到自己身子底下轻轻"嘤咛"一声，才觉出自己满怀俱是温香软玉。他心头一热，脸上飞红，赶紧翻身坐了起来，虽然低垂着头，但一双目光，却忍不住悄悄向身旁的人儿瞟了过去。易明仍然伏地躺着，肩头摇动，胸膛显然剧烈地起伏着，他不知她是羞？是恼？是不愿？还是不敢坐起？

铁青树只觉自己一颗心跳得"咚咚"直响，仿佛要震破胸膛，跳将出来，过了半晌，忍不住轻轻唤道："姑娘……"

易明轻声道："嗯……"

铁青树嗫嚅道："姑娘莫怪，在下只是……只是……"

易明突然翻身而起，垂首笑道："你不顾一切，保护着我，我怎会怪你？"

她本是个爽朗明快的女子，但方才骤然被一个少年男子坚实的身躯压在自己身上，心里不知怎的，竟泛起一种从来未有的感觉，也不知是害羞？还是什么？此刻她虽然竭立想装出若无其事的模样，但面上却不禁仍是红馥馥的，一双明如秋水的眼波，也始终不敢抬起。两人虽然都未曾抬头，但呼吸相闻，心里都有股甜甜的滋味。铁青树更是意乱情迷，魂消神荡，几乎痴了。

突听云翼厉喝一声，道："青树，抬起头来!"

铁青树心神一颤，这才想起严师还在面前，那颗低垂着的头，更是不敢抬起，只是颤声道："弟子在此。"

云翼厉声道："此时何时？此地何地？你莫非已忘了？"

铁青树道："弟……弟子不敢。"

云翼"哼"了一声，转目道："易姑娘。"

易明垂首弄着衣角，轻声应道："是……"

云翼沉声道："大旗门弟子，每人肩上都担负着血海深仇，万万容不得儿女私情，来消磨他们的英雄壮志。"

易明道："我……我知道。"

云翼大喝道："你既知道，还不快走？"

易明怔了一怔，抬头道："但……但……"

云翼道："莫要多说，快快走吧！"

铁青树失色道："但……此地危机四伏，你……你老人家却教她一个女子，孤单单地走到哪里去才好？"

云翼怒道："他人之事，难道比本门血仇还要重要？"

铁青树道："但方才她已险些被……"

易明突然一掠而起，大声道："你莫要说了，我走就是，我虽是个女子，但闯荡江湖已有多年，难道还怕被人吃掉不成？"

这时她被点穴道已渐失效，身上血液渐通，身手虽有些不便，但终是已能站了起来。

云翼不去瞧她，道："如此最好，快快走吧！"

易明道："我说要走，自是会走的。"她心头显见有些激愤，语声也有些哽咽、嘶哑，举步向前走了一步，突又回首，冷笑一声，道："但我走之前，却有句话要问你。"

云翼喝道："快说！"

易明道："你要我走，莫非怕我勾引你家弟子？"

云翼倒也未想到这少女竟是这么爽直的性子，竟敢锣对锣，鼓对鼓，当面问出这种话来。他不禁也为之一怔，道："这……"

易明道："告诉你，儿女之情，虽能消磨志气，又何尝不能激发人的雄心？你难道定要大旗弟子人人都做和尚，才能报得了仇么？这……只怕未必，何况这件事，世上根本就没有一个人能管得住的！"

云翼怒喝道："住口！"

易明也不理，她自管接口道："更何况，我从心里就从未看得起大旗弟子，我见的为你们大旗弟子伤心的女子，已经太多了。"她冷笑一声，接道："你们非但不知保护你们的妻女，任凭你们的妻女被人欺负，而且自己还要令她们伤心，这又算得是什么英雄？什么好汉？我看你这血海深仇，不报也罢，还是先将你们门下弟子的妻女，先救出来吧！"

云翼又惊又怒，竟被她骂得怔住了，这威重如山的老人，竟未想到竟有人敢在他面前如此说话。

易明道："我话说完了，也该走了，你仔细想想吧！"头也不回，举步而去。

铁青树痴痴地望着她，要想呼唤，却又不敢。

就在这时，那异啸之声突然转回。这一次啸声来势更快，更是令人心惊。易明脚下突然一个踉跄，竟又跌倒。铁青树再也不顾一切，又扑了上去，这次两人一心都要瞧瞧他们是谁，虽然伏倒在地，仍扭头而望。只见一先一后两条人影，犹如流星赶月一般，自云翼头顶掠过，只要再有分寸之差，云翼便要被踢倒。

铁青树惶然道："你……你老人家怎不伏倒？"

云翼怒道："畜牲，你难道不知为师是何等身分？怎可随意伏倒，大旗弟子宁死……"

突然，啸声完全停止，四下一片死寂。这突然而来的静寂，委实比方才啸声发作时还要震动人心，就连云翼，都不由自主顿住了嘴。但，紧接着，风九幽嘶哑而尖锐的语声便又传来。

只听他大喝道："我知道你已来了，为什么还不露面？你借我的东西想必也带来了，快拿回还给我……快……"这语声忽左忽右，倏忽来去，显见他身形还未停顿，但无论他如何呼喝，四下却寂无响应之声。

众人不觉又惊又奇，都不禁在心中暗问自己："是谁来了？风九幽到底在和谁说话？"

只听风九幽呼喝了半响，终于忍不住破口大骂起来。他嘶声骂道："你这贼婆娘，你到底藏在哪里？老子已被追得上气不接下气，你还不出来救救老子，你这贼婆莫非想将老子害死？好将老子借你的家伙霸占不还？你明知此刻只有那家伙可以挡得住这毒神！"

云翼忍不住喃喃道："他骂的莫非是花二娘？"

易明道："听他口气，只怕不是，但……但他骂的却必定是个女子，而且，这女子还借了他一样重要的东西。"

此刻这老少两人心头充满好奇，居然一问一答，似乎全忘了方才之事，云翼沉吟了半晌，又道："世人有什么东西能挡得住毒神？"

易明道："这……这委实令人猜不透。"

铁青树突然接口道："他说的那'家伙'，只怕并非什么东西，而是个人。"

易明道："嗯，不错……"

云翼皱眉道："但世上又有什么人能挡得住毒神？这人若真犹如此本事，又怎会被他两人这样借来借去？"

众人猜来猜去，也猜不出个所以然来。这时喝骂之声又转到左近。但闻"嗖"的一声，风九幽自他们身旁草丛上掠过，那"毒神"冷一枫，自然还是紧追在后。但奇怪的是，毒神身后，竟多了条人影。这人影身形甚是纤小，轻功之妙，更是骇人闻听，无声无息地紧贴在"毒神"身后，"毒神"却是毫未觉察。三条人影·晃即没。

云翼沉吟道："风老四所骂的莫非就是此人？"

易明道："嗯，这人看来果然像是个女子。"

云翼变色道："普天之下的女子，只有一人轻功如此了得，只怕，就连'烟雨'花双霜也是比不上她的。"

铁青树动容道："你老人家说的是谁？"

云翼一字字道："闪电卓三娘！"

铁青树、易明面面相觑，都不禁倒抽一口凉气。

云翼沉声接道："碧落赋中，风、雨、雷、电四人，今日竟都来到了这里，这当真是说来别人也难以相信之事。"

要知雷、雨、电、风四人，无论是谁，只要出现一个，已是震动江湖之事，何况四人竟都凑在一齐？易明喃喃道："这么一来，这山谷想必更要热闹了，唉！这四人无论是谁，都足以把这里闹得天翻地覆。"

铁青树讷讷道："咱……咱们不如走吧，有这四人在这里……"瞧了云翼一眼，嗫嚅着将下面的话咽了回去。他下面的话虽然不敢说出，但别人也可以猜出他要说的是："有这四人在这里，凭咱们的武功，还能有何作为？"他们的武功若与卓三娘等人相比，实如秋虫之与明月。

易明轻声道："不错，此时他们正自互相纠缠不清，咱们正可乘机脱身，若是……"

云翼突然喝道："谁敢再说走字！"

铁青树道："但不走又能……"

云翼厉声道："他四人之间，此刻正自纠缠不清，必定无法再留意他人之事，这正是我等行动的大好良机。"

易明眨了眨眼睛，道："行动？"

云翼道："不错，行动，五福连盟中人，此刻想必也躲在这草原之中，方才他们惊逃而出，此刻必定未能聚在一起。"

易明颔首道："这些人最是欺软怕恶，贪生畏死，在这种情况下，必定不敢随意走动，那么，想必也不会聚在一处。"

云翼听她大骂自己的仇家，暗中不由得对她又生出几分好感，侧目瞧了她一眼，捋须微笑道："正是如此，他们分散之时，我等正好逐个击破，他们有一人撞见老夫，便要他死一个！有两人遇着老夫，便要他死一双！"

易明拍掌道："好！司徒笑那恶贼却得留给我。"

云翼笑道："老夫正要瞧瞧彩虹七剑的身手。"

铁青树见他二人这番光景，心下自得十分欢喜，但瞧了云翼一眼，双眉又自皱起，讷讷道："但你老人家的体力……"

云翼厉声道："眼见仇人的头颅已悬在刀口，老夫的病毒早已自解，只不过有些口渴难忍，正好去痛饮他们的鲜血。"

易明接口笑道："纵是陈年老酒，也比不上仇人鲜血。"

云翼大笑道："好孩子，不想你倒甚投老夫的脾胃。"

易明道："但我方才还骂了你老人家……"

云翼道："咄！骂人又算得什么？能骂人的，才是真正性情中人，总比那些随声附和之辈要强得多了，走吧！"当下迈开大步，向前行去。

易明冲着他背影吐了吐舌头，转首和铁青树悄声笑道："这位老人家，可真是个怪人，他若瞧你不顺眼，怎么样都不行，他若瞧你顺眼了，骂他都没关系。"

铁青树道："只怕你方才是骂对了，否则……"

易明道："否则怎样？"

铁青树叹了口气，道："否则只怕我便再也无法与你相见。"

易明脸一红，道："那……那又有什么关系？"

铁青树垂首道："你没关系，我却是有关系的。"这两句话他冲口而出，说的正是他肺腑之言，要知人们在患难中，最是流露真情，铁青树如此，易明又何尝不然？

易明忍不住瞧他一眼，瞧见他满脸诚恳之色，心头一软，便将本不愿说的话也说了出来。只听她柔声道："其实我……我也有关系的……"腰肢一拧，飞也似的向前蹿去。

铁青树大喜过望，身子也似乎变得轻了，轻飘飘跟在她身后，方才的灾难，眼前的危险，早已全都忘去。云翼当先而行，身后这一双小儿女的对答之言，他似乎全都没有听见，也绝不回头去望一眼。在见着温黛黛与易明之后——在听得铁中棠与云铮的恶耗之后，这老人的性情，真的已像是有些变了。长草之间，行动本难避人耳目，幸好此刻风九幽仍在奔逃喝骂，倒替他们三人的行动作了掩饰。突然间，寒光一闪，一柄长剑，自草丛中刺了出来，直取云翼胸膛，来得无声无息，又狠又快。

云翼大喝一声，道："果然来了！"

他早有戒备，这一剑来的虽突然，虽辛辣，但这铁血大旗门的掌门人，却并未将之瞧在眼里。只见他虎腰一转，长剑便自他身旁刺空，他一双铁掌，十指箕张，已向拿着那柄长剑的手腕抓了过去。

草丛中怒喝道："好恶贼，有你的。"一人舞动长剑，疯狂般冲了出来，赫然竟是易挺。

易明又惊又喜，大呼道："云老前辈手下留情!"

云翼怔了一怔，撒掌退身。易挺亦自停住剑势，怔在当地。兄妹两人目光相对，俱是惊喜交集。

跟在易挺身后的孙小娇，娇喘着道："好妹子，原来是你，咱们险些大水冲了龙王庙……"

忽听草丛中传过来一个人的语声，轻轻笑道："孙小娇，易兄弟，你们逃什么？难道我还真的会害你们么？快过来……快过来，咱们聚在一起，人多也好做事。"语声低缓，显见来人走得极是谨慎。

易明变色道："司……"

她方自说出一个字，嘴已被易挺掩住。

孙小娇耳语般低声道："不错，正是司徒笑，我和你哥哥一能走动，刚蹿入草原，就遇着他们三个恶贼，他……他居然不顾旧情……"

说到这里突然顿住，脸也有些红了。

易明只好装着听不懂，低声道："他们来得正好。"

云翼目光闪动，满面杀机，道："诱他们过来。"

这几人俱都不是愚鲁之辈，听了这句话，易明、铁青树，立刻随着云翼伏身藏起，易挺持剑卓立。孙小娇眼波一转，娇笑道："你真的不会害我么？"

司徒笑笑道："自是真的，你们在哪里？"

孙小娇笑道："就在这里，你们还听不见么？"

司徒笑道："好，这次你们可千万莫要胡乱逃了，方才我说的话，只不过是向你们开开玩笑而已……"笑语之声未了，司徒笑、黑星天、白星武，三条人影已箭一般蹿了过来，将孙小娇与易挺围在中央。这三人面上，谁也没有半分笑意，司徒笑更是面寒如水，方才那番话，仿佛根本就不是他说出来的。

白星武冷冷道："你们还是上当了。"

黑星天道："这次看你们还往哪里逃？"

孙小娇故作吃惊道："你……你们要怎样？"

司徒笑缓缓道："没有什么，只不过要你们的命而已。"

孙小娇道："你……这难道又是在开玩笑么？"

司徒笑冷冷道："谁有这份闲情逸致来和你们开玩笑……黑兄、白兄，此时还不赶紧动手，更待何时？"

孙小娇喝道："慢着！"

白星武道："你还有什么话说？"

孙小娇道："彩虹七剑本是来帮你们的，你们为何……"

司徒笑冷笑道："彩虹七剑俱是吃里扒外之辈，我早已有意将他们除去了，此时此刻，正是天假我之良机。"

孙小娇道："但……但你难道不顾我和你那一段……"

司徒笑喝道："住嘴！"

孙小娇格格笑道："我明白了，你就是要叫我永远住嘴，所以才要杀我，你这没心没肝的恶贼，你说是么？"

司徒笑狞笑道："是又怎样？你这贱人这张多话的嘴，早已该闭起来了。"

孙小娇道："是该闭起了，只还有一句话要说。"

司徒笑道："什么话？"

孙小娇笑道："螳螂捕蝉，黄雀在后，这句话你们莫非忘了么？你们不妨回头瞧瞧，看你们身后站的是谁？"

司徒笑大笑道："这种骗孩子的玩意儿，也想来骗我？"这三人果然俱是老奸巨猾之辈，竟是谁也不肯回头。

三人一齐大笑道："咱们不会回头的，你也逃不了……"

笑声未了，突听身后一人厉声道："你们还是回头的好。"

这话声一入耳，他们不用回头，也已猜出身后的人是谁了，三

大旗英雄传

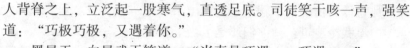

人背脊之上，立泛起一股寒气，直透足底。司徒笑干咳一声，强笑道："巧极巧极，又遇着你。"

黑星天、白星武干笑道："当真是巧遇……巧遇……"

三人口中说话，脚下却悄悄移动，彼此凑了过去。

云翼厉叱道："站住!"

司徒笑干笑道："你只管放心，纵然你不来寻我们，我们也要去寻你的，既然见了你，难道咱们还会走么?"

云翼道："既然如此，且转过身来，与我决一死战。"

司徒笑目光转动，道："你们五人，咱们三人，以五敌三，这岂非有些欺人，大旗门人，想来不致如此吧?"

易明大喝道："与你这样的无耻恶贼，还讲什么江湖道义……孙姐姐，你和我将这恶贼收拾下来吧!"

孙小娇道："我早想宰了他了。"两人一前一后，向司徒笑夹攻而上。

易挺长剑一挥，直刺白星武。铁青树微一迟疑，也扑了过去，出手便是三招，口中喝道："这位兄台，我来助你。"

黑星天仰天笑道："好! 好! 这大旗掌门，就留着给我吧!"虽在仰天而笑，但笑声却不由自主颤抖了起来。

云翼道："你还不回身?"

黑星天道："反正迟早都要动手，你急个什么?"

要知他嘴里说得虽硬，其实心胆早寒，明知自己一回头，便是一番死战，却教他怎敢回头去?

云翼道："你只当你若不回头，老夫便不敢出手么?"

黑星天道："难……难道堂堂大旗门，也会在人背后出手……"语声未了，突见眼前一花，云翼已在他面前。

只听云翼厉声笑道："你不敢回头，难道老夫就不会到你面前来么? 哎! 还不出手?"当胸一拳，怒击而出。

他还未出手，已寒敌胆，此番出手，又当真有石破天惊之威，五招过后，黑星天已是满头大汗。那边司徒笑虽仍与孙小娇、易明两人勉强战个平手，白星武却也早已被逼得险象环生，汗出如雨。剑光、拳风、掌力，震得四下长草，东倒西歪，纷纷断落，飘飞的草梗，有的已黏在司徒笑等人汗湿的面额上，使他们看来更是狼狈不堪。

云翼眼见自己一生中最最痛恨的三个强仇大敌，已将在此丧命，不觉豪气更生，越战越勇。只见他长髯拂动，双拳如雨，强劲、猛烈的拳风，已如山岳一般，将黑星天压得难以呼吸。云翼忍不住纵然狂笑道："好痛快呀！好痛快呀……"这三人若是死了，五福连盟便无异瓦解，这老人积压数十年的冤气，到今日总算完全吐出，他自是痛快已极。

司徒笑突然冷笑道："你痛快什么？别人不说，我司徒笑今日纵算战死，也不是死在你大旗弟子的手里，你也算不得报了仇。"

云翼怔了怔，怒道："你要……"

但他话未说出，易明已抢口道："谁说你不是死在大旗门人手里？"

司徒笑冷笑道："莫非你是大旗门弟子么？"

易明道："谁说不是！"

司徒笑大笑道："小贱人，你何时也算大旗弟子了？除非就在这短短片刻间，你已嫁给大旗门那呆小子做媳妇了。"

铁青树虽在与别人动手，但这番话却听得清清楚楚。他一怒正待发话，哪知易明却道："你猜的不错，我正是已嫁给大旗弟子了，所以我也变为大旗门下，你还有什么话说？拿命来吧！"

这番话说将出来，司徒笑一怔，云翼又惊又喜。铁青树心中那惊喜之情，更是谁也描述不出。易挺先是一怔，后也一喜，笑道："恭喜。"

铁青树红着脸道："多谢。"

两人精神一振，三招之后，更是将白星武逼得喘不过气来，那边司徒笑也被易明抢得了先机。

# 第五八章　古庙之秘

黑星天的危急之况，更是不在话下，"五福连盟"中这三根支柱，端的眼见已是劫数难逃。

哪知就在这时，突然一条人影掠来。其实这人影还未到时，那喝骂之声早已先到了，只是众人在兴奋、激战之中，谁也没有听到。这人影正是风九幽，掠过此地，目光一转，身子竟突然凌空折回，斜斜向云翼冲了下来。云翼大惊之下，一拳挥出，却不料风九幽脚下一斜，已转到他身后，藉力使力，将他身子托了上去。云翼也只得藉力使力，向上跃出，逼开身后之敌。

但这时"毒神"早已追来，云翼身子竟向他迎了过去，等云翼再想悬崖勒马，收势却已有所不及。

但见"毒神"毒手挥处，云翼已是无可闪避。易明、易挺、铁青树，大惊之下，俱都抛下自己敌手，扑将过去，但又有谁能阻住毒神的毒手？哪知就在这刹那间，"毒神"身后，突有一条人影趋出，将云翼身子往下一扯，两人便一齐斜斜落下。

这一手说来虽容易，但轻功若无超凡入圣的造诣，真是做梦也休想办得到，风九幽惊骂道："好贼婆娘，原来你一直跟在我身后。"

这时"毒神"前面已无阻路之人，还是向风九幽冲来，风九幽第二句话未及骂出，凌空跃起，转身就逃。毒神自也追了过去。

云翼身子方自落地，便听得一个妇人的声音轻笑道："你的命是我救回来的，你可千万莫要忘记。"话犹未了，身形已飘飞而起，笑声已在丈余开外。

云翼大呼道："卓三娘，留步，你可是卓三娘？"

呼声之中，那人影早已消失在长阜之巅，但闻一个带笑的语声，飘飘渺渺传了过来，道："不错，我正是卓三娘。"

云翼仰首而望，却什么也瞧不见了。

易明、易挺、铁青树、孙小娇俱都围了过来，齐声道："你老人家无恙么？"

云翼仰天长叹一声，顿足道："我虽无恙，但这救命之恩，却叫我如何了断？"语声微顿，转目而望，突又变色道："不好！"

众人随着转目望去，这才发现司徒笑、黑星大、白星武二人，竟已乘着方才乱时，悄悄溜了。

易明、易挺还好，云翼、铁青树此刻之悲愤、惊怒、失望，却当真非世上任何言语所能形容。

云翼须发皆张，目眦几裂，厉喝道："追！"


云翼、铁青树当先，易明、易挺两旁掩护，孙小娇走在最后，五个人分成扇形，一路追查。大旗子弟，果然不愧是千锤百炼的江湖好汉，虽在如此悲愤激动的情况中，行动仍是毫不鲁莽。只因在这草原中，猎者与被猎者其实已没有什么分别，无论谁只要稍有不慎，立时便要遭对方的毒手。这草原中每分每寸之地，都可能埋伏着致命的危机，风吹草浪，天地间弥漫着重重杀气。

风九幽的怪啸、怒骂，仍不时随风传来，显见得卓三娘仍在和他捉着迷藏，他仍然无可奈何。令人惊异的是，在他如此大叫大嚷之下，"烟雨"花双霜与飧毒大师，居然仍然还未露面。这两人到哪里去了？他们在做什么？

这问题虽然费人猜疑，但云翼等人心胸中正燃烧着复仇的怒火，这火焰燃烧得令他们忘记一切。易明走在铁青树身旁，两人不时会匆匆交换一个眼波，眼波相触，面颊一红，又赶紧回过头去。

惟有在这时，铁青树心里复仇的火焰才会暂时停息，却另有一股完全不同的火焰在心里燃起。在激情与仇恨这两种世上最最炽热的火焰下，这初涉江湖的少年，正在忍受着双重的煎熬。

突然，云翼身子伏了下来。别人虽未听到什么，也未瞧见什么，但云翼正是他们的马首之瞻，云翼身子伏下，别人的身子也都伏了下去。

只听云翼耳语般颤声道："前面已现敌踪，小心。"

这语声，易明、易挺、孙小娇虽未听清，但不听也可猜得出的，一颗心却不禁为之悬了起来。众人心房急跳，蛇行向前。他们此刻究竟是猎者还是被猎者？他们此刻究竟是在围猎别人，还是正在走入别人伏下的陷阱？这连他们自己也分不清，他们甚至连想都不敢去想。在这悬疑难决的俄顷间，每人的紧张，却已达到顶点。

草丛中终于有人声爆发出来，声音虽不大，却仍令众人俱都吃了一惊，只听一人嘶声道："盛大娘，你真要翻脸？"

另一个奇异的妇人语声道："正是要翻脸。"

两个声音，后者乃是属于盛大娘的，前者的语声，云翼虽听不出，但听那语声，此人想必本是盛大娘的同路人。

云翼牙关紧咬，两腮肌肉，都起了阵阵痉挛。仇人又已在他眼前，他本该扑过去，但心思一转，却将身子伏得更低，行动也更是小心谨慎。

这老人不动，众人自更不敢妄动。云翼身子已完全伏了下来，自长草根隙间向前望去。只见一个面容俊秀，但眉眼满带浮猾之气的少年，半蹲半坐在那里，右手拿着柄剑，左手却环抱着个少女。这少女仰卧在那里，长长的、乌黑的头发，水云般垂落在地面，胸膛虽在起伏，但人已显见昏迷。

盛大娘便在他身前不及五尺处，两人之间的长草，已大多被践踏得平了，仿佛方才也曾经一番剧斗。她右手仍横持着那柄乌钢拐杖，左手竟也抱着个少女，这少女也已被制昏迷，却赫然正是云婷婷。

盛存孝亦自未醒，就躺在她身旁，但盛存孝身旁竟还躺着一人，两鬓已斑，长髯也微现花白。

云翼不再瞧第二眼，便已看出他竟是云九霄。这景象一入云翼之目，他目中便几乎要喷出火来。但他的兄弟与爱女俱已落在对头的掌握之中，听人宰割，这老人虽然悲愤填膺，又哪敢随意妄动？

铁青树、易明、易挺也瞧见了，也是惊愤变色。易明、易挺担心的是水灵光，大旗弟子担心的是云氏叔侄，他们的对象虽不同，着急的程度却毫无两样。

只听那少年沈杏白道："方才你我还同心合力，将这一老一少两个大旗门人擒了下来，此刻你便要翻脸么？"

盛大娘冷笑道："此一时，彼一时，这句话你难道都不懂？就凭你尊卑不分，你我乱叫，老身就该要你的命。"

沈杏白道："但……但你莫非忘了五福连盟？"

盛大娘道："不错，就为了这个，所以老身到此刻还未动手，只要你将这女子放下来，老身就放你一条生路。"

沈杏白变色道："这女子乃是我等仇人，你为何……"

盛大娘怒道："畜牲，你只当老身不知道你打的什么鬼主意？瞧你那双鬼眼睛，老身就知道你在想些什么。"

沈杏白眼珠子在水灵光娇躯上的溜溜一转，道："不错，我是想将这少女占有……"

盛大娘喝道："畜牲！你……"

沈杏白冷冷接口道："我占有这女子后，一来可以泄愤，好教铁中棠那小王八，做鬼都得要戴上顶绿帽子。"

听到这里，云翼、铁青树等人，已无一不是咬断钢牙，手足颤抖，一颗心几乎要恨得裂成碎片。但云九霄、云婷婷还在别人掌握中，他们咬断牙，也要忍住——这忍受却又是何等痛苦？

沈杏白已接着道："还有，这女子已被花二娘认做她的女儿，

大旗英雄传

961

我占有她后，生米煮成熟饭，花二娘也只有将我认做女婿。"他仰天一笑，接道："我若成了花二娘的女婿，花二娘怎会不为'五福连盟'出力，如此一举两得的事，你为何不让我做？"

盛大娘默然半晌，突又怒喝道："不行，万万不行，这女子无论如何，总是我盛家庄的媳妇生出来的，谁也不能沾辱了她。"

众人本在暗中奇怪，不知盛大娘为何要对水灵光如此维护，听了这句话，才自恍然大悟。

沈杏白却仍是神色不变，悠悠道："即使她是盛家庄人，难道我沈某人还辱没了她？"

盛大娘怒喝道："你这畜牲，猪狗都不配。"

沈杏白道："你在此相骂也不打紧，但这话教家师听了，却多有不便。"他神色越是悠闲，盛大娘怒气越盛，她本还顾忌着司徒笑等人的面子，是以迟迟不愿动手。

但此刻盛怒之下，却什么也顾不得了，当下怒喝道："老身今日就要将你这小畜牲宰了，看看司徒笑他们又能将老身怎样？"抢起拐杖，当头击下。

众人自是暗暗称喜，只望这两人打得越凶越好，那时他们方自有机可乘，才能乘机救出云婷婷等人。但闻"呼"的一声，草屑横飞。盛大娘人虽已老，拐杖却不老，这一杖抢出，当真有逼人的威势，沈杏白哪敢硬接？横掠两尺，这时他身形又已没入长草间，身手更是不便，云翼等人俱已跃跃欲试，只待盛大娘追击过去，他们便要出手。盛大娘拐杖果又抢出。

沈杏白不架不闪，却突然大喝道："且慢！我还有句话说。"

盛大娘手腕一挫，道："好，再听你一句话。"她在这拐杖浸淫数十年，功夫果然没有白费，但见她枯瘦的手腕一挫，便将数十斤重的纯钢拐杖轻轻带了回来。

沈杏白道："你以大欺小，我自非你敌手。"

盛大娘冷笑道："你既有自知之明，便应束手就缚。"

沈杏白亦自冷笑道："但你拐杖只要再动一动，我拼着挨你一杖，手中剑先将你儿子刺死，回剑再取这女子之命，你瞧怎样？"

盛大娘怔了一怔，高举着的拐杖，"噗"的落了下来，杖头戳入土中，盛大娘白发飘萧，颤声道："你……你敢？"

沈杏白道："我有何不敢？"

盛大娘道："你……你要……"

突然间，倒卧地上的云九霄，整个人弹了起来，出手如风，一瞬间便接连点了盛大娘背后七处大穴。云翼等人见到盛大娘已自住手，方觉失望，骤然又见此变化，不禁大喜若狂，纷纷一跃而起。

这时盛大娘身子方自倒下。沈杏白还被这变化惊得怔在当地，突见草丛中几条人影猛虎般跃将出来，更是惊得双腿发软。等他想起要逃时，却已逃不了，易挺、铁青树、易明，三人已夹击而上，但见剑光一闪，拳影飘飞……沈杏白已倒在地上。

这胜利的确来得太快，云九霄亦是惊喜交集。云翼一手拍着他肩头，开怀大笑道："三弟，有你的，我只当你真的不能动了，哪知你却是在装蒜。这当真叫大哥我有些喜出望外。"

云九霄亦自喜道："大哥从天而降，小弟更是喜出望外。"

云翼道："方才究竟是怎么回事，快说来听听。"

云九霄道："我和婷婷与大哥失散后，便在此地将养，等待气力恢复，哪知这两人却突然掩了过来……"他叹口气接道："那时我气力未复，明知纵然动手，也必落败，便索性装成不能动弹的模样，由得这姓沈的小畜牲来点我穴道。"

云翼奇道："你穴道既被点，为何还能出手？"

云九霄展颜笑道："我偷眼瞧他手指来势，见他要点我'气血海穴'，我手掌便先悄悄藏在破解之处，他手指一下，我便乘着气血还未被封闭的那一刹那间，将之解开，他这一指虽点下，却如未点一样。"

云翼拊掌笑道："我早就说过三弟乃是本门智囊，如今可见果然不差，青树，你们可得多学学三叔的榜样。"

　　劫后重逢的欢喜，大获全胜的得意，瞬息间又被仇恨代替，云翼目光转向盛大娘，面上笑容，便消失不见。易明、易挺早已自沈杏白怀中抢过了水灵光，铁青树解开了云婷婷穴道。

　　云九霄一足将沈杏白踢到盛大娘身侧，道："大哥要将这两人怎样？"

　　云翼嘶声道："杀！杀！杀！除了杀，还能怎样？"

　　云九霄道："就在此地动手？"

　　云翼切齿道："就在此地，就在此刻……"

　　但就在此刻，一种母子天性感应，却使得生具至孝，一直昏迷不醒的盛存孝突然醒了过来。他虽然始终昏迷未醒，却仿佛早已知道一切事的演变，方自醒来，便挣扎着爬起，嘶声道："若要杀家母，先杀了我吧！"云翼还未答话，易明、易挺早已扑地跪下。

　　易挺道："盛大哥虽不幸生为'大旗门'之敌，却始终未曾做过残害'大旗门'之事，老前辈切切不可出手。"

　　易明道："盛大哥非但不能算是'大旗门'之敌，反与铁中棠道义相交，老前辈看在铁中棠面上，也不能出手。"

　　云翼双拳紧握，木立不动。

　　铁青树嘶声道："其子之善，并不足偿其母之恶……"

　　易明哀叫道："你要杀他，就先杀了我吧！"

　　铁青树狠狠一顿足，再不说话。一时之间，众人群相默然，但见云翼胸膛起伏，渐渐剧烈，但闻云翼呼吸之声，渐渐粗重……

　　突然间，一个人分开长草，走了出来。众人心情激动间，竟谁都没有留意到这人怎么来的，此刻骤然吃了一惊，退后半步，转目望去，只见此人一身青衣，云鬓蓬乱，面容虽生得秀丽动人，但眉宇间却带着分茫茫然的痴呆之色。她骤然见着这许多人，既不欢喜，也不吃惊，更不害怕，反而歪了歪头，嫣然一笑道："原来有这么多人呀！"

　　易明松了口气，道："原来是你。"

那少女额首笑道："不错，是我，不是我是谁呢？"

云翼厉声道："你是谁？"

那少女道："我是谁？……哦，对了，我是冷青萍。"

云翼变色道："冷青萍？你莫非乃冷一枫之女？"他此刻也已想起，这少女正是年余前，到那荒山古庙中去通风报讯的人，只是比起那时来，她已不知苍老了多少，憔悴了多少，骤然间竟难以认得出她了。

冷青萍歪着头，茫然道："冷一枫……嗯！不错，他是我爹爹，我方才还用鞭子抽过他……嘻嘻！女儿打爹爹，你说好玩不好玩？"

她竟自嘻嘻笑了起来，但众人心中可全无半分笑意，呆呆地望着，亦不知是惊异，还是怜悯。

冷青萍眨了眨眼睛，茫然笑道："你们是谁呀？我……我好像认得你们，又好像不认识，好像见过你们，又好像没有见过……"突然举起手来，用力打着自己的头，恨声道："头呀头呀！可恨的头呀！有些你明明该记得的事，为何会突然忘记，我打死你……我打死你。"

她越打越重，越打越响，云婷婷委实忍不住了，一步蹿了过去，一把拉着她的手，道："你是见过我们的，那日我们在古庙中，若非你来，我们……"

冷青萍拍掌笑道："哎呀！不错，古庙……古庙……"

云婷婷道："对了，古庙，你可记得了么？"

冷青萍道："当然记得，那古庙好好玩呀！有好多奇奇怪怪的东西，还有……还有两个人在打架，飞来飞去。"

云婷婷道："我说的不是这古庙，是那日……"

冷青萍道："是的是的，我不骗你，那古庙真是好玩极了，红的墙，黄的瓦，就好像是……是黄金似的。"

众人面面相觑，作声不得，但是又是失望，又是为她悲哀，云婷婷更是满眶热泪，泫然欲泣。

云翼叹道："此女只怕已疯了，念在昔日之情……唉！让她走吧！再与她多说，也说不出个所以然来。"

云九霄心念一动，突然道："且慢。"

云翼奇道："你要留住她？为什么？"

云九霄沉声道："痴呆之人，有时说话最是可信。"

云翼更奇道："这……这又怎样？"

云九霄且不答话，转身道："冷姑娘，那古庙你可是方才去过？"

冷青萍颔首笑道："对了，我刚从那里出来。"

云翼摇头叹道："这草原上哪有什么古庙，只怕她是……"

云九霄摇手打断了他的话，又自问道："在那古庙中打架的人，你可瞧见了？"

冷青萍道："自然瞧见了，瞧得可清楚哩！"

云九霄道："他们是何模样？"

冷青萍又歪起了头，沉吟道："他们……哦，对了，他们一个是男，一个是女……那男的还是我爹爹的师傅哩！我可不能告诉别人。"

她明明已告诉别人，还说不告诉别人，心神之痴迷，实已可想而知，众人唏嘘间，却又吃了一惊，飧毒大师原来在那里。

云翼动容道："和他动手的，莫非是花二娘？难怪他两人始终不曾露面了……冷……冷姑娘，古庙在哪里？"

冷青萍道："就在那里，左转，右转，再左转，再右转……头一低，再左转……再左转，还是左转……"

云翼苦笑道："莫要转了，你带我等去吧！"

冷青萍突然以手掩面，呼道："我不去……我不去……我再也不去了。"

云翼叱道："你为何不去？"

冷青萍道："那地方虽好玩，可也可怕得很，四面都好像有鬼

966

……鬼！鬼！有多少鬼呀！我不去……不去……"

云翼顿足道："这……这……唉！"

云九霄突然笑道："我知道了，你是在骗人。"

冷青萍道："不，不，我没有骗你。"

云九霄道："你明明没有去过那地方，根本不知道它在哪里，所以才不肯带我们去……这是个骗子，我们莫要理她。"

冷青萍道："我不是骗子，我……好，我带你们去就是了，但……但我可再也不愿进去，我要在门口等着，行么？"

云九霄道："只要你带路，进不进去，全都由得你。"

冷青萍道："好吧！"缓缓转过身子，缓缓走入草丛。

众人此刻都已隐隐约约地猜到，那神秘的古庙中，必定有着些秘密，见她一走，都忍不住跟了过去。云九霄悄声道："这两人……盛……"

云翼沉吟半响，顿足叹道："纵要取她性命，也不可当着孝子之面。"

云九霄低声道："小弟也正是此意。"

目光转处，只见易明抱着水灵光，易挺已扶起盛存孝，又瞧见有个妇人——孙小娇，正俯首望着沈杏白出神。

他一眼瞧过，当下唤道："青树，你过来。"

铁青树转身而回，道："三叔有何吩咐？"

云九霄道："你抱起盛大娘，若有变故……"语声突顿，立掌一砍，方自接道："你懂得么？"

铁青树道："弟子省得。"当下俯身抱起盛大娘。

盛存孝嘶声道："多谢兄台……多谢各位前辈，在下，在下……"长叹一声，黯然垂首，无言地随着易挺走去。

云九霄目注孙小娇，道："这位姑娘……"

孙小娇回眸一笑，道："你可是要我抱他么？好！"不等云九霄再说话，便抱起沈杏白，跟着易家兄妹，向前行去。

云翼皱眉道："你怎地要她……"

大旗英雄传

云九霄截口笑道："大哥放心，小弟自会紧跟着她的。"

冷青萍以手掌分拂长草，当先而行。在这危机四伏的草原中，她竟走得安安逸逸，仿佛在散步似的。跟在她身后的一行人，却不免有些提心吊胆，但事已至此，也只有往前走得一步算一步了。只见她走上一段路，便要转个弯。

云翼皱眉道："草原之中，何需转弯？"

云九霄苦笑道："既是要她带路，也只有由得她了。"

云翼叹息一声，不再言语。

但闻风九幽呼啸叱骂之声，又已到了近前："卓三姐，算我服了你了，你究竟要怎样？说吧！"

又听卓三娘尖细的语声道："你骂够了么？"

风九幽道："小弟怎敢骂三姐，小弟……"

卓三娘道："你不敢骂我，方才骂的是谁？"

风九幽道："方才……方才骂的是我，我是个混账，畜牲，我不是东西，我里里外外都不是个东西。"

卓三娘道："以后呢？"

风九幽道："以后三姐说什么，小弟就听什么，三姐要我翻筋斗，我就翻筋斗，三姐要我吃粪，我就吃粪。"

卓三娘道："你若口是心非，又当如何？"

风九幽道："那……那就随便三姐怎样。"

卓三娘道："随便我怎样，这话可是你自己说的。"

风九幽道："我说的，全是我说的，三姐，姑奶奶，你饶了我吧！这家伙不是人，我好歹也是人，我怎跑得过他？"

卓三娘笑道："好，随我来吧！"

这些话自风中传来，时远时近，时而飘忽不可闻。说到这里，众人只见跟在"毒神"后淡灰的人影，突然趋了前去，身形一闪间，便已掠在风九幽前面。等到众人再瞧时，三个人都已不见了。

云翼叹道："闪电卓三娘之名，果然名下无虚，若单以轻功而论，只怕连夜帝、日后都未见能赶得上她。"

云九霄微喟道："闪电卓三娘，轻功本无双，飞擒双燕子，踏水波不扬……错非是她，别人又怎能将风九幽如此戏弄？"

云翼道："只是……不知道她向风九幽借去的'家伙'，究竟是什么？若说是人，世上又有什么人能撄毒神之锋？"

云九霄接道："若不是人，那又是什么古怪东西？"

云翼道："天知道那是什么鬼东西。"

草原辽阔，人行其中，只觉似乎漫无边际。一行人跟着冷青萍，也不知走了多久。云翼终于不耐道："这丫头莫非在戏弄我等？"

云九霄笑道："想必不至于。"

云翼"哼"了一声，默然半晌，忽然又道："但我等纵然寻着了那占庙又当如何？"

云九霄道："如此穷谷草原中，竟有占庙，这古庙必定隐藏着许多神秘之事，这些事只要与武林有关，想来也必与本门有些关系。"

云翼道："不错，近数十年来武林中之秘密，或多或少，总与我大旗门有些关系，尤其在黄河以北这六省……"他浓眉一皱，接道："但花双霜与飧毒既在那里，这两人都与我等是敌非友，我等此番前去，岂非自找麻烦？"

# 第五九章　浴血战荒祠

云九霄叹道："大哥有所不知，以小弟所见，本门之恩怨，牵涉极广，也极复杂，并不如昔日我等想像那般简单。"

云翼道："这个，为兄也知道。"

云九霄道："是以单凭本门弟子之力，要想复仇雪恨，绝非易事，何况……唉！一年以来，本门弟子又凋零至斯。"

云翼仰天笑道："但愿上苍助我……"

云九霄目光闪动，道："此时此刻，便是苍天赐我等之大好良机。"

云翼道："此话怎讲？"

云九霄道："此时此刻，当今武林的顶尖高手，都已来到此地，这些人有的神智失常，有的心怀鬼胎，彼此之间，又都有着恩怨纠缠，我等正可利用他们之间的矛盾，来造成我等的有利局势。"

云翼道："话虽不错，但……"

云九霄截口道："这些人看来虽与我等是敌非友，但我等只要善于应付，他们便非但不会与我等为敌，反而会从旁相助，譬如说花双霜……她心目中的爱女已在我们掌握之中，我等为何不可令她为我等做些事？"

云翼皱眉道："这……这岂非有些……"

云九霄叹道："小弟知道大哥之意，是说此举做得未免有欠光明，但我等肩负血海深仇，为求复仇，也只有不择手段了。"

云翼长叹道："自是如此……"

突听冷青萍娇呼道："这就到了。"

众人心头一喜，放眼望去，只见这里果然已到了草原边缘，前面也是一片山岩，并未受震波影响，仍然巍然耸立，但岩山峥嵘，寸草不生，更瞧不见片瓦根木，哪有什么古庙的影子？

云翼瞧了半晌，怒道："古庙在哪里？"

冷青萍道："就在前面山下。"

易明奇道："山下？古庙在山下？"

冷青萍嘻嘻笑道："我还没有说完哩！大妹子你急什么？"

易明道："求求你，快说吧，我急死了。"

冷青萍道："山下有个小洞，你把头一低，就可以进去了，进去之后，左转再向左转，还是向左转……"

云翼道："待老大进去瞧瞧。"纵身一跃，当先而去。

众人纷纷相随在后，到了山崖下，只见长草直生到山脚，骤眼也瞧不出什么洞穴，但仔细一瞧，便可发现一处长草有被人践踏过的痕迹，而且还隐约可以听见有风声自长草后的山崖间传出。

云儿霄道："只怕就是这里。"

冷青萍站在远远的，道："不错，就是那里，你们进去吧，我可要走了。"长发一甩，分开长草，竟真的扬长而去了。众人瞧着她背影，都不禁呆了一呆。

云翼沉声道："这其中莫非有诈？"

铁青树道："不错，又有谁知道，这洞穴不是诱人的陷阱，这少女说不定是假作痴呆，好教我们上她的当。"

易明道："绝不会，她不是这样的人。"

云婷婷幽幽道："她若是这样的人，昔日又怎会不顾性命，前来报警？何况，她对铁二哥那等情意，又怎会来害我们！"

铁青树道："说不定她本性已被迷失，乃是受命而来的，她既然跟着殓毒大师，这……这岂非极有可能？"

云婷婷一怔，讷讷道："这……唉!"

众人面面相觑，既觉易明与云婷婷的话是不错，却又觉铁青树说得有理，一时间，谁也拿不定主意。于是人人目光，都望向云翼，只等他来裁夺。

云翼目光却瞧着云九霄，道："三弟，你看怎样?"

云九霄沉吟半晌，断然道："我等既然已来到这里，纵是陷阱，也要进去瞧瞧。"

云翼振臂道："对，不入虎穴，焉得虎子!"

草丛中的洞穴，高仅四尺，众人果然要低头才能进去，这洞口虽不大，但却显然经过人工修凿。只见洞穴周围青苔之下，隐约仍可瞧得出雕刻痕迹。

云九霄方待入洞，又自退后，撕下一片衣袂，将石上青苔用力擦去，又发现石上雕刻，竟是精致绝伦。围着那四尺见方的周围，雕的全是武士装束的人物，有的正跃马试剑，有的正在刺击搏斗。雕纹虽因年代久远，有些模糊，但一眼望去，但见石上每个人都雕得虎虎有生气，仿佛要破壁而出。

云九霄沉声道："大哥你看，此地果与武林有关。"

云翼道："为兄当先，你从旁掩护。"话犹未了，已俯身走了进去。

云九霄等人相继而入，易明抱着水灵光走在最后，突然发觉云婷婷犹未进去，正在瞧着石上雕图出神。

易明笑道："走吧，这又有什么好瞧的。"

云婷婷道："我觉得这些图画有些奇怪。"

易明道："有何奇怪?"当下也不觉凑首望去。

只见那上面雕的人物虽多，但仔细一瞧，面容却大多一样，这百十个人物仿佛原只是四五个人。云婷婷道："你可瞧出来了么?"

易明道："嗯! 这些图画仿佛是连贯的，仿佛是在叙述一个故事……这第一幅图是说这大汉被人夹击，已将落败……第二幅……"

突然洞内易挺唤道："二妹，快进来。"

易明一笑道："走吧！这些图画纵然在叙述一个故事，也不会和咱们有什么关系……"一把拉住云婷婷，俯首走了进去。

云婷婷虽已被她拉得不由自主，冲入洞中，但仍依依扭转头来瞧，这古老的雕图，竟似对她有一种奇异的吸引力。这连她也不知是为了什么。入洞之后，是一条曲折的、黝黯的秘道。这蜿蜒于山腹中的秘道，昔日想必不知花费了多少人力、物力，方始修凿而成，道旁光滑的石壁间，每隔十多步，便可发现一盏形式古拙，铸工雅致的铜灯，只是，如今无情的岁月，已剥夺了它昔日辉煌的外衣，换之以一层重而丑恶的苍苔，绿油油的，宛如蛇鳞，于是便使得这秘道每一角落中，都弥漫着一种令人心魂俱都为之飞越的肃杀悲凉之感。

众人一入此间，眼中见到的是这诡秘而颓伤的残败景象，鼻中呼吸到的是这古老而阴森的潮湿气息。这感觉正如走入坟墓一般，沉重得令人透不过气来。就连云翼都不由自主，放缓了脚步。他心中似乎有一种奇异的不祥之感——秘道尽头的荒祠之中，似乎正有一种悲惨的命运在等着他。

但是他明知如此，也无法回头，他身子里竟似有一种邪恶的力量在推动着他，要他不停地往前走。他脚步虽缓慢，面容虽沉重，但心房却出奇兴奋地跳动着——在前路等着他的，纵是无比悲惨的命运，但不知怎地，他非但不愿逃避，反而迫不及待地想去面对着它，云九霄、铁青树、云婷婷，此刻的心情，正也和他一样——这奇异的秘洞荒祠，对大旗子弟而言，竟似有着一种奇异而邪恶的吸引之力，这吸引力竟使得他们能带着一种兴奋的心情去面对厄运，甚至面对死亡。

秘道终于走到尽头。又是一重门户——又是一重满雕浮图的门户。走到这里，云翼再也抑止不住心头的激动，也不管那门里是有人？无人？更不管那门里是何所在？

他竟似突然忘去一切，大喝一声，狂奔而入。这素来镇静的老人，竟突然变得如此冲动，在这危机四伏的诡秘之地，竟敢如此大喝，如此狂奔。

众人不由得俱都吃了一惊，蜂拥而入。只见祠堂中弥漫着被他方才那一声大喝震得漫天飞舞的灰尘，云翼木立在灰尘中，仿佛呆了一般，动也不动。这荒祠中哪里还有他人的影迹？

易明抽了口凉气，喃喃道："花二娘和飧毒大师都不在这里……难道那冷姑娘方才在骗我们？"

她心中也不知是庆幸，还是失望，但转目瞧了半晌，瞧遍了这荒祠中每一角落后，却突又喃喃道："她没有骗我……没有骗我。"

与其说这里是间荒凉的祠堂，倒不如说它是颓败的殿宇——穹形的，雕图的圆顶下，支撑着八根巨大的石柱，十余级宽阔、整齐的石阶后，是一座巍峨的神龛，两座威武的神像。

尘埃虽重，苍苔虽厚，阴黯的角落中，纵有鸟兽的遗迹，密结的蛛网，但所有的一切，都不足以掩没这殿宇昔日的堂皇，直至今日，人们走入这里，仍不禁要生出一种不可形容的敬畏之感，几乎忍不住要伏倒地上。

但灰尘消散后，便又可发现，石柱上、石壁间、神龛里……到处都嵌满了一粒粒亮晶晶的东西。它们的晶光闪动，看来与这陈旧古老的殿宇，委实极不相称，这正如阴黯的苍穹，竟满布明亮的繁星一般令人感觉惊异——众人情不自禁，凝目望去，这才发觉这一粒粒晶亮之物，竟全都是立可置人于死的暗器。

这些暗器五花八门，大小不同，有的是五茫珠、梅花针、银蒺藜、夺魂砂……这些暗器虽已不同凡俗，但云九霄等人总算还能叫出它们的名字，然而，除此之外，竟还有其它数十种更是千奇百怪，种类繁多，有的如飞钹，有的如绞剪，有的如刀剑，有的如螺旋，但却俱都小如米粒，几乎目力难辨。

云九霄等人虽然久走江湖，见多识广，但有生以来，非但未曾见过这样的暗器，甚至连听都未曾听过。最令人吃惊的是，这些体积细小，分量轻微，看来连布帛都难以穿透的暗器，此刻竟都深深嵌入那坚逾精钢的青石中，这施放暗器之人，却又是何等惊人的手段，却又有何等惊人的内力！

众人面面相觑，心中俱都不约而同地忖道：普天之人，除了"烟雨"花双霜，又有谁能同时施放出这许多奇异的暗器，又有谁能令这些暗器裂石穿木？

易明道："那位冷姑娘方才果然并未骗我们，'烟雨'花双霜与飧毒大师，果然曾经在这里生死恶斗，只是……"

铁青树不禁接口道："只是……不知这两人此刻又到哪里去了？"

云九霄皱眉道："也不知这两人究竟是谁胜谁负？"

他目光自那一点点闪亮的暗器上掠过，心下却在思量：飧毒要白这烟雨般的暗器网中逃得生路，只怕是难如登天的了。

众人虽然未能眼见方才那一场惊心动魄的恶战，但目睹这大战的遗迹，各各心中却也不免有许多不同的感怀。

易明眼波飘来飘去，口中轻叹道："只恨咱们来迟了一步……来迟了一步……"

突见云婷婷快步奔上石阶，她脚下奔行虽快，但双目却只是直勾勾地瞧着那两尊威武的神像。神像的面目，也已被苍苔掩没，根本什么都瞧不清，但云婷婷却仍瞧得出神，甚至连膝盖撞着那坚硬的石桌时，她也丝毫不觉疼痛，手一撑，上了石桌，撕下一块衣袂，接着跃上那巨大神像的肩头。

云九霄皱眉道："婷婷，你这是做什么？"

云婷婷头也未回，似是根本未曾听到他的话，只是颤抖着伸出手掌，去拭探那神像面上的苔痕。

云九霄还待喝问，目光忽然瞥见云翼——云翼的一双眼睛，竟也直勾勾地瞧着那神像，竟也似瞧得痴了。刹那之间，云九霄但觉

心弦一阵震颤，热血冲上头颅，竟也突然忘却了一切，只是直勾勾的盯着那神像。

易明兄妹瞧着他们如此奇异的神情，心中竟也不由自主泛起一种奇异的预兆，只觉仿佛有什么惊人的事要发生似的……

沉厚的苍苔，终于被擦干净，露出了神像的脸。那是一尊威武、坚毅而勇敢的脸，眉宇间，充满了不屈不挠的奋斗精神，百折不回之坚强意志。易挺一眼瞥过，心头便不觉一跳——他只觉这张脸竟是这么熟悉，仿佛就在片刻前还曾见过。

易明却已忍不住脱口道："这……这岂不是云老前辈……"

话声方顿，只见云翼、云九霄竟已扑地跪倒。就在这刹那间，他两人面上神情的变化，竟真是笔墨所难形容——那似惊、似喜、又是悲怆、激动。云婷婷面上已有泪珠流下。她咬着牙，又拭去神像面上的苔痕，要待跃下，但双膝一软，整个人竟都伏倒在那巨大的神桌上。

孙小娇瞧得目定口呆，悄悄走到易明身旁，悄声道："这是怎么回事？"

易明摇头道："我也不知道。"其实她心中已隐约猜出这是怎么回事，只是一时还不敢断定……她实难以相信世上竟犹如此巧遇。只见大旗弟子都已翻身跪倒，面上俱是满面泪痕。

云婷婷颤声道："果然是的……果然是的……"

云九霄流泪道："是的……是的……"

孙小娇忍不住道："是什……"

语声未了，突听云翼仰天悲嘶道："苍天呀苍天……弟子当真再也做梦想不到，能在此时此地，瞧见两位祖师爷的遗容，想来我大旗门复仇雪耻之日，已真的到了。"

孙小娇心头一震，大骇道："这……这莫非是大旗开宗立派的两位前辈么？"

这时人人都已觉出，左面一尊神像的面容，实与此刻跪在地

976

上，大旗掌门云翼有七分相似之处。

易明、易挺，早已跪倒。

盛存孝面色惨变，喃喃道："天意……天意。"

云婷婷挣扎着自石桌上爬起，突又呼道："爹爹，这桌上还雕有字迹。"

云翼道："说的是什么？"

云婷婷一面以衣擦拭，一面念道："谨祝云、铁两位恩公，子孙万代，家世永昌……"

云翼凄笑道："子孙万代……家世永昌……"他环顾门下弟子之凋零，老泪不禁更是纵横而落。

只听云婷婷颤声接道："这下面具名的是……是……"她语声中突然充满怀恨、怨毒之意，嘶声接道："盛、雷、冷、白、黑、司徒六姓子弟同拜！"

这几个字说将出来，盛存孝忍不住激凌凌打了个寒噤。

云翼已仰天惨笑道："好个六姓子弟同拜，好个子孙万代，你六姓真恨不得我云、铁两家子孙，死得干净才对心思。"惨笑声中，一跃而起，一把抓住了盛大娘，嘶声道："天意，大意叫你们今日来到这里，亲眼瞧见你们祖宗留下的话，你……你如今还有什么话说？"

盛大娘紧闭双目，咬牙不语。

云翼大喝道："盛存孝，你既称孝子，可知今日你若对你母亲尽孝，便是对你祖宗不孝么？"

盛存孝黯然道："晚辈……晚辈，唉！实是无话可说。"

云翼厉声道："既是无话可说……好，盛大娘，老夫瞧你儿子面上，再给你个机会。"一掌震开盛大娘的穴道，怒喝道："起来，与老夫决一死战！"

他后退两步，回身面对着那两尊巍峨的神像，颤声道："两位祖宗在上，弟子云翼，今日便要在两位老人家面前，了结大旗门的

大旗英雄传

977

恩怨，弟子这就以仇人的鲜血，来祭两位老人家在天之英灵!"

他双臂一振，方待回身——突然间，一个语声自石像上传了下来。这语声飘渺而诡秘，宛如幽灵。这语声一字字道："云翼呀云翼，你错了，大旗门的恩怨，岂犹如此容易了结，你纵然杀了盛大娘，又有何用?"

语声骤起，众人已俱都大惊失色，诡秘的庙堂中，古老的神像后，竟突有人语传出，怎不叫人心胆皆丧。云翼身子震颤，跟跄后退，颤声道："你……你……"他震惊之下，哪里还说得出话来?

那语声又已接道："大旗门恩怨纠缠，其中牵连之众，实是你难以想像，幸好这其中有关之人，今日已俱都要来到此间。"

云翼鼓足勇气，嘶喝道："……你怎会知道?"

那语声道："我怎会不知道，世上有什么事我不知道?"

云九霄忽然大喝道："你是谁?"

他此刻已发觉这语声乃是自石像后发出来的，大喝声中，身形骤起，向那石像后扑了过去。哪知他身形还未到，石像后突然有一股风声击出，风声虽不强劲，但却已将云九霄震得凌空翻身，落地跟跄欲倒。

云翼又惊又怒，亦自喝道："你究竟是谁?"

那语声格格笑道："我方才还救了你性命，你如今已忘了么?"

云翼大骇道："卓三娘!"

那语声道："不错，我正是卓三娘，我方才既然救了你性命，可知我此刻万万不会害你，你怎能不听我良言相告?"

云翼道："你……你要我怎样?"

卓三娘道："你若真的要大旗门恩怨了结，且随我来。"

语声中，一条人影自石像后掠出，如龙飞、如电掣，在众人眼前闪了一闪，便又消失无影。但就只这一闪之间，众人都已发现，那两尊石像之中，竟还有一条秘道，卓三娘显见便是自那里出来的。这秘道后说不定隐藏着更大的凶险，但云翼等人此时实已别无选择，纵然拼了性命，也要闯一闯的。

云翼大喝一声，道："大旗门下随我来。"双臂振处，当先掠去。

云九霄转首望向盛大娘，沉声道："你是否还要……"

盛大娘冷笑截口道："不用你费心，事已至此，我难道还会走么？"微一迟疑，转身接过她爱子，紧随云翼而去。

石像后果然另有一条秘道，这道路自然更是曲折，更是黝黯，云翼等一行人行走在这秘道中，心情之激动，自也较方才更盛。

卓三娘人影早已不见，但笑声却不时自前面黑暗中传来，似是在为这一行人指引着道路。众人但觉身上寒意，也越来越重。走了半晌，突听前路竟有叱喝、尖啸之声传来，那尖锐之声，竟似发自"毒神"冷一枫的。

接着，又听得卓三娘遥遥道："这就到了，壮起胆子过来吧！"

然后，道路前方，便隐约可以瞧见有了大光。这时再无一人说话，惟有心房跳动之声，越来越响，众人的脚步，也不禁越来越快——

突然间，眼前豁然开朗。一重门户，更是高大。门内光亮已极，竟也是一重殿堂，建造得比前面更是巍峨，更是堂皇，神龛上也有两尊更巨大的神像，面容虽已被苍苔所掩，但奇怪的是，这神像看来竟是两个女子，更奇怪的是，如此巍峨的殿堂，左面竟倒塌了一面，石块堆乱，乱石嵯峨，天光直射而入，照亮了整个殿堂。

然而这些奇怪之处，众人已全都无心细瞧，只因殿堂中另有惊人之事，吸引了他们的目光。

震耳的叱咤声，尖厉的怪啸声，以及一阵激荡的风声，正已弥漫了这犹如皇宫大殿般的庙堂。两条人影，兔起鹘落，正在恶斗，所有的声音，便都是自这两条恶斗着的人影身上发出来。只见这两人一个是啸声不绝，跳跃如幽灵僵尸，众人不必瞧清他身影，便已知道他便是毒神。另一人叱咤不绝，掌中挥舞着一柄巨斧，斧影如山，风声呼啸，直震得远在数丈外的云翼衣袂俱都为之飘起。这人影体内生像是有一股无穷无尽的神力，竟将那柄大如车轮的巨斧，舞得风雨不透。

"毒神"空自激怒，但两只毒爪，却再也休想沾着那人的身子，他连声厉啸，围着这人影打转，直等斧影稍露空隙，但这人影却似永远不知疲累，竟生像直可将这柄巨斧，从现在一直舞到永恒。众人几曾见过如此惊心的恶战，不觉俱都瞧得呆了。

易明恍然道："原来这就是风九幽口中所说的'那东西'，但这人却又是谁？又怎会犹如此神力，他……他难道也不是人么？"

转目望去，只见云翼双目直瞪着这人影，眼珠子都似已将凸出，他瞬也不瞬瞧了半晌，突然嘶声大呼道："幺弟！这是幺弟！"

云九霄亦已大呼道："幺弟，你怎会在这里？"

两人激动之下，已待向前扑去，但眼前突地一花，卓三娘已伸开双手，挡住了他们的去路。只听她沉声道："不错，这正是你们的幺弟，也是世上惟一能挡住'毒神'之人，我将他带来此地，便为的是要他与毒神一战。"

云翼道："但幺弟他……他看来……"

卓三娘笑道："不错，他神志看来是有些不对，只因他心灵已被迷失，要他与毒神相战，正是再也恰当没有。"

云翼嘶声道："老夫身为大旗掌门，怎能眼见他如此受苦，怎能眼见他独自奋战？老夫纵然拼了性命，也要……"

卓三娘截口笑道："他心灵已迷失，怎会受苦，怎知受苦？何况，他此刻早已六亲不认，你若前去插手，他反会误伤了你。"

云翼道："但……但……"

卓三娘道："要知他心灵迷失之后，已可将体内潜力全部使出，此刻实已是大旗弟子中最具威力之一人，而那'毒神'冷一枫，此刻也无疑为'五福连盟'中最强的高手，他俩人此番作战，实无异为'大旗门'与'五福连盟'的关键之战，这又有何不可？以你之武功前去插手……岂非多此一举。"她这"多此一举"四字，

大旗英雄传（下）

许明康 许黎黎／绘

　　突然间，眼前豁然开朗。一重门户，更是高大。门内光亮已极，竟也是一重殿堂，神龛上也有两尊更巨大的神像，奇怪的是，这神像看来竟是两个女子，更奇怪的是，如此巍峨的殿堂，左面竟倒塌了一面，石块堆乱，乱石嵯峨。

用的虽是十分客气，但言下之意却正是在说："你若前去插手，岂非枉送性命。"

云翼呆了半晌，顿足长叹一声，再不说话。这时众人之目光，终能自毒神与赤足汉身上移开。

易明转首四望，只见神案上，石像下，相隔三丈，盘膝端坐着两人，左面端坐的一人，赫然竟是风九幽，他想是因为方才体力耗损过巨，此刻正在闭目调息，右端坐着的，却正是飧毒大师，赤红的面容，已微现青灰之色，显然已自负伤，这两人本是冤家对头，此刻竟然共坐在一张石桌之上，想见两人必定俱都是早已无力动手的了，否则岂非早就要拼个你死我活？再看石案后，闪闪缩缩，露出三个人头，正狠狠盯着云翼，却赫然正是黑星天、白星武与司徒笑。

易明一眼瞧过，忍不住诧声自语道："奇怪，他三人也来了，但花二娘怎的……"

只听卓三娘接口笑道："花二娘找她的女儿去了。"

易明道："那……那么温黛黛……"

卓三娘道："温黛黛已在司徒笑手中。"

易明失声道："哎呀！这如何是好？"

卓三娘微微一笑，道："温黛黛本是司徒笑的人，此刻又回到司徒笑身旁，正是天经地义的事，却要你为她着什么急？"

易明也不觉呆了一呆，亦自顿足轻叹一声，再不说话——事已至此，她又还有什么话好说？

云九霄转目四望，心下却有些欢喜。

此刻花二娘已去，风九幽、飧毒负伤，剩下的高手，已只剩下卓三娘一人，而卓三娘看来却对大旗门并无恶意。

再看敌我双方情势，敌方盛大娘已落己手，盛存孝已不能战，亦不愿战，剩下的黑星天、白星武、司徒笑三人，已不足为虑，只要赤足汉不败，大旗门的血海深仇，今日是必将得报的了。一念至

大旗英雄传

983

此，云九霄嘴角不禁泛起一丝微笑。

他不等微笑消失，轻轻一拉云翼衣袂，沉声道："大好良机，稍纵即逝，还不动手，更待何时？"

云翼精神一振，道："正是！"挥手一招，接道："青树、婷婷对白星武，我取司徒笑，黑星天便是三弟你的了！"话声未了，身形已自展动而起。

斧风与人影，几乎占满了整个殿堂，云翼只有沿壁而行，云九霄、铁青树、云婷婷，急步相随在后。这四人俱是热血奔腾，目闪杀机，就连云婷婷，眉宇间都满含肃杀之气，急待杀敌人的鲜血，一浇胸中之怒火。

卓三娘目送他们的背影，嘴角竟泛起一丝微笑，颔首笑道："好，好，正该如此，正该如此……"目光一转，笑容突敛，沉声接道："但这是'大旗门'与'五福连盟'自身的恩怨，除了你们当事人外，谁也不得多事插手，知道了么？"

盛大娘冷笑道："但我却可动手的。"

方待放下盛存孝，身子突然一震，惊呼声中，翻身跌倒，原来盛存孝竟拼尽全力，点了他母亲的穴道。母子两人，齐地滚倒在地。

盛大娘惊怒交集，嘶声道："存孝！是……是你？"

盛存孝热泪满眶，道："孩儿该杀，但……但孩儿……"

盛大娘怒骂道："畜牲！你这不孝的畜牲！"

卓三娘笑道："你莫骂他，你儿子是为了你好，你此刻不动手，将来双方无论谁胜谁负，你都可置身事外，你何乐而不为？"

只听一声怒喝，云翼铁拳已击向司徒笑胸膛。

司徒笑厉声狂笑道："好，姓云的，你只当我司徒笑真的怕了你么？"他既然非战不可，也只有鼓足勇气，全力反扑。

那边黑星天与云九霄一言未发，已各各攻出七招，铁青树与云婷婷自也已双双缠住白星武了！他们胸中压积了数十年的冤仇，此刻一旦得以发泄，招式之狠毒凌厉，不用说也可想得出。白星武三人也知道今日之战，若不分出生死，是万万不会罢手的了，除了拼命之外，已别无其它选择。

一时之间，但见拳风掌影，呼啸澎湃，杀气凛凛，逼人眉睫，远在数十丈外的易明，都可觉出这股杀气的存在。这些人武功虽非绝顶高手，但就只这股杀气，也足以令人惊心动魄，易明更是心房跃动，不住在暗中为铁青树助威。

卓三娘含笑瞧了她一眼，忽然笑道："你虽非大旗子弟，但看来必是帮着大旗门的了。"

易明道："正义之师，人人得而助之。"

卓三娘笑道："好个正义之师，只可惜……唉!"

她故意顿住语声，易明果然忍不住追问道："只可惜什么?"

卓三娘徐徐道："只可惜这正义之师，今日只怕已将全军覆没了。"

易明面容倏变，但瞬即摇头笑道："就凭黑星天、司徒笑等二人，又怎会是他们的敌手? 即将全军覆没的，只怕是'五福连盟'吧!"

卓三娘道："哦……那毒神又如何?"

易明道："毒神岂非已有人抵挡?"

卓三娘微笑道："不错，毒神已有人抵挡，但赤足汉能将毒神抵挡，已是竭尽全力，却是万万无法将之除去的，何况……人之潜力，总归有限，最多再过半个时辰，他也是无法再能抵挡得住的了。"

# 第六〇章　落日照大旗

易明失色道："那……那又如何？"

卓三娘道："那时正义之师，便将全军覆没。"

易明咬牙道："那么我等好歹也得想个法子，将毒神……"

卓三娘面色突然一沉，道："非当事之人，谁也不准插手，这话你莫非忘了？"

易明变色道："难道你……你竟眼见他们死？"

卓三娘道："我行事素来公正，既不许别人为'五福连盟'帮拳，便也不许有人相助大旗门，若有谁敢妄自出手，须得先过了我卓三娘这一关。"

易明怔了半晌，嘶声道："你明知大旗门要遭毒手，才说出这样的话来，你明明有所偏袒，还说什么行事公正，你……你……你简直……"

卓三娘厉叱一声，道："好大胆的女子，在三娘面前说话，也敢如此无礼，莫非你只道三娘没有手段封住你的嘴么？"

易明又是一怔，扭转头去，满腮珠泪，如雨而落。易挺自也是怒愤填膺，但在这武林绝顶高手面前，他两人除了忍耐，又能做什么？难道还去送死不成。

过了半晌，只听卓三娘道："事已至此，你还哭什么？且瞧瞧那边吧！"

易明忍不住回首望去，只见云翼招式虽猛，但司徒笑以小巧的身法闪展腾挪，一时倒也不致落败。

云九霄虽已占得上风，却也不易得手，只有白星武……白星武身受两小夹攻，却已左支右绌，狼狈不堪。云婷婷、铁青树竟是初生之犊不怕虎，无论白星武施出什么招式，他两人俱都硬碰硬给他顶了回去。白星武满头大汗，一掌拍出，左胁竟然空门大露。铁青树怎肯饶人？虎吼一声，欺身而上。

谁知白星武力虽不敌他两人，但交手经验之丰，却不知要比他两人强胜多少，这招空门，竟是诱敌之计。铁青树身形方欺入，白星武左掌突围，一掌拍下，铁青树招式已然用老，哪里还能闪避？

易明失声道："呀！不好。"

呼声方了，铁青树已被这一掌震得飞了出去。

这一掌虽是击中铁青树，却宛如打在易明心上一般。她当真是心痛欲裂，几乎要不顾一切扑过去。却见铁青树在地上滚了两滚，竟又一跃而起，原来白星武方才一掌虽打个正着，但终于被云婷婷牵制，一掌并不能使出全力。

云翼眼观四面，大喝道："好孩子，再上！"

铁青树嘶声道："是！"果然又自扑上，他虽已疼得面目变色，满头冷汗，但强悍之气，并未稍有减弱。易明直瞧得又是心疼，又是欣慰——普天下的女孩子家，又有谁不希罕自己的心上人是条铁汉！

卓三娘笑道："看来你对那小伙子倒不错。"

易明道："哼！"转过头去，不理她，目光转处，却突然发现身后少了两个人——孙小娇竟抱着沈杏白，乘着大乱，悄悄溜了。但这时她已无暇去顾及孙小娇的事，只因就在这时，盘膝端坐的风九幽，突然长身而起。易明、易挺，心头俱都不觉一惊。

易明道："风九幽也不是当事人，你也不能让他出手。"

卓三娘微微笑道："你放心，他不会出手的。"

只见风九幽果然瞧也不瞧战局一眼，只是缓步走到了飧毒大师

的面前，易明这才为之松了口气。但见卓三娘目光中，却已闪动起一丝诡秘而得意的微笑。似乎早已算定了风九幽，必定会做出件惊人之事。

风九幽走到飧毒面前，飧毒已是面色惨变，显见风九幽此刻若是出手，飧毒还是无力抵挡。奇怪的是，风九幽竟未出手。他只是面带诡笑，凝目望着飧毒，缓缓道："抬起头来。"

飧毒大师道："你……你要怎样?"

风九幽缓缓道："望着我。"

飧毒大师目光不由自主，向上一抬，便接触到风九幽那一双充满了诡秘、妖异之意的眸子。他心中暗道一声："不好。"他再想躲避，却已来不及了。

风九幽道："你上次与我交手，我虽中了你的毒，你却也被我迷住，只是那时你心灵还坚强，中迷又不深，是以还能支持，只不过行事已略为有些疯狂而已，别人虽能瞧出，你自己却丝毫不会觉察。"

他语声竟突然变得说不出的和气、温柔，就像是个慈蔼的长辈，在对自己疼爱的小弟说话一般。飧毒大师眼睁睁地望着他，竟也在乖乖地听着，也像是个听话的孩子，在听自己长辈教训似的。

风九幽道："但你此刻已被花二娘暗器所伤，你一生善于用毒，却无法解去花二娘暗器之毒……你说是么?"

飧毒大师竟不由自主，点了点头。

风九幽道："是以你此刻正全心全意，不让那毒气攻心，是以你防护心灵的意志，便减弱了，你已无法再抵挡我。"

飧毒大师叹了口气，又不觉点了点头。

风九幽道："这就是了，你此刻心灵已全都被我控制，你自己再也没有半点主意，你只有听我的话才对，是么?"

他语声越来越是温柔、和缓，飧毒大师凝目瞧着他，瞧了半晌，终于缓缓垂下眼帘，颔首道："是。"

风九幽道："如今在世上你已只有一个主子，无论他说什么，你都不能违抗……你的主子是谁？你可知道么？"

殓毒大师梦呓般道："主子是你。"

风九幽道："你若违抗了主子，又当如何？"

殓毒大师道："悉听主子惩罚。"

风九幽道："你体内所中之毒，已被我神力阻住，绝对不致发作。"要知古之"摄心之术"，便乃今日"催眠之术"，其术本有治病之力，今之医家，遇着无救之症，若施此术，每奏奇效。

殓毒大师面上居然泛出笑容，道："多谢。"

风九幽道："但你若违抗主子之命，这毒性立刻便将发作，那时世上再也没有人能救得了你了，知道么？"

殓毒大师笑容立敛，垂首道："知道。"

风九幽面上这才露出得意的笑容，轻声道："好，如今你已可叫你的毒神回来，告诉他谁是大旗子弟，令他将大旗子弟，个个斩尽，人人诛绝。"

殓毒大师道："遵命。"

风九幽猝然回身，喝道："神斧力士何在？"

殓毒大师亦自喝道："本门毒神何在？"

喝声一起，斧风人影顿消，毒神如御急风，掠至殓毒身侧，赤足汉亦自大步奔到风九幽面前。

远处的易明、易挺，只瞧见殓毒大师面上神色的变化，却听不出风九幽说的是什么，心中本已有些奇怪。此刻再见到毒神与赤足汉竟被召回，不禁更是惊疑莫名，两人对望一眼，谁也猜不透是怎么回事。

他两人若能听得风九幽此刻说的话，那惊异只怕更要加倍，风九幽此刻向赤足汉说的，竟是："赤足汉，你本乃大旗子弟，知道么？"

赤足汉道："是。"

风九幽手指向白星武、黑星天、司徒笑一一指点过去，又道：

"我手指的这三人，便是你不共戴天的仇人，你此刻快快前去取了他三人性命，不得有误。"

赤足汉道："是。"

这时毒神又已怪啸而起，一阵风似的掠到云翼身侧，一双毒爪，急伸而出，向云翼抓了过去。

云九霄恰巧瞧见，心胆皆丧，狂呼道："大哥小心。"

云翼大翻身，就地一滚，滚出丈余，但见毒神身子一掠，那一双鬼爪，已抓向云九霄。云九霄亦是拼尽全力，方自避开，大呼道："青树、婷婷，住手，快退!"

四人四散飞逃，毒神厉啸却始终在他们身后。易明、易挺大惊失色，司徒笑等人却不觉喜出望外。

但他们笑声还未发出，煞神般的赤足汉已飞步奔来，车轮的巨斧，挟带风声，当头击下。这巨斧正如毒神毒爪一般，绝非人力能敌。

于是司徒笑、白星武、黑星天也只有四散奔逃，那巨斧凌厉的风声，也始终不离他们左右。一时之间，厅堂之中，但见八九条人影，左冲右突，往来飞奔，叱喝、惊呼、怪啸，更是不绝于耳。

风九幽拍掌大笑道："好玩好玩，妙极妙极。"

司徒笑惊呼道："风老前辈，你……你怎地……"

风九幽大笑道："赤足汉本是大旗子弟，自然要找你们算账，你唤我则甚?"

这边易明道："卓……卓老前辈，你怎地……"

卓三娘格格笑道："冷一枫本是五福连盟中人，自然要找大旗子弟，你唤我则甚? 你瞧，此刻动手的，有哪一个不是他们这纠缠恩怨的当事人? 有哪一个外人插了手? 你三娘做事，是否公正得很?"

易明又惊又怒，嘶声道："你好狠! 你们好狠! 你们非但要大旗门全军覆没，也要叫五福连盟死个干净，你们如此做法，为的是什么?"

卓三娘微微笑道："他们都死干净了，天下岂非就太平得很？"

易明倒抽一口凉气，再也不知该说什么才好。

突听那殿堂崩塌的缺口外，有人轻叱道："这是干什么？造反了么？全都给找住手!"

一条人影，翩然掠来，正是花双霜。

卓三娘立即大喝道："花二娘，不准你多事，过来。"

喝声中突然出手，出手如风，易明但觉眼前一花，还未弄清是怎么回事，怀中的水灵光，已被卓三娘抢了过去。

花双霜腰身微拧，人已到了卓三娘面前，冷笑道："三丫头，是你？你什么时候变得可以命令我了？"

卓三娘微微笑道："二姐你好，你瞧瞧这是谁？"

花双霜一眼瞥见她怀中的水灵光，变色道："我的女儿……还我，我的女儿……"

卓三娘身形早已退出丈余，笑道："只要二姐不多事，小妹自当将她双手奉回。"

花双霜似待扑过去，终又止步，格格笑道："好，三丫头，我听你的，你可不能伤了我女儿一根毫发。"

卓三娘笑道："这小宝贝儿我爱都惟恐爱不够，又怎舍得伤她! 二姐，你且安下心，瞧他们这场架打得多有意思。"

只见毒神紧追着大旗子弟，除了大旗子弟，他谁都不瞧一眼，赤足汉紧追着司徒笑等人，也不管别人的死活。但大旗子弟、司徒笑等人，在奔逃之中，若是撞着对方，百忙中还不时抽冷子击出一掌。这景象当真是说不出的纷乱，说不出的恐怖。

突然间，白星武脚下一个踉跄，一声惨呼，赤足汉巨斧抢下，竟活活地将他身子一劈为二。易明虽然对白星武全无好感，但瞧他如此惨死，也不觉毛骨悚然，但觉一股寒意，直透背脊。赤足汉却已抢着血淋淋的巨斧，扑向黑星天。

黑星天虽然冷酷无情，但瞧见数十年来生死与共的弟兄尸身倒

大旗英雄传

下，眼睛也不觉红了，悲嘶呼道："二弟，你……"语声未了，巨斧上白星武的鲜血，已溅在他衣衫上，接着，巨斧当头而下，他一声怪呼犹未及发出，便已身首异处。司徒笑瞧得心胆皆丧，竟突然疯狂般大笑起来。

风九幽怪笑道："笑得好……笑得好……"

眼见司徒笑在自己足下奔过，突然间，司徒笑身子往上一跃，紧紧抱住风九幽的双足。这一着风九幽实是梦想不到，他武功虽高出司徒笑十倍，但骤出不意，双足被人抱住，身子也只有滚下石案。

两人一起滚倒在地，司徒笑狞笑道："你要我死，我也要你死……"

一句话未说完，巨斧又抢下，砍下了司徒笑的头颅，余力犹劲，又砍下了风九幽的一双长腿。风九幽惨呼一声，晕厥过去，眼见也是不能活的了。这一代枭雄，竟死在他自己的"奴隶"手下。

就在这片刻之间，竟有四人惨死，死的人一个比一个更强，死状却也是一个比一个更惨。易明望着那四下飞溅的鲜血，激凌凌打了个寒噤，她虽然久走江湖，但如此惨烈的杀伐，今日还是首见。她但觉双腿一软，竟倒了下去。

就连卓三娘，也是面色惨变，连连跺足道："老四！老四你……你……"一时之间，她竟也说不出话来。

殓毒大师瞧见风九幽倒下，身子突然一阵震颤，心灵似乎顿时失去了主宰，茫茫然站了起来。赤足汉却已顿住身形，木立当地，俯首瞧见自巨斧上一滴滴往下滴落的鲜血，口中不住痴痴地笑。

云翼眼见自己的仇人全都死在兄弟手下，心中又惊又喜，只是"毒神"犹自紧追不舍，他咬了咬牙，突然大喝道："大旗子弟全都到这边来。"

云九霄、云婷婷、铁青树狂奔而来。

只听云翼大喝道："大旗门血仇已报，云某此生已无憾，再也不受被人追逐之辱……冷一枫，你来吧!"脚步突顿，身形回转，面对毒神。

云九霄失声呼道："大哥! 使不得。"

但这时毒神毒爪已到了云翼面前。

云翼狂笑道："这是大旗门最后一个仇人，我和他拼了。"不避反迎，双臂一振，扑了过去，一把抱住了毒神，两人一起倒地。

众人俱都瞧得手足冰冷，冷魂飞越。只见这两人在地上翻翻滚滚，突然俱都不动了。

云九霄失声悲呼道："大哥……大哥……"

云婷婷、铁青树更是痛哭失声。

三个人正待向云翼的尸身扑过去，哪知"毒神"的身子一弹，竟又直挺挺地站了起来，一双毒爪，又已伸出。

在这一刹那间，所有的呼声，突然寂绝，连呼吸都已停顿，毒神这一双毒手，似已扼住了他们的喉咙。也就在这一刹那间，门外突然传来一阵清柔的笑声，道："我不骗你，里面一定有人……好姐夫，你随我来吧!"笑声虽然清柔悦耳，但在这当儿听来，却仿佛充满诡秘之意。

笑声中，四人鱼贯掠入，当先一人正是冷青萍，后面跟着的，赫然竟是再生草庐中的云铿、久未露面的海大少，与那铁匠村中的青衣少女柳荷衣。这三人竟会一起来到这里，更是令人再也梦想不到。

原来海大少流浪江湖，于再生草庐中遇得云铿，两人俱是性情男儿，自然一见投缘，再加上海大少提起了铁中棠，提起了铁中棠种种英风侠举，一生强傲的海大少，却是对铁中棠佩服得五体投地，云铿对铁中棠的情感，更是不问可知，于是两人便为铁中棠连连举杯。

于是酒量稍逊的云铿便不免痛醉，痛醉之下，他竟流泪说出了自己的秘密——于是强傲的海大少便痛骂云铿不该避世隐居，男子

汉大丈夫，无论遇见什么事，也该挺身而出——于是云铿便抛却了生死之念，走出了他隐居年余的"再世草庐"，出来和海大少闯一闯天下。

两人结伴而行，这一日走经铁匠村，雷雨交集，丧失记忆的柳荷衣，却仍木立在树下，痴痴地出神。

突然一个焦雷劈下，劈开了大树，柳荷衣一震昏迷。

云铿与海大少自不会见危不救，两人扶起幸而未死的柳荷衣，以内力与灵药，将她救醒。

谁知柳荷衣在这一震之下，竟然因祸得福，突然恢复了记忆，她记起了自己本是"烟雨"花双霜的爱女花灵铃，为了婚姻的不能如意，乘夜逃出，有一日也是雷雨交集，她木立在树下，思念着她的心上人时，突被雷电震倒，醒来时便什么也记不得了，是以自今以后，每逢雷雨之夜，她都忍不住要奔出来，立在树下，仿佛在期待着什么，直到今日，此刻，夺去了她记忆的雷电，终于又将记忆还给了她——这也是一段曲折离奇的故事，云铿、海大少自不免又为之唏嘘不已。

于是记忆恢复的花灵铃，再也无法久居铁匠村，和她的义父们挥泪而别后，也随着海大少一同流浪。

她还是不愿回家，只望能见着雷小雕，走近此间时，听得江湖传言，"雷鞭老人"已在深山中现过侠踪。于是三人一起入山，久寻不获，方在逡巡犹疑，这时孙小娇却正恰巧抱着沈杏白自那秘密的山隙中逃出。海大少一把抓住沈杏白，孙小娇是聪明人，立刻说出了一切，于是三人进入草原，又遇见在草原中流浪的冷青萍。

冷青萍自然认得云铿的，她神智不清，根本忘记云铿已死这回事，只记得这是她的姐夫，于是云铿便问她草原中的动态。于是她便将他们带入这诡秘的荒祠。

一入荒祠，目光方自一转，花灵铃已失声呼道："妈!"
云铿目眦皆裂，大呼道："爹!"

冷青萍却笑呼道："爹，你在这里。"

三人呼声混杂，三人分别向自己亲人扑去。

海大少又惊、又奇、又喜，只见花双霜先是一怔，继而放声笑道："呀！你才是灵铃，那个不是……那个不是……灵铃，我的好女儿，妈想死你了。"

云铿扑在云翼尸身上，早已痛哭失声。

而扑向"毒神"身上的冷青萍呢——冷一枫哪里还认得女儿？手掌一挥，冷青萍倒地，他竟亲手杀了他女儿。

冷青萍垂死之际，犹自笑道："呀！爹爹，你杀你女儿……你杀你亲生的女儿……好玩，真好玩。"疯狂的笑声，听得人心魂俱碎。血浓于水，父女间的天性终究强了一切。这疯狂的笑声，竟使得早已麻木的"毒神"也为之一阵震颤，缓缓转过身子，直勾勾瞪着飨毒大师。

飨毒大师心灵一失主宰，毒性立即发作，毒性一发作，心神立刻清明，突然仰天三笑道："好，好，我要死了，本门毒神也不能留在世上，被他人所用……"自石案上一掠而下，"毒神"正也走过去，霎眼间，两人便已纠缠在一起，一阵翻滚，一阵扭打，一阵狂笑，终于，两个人俱都不再动了。

这一次是真的不再动了，善泳者死于水，一生使毒的飨毒大师死于毒神之手，为祸江湖多年的"毒门"，至此断绝。

这片刻间殿堂中的惊动、纷乱、悲哀、恐怖、凄惨，纵然用尽世上所有的言语，也无法形容其万一。

卓三娘面上已无一丝血色，突然狞笑着走向大旗门人，大旗门人既悲于掌门之惨死，又惊于云铿之复生，再加上当时的各种突然发生的恐怖、悲惨，或是快意之事，纵是铁人，精神也要为之崩溃，竟全都呆住了。

易明却失声道："小心，卓三娘要……"

语声未了，突听"喀"的一声，两尊巨大的石像，突然分开，两个人自下面走了出来。当先的一人，白发鸠面，竟是长春岛上那

摆渡的老婆子——阴大娘，她身旁跟着的一人，怀抱女儿，却是冷青霜。

又是一阵惊动，又是一阵纷乱。

阴大娘转目四望，见着她刻骨难忘的云九霄，见着这悲惨的情况，她心中之激动，虽已达顶点，面上却毫无表情，只是轻叱道："卓三娘，还不住手?"

卓三娘回首一望，惨笑道："好，好，长春岛终于来了人了……"身子一软，竟已跌倒。

阴大娘道："虽已来了，却已迟了……大旗门的恩怨，竟如此了结……大旗子弟听着，你们本门的恩怨纠缠，你们自己可清楚么?"

云九霄强忍悲痛，走上前去，躬身道："但请赐教。"

阴大娘不敢瞧他，咬牙道："此话须得从头说起……"

原来大旗开山宗祖，云、铁两人，一生侠义，行事无可指摘，但两人对他们的夫人，却是绝无情义。

云夫人姓朱，铁夫人姓风，这两位夫人，不但贤淑已极，而且也都有一身武功，朱夫人生性较强，夫婿无情，她便远走海外，创立了长春岛，大旗门每一代被遗弃的妻子，都被接引到这孤岛上，大旗门武功精义渐失，长春岛却日益光大。而另一位，风夫人生性柔弱，竟在积年忧虑下，活活被气死。

风夫人之弟见得姐姐境遇如此悲惨，一怒之下，决心报复，但他究竟与大旗门有亲，不能出面，于是他便唆使盛、冷等六姓子弟，反叛大旗门，组成"五福连盟"，"五福连盟"与"大旗门"世代为敌，"风门"子弟俱在暗中相助，长春岛竟也袖手旁观，绝不过问。

"五福连盟"先人虽受云、铁之恩，但两位夫人对他们的恩情却更重，是以他们建造报恩祠时，也将夫人的神殿，造得更为辉煌，也因如此，"风门"才能将之说动，但那时"大旗门"正值旺盛之时，凭这几人之力，尚不足将之摧毁，于是"风门"又说动了当时最负盛名的几大世家——雷鞭老人、卓三娘、花双霜、飧毒大师的先人们，也都在其中——到了后世，这几家虽已不再追问大旗门的事，但却都为"风门"保留了这秘密，只因当时他们也并未置身事外。

而夜帝之先人，正是朱夫人之亲属——是以大旗门恩怨，实已牵连着武林中所有的顶尖高手，只是"大旗门"与"五福连盟"的先人们，生怕此事风波太过巨大，并未向他们的子孙说得详细。

此刻阴大娘以最简单的词句，说出了此事的经过，虽不能尽道出此中的诡秘曲折，却已足够令人听得冷汗涔涔而落。

阴大娘道："当今长春岛日后，昔日便是云翼的妻子，她自远游归来的长春圣女口中，听得此间风云际会，她老人家虽不知详情，但想来必与大旗门有关，是以，便令我前来见机化解，哪知……唉！事情的演变，竟是如此迅急激烈，我虽然抄近路由秘道赶来，还是已迟了一步。"

这祠堂奉祀的既是长春岛宗祖，祠堂下的秘道，日后自然知道，冷青霜既知此间事与大旗门恩怨有关，便也央求阴大娘将她带来——这些事说来当真是离奇而又玄秘，也只因它的离奇玄妙，这故事才能传诸后世。

云九霄早已听得热泪满腮，突然颤声道："长春岛既是从来不问大旗门事，此刻为何又……"

阴大娘截口道："只因日后曾发下誓言，只要大旗门下，有一弟子肯为他的妻子不惜一死，她便……"语声未了，石案下已有一人放声痛哭起来，哭的人自然就是被司徒笑制住的温黛黛，阴大娘一掠而下，拍开她穴道，柔声道："傻孩子，莫哭，日后既是云铮亲生之母，说不定便不忍见他儿子真的一死，那绝崖下，说不定另有救星。"

温黛黛道："他……他……他究竟是生是死？"

阴大娘默然半晌，缓缓道："是生是死，你自己去瞧瞧吧！"又自跃上石案，叹道："此间事既了，我也该去了。"

　　云九霄强忍悲痛，道："多……多谢夫人此行，夫人你……"

　　阴大娘忍不住凝目瞧了他一眼，似乎想说什么，但终于一个字未说，猝然转首，方自转首，已泪流满面。这满腹心酸的妇人，终于斩断了情丝，走了。云九霄既已不认得她，她又何苦再多受一次情扰？萧郎既已从此成陌路，相见便不如不见的好，这反而留下一丝苦涩的余韵，共情思缭绕。


　　石像复合，冷青霜奔向云铿。此时此地，所发生的每一件事，不是极大的悲痛，便是极大的欢喜，这极悲与极喜交相纠缠，却叫人怎受得了？

　　终于，一切激动俱都渐渐平静，只留下深沉的哀痛供来日咀嚼，这时，花灵铃便央求众人寻找雷鞭父子，果然在乱石之下，找着了他们和柳栖梧、龙坚石夫妻。

　　这父子两人卧伏在一角还未崩溃的石壁下，居然受伤不重——久别的情人相逢，这情况也难以描叙。

　　自沉睡中醒来的水灵光，瞧见别人夫妻的再聚，情人的重逢，母女的相见，再瞧瞧跟随着铁青树的易明，忽而皱眉，忽而微笑，虽然悲苦，但却充满希望希冀，一时之间，她但觉悲从中来，再也无法忍耐，放声大哭道："中棠……中棠……铁中棠，为何你偏偏死了？"

　　雷小雕忽然道："铁中棠没有死。"

　　水灵光一把抓住他，道："你……你说什么？"

　　雷小雕道："方才我伏身地下时，曾听得地底有人语传来，一位老人道：'铁中棠，你全是被老夫连累，你可后悔？'另一人想必就是铁中棠，他便道：'生死有命，怎可怪得你老人家，铁中棠一生无愧于天地，死又何惧？'"

　　水灵光一跃而起，颤声道："真……真的？"

海大少笑道："想必自是真的，除了铁中棠外，又有谁犹如此豪迈的语气？哈哈！铁中棠呀铁中棠，俺早知你不会死的，你若死了，这还成何世界？哈哈！悲惨之事，既已都过去，世上既犹如许多欢乐，他日俺必定要劝霹雳火那老儿还俗，随我闯闯江湖，总比做和尚的好。"

众人的惊喜之情，亦是言语难表，于是大家暂时抛开一切，动手挖地，合这许多武林高手之力，不到顿饭工夫，便挖至夜帝的地室——但见地下碎石如坟，果有人迹，只是人呢？人却已不见了。

众人寻遍地下，还是找不着一个人的踪影——夜帝、铁中棠，以及那些少女们，竟都不知哪里去了。

欢喜之下，这打击来得太快，这失望也太过巨大，突然间，目力冠于天下的"烟雨"花双霜，发现乱石堆后，仿佛有条空隙，于是大家一齐钻进去，这空隙竟然通连山腹，众人以长绳系腰，手持火把，前往探路，山腹之中，洞穴竟是千折百回，犹如乱麻。

众人穷数日之力，终于走通一条道路，但尽头处却是一片汪洋，但见白云悠悠，海天无际。

铁中棠呢？还是无踪影。

这些人中，云九霄、云婷婷、铁青树、云铿，固是与铁中棠骨肉情深，水灵光因是与铁中棠情深似海，温黛黛固是对铁中棠永难忘怀，海大少、冷青霜、花灵铃、盛存孝……又有哪一个不是未曾受过铁中棠的恩惠？又有哪一个能忘去这坚忍无双、机智无双、侠义无双的少年？

此时此刻这些人固是痛哭失声，就连素来未曾与铁中棠见面的易明、易挺、龙坚石……等人，缅怀中棠之风仪，也不禁泣下数行。

易明流泪道："我一生无憾，只恨未能见着这铁中棠一面，我实是……"

海大少突然大喝道："莫要说了，铁中棠又未死，你还是能见他的，他……他不会死的，说不定……他此刻已远游海上，啸傲神仙。"

水灵光痛哭着道："说不定他此刻还被困在那些山洞里，寻路不出，忍饥受饿……"

云铿道："你们走吧，我留在这里，我还要找。"

水灵光、温黛黛、云婷婷、铁青树、海大少、冷青霜亦都嘶声道："我也留在这里。"

云九霄满面泪痕道："好，这也是你们的心意，只恨我……我还有事待理，不能陪同寻找，但愿你们以三个月为期，三个月后，我当重来，那时你们若……若再寻找不着，也就……也就……"语声哽咽，再也说不出一个字来。

铁中棠究竟是生是死？三个月中，他们是否能找着他？这些问题，此刻当真谁也不能答复。但无论如何，这铁血少年，若生，无论活在哪里，都必将活得轰轰烈烈，若死，死也当为鬼雄。

风云激荡的草原，终于又归于平静，只剩下无边落日，映照着一面迎风招展不已的铁血大旗。

# 古龙武侠小说首次出版年表

| 书　　名 | 年份 | 出版者（均为台湾） |
|---|---|---|
| 苍穹神剑 | 1960 | 第一 |
| 月异星邪 | 1960 | 第 |
| 剑气书香（后半部由墨余生代笔） | 1960 | 真善美 |
| 湘妃剑 | 1960 | 真善美 |
| 剑毒梅香（大部分由上官鼎代笔） | 1960 | 清华 |
| 孤星传 | 1960 | 真善美 |
| 失魂引 | 1961 | 明祥 |
| 游侠录 | 1961 | 海光 |
| 护花铃 | 1962 | 春秋 |
| 彩环曲 | 1962 | 春秋 |
| 残金缺玉 | 1962 | 华源 |
| 飘香剑雨 | 1963 | 华源 |
| 剑玄录 | 1963 | 清华 |
| 剑客行 | 1963 | 明祥 |
| 浣花洗剑录 | 1964 | 真善美 |
| 情人箭 | 1964 | 真善美 |
| 大旗英雄传 | 1965 | 真善美 |
| 武林外史 | 1965 | 春秋 |
| 名剑风流（结尾部分由乔奇代笔） | 1966 | 春秋 |
| 绝代双骄 | 1967 | 春秋 |
| 血海飘香（《楚留香传奇》之一） | 1968 | 真善美 |
| 大沙漠（《楚留香传奇》之二） | 1969 | 真善美 |
| 画眉鸟（《楚留香传奇》之三） | 1970 | 真善美 |
| 多情剑客无情剑（又名《风云第一刀》） | 1970 | 春秋 |
| 鬼恋侠情（《楚留香新传》之一<br>　　　　又名《借尸还魂》） | 1970 | 春秋 |
| 蝙蝠传奇（《楚留香新传》之二） | 1971 | 春秋 |
| 欢乐英雄 | 1971 | 春秋 |
| 大人物 | 1971 | 春秋 |
| 桃花传奇（《楚留香新传》之三） | 1972 | 春秋 |
| 萧十一郎 | 1973 | 汉麟 |
| 流星·蝴蝶·剑 | 1973 | 桂冠 |

| | | |
|---|---|---|
| 九月鹰飞(《多情剑客无情剑》后传) | 1974 | 春秋 |
| 长生剑(《七种武器》之一) | 1974 | 汉麟 |
| 碧玉刀(《七种武器》之二) | 1974 | 汉麟 |
| 孔雀翎(《七种武器》之三) | 1974 | 汉麟 |
| 多情环(《七种武器》之四) | 1974 | 汉麟 |
| 霸王枪(《七种武器》之五) | 1975 | 汉麟 |
| 天涯·明月·刀 | 1975 | 汉麟 |
| 七杀手 | 1975 | 汉麟 |
| 剑花·烟雨·江南 | 1975 | 汉麟 |
| 绝不低头 | 1975 | 汉麟 |
| 三少爷的剑 | 1975 | 桂冠 |
| 金鹏王朝(《陆小凤传奇》之一) | 1976 | 春秋 |
| 绣花大盗(《陆小凤传奇》之二) | 1976 | 春秋 |
| 决战前后(《陆小凤传奇》之三) | 1976 | 春秋 |
| 火并萧十一郎 | 1976 | 汉麟 |
| 拳头(又名《愤怒的小马》，<br>　　　曾被收入《七种武器》) | 1976 | 南琪 |
| 边城浪子(《天涯·明月·刀》后传) | 1976 | 汉麟 |
| 血鹦鹉 | 1976 | 汉麟 |
| 白玉老虎 | 1976 | 桂冠 |
| 大地飞鹰 | 1976 | 南琪 |
| 银钩赌坊(《陆小凤传奇》之四) | 1977 | 春秋 |
| 幽灵山庄(《陆小凤传奇》之五) | 1977 | 春秋 |
| 圆月弯刀(大部分由司马紫烟代笔) | 1977 | 汉麟 |
| 飞刀·又见飞刀 | 1977 | 汉麟 |
| 碧血洗银枪 | 1977 | 桂冠 |
| 离别钩(《七种武器》之六) | 1978 | 春秋 |
| 凤舞九天(《陆小凤传奇》之六) | 1978 | 春秋 |
| 新月传奇(《楚留香新传》之四) | 1978 | 春秋 |
| 英雄无泪 | 1978 | 汉麟 |
| 七星龙王 | 1978 | 春秋 |
| 午夜兰花(《楚留香新传》之五) | 1979 | 汉麟 |
| 风铃中的刀声(结尾由于东楼代笔) | 1980 | 万盛 |
| 剑神一笑(《陆小凤传奇》之七) | 1981 | 万盛 |
| 猎鹰·赌局 | 1984 | 万盛 |